MILLE ANS DE
LANGUE FRANÇAISE,
HISTOIRE D'UNE PASSION

Pour en savoir plus
sur les Éditions Perrin
(catalogue, auteurs, titres,
extraits, salons, actualité…),
vous pouvez consulter notre site internet :
www.editions-perrin.fr

collection tempus

Alain REY
Frédéric DUVAL
Gilles SIOUFFI

MILLE ANS DE LANGUE FRANÇAISE, HISTOIRE D'UNE PASSION

II. Nouveaux destins

PERRIN
www.editions-perrin.fr

Secrétaire générale de la collection :
Marguerite de Marcillac

© Perrin, 2007
et 2011 pour la présente édition revue et augmentée
ISBN : 978-2-262-03435-1

tempus est une collection des éditions Perrin.

Préface

De quand date le français ? C'est bien difficile à dire, comme pour toute langue. De plus de mille ans ? C'est ce qu'on dirait si on prenait comme borne les *Serments de Strasbourg* (842), premier texte écrit dans un indiome qui n'est vraiment pas du latin. Cinq cents ans ? Ce serait alors choisir le moment où, avec l'ordonnance de Villers-Cotterêts, le français est devenu pour ainsi dire « langue officielle » du royaume.

Mais de quand date le français qu'on reconnaît, dans lequel on baigne encore aujourd'hui, avec lequel on n'a aucun problème majeur de compréhension ? Disons de trois cents ans : du début du XVIIIe siècle. C'est l'histoire de ces trois cents ans qu'on va lire ici : l'histoire d'un français qui est devenu moderne grâce aux efforts accomplis pour l'unifier – au prix de certains sacrifices –, mais qu'attendent néanmoins encore bien des changements. Au cours de ces trois cents ans, ses usages vont considérablement se diversifier, accompagnant les mutations démographiques, politiques, culturelles sociales, des territoires dans lequel il était parlé.

Mais, surtout, il va se diffuser largement au-delà de ses frontières d'origine pour venir se superposer, à l'instar de l'espagnol, de l'anglais, du portugais, du néerlandais, à des langues autochtones avec lesquelles il va entrer en contact. C'est la colonisation, épisode capital dans l'histoire récente du monde ; c'est le début d'une autre histoire pour les langues et pour les populations qui les parlent ; c'est la naissance de nouvelles cultures, et parfois de nouveaux parlers (les créoles). Dans cette histoire, le français occupe une place singulière. S'étant diffusé dans des zones géographiques très diverses et très éloignées, il est entré dans une multitude de dynamiques. Celles-ci n'ont plus grand-chose à voir avec ce qui régissait la langue autrefois, et sont fascinantes à explorer. Cependant, sur ses territoires européens, l'explosion démographique, l'accès à l'éducation, les innovations techniques, les migrations, la diversification des moyens de communication allaient altérer à leur tour la physionomie du français pour créer sans cesse de nouvelles variétés, entre lesquelles les usagers vont naviguer, jusqu'à l'incroyable diversité d'aujourd'hui.

Dans ce panorama, on retrouvera les grands motifs et les grandes inspirations qui ont guidé notre approche de la langue dans le premier volume, qui allait des origines à la fin du XVIIᵉ siècle : le souci de mettre en avant le rôle des individus et des groupes qui parlent la langue, plutôt que de se concentrer sur les évolutions de l'idiome considérées pour elles-mêmes ; la volonté, aussi, d'ouvrir largement la palette des variétés et des formes du français, sans se focaliser sur celles de France ; le désir, enfin, de donner de la langue une vision dynamique, qui fait de celles-ci le creuset où travaillent en permanence des volontés – parfois contradictoires – de s'exprimer, de comprendre le monde et de toucher autrui. Dans ces volontés, nous sommes immergés. Par là, notre ambition a aussi été de nous donner des outils pour mieux nous comprendre, hommes et femmes du début du XXIᵉ siècle, usagers d'une langue vieille de mille ans : le français.

Gilles Siouffi

1.

Le français des Lumières

Si, politiquement, les premières années du XVIIIᵉ siècle
ne constituent aucunement une rupture avec le XVIIᵉ siècle,
pour ce qui est de l'histoire linguistique, en revanche, une
nouvelle ère s'ouvre.

Le français, désormais, s'est affranchi de l'encombrante
rivalité avec le latin dans beaucoup de ses usages. Il va
seul assumer son destin, s'équipant, se standardisant, se
diffusant, aussi, sans cesse davantage dans la société ; il
va également sortir de plus en plus des frontières, devenant une « langue de culture » importante à l'échelle
européenne.

A bien des égards, les années 1680-1710 peuvent en
effet être qualifiées de « crise de croissance » de la culture
en France (et même en Europe). Ce qu'on a appelé la
« querelle des Anciens et des Modernes » en est un des
aspects. Désormais, la référence à l'Antiquité est moins
prégnante : on sait que, dans la réalité, le français a supplanté le latin dans bon nombre d'usages, et que ceux qui
publient, que ce soit de la philosophie, des sciences ou de
la littérature, le choisissent de plus en plus aux dépens
d'une langue qu'on comprend de moins en moins. A la
charnière des XVIIᵉ et XVIIIᵉ siècles, la plupart des commentateurs sont convaincus que le français a franchi les
étapes décisives qui devaient l'amener à être, non seulement la langue d'une grande puissance européenne, mais
aussi, à l'échelle de l'Histoire, une « langue de culture »

capable d'engendrer des productions artistiques et intellectuelles immortelles. Du moins, c'est ainsi que le destin du français est pensé, non sans un certain nationalisme.

Du point de vue de la « conscience linguistique », cette période est tout à fait singulière : elle fait entrer la culture dans la modernité avec une confiance et une assurance qui ont aussi pour revers une fierté naïve et un peu vaine dans la « langue ». Mais il est intéressant de penser que c'est en grande partie par le biais de cette réflexion et de ce travail constant sur le moyen d'expression qu'une fraction de la culture européenne moderne s'est dégagée des âges de pur héritage, ou de pure reproduction de ce qui existait déjà, pour inaugurer une période de vraie innovation dans beaucoup de domaines de la pensée : scientifique, philosophique, moral, social.

Quoique bien engagé, l'équipement de la langue française n'est pour autant pas terminé. En 1694, plus de cinquante ans après sa fondation, l'Académie avait fini par produire un dictionnaire. Mais il manquait encore la suite du programme annoncé, à savoir une grammaire, une rhétorique et une poétique. C'est sur ces points-là que le début du XVIIIᵉ siècle concentrera ses efforts, afin de parfaire le monument de la langue « classique ».

La question de la grammaire, surtout, était essentielle. Mais la méthode manquait. En marge du « bureau des doutes », l'Académie avait institué un second bureau, dédié à la lecture des « bons auteurs ». Dans l'esprit de l'Académie, de la conjonction de ces deux types de travaux naîtrait une « grammaire ». Toutefois, le temps passait et rien ne paraissait. Ce n'est pas le mince recueil des *Remarques et décisions de l'Académie française* que Louis Tallemant le Jeune fit paraître en 1698 qui pouvait donner l'illusion de la « grammaire » attendue. En 1700, la Compagnie prit conscience que la patience du pouvoir avait des limites, et que le roi lui-même allait sans doute intervenir. Les deux bureaux se réunirent à nouveau pour travailler conjointement à des observations sur les *Remarques* de Vaugelas, l'abbé Dangeau et l'abbé Régnier-Desmarais étant alors les seuls grammairiens d'une assemblée illustre qui comptait Boileau, Bossuet, Fénelon, Fontenelle. En 1704, paraît une édition annotée des *Remarques* de Vaugelas, sous la responsabilité de Thomas Corneille, mais une fois encore c'est un rendez-vous manqué.

La réalisation de la « grammaire » fut finalement confiée au seul Regnier-Desmarais, le secrétaire perpétuel. Réticent, âgé, celui-ci la fit paraître[1], tout en précisant que ce qu'il proposait au public ne correspondait pas à ce dont il avait formé le projet. La partie publiée, cependant, est loin d'en donner une idée fidèle. Regnier-Desmarais affirme qu'elle est le fruit de « cinquante ans de réflexion sur nostre Langue » et de « trente-quatre ans d'assiduité dans les Assemblées de l'Académie ». En dépit de propositions intéressantes sur la dimension du sens et la structuration du discours, il manquait à cette grammaire des idées fortes et neuves.

C'est ce qui signalera une autre grammaire parue peu après, celle, analytique, audacieuse, du jésuite Buffier[2]. Elle s'intitule sans ambages *Grammaire françoise sur un plan nouveau*. C'est dire si la volonté de rompre avec les académismes et les conservatismes est nette. Buffier ne cite pas beaucoup la Grammaire de Port-Royal, mais il est visible qu'il l'a lue et beaucoup méditée. Il en tire une vision beaucoup plus rationnelle de la langue que Regnier-Desmarais. Plutôt que de s'incliner devant un usage changeant, il voit dans celui-ci une mécanique subtile, où les exceptions ont autant force de règle que les « règles » régulières, et qui est avant tout formée par la « quantité » des hommes qui s'expriment dans une langue. La langue est donc pour lui une fabrique collective dont l'aboutissement final conserve, malgré les divergences, une certaine cohérence. La Grammaire de Buffier marque donc un pas décisif dans la rationalisation de l'étude des langues particulières, laquelle viendra à la rencontre de la philosophie générale du langage vers le milieu du XVIIIe siècle. Buffier essaie de tout intégrer dans sa description :

construction du discours, règles de la syntaxe, variations du style. Son entreprise est la plus ambitieuse, sans conteste, de ce début du xviiie siècle. Le résultat de son propos est d'ailleurs un gros volume, dont la taille et le caractère professoral ont malgré tout limité la réception.

De son côté, l'Académie ne perdait pas de vue l'idée de faire paraître un ouvrage qui satisfasse réellement le public. Réviser le dictionnaire ? Ce n'est pas suffisant. Il faudrait proposer une sorte de synthèse. En 1718, les Académiciens décident qu'ils liront la Grammaire de Port-Royal, celle de Robert Estienne, la Grammaire de Regnier-Desmarais, celle de Buffier, et qu'ils composeront une « nouvelle grammaire » à partir de toutes celles-là. Parallèlement, ils s'attellent à la lecture critique des deux ouvrages qu'ils considèrent comme les plus « purs » de la langue française : la traduction de Quinte-Curce par Vaugelas et l'*Athalie* de Racine ; l'un pour la prose, l'autre pour les vers. Mais ni l'un ni l'autre de ces commentaires ne parurent au xviiie siècle.

L'entreprise était-elle pertinente ? Celle de réviser un texte de 1653 (le Quinte-Curce de Vaugelas) était vraiment problématique. Le commentaire d'*Athalie*, de son côté, pouvait intéresser des écrivains de théâtre comme Voltaire, qui portait aux nues la pièce, mais ne pouvait toucher un large public. Dans un cas comme dans l'autre, l'Académie persistait à ne vouloir lire la langue que dans le discours littéraire bien jugé, entreprise qui eut pour résultat de faire apparaître le manque cruel, en France, d'une rhétorique, ou à tout le moins d'un système des genres de discours.

Par ailleurs, une sensibilité nouvelle se fait jour. Dans une passionnante *Lettre sur les occupations de l'Académie* (1714), François de Salignac de La Mothe Fénelon (1651-1715) se demande si on n'a pas « gêné et appauvri [la langue française] depuis environ cent ans, en voulant la purifier[3] ». « On a retranché, si je ne me trompe, plus de mots qu'on n'en a introduit. » Ce qui manque désormais au français, pour Fénelon, ce n'est pas la « pureté », c'est d'une part une grammaire simple (et en cela il déplore que les grammairiens de son époque aient produit des grammaires trop difficiles d'accès, trop érudites), et d'autre part des expressions « simples ou figurées » qui permettent de s'exprimer de façon variée, neuve, gracieuse... Pour Fénelon, le gros défaut de la langue française, c'est qu'elle n'est absolument pas éloquente. Evoquant la Grèce de Démosthène et la Rome de Cicéron, il écrit : « la parole n'a aucun pouvoir semblable chez nous[4] ». Pour lui, par réaction contre Ronsard, qui avait « trop entrepris tout d'un coup, forcé notre langue par des inversions trop hardies et obscures[5] », on a rendu le français pauvre, sévère, excessivement rationnel, sans audace.

LE JUSTE MOT

Au cours du siècle, ce qui est certain, c'est que de nombreux mots ont disparu du lexique courant, étiquetés comme techniques, provinciaux, vieillis. A se demander si l'idéal n'est pas de parvenir à nommer chaque objet, chaque sentiment, chaque action, d'un mot et d'un seul, indépendamment de toute situation de discours. Mais, pour Fénelon, il n'y a là qu'illusion. « Quand on examine de près la signification des termes, on remarque qu'il n'y en a presque point, qui soient entièrement synonymes entre eux, écrit-il. On en trouve un grand nombre, qui ne peuvent désigner suffisamment un objet, à moins qu'on y ajoute un second mot[6]. »

Plutôt que de faire la « chasse aux synonymes », la bonne solution serait donc de rétablir le sens des *finesses* des mots, dès lors qu'ils sont employés en discours. C'est en effet en partie cette manière de figer les mots dans un sens et un seul qui a rendu problématiques l'éloquence et la poésie, remarque Fénelon. Cette sensibilité nouvelle au jeu de la langue dans le discours fait tout le prix du *Traité de la Justesse de la langue françoise* de l'abbé Gabriel Girard (1718), dont le sous-titre est : *ou les Différentes significations des mots qui passent pour synonymes.* Le sous-titre le dit bien : pour Girard, tous les mots, même ceux qui ont dans le système de la langue des sens très comparables, produisent dans le discours des effets différents. Aujourd'hui cette idée nous semble banale, mais elle était novatrice à l'époque. Elle ouvrait la voie à un réexamen complet de la structure sémantique du français.

La « pureté » du langage, pour Girard, ce n'est pas l'élimination d'une variante au profit d'une autre, désormais étiquetée de « bon usage » : c'est une manière d'employer les mots de façon à ce qu'ils dégagent *naturellement* leur sens. Dans sa préface, il note qu'il s'agit pour lui de donner au public un « choix de termes propres, qui rend le discours juste et délicat, et qui fait parler en homme d'esprit ». Pour cela, il procède selon un schéma qui paraît bien connu au lecteur : le rapprochement de mots deux à deux. Mais le contenu est nouveau. Lorsqu'il envisage ensemble les verbes *lasser* et *fatiguer*, par exemple, Girard conclut que, évidemment, il n'y en a pas un « meilleur » que l'autre ; il écrit : « la continuation d'une même chose *lasse*. La peine *fatigue*. On se *lasse* à se tenir debout. On se *fatigue* à travailler. Etre *las* c'est ne pouvoir plus agir. Etre *fatigué* c'est avoir trop agi. Etc. ». Ce sens de la nuance va bien au-delà, évidemment, de ce dont nous sommes capables dans notre emploi ordinaire des mots ! Il démontre en tout cas qu'il n'y a pas de « synonymes », dans la langue, et qu'il ne faut pas négliger, si l'on veut s'exprimer de manière expressive, ces multiples petites différences d'emploi. Tout au long du XVIIIe siècle, de nombreux traités approfondiront cette dimension nouvelle, ouvrant la voie à la sémantique.

Sortie des périls où l'avait entraînée la rigueur exagérée et chauvine de certains tenants du classicisme, la langue française peut alors accepter d'entrer dans un âge proprement moderne. On ne se pose plus la question de ses potentialités à rivaliser avec les modèles du grec et du latin : on la prend telle qu'elle est. On renonce à la tentation de la maîtrise, facteur d'inhibition. On découvre également que les langues ne sont rien en elles-mêmes, et certainement pas des icônes, des médailles que les nations s'exhiberaient les unes aux autres. On se rend compte que, comme l'écrit Condillac, « les langues les plus riches sont celles qui ont beaucoup cultivé les arts et les sciences[7] ». Il conviendra désormais de s'assurer du concours de tous, des scientifiques comme des littérateurs ; et de rendre à la langue son *énergie*.

NOMMER LA NOUVEAUTÉ

L'une des caractéristiques du XVIIe siècle avait été de voir l'essor de vocabulaires spécialisés, lesquels avaient finalement motivé la rédaction de dictionnaires spécifiques. Ce mouvement est concomitant avec la ruine du latin dans de nombreux domaines. Désormais, « arts » (techniques) et « sciences » s'expriment en français. La curiosité pour les « choses », dans ce domaine, rejoint la curiosité pour les mots. Dans le sillage des avancées produites par le dernier XVIIe siècle, le XVIIIe siècle sera un siècle fou de techniques, de sciences, d'inventaires, de nomenclatures, de taxinomies, d'étiquetages.

Dans ce mouvement qui fait préférer les langues modernes au latin comme langues scientifiques, la France a été pionnière. L'Angleterre a suivi, l'Allemagne représentant encore un refuge pour le latin scientifique. En France, très rares sont les scientifiques de renom qui osent encore publier en latin. L'usage du français est associé au progrès, aux « lumières ». Il s'agit aussi de répondre à la curiosité de plus en plus forte des gens du « monde » et de la bourgeoisie pour la science.

Certes, il y a encore des tenants du latin, au XVIIIe siècle, d'un latin qui serait alors développé de manière artificielle afin de remplir cet usage désormais très spécifique, l'usage scientifique. C'est l'opinion de D'Alembert, par exemple. Mais le remaniement linguistique du latin, rendu nécessaire par l'avancée des connaissances, et qui avait déjà considérablement modifié la physionomie de cette langue, ne pouvait plus raisonnablement franchir de nouvelles étapes sans l'exposer à devenir méconnaissable. Par ailleurs, beaucoup des nouveaux mots introduits dans la science moderne depuis un demi-siècle n'étaient plus de base latine, mais de base grecque. De ce mélange – latin, grec, emprunts à des bases modernes diverses – était sorti un système de calques de langue à langue, utilisant des affixes ou des bases reconnaissables, comme *-graphie*, *-logie*, *-métrie*… Il ne restait plus ensuite qu'à compléter le dispositif avec des procédés de formation idiomatiques (les suffixes *-é* / *-ée* ou *-eux*/ *-euse* en français par exemple), bien connus ou d'acquisition facile, pour que les risques d'incompréhension se trouvent limités.

En France, le souci de vulgarisation des connaissances nouvelles est particulièrement notable, dès les premières décennies du siècle. L'apparition du *Journal des savants* en 1665, puis de la *Nouvelles de la République des Lettres* lancée par Bayle en 1684, et à diffusion internationale, ont constitué des précédents importants. Les sciences, notamment, qui ne sont pas encore jugées dignes d'enseignement, font l'objet en France d'une véritable mode dans les milieux mondains. En 1734, l'abbé Nollet délivre des conférences en français sur la physique qui connaissent un immense succès. Ses *Leçons de physique expérimentale* prolongent en 1743 son activité de « passeur ». Depuis Newton, la physique est l'emblème des sciences modernes. A l'abbé Nollet, le français d'aujourd'hui doit un nombre considérables de termes scientifiques qu'il a, sinon créés, du moins fait connaître : *baromètre, loupe, lentille, télescope* pour les appareils scientifiques, *amplitude, densité, divergence, élasticité* pour les concepts mathématiques et physiques, *amalgame, congélation, précipité* pour les notions de chimie, *cataracte, glotte, rétine, strabisme* pour les termes d'anatomie, *lunaison, nébuleuse, précession* pour ceux de cosmologie.

L'œil est braqué sur ces deux infinis dont parlait Pascal et dont l'obscurité, reculant sans cesse, montre à présent de larges plages visibles et pleines de phénomènes décrits. Une méthodologie nouvelle apparaît dans les sciences, qui donne un rôle inédit au langage. Les savants parviennent à résoudre les contraintes de leur discipline en conjuguant deux mouvements inverses : réduire d'abord le grand au petit, par un principe d'économie, puis agrandir les différences, de manière à retrouver l'intelligibilité. 1734 est aussi la date de parution des *Lettres philosophiques* de Voltaire, texte de vulgarisation lui aussi issu, comme les travaux de l'abbé Nollet, du mouvement newtonien. Il faut dire que l'œuvre de Newton et sa diffusion en France ont constitué un véritable choc dans la vie intellectuelle de ces premières décennies du XVIIIᵉ siècle. Mme du Châtelet, l'amie de Voltaire, traduit les *Principes mathématiques*. Elle se heurte, comme beaucoup d'autres traducteurs ou vulgarisateurs des théories newtoniennes en France, au problème des néologismes que leur présentation suppose. On hésite encore à employer certains termes comme *lumière émergente, réflexibilité, pression, gravitation, attraction, ambiant*. L'idéal de clarté traditionnellement attaché à l'usage du français est mis à mal. Et, pourtant, il faut bien en passer par l'emploi de ces mots à la signification encore confuse pour le profane ! On imagine le sentiment de flottement qui devait envahir les intellectuels de l'époque devant une œuvre qui déplaçait non seulement les cadres de la représentation du monde, mais aussi ceux de la langue.

Des spécialités, cantonnées jusque-là dans l'obscurité des cabinets ou de milieux très étroits, acquièrent une consistance qui fonde de véritables « domaines », désormais repérés comme tels. L'identification d'un vocabulaire est pour beaucoup dans cette émancipation de la chimie, de la botanique, de l'entomologie..., les distinguant de pratiques purement techniques. Quelques grands noms s'illustrent en publiant en français des sommes destinées au grand public, et en remaniant profondément le vocabulaire de leur discipline.

Dans son *Histoire naturelle des insectes*, parue entre 1734 et 1745, René-Antoine Ferchault de Réaumur (1683-1757) hésite à refaire tout le vocabulaire de ce domaine, préférant continuer à utiliser ces traditionnelles *jambes* qui courent sous le ventre des scarabées depuis le Moyen Age…. Georges-Louis Leclerc, comte de Buffon (1707-1788), aurait pu être le grand réformateur moderne de la zoologie, si la place n'avait déjà été prise par le savant suédois Linné. En bon Français, Buffon répugne à bouleverser l'ordre de la langue pour les besoins de la discipline. Son hostilité au concept de « mammifère », créé par Linné, en est un bon exemple. Sa pratique, néanmoins, le conduit à proposer en français un grand nombre de néologismes.

Dans la seconde partie du siècle, le latin définitivement abandonné, l'habitude sera prise du renouvellement terminologique et on verra les principales sciences se doter de lexiques spécialisés. Tarin dote l'étude du corps humain d'un *Dictionnaire anatomique* (1753). La chimie, domaine où une incohérence terminologique notable régnait, va connaître un renouveau complet, grâce notamment à Guyton de Morveau, et surtout Lavoisier. Les corps seront désormais nommés en référence à une propriété caractéristique (leur capacité à produire un autre corps, à s'enflammer, etc.). La structure de la terminologie reflétera ainsi la cohérence du regard porté sur la réalité. C'est ainsi que nous avons en français l'*oxygène*, l'*hydrogène* et l'*azote*, ce dernier remplaçant le traditionnel *mofette*. Par ailleurs, des mots anciens et courants, comme *acide*, *base*, acquerront un sens et un statut nouveaux.

Dans la seconde moitié du siècle, Louis XIV avait créé plusieurs académies : de peinture et sculpture en 1648, de danse en 1661, de musique en 1669, d'architecture en 1671. Dans tous ces domaines également un renouvellement du lexique se produisit. Dans le domaine de la peinture, l'italien reste le modèle. Certains mots sont parfois traduits ou calqués, comme *madone*, *coloris*, *svelte, fresque,* parfois conservés tels quels, comme *sfu-mato, a la prima, pietà.* Les peintres Nicolas Poussin et Charles Le Brun, notamment, jouèrent un rôle décisif dans l'établissement de terminologies françaises précises. A la fin du siècle, on commence à envisager la peinture sous un angle moins technique, plus subjectif. Des concepts généraux tels que *style, expression, noblesse, pureté, correction* sont appliqués à la peinture : on parle de *vague,* de *fruste,* de *gracieux,* de *fin,* toutes formes d'adjectifs substantivés qui témoignent de cette évolution de la représentation artistique vers la sensibilité.

C'est sur la base de cette mutation que va naître, au XVIIIe siècle, ce qu'on appelle l'« esthétique ». Cette dernière est tout d'abord le fruit d'un recul du spectateur, qui ne va plus considérer le tableau seulement comme le résultat d'un artisanat ou d'un agencement de symboles, mais aussi comme l'aboutissement d'une conception ou la construction d'un dialogue sensible avec le spectateur. Quelques querelles célèbres, comme celle qui opposa les partisans de Poussin à ceux de Rubens, firent prendre conscience qu'on pouvait envisager l'art à partir de grands principes résumables par des mots tels que *dessin* ou *couleur.* On voit apparaître aussi un public nouveau pour l'art, celui des connaisseurs, qui se font guider par des « antiquaires ».

De nombreuses publications (le *Mercure de France,* les *Nouvelles littéraires...*) s'ouvrent à des discours plus généraux sur la peinture, qui intéressent écrivains et philosophes, le plus célèbre d'entre eux étant Diderot, dont les *Salons* parurent à partir de 1759. On répugne alors à parler de peinture en termes purement techniques, ou à recourir aux italianismes pédants et hors de mode. On aime le vocabulaire imagé, plus évocateur, pris souvent aux registres bas, comme *tartouillis, torcher, fignoler...* Et le goût est davantage à des termes vagues, tels que *magie, génie, manière, sentiment,* dont les auteurs eux-mêmes auraient parfois du mal à préciser le sens, mais qui sont employés de façon quasi impressionniste, de façon à cerner la signification de l'art.

Le développement de cette curiosité fait que les cercles mondains et scientifiques, autrefois distincts, s'interpénètrent, comme autour de Fontenelle, le secrétaire perpétuel de l'Académie des sciences. L'apparition d'un public féminin (Mme Lambert, bientôt Mme du Châtelet), qui se fait d'ailleurs de plus en plus actif dans cette vie scientifique, décloisonne le savoir, le contraint à sortir de son isolement pour aller vers le non-initié.

<h2 style="text-align:center">POUR OU CONTRE LES MOTS NOUVEAUX</h2>

Pour répondre à cette demande, l'interpénétration entre les projets de dictionnaires et les projets d'encyclopédies est de plus en plus notable. Le phénomène apparaissait déjà avec les entreprises de Furetière et de Thomas Corneille. Désormais, on n'hésite plus à faire figurer les mots des arts et des sciences dans le dictionnaire, accompagnés de définitions plus descriptives, contenant des éléments d'information. Le phénomène est européen. Dans le *Dictionary of the English Language* qu'il fait paraître en 1755, Samuel Johnson, un des esprits les plus vifs et les plus éclairés de son temps, déclare avoir voulu expressément faire figurer les termes techniques de l'anglais qu'il a trouvés dans des ouvrages spécialisés. Les contours de la langue s'élargissent jusqu'à dépasser nettement la compétence du locuteur moyen. Le phénomène s'accentuera encore pendant le XIXᵉ siècle, les dictionnaires ne cessant de gagner en volume, jusqu'à devenir des sommes gigantesques décrivant des vocabulaires que plus personne n'est censé maîtriser.

Entre les années 1700 et les années 1760, plusieurs vagues de technicité vont ainsi envahir la langue commune. Bientôt, outre les sciences et les arts, ce sont l'économie et le commerce qui deviennent les disciplines à la mode. Dans ce domaine, l'Angleterre est à la pointe. Mais en 1723 paraît en France un *Dictionnaire universel du commerce* signé Savary des Brulons, bientôt suivi des ouvrages de Quesnay et Mercier de La Rivière. Plus que la physique, l'économie concerne au plus près l'homme, son mode d'organisation sociale, ses « mœurs », sa civilisation. Ici comme dans les domaines scientifiques, le lexique sert à *analyser* la réalité. Les termes mêmes d'*analyse économique* datent d'ailleurs de cette époque, comme les expressions de *richesse primitive, finance pécuniaire, finance reproductive, avances primitives…*

Ce qui n'était auparavant que vie quotidienne devient à présent science, et la langue en porte la trace. Tout le monde, jusqu'aux cuisiniers, met en mots son art, et ces derniers sont désormais capables de *brandades*, de *quenelles…* La musique aussi a son dictionnaire, agencé par Rousseau (1768). Un à un, ce sont tous les rayonnages spécialisés de nos modernes librairies qui se garnissent, avec des ouvrages qui jouent parfois sur un véritable « créneau éditorial », tel le *Manuel lexique, ou Dictionnaire portatif des mots français dont la signification n'est pas familière à tout le monde*, qui est mis sur le marché français entre 1750 et 1755 par l'abbé Prévost et est en partie adapté de l'anglais. Bientôt, la somme pilotée par Diderot et D'Alembert, la grande *Encyclopédie*, avec ses textes de spécialistes, ses planches, viendra proposer une articulation nouvelle entre les « choses » et les mots qui les expriment, ces derniers étant souvent soupesés, critiqués, redéfinis.

Face à ces vagues d'innovation, soucieuse de la « langue commune », l'Académie est contrainte de prendre position. Alors qu'elle était restée prudente dans les choix de mots qu'elle faisait dans les éditions de 1718 et de 1740 de son dictionnaire, l'édition de 1762, tout à coup, accroît ce qu'elle considère comme le lexique reçu de près de cinq mille mots. La préface déclare : « Les Sciences et les Arts ayant été ainsi cultivés et plus répandus depuis un siècle qu'ils ne l'étoient auparavant, il est ordinaire d'écrire en François sur ces matières. En conséquence, plusieurs termes qui leur sont propres, et qui n'étoient autrefois connus que d'un petit nombre de personnes, ont passé dans la Langue commune. Auroit-il été raisonnable de refuser place dans notre Dictionnaire à des mots qui sont aujourd'hui d'un usage presque général ? »

Le clivage, traditionnel au XVIIᵉ siècle, entre « pédants » et « honnêtes hommes » s'est transformé en une lutte générale contre l'ignorance. Désormais, celle-ci est de moins en moins bien reçue « dans le monde ». Toutefois l'Académie prend bien soin de distinguer *la néologie* de ce qu'elle appelle *le néologisme*. La première, « invention, usage, emploi de termes nouveaux » et « emploi des mots anciens dans un sens nouveau », est positive. A l'opposé, le *néologisme* consiste pour l'Académie en une « habitude de se servir de termes nouveaux, ou d'employer les mots reçus dans des significations détournées ». Il est, dit-elle, une « affection vicieuse » ; « la néologie est un art, le néologisme un abus ». En réalité, ce distinguo, qui ne semble pas avoir été conservé par l'évolution ultérieure du français, ne fait que masquer la volonté de se prononcer, en principe, contre une attitude envers la langue qui deviendrait volonté de se singulariser, affectation, particularisme.

Quoi qu'il en soit, en marge de la « langue commune », il est indéniable qu'est en train de se créer une langue plus spécialisée, où les mots prennent un sens réglé, affecté à un certain type d'usage. Condillac le dira : une science est une langue bien faite. Alors qu'on s'était ingénié, au siècle précédent, à imaginer des méthodes pour inventer une langue parfaite, on découvre, au siècle suivant, que les langues naturelles peuvent être laissées à leur imperfection à condition qu'on isole d'elles un fonctionnement « plus pur », pour ainsi dire, le fonctionnement terminologique. Mais le lien entre les sciences et la vie sociale au sens large est tel, au XVIIIᵉ siècle, que l'apparition de nouveaux concepts dans un domaine spécialisé a immédiatement un impact sur les mœurs. Ainsi, venus de la psychologie, de la physiologie ou de l'analyse économique, les termes d'*activité*, d'*alternative*, d'*organisation*, les verbes *concentrer, constituer, constater, caractériser...*

vont venir envahir les discussions publiques. Et que dire du mot de *progrès* ? De vague et général jusque-là (« développement, avancée »), son sens s'est fait précis, technique, reflet effectif de la marche des sciences vers leur amélioration, jusqu'à ce que ce que Mirabeau en vienne à parler, de manière absolue, *du progrès* tout court.

De grandes notions, telles que celles de *civilisation*, d'*opinion publique*, de *bienfaisance* (qui remplace l'ancienne *charité*), font leur apparition, souvent dans le sillage du modèle anglais. On parle désormais d'*humanité*, de *liberté de commerce*, de *liberté de conscience*... A l'image des concepts scientifiques, ces mots ou ces expressions découpent la réalité morale et idéologique en en faisant à la fois l'analyse et la synthèse. On s'inspire de la chimie, de l'anatomie pour jeter un regard neuf sur des réalités qu'on n'avait envisagées jusque-là que sous les habits des vieilles notions philosophiques ou scolastiques. Le XVIIIe siècle raisonne beaucoup sur ces équivalences entre le monde physique, le monde moral et celui des idées. La fabrique de mots nouveaux, véhicules de conceptions puissantes et englobantes, permet de dessiner de nouvelles « diagonales », qui vont traverser tous les domaines de la vie humaine et de la culture.

Les suffixes *-iser* ou *-fier*, par exemple, reproduisent dans le langage courant l'action, soit d'un élément sur un autre, soit de l'expérimentateur qui les manipule en laboratoire. Le suffixe *-eux/ -euse*, auquel nous sommes habitués, véhicule l'idée qu'un élément de la réalité physique peut être composé, appelant l'analyse. Plus généralement, ce sont tous les gestes mentaux ou concrets de l'homme de science qui vont se trouver inscrits dans les mots par lesquels nous décrivons la réalité. Les suffixes *-able* ou *-ible* (comme dans le tout banal *trouvable*, par exemple, ou dans *exécutable*) font partie des affixes qui se sont beaucoup développés au XVIIIe siècle ; ils supposent l'idée d'une action possible. L'un des suffixes les plus diffusés aujourd'hui, que nous devons au français du XVIIIe, est le suffixe *-isme* (avec *-iste*), qui sera très répandu à la

Révolution. Il est le fruit d'un regard à la fois scientifique et synthétique, attentif à la dynamique, porté sur la réalité. Le préfixe *in-* est également de ceux qui se généralisent. Il exprime l'*opposition* (un mot lui aussi issu du XVIIIe siècle), conceptualisation d'un certain mode de différence. A chaque adjectif il sera désormais possible d'opposer son contraire *mécanique*, sur la base de l'idée que les contraires s'exercent à partir de points communs. Sur *réfléchi*, on fera *irréfléchi*, sur *cohérent*, *incohérent*, sur *conséquent*, *inconséquent*... De ces « privatifs » Pougens fera un dictionnaire à la fin du siècle. D'une part, la réalité extérieure est de plus en plus conçue en fonction du rapport de perception ou d'action que l'on peut avoir avec elle ; d'autre part, elle s'introduit dans le vocabulaire par le biais de la nuance comme le bistouri ou le scalpel de l'expérimentateur.

Ce changement dans le rapport au monde a souvent été attribué par les philosophes de l'époque à un caractère prétendument « rationnel » de la langue française. En réalité, ceux-ci ne se sont pas aperçus que c'était la langue elle-même qui avait changé, intégrant désormais de façon visible le rapport qu'une civilisation, à un certain moment de son histoire, avait développé à l'égard du monde qui l'entourait. En conservant des bases superficiellement comparables, la structure sémantique et morphologique du français a changé significativement depuis la fin du XVIIe siècle. Cette solidarité nouvelle entre structures linguistiques et exercice d'un esprit particulier change beaucoup de choses dans l'usage de la langue. Les tenants du classicisme pur et dur, d'un repli de la langue sur ses ressources existantes, d'une norme stricte, imperméable à la nouveauté, se font de plus en plus rares.

AU PLAISIR D'ÉCRIRE

L'un des faits dominants du XVIIe siècle en matière de culture et d'évolution de la langue avait été l'apparition de relations directes, parfois tendues, entre les acteurs de la standardisation du français (les « grammairiens », se faisant parfois censeurs) et les praticiens de la littérature. On a peine à s'imaginer à quel point le milieu littéraire français de la fin du XVIIe siècle était dur envers ses auteurs ! Dès qu'un livre paraissait, il ne manquait pas d'entraîner dans son sillage de petits libelles vengeurs qui, certes, représentaient une certaine forme de publicité pour les littérateurs, mais avaient surtout pour objet de démolir leur réputation en mettant en évidence ce qui passa bientôt pour le pire des crimes : le crime envers la langue. En 1691, Saint-Réal vient subitement jeter un pavé dans la mare en mettant en évidence l'influence désastreuse que ceux-ci peuvent avoir dans le développement de la littérature. « La critique est un exercice odieux de sa nature[8] », écrit-il dans un livre tout entier consacré à ce problème. Et il poursuit : « Ainsi vont se formant pièce à pièce ces controverses infinies et insupportables, l'opprobre de la littérature, et l'aversion de toutes les honnêtes gens[9]. »

L'argument de Saint-Réal est que les littérateurs opèrent sur une langue vivante, non sur un idiome fixe, régi par des lois définies une bonne fois pour toutes. Or, le propre d'une langue vivante est de comporter une part d'irrationalité, rebelle aux tentatives de représentation systématique. Là où la grammaire voudrait préconiser des solutions prévisibles, l'observation juste de la langue démontre la nécessité de préserver une certaine latitude, on dirait aujourd'hui une marge de manœuvre. Les grammairiens sont allés trop loin dans la rationalité : ils manquent la part de « naïveté », d'idiomaticité, attachée à la langue et à sa gestion dans le discours. Il convient donc d'écouter ce que Saint-Réal appelle le « sentiment de l'esprit », de replonger dans la réalité du discours, de s'immerger dans la pratique, de retrouver des sensations.

Et c'est d'ailleurs ce que choisissent de faire les littérateurs. Sortant de l'enrégimentement dont ils ont fait l'objet, ils découvrent une certaine liberté. Ils se cherchent de nouveaux lieux où se réunir, tel le fameux café Procope, ouvert par le Sicilien Procopio en 1686. Situé alors en face de la Comédie-Française, il permettait aux auteurs dramatiques, comme Marivaux, de se plonger dans cette atmosphère vivante, expérimentale, de créativité langagière qui entoure le monde des acteurs. D'autres lieux, privés, hébergent la nouvelle vie littéraire : les salons, comme celui que tint la marquise Anne-Thérèse de Lambert à partir de 1698. Ceux-ci reprennent le flambeau des anciens « hôtels » du XVIIe siècle, où une sociabilité éduquée se retrouvait autour de personnalités féminines « solaires », fréquemment comparées à des astres, entretenant autour d'elles leurs réseaux de planètes... Le salon de Mme de Lambert fut fréquenté par Marivaux, Fontenelle... Matières scientifiques et discussions littéraires mais aussi intrigues politiques trouvaient leur place dans ces salons. Il y régnait dans l'échange une virtuosité verbale qui semble la marque, comme en atteste la correspondance de Mme de Lambert, de ces années où le goût de la forme, de l'élégance, du bon mot a fait suite au conformisme parfois terrifiant et destructeur, empli de cynisme, qu'a décrit La Bruyère à propos de « la Cour ». Le salon que tiendra Mme de Tencin, mère de D'Alembert, sera plus sérieux, plus « philosophique », réunissant Helvétius, l'abbé Prévost, Marmontel. Au fil des décennies, la vie littéraire se structure autour de ces salons, qui deviennent de plus en plus nombreux (Mme Geoffrin, Mme du Deffand, Julie de Lespinasse...).

On assiste, dans cette période qui voit s'assimiler et se diffuser largement dans la société éclairée les acquis du classicisme, à un croisement inédit des perspectives. Depuis les dernières années du XVIIe siècle, il est devenu plus facile de faire imprimer un livre en France, en raison du relâchement de la pression politique, alors qu'à l'étranger certaines maisons sont désormais en mesure de pratiquer l'édition à grande échelle. De ce nouvel état de fait résulte l'apparition d'une manière de « regard collectif » général, interne au monde des lettres. Les textes circulent, on se les lit, on se les passe, on en discute, mais sans l'agressivité normative du XVIIᵉ siècle. L'« épluchage » grammatical des textes a lassé. L'heure est davantage aux échanges qu'aux raideurs prescriptives. Il convient plutôt d'écouter, de rapprocher, de comparer, en gardant à l'esprit qu'il y a, dans les questions de langue et de discours, comme le dit Saint-Réal, un nombre incalculable de points « dont nul critique sage ne répondra jamais[10] ».

Cette ouverture au « goût particulier » marque une transformation notable du rapport entre langue et littérature. Ce qu'on appelait « style », au XVIIᵉ siècle, désignait essentiellement la caractéristique langagière de genres de discours répertoriés de manière conventionnelle et hiérarchique (style élevé, moyen, bas). Furetière est encore du côté de la conception traditionnelle, lorsqu'il explique que le style « relevé ou sublime » sert « dans les actions publiques », le style « médiocre ou familier » « en conversation », et le style « bas ou populaire » « dans le comique ou le burlesque ». Richelet est plus moderne. « C'est la maniere dont chacun s'exprime, propose-t-il comme l'un des sens du mot *style*. C'est pourquoi il y a autant de stiles que de personnes qui écrivent. » Buffon dira : « Le style, c'est l'homme même… »

La spécificité individuelle n'est ainsi plus considérée comme une tentative d'emprise abusive sur l'usage commun, comme l'essai d'une juridiction privée, mais comme un biais d'accès plus personnel aux richesses de la langue. La confiance en l'existence et en la reconnaissance d'une langue d'usage est suffisante pour qu'on soit sensible aux nuances. Cependant, l'identification des « styles » aux genres est devenue telle, dans le courant du XVIIᵉ siècle, qu'il s'est créé une forme de conventionalité qui gêne les écrivains les plus sensibles. Ceci est surtout valable dans l'écriture versifiée, devenue tellement codifiée qu'elle ne fait plus parfois usage que de phraséologies attendues et décourage l'innovation.

L'ART POÉTIQUE : ENTRE « HAUT » ET « BAS »

Un registre particulier, entre autres, avait fait l'objet d'une chasse sans merci : celui du « bas ». Tandis que Furetière et Richelet intègrent les mots « bas » dans leurs dictionnaires, l'Académie s'y refuse. Dans les dernières années du XVIIe siècle, la dépréciation esthétique du burlesque n'a en outre eu d'égal que les tentatives, par le pouvoir politique, de limiter la pratique de la satire. A cela il faudrait encore ajouter le climat religieux austère régnant alors à la Cour. Ainsi, l'usage poétique versifié, privé de nombreuses ressources linguistiques et enfermé dans une stéréotypie des formules, commençait singulièrement à ressembler à un conservatoire de formes désuètes, qu'on ne trouvait plus dans la langue ordinaire.

A rebours de la liberté lexicale affichée par la Pléiade, le XVIIe siècle n'a en effet eu de cesse de restreindre et codifier le vocabulaire accessible à la poésie – entendons la poésie élevée. Depuis Malherbe, l'emploi des termes techniques, familiers et dialectaux y est interdit. A la fin du XVIIe siècle, l'esthétique du « sublime » remise à l'honneur par Boileau ne fait qu'accentuer le phénomène. Les « Arts poétiques » se font désormais une spécialité de « trier » le vocabulaire, dressant de longues listes de mots exclus.

Parmi ceux-ci, des outils qui font partie de l'ossature même de la langue ! La proscription s'applique à certains démonstratifs (la série *celui, celle, ceux*, et leurs composés, *celui-ci, celle-ci, ceux-ci*…), la série de relatifs *lequel, laquelle, lesquelles*, les pronoms indéfinis ou numéraux *l'un, l'autre, le premier, le second*, ainsi que les locutions adverbiales *d'ailleurs, tant s'en faut, pour ainsi dire*, sans parler des conjonctives, *afin que, d'autant que, de sorte que, pourvu que*… En somme, tout ce que la syntaxe classique avait soigneusement élaboré, en termes d'outils de hiérarchisation et d'articulation du propos, dans le but de faciliter la compréhension, est banni du langage poétique ! L'élimination de ces outils, d'ailleurs, n'est pas sans créer des problèmes d'ambiguïté. Combien de *il*, de *elle*, de *ses*, de *sa* ne rencontre-t-on pas bientôt en vers, qui restent en suspens, sans antécédent nettement identifiable ?

Au fil du temps, la pratique des « vers » est devenue un exercice d'une grande difficulté technique, ne pouvant être accompli qu'une fois assimilés un nombre incalculable d'interdits lexicaux, syntaxiques, rythmiques, harmoniques, euphoniques... On en a fait un exercice élitiste, un signe de niveau social élevé, d'éducation, tant cette pratique demande de connaissances. Cette séparation de la langue poétique dans un monde à part, ce cloisonnement représente un problème récurrent dans l'histoire du français. Au début du XVIIIe siècle, on atteint un sommet en la matière.

Il est significatif, par exemple, qu'en annexe à ses *Principes généraux et raisonnés de la Grammaire françoise* de 1730, Restaut nous fournisse un « abrégé » des difficultés propres à la langue poétique. On y apprend qu'en poésie on ne dit pas *crimes*, mais *forfaits* ; qu'on préfère *les humains* ou *les mortels* à *les hommes* ; *glaive* à *épée*, *coursier* à *cheval*, *flanc* à *sein*, *antique* à *ancien*, *hymen* ou *hyménée* à *mariage*, *espoir* à *espérance*. Certains de ces choix ne nous étonnent pas, tant le « marquage » des termes est resté fort aujourd'hui encore. Dans certains cas, les doublets poétique/prosaïque fonctionnaient à partir de formes archaïques (*pensers* pour *pensées*, *ris* pour *rire*) qui n'avaient plus d'existence en français qu'artificielle. Dans d'autres cas, la différence est faible (*espoir/espérance*) et ouvre la porte au travail des synonymistes, lesquels s'efforcent d'établir des nuances de sens entre mots proches. La scission du lexique littéraire en deux n'est d'ailleurs pas pour rien dans l'apparition de ce travail sur la « justesse » de la langue.

Refuge de mots disparus, de bizarreries d'usage, la poésie est devenue véritablement un monde à part. Elle *se montre poésie* par ce lexique particulier, elle se fait signe d'elle-même. Et l'une de ses grandes tentations, désormais, sera de se faire pastiche d'elle-même. Bien des poètes, au cours du XVIIIᵉ siècle, tenteront de contourner l'obstacle en donnant à leurs textes une couleur descriptive plus actuelle. Le goût de la nature, par exemple, les fera parler d'animaux, de plantes... Mais ils se heurteront souvent à cette difficulté d'intégrer au vers un terme qui ne doit pas en faire partie (*bœuf*, *mouton*...).

LA « LANGUE LITTÉRAIRE »

Face à cette sclérose, quelles solutions possibles ?

Parmi les poètes français du XVIIIᵉ siècle, Antoine Houdar de La Motte (1672-1731) n'est certes pas le plus connu. Mais c'est un poète qui, pour sortir de l'impasse, est allé boire à nouveau aux sources les plus anciennes de la poésie : Homère. Alors qu'on redécouvre Homère après la fameuse « querelle des Anciens et des Modernes », et qu'on en publie de nouvelles traductions, Houdar de La Motte estime qu'on a tort de vouloir à tout prix adapter l'illustre ancien à un goût moderne qui serait fondé essentiellement sur la clarté et la transparence. Pour lui, le propos essentiel de la poésie est d'arrêter des idées, de procurer des images puissantes, du langage émouvant. Il va donc séparer ce qu'il appelle « poésie » de la pratique des genres versifiés, de la seule recherche d'un rythme, d'une « langue poétique », d'une syntaxe particulière... « La Poesie, dit-il, qui n'est autre chose que la hardiesse des pensées, la vivacité des images & l'énergie de l'expression, demeurera toujours ce qu'elle est, indépendamment de toute mesure[11]. » C'est le rapport même du « poétique » avec la langue qui change. La porte s'ouvre sur une nouvelle problématique : celle de la conduite de la langue dans une direction poétique.

En relisant les grands auteurs du canon classique, Racine, par exemple, à la lumière de ce qu'il appelle « la poësie en général », Houdar de La Motte va trouver que ce qui y est admirable n'est pas la versification, ou l'art de composer des vers, mais « la justesse des pensées, liées entr'elles par le meilleur arrangement, la convenance des tours qui expriment des sentiments proportionnés à la nature des choses dont on parle, & le choix des expressions les plus propres à faire passer exactement dans l'esprit des autres les idées qu'on veut leur donner[12] ». Ainsi, il va jusqu'à estimer – sacrilège ! – que l'essentiel, chez Racine, serait conservé en prose. Lui-même d'ailleurs, dans un geste expérimental, a écrit deux fois l'une de ses tragédies, *Œdipe*, en vers et en prose. L'essentiel, pour lui, ne tient pas à savoir si on fait usage de vers ou de prose, mais dans la manière de manipuler le langage, de le fragmenter, et d'agencer les « nuances » qui en résultent de façon à représenter les méandres de la nature humaine. Autrement dit, c'est le « choix des expressions » qui fait le caractère plus ou moins « poétique » d'un texte. Cet angle de vue est totalement moderne.

C'est ainsi que, non content de ferrailler contre la versification, Houdar de La Motte va remettre en cause le figement du lexique poétique. « Il ne tiendroit qu'à nous, écrit-il, de faire un beau mot de celui de *porc*, & un mot désagréable de celui de *coursier*[13]. » Il va également revaloriser l'usage des métaphores, condamné par les théoriciens classiques ; et contester, au final, l'opposition traditionnellement enregistrée entre les deux « genres d'écrire » littéraires : la prose et les vers. Pour lui, il est possible de donner une « couleur littéraire » à la prose tout autant qu'aux vers, pourvu qu'on respecte certaines règles générales, qui seraient celles d'un « écrire poétiquement », en somme, et qui viseraient avant tout l'expression.

Comment faire, malgré tout, pour donner cette nouvelle « couleur » aux mots, au discours ? Conserver le lexique usé des anciens « genres », ou s'inventer une nouvelle langue, une nouvelle diction ? Si les œuvres littéraires d'Houdar de La Motte (poésie, fables, comédies, traduction d'Homère) ne furent visiblement pas à la hauteur des intuitions géniales du penseur, bientôt, dans les années 1720, les prosateurs Crébillon fils et Marivaux s'emparent de la problématique et créent ce qui passe pour un « nouveau langage », quitte à donner l'impression d'une nouvelle préciosité. Ce qu'on appelle alors le « style substantif », comme de dire *donner l'achèvement* pour *achever*, ou *tenu de sincérité* pour *sincère*, apparaît comme un véritable « procédé » de littérarisation, un tic, mais il y a bien d'autres solutions à envisager.

Écrire comme on parle ?

Marivaux (1688-1763), par exemple, dont l'œuvre théâtrale, mais aussi romanesque et journalistique, s'est nourrie d'un contact constant avec la conversation, qu'elle soit mondaine, de salon, ou plus familière – celle des comédiens –, s'efforce de retrouver le sens d'un engagement du locuteur dans son discours qui faisait défaut dans les pratiques littéraires de son temps. Ce n'est donc pas un hasard si on trouve dans la bouche de ses personnages des mots qu'on a pu juger alors ridiculement à la mode, exagérés, précieux : Marivaux a été un explorateur des manies de langage de ses contemporains, comme les adjectifs *absurde, frappant, misérable, piquant, ridicule, saillant, vif* ; les adverbes *furieusement, horriblement*[14]…

C'est un appel constant vers l'autre que dénote le langage de Marivaux, comme dans ce suffixe *-able*, présent dans *admirable, détestable, insupportable, abominable*…, qui semble presser l'autre de formuler son opinion, de prendre position. Ce que montrent ses textes de théâtre, c'est la manière dont nous nous *tenons* par le langage. Ce qu'on a appelé « marivaudage » n'est pas seulement une manière frivole de converser d'amour : c'est aussi cette façon neuve de jouer sur l'interaction entre sujets.

Dans ses romans, *La Vie de Marianne* (1731) et *Le Paysan parvenu* (1735), renouant le fil avec Scarron ou Sorel, il fait intervenir des personnages de la rue. Dans une dispute fameuse entre Mme Dutour et un cocher (*La Vie de*

Marianne), où la première tente d'éjecter de sa boutique de tissu, armée de son « aune », le second, Marivaux se livre à un florilège d'exclamations où les *Jarnibleu* côtoient des tournures de syntaxe orale (« tu vas voir la Perrette qu'il te faut[15] »).

Autre expérimentateur intuitif des mutations langagières : le célèbre duc de Saint-Simon (1675-1755), l'aristocrate humilié qui a laissé un portrait mordant, acéré, d'une extraordinaire vie, du monde de la Cour. Lamartine a dit de lui que sa langue avait « la vigueur de ses aversions ». Lorsqu'on lit aujourd'hui ses *Mémoires*, écrits entre 1739 et 1750 mais publiés seulement en 1829-1830, on s'aperçoit tout de suite que Saint-Simon manifeste un dédain évident pour la correction grammaticale. Son lexique est très libre, intégrant toutes sortes de détails quotidiens qui ne sont pas revus par les préceptes du beau langage, mais passent par la saveur de leur expression réelle. C'est ainsi qu'on voit défiler dans son texte les mondes de l'armée, de l'école, de la religion, de la mécanique, de la cuisine, parés de tous leurs vêtements langagiers, comme les vieux suffixes (*blondasse, idolâtrique, cardinalesque...*), et surtout tous ces verbes imagés, comme *frétiller*, encore utilisés par La Fontaine, qui ont été considérés par les lexicologues du XVIIe siècle comme « bas », trop populaires. La prose de Saint-Simon a un « goût » qui est parfois celui des farces du Moyen Age, mais appliqué au monde de la Cour. Il en résulte un « court-circuit » qui fait la valeur de l'œuvre.

A rebours des recommandations grammaticales de l'Académie, Saint-Simon pratique également une prose comportant de nombreuses ruptures de construction, des ellipses de constituants supposés obligatoires, une utilisation parfois acrobatique des pronoms, des accords par syllepse, des ajouts incongrus... La rythmique de sa phrase est tout à fait étrangère à la gestion habituelle de la phrase classique. La manière que Saint-Simon a de faire se télescoper avec désinvolture images et raccourcis syntaxiques a de quoi dérouter. C'est toute la prose classique dans son idéal de clarté qui « explose ». L'écriture, pour Saint-Simon, est le lieu de fabrication d'un sens d'abord obscur, mais qui s'éclaire petit à petit de par le travail fourni par le lecteur.

A vrai dire, ce type de compréhension de l'écriture n'était pas aussi rare qu'il y paraît, à l'époque. Il est caractéristique des écrits privés aristocratiques du temps, où s'affichent un irrespect, une liberté qui deviennent clairement une connivence de classe. On retrouve ce phénomène dans les mémoires de la margravine de Bayreuth, Wilhelmine, la sœur de Frédéric II[16]. Déjà, au XVIIe siècle, dans les *Lettres* de Mme de Sévigné, par exemple, les passages embrouillés ne manquent pas. Dans les lettres de Mme d'Epinay que sa fille, Mme de Belsunce, écrivait sous sa dictée lorsque la première était en mauvaise santé (autour de 1770), aucune ponctuation[17]. Les groupes de mots, les verbes, les incises se succèdent d'une manière qui serait immédiatement sanctionnée par un instituteur d'aujourd'hui. Voici un extrait de la lettre du 18 avril 1773. Nous ouvrons les guillemets au début de ce qui paraît un paragraphe, mais nous les fermons de façon arbitraire… « Comme il me faut des histoires vous le savez bien contez-moi je vous prie celle du tonnerre dont vous ne parlez encore à personne On dit qu'il est fou le tonnerre de Naples à en juger par vous cependant ce n'est pas l'esprit de sa nation j'attends cette relation avec impatience car je suis comme les petites filles j'aime les histoires […]. » Au milieu de ce flot ininterrompu, seules les majuscules introduisent quelque rythme. Encore sont-elles la plupart du temps difficiles à distinguer dans l'écriture manuscrite souvent brouillonne de l'époque. Ce flot, malgré tout, se fait comprendre, surtout si on le lit à haute voix.

Ce type de pratique de l'écrit se caractérise par une confiance totale déposée en la *communication*, au détriment de la norme grammaticale ou scripturaire. Ce n'est que pour donner un aspect plus réglementaire que les éditeurs postérieurs, transformant ces objets en textes littéraires, en canons possibles du français écrit (avec la distance dans le temps nécessaire à ce que ces textes apparaissent comme normés), « standardiseront » leur physionomie générale, ne serait-ce que pour en donner accès à un public auprès de qui ne jouerait pas cette indifférence codée aux règles.

Ainsi, il serait vain d'imaginer que l'établissement d'un standard rapidement transformé en norme s'est fait avec l'aval des classes les plus élevées. L'époque est traversée par d'importantes contradictions. La réduction volontariste qu'a essayé de pratiquer le monde de la littérature académique à un usage élevé de la langue commune n'a pas entièrement fonctionné. Les classes élevées et la littérature ont pris des chemins de traverse. La seconde moitié du XVIIIe siècle verra se populariser ce français aristocratique peu soucieux de la faute.

De son côté, l'éloquence a considérablement évolué, depuis le XVIIe siècle. Progressivement, elle a quitté le terrain institutionnel, politique, juridictionnel. En retournant vers les sources antiques du drame et de l'épopée, les théoriciens et praticiens du début du XVIIIe siècle se sont intéressés à ce qui fait, dans le discours, la force des expressions, leur capacité à émouvoir. C'est pourquoi elle est revenue vers des conceptions qui intègrent davantage le point de vue du récepteur. Fortement influencé par le philosophe anglais Locke, Antoine César Chesneau Du Marsais (1676-1756) s'intéresse dans son traité *Des Tropes* à l'altération du sens des mots qui se produit dans le discours par l'intermédiaire des figures. « Bien loin que les figures s'éloignent du langage ordinaire des hommes, écrit-il, ce seroient au contraire les façons de parler sans figures qui s'en éloigneroient, s'il étoit possible de faire un discours où il n'y eût que des expressions non figurées[18]. »

Avec Du Marsais et quelques autres, c'est donc le « procès de la rhétorique » qui commence, et le « triomphe de l'éloquence »[19]. Plutôt qu'aux « règles », on s'intéresse aux « passions », à la lecture psychologique qu'on peut faire d'un discours. Tout le monde s'intéresse alors à l'éloquence : Diderot dans la *Lettre sur les sourds et muets* (1754) ou les *Entretiens sur le fils naturel* (1769), D'Alembert dans ses *Réflexions sur l'élocution oratoire et sur le style en général* (1759). De nouveaux concepts apparaissent, comme celui d'« énergie », développé par Diderot ; l'asservissement de la langue française à un « ordre naturel » rationnel est fortement mis en doute.

Toutefois, on note que cette « révolution » dans les manières de considérer le langage reste au XVIII⁰ siècle plus théorique que pratique. Si elle alimente la spéculation abstraite et stimule la philosophie, son influence reste limitée dans les faits. Le XVIII⁰ siècle français reste trop marqué par le grand mouvement mis en branle par le classicisme pour y renoncer si facilement. La contradiction qui existe, dans le travail des philosophes, entre leur réflexion théorique et leur culture de la langue est d'ailleurs un fait notable, qui crée dans leurs œuvres une tension. Dans le détail, la pratique de la langue française ne sera pas profondément affectée par ces bouleversements de la pensée, et ce jusqu'à la Révolution incluse.

Quelques points marquent néanmoins une évolution sensible. La phrase se fait moins longue par exemple, mois subordonnée, plus « coupée ». Plutôt que d'enchaîner d'interminables périodes qui démontrent surtout la satisfaction qu'a l'écrivain à écrire, on préfère maintenant scinder, ponctuer, faire se succéder de courtes propositions juxtaposées. On intercale beaucoup plus de questions et d'exclamations dans le discours, également. Il s'agit d'y introduire de la vie, d'anticiper. L'écriture n'a plus seulement pour mission de transcrire les pensées de celui qui la produit, mais de formuler aussi une partie des réactions possibles du lecteur. Si nous remarquons aujourd'hui une grande différence entre un texte de prose pris au hasard du XVIII⁰ siècle français et son équivalent au XVII⁰ siècle, c'est bien ce côté vivant du texte du XVIII⁰ siècle.

Toutefois, à la fin du XVIII⁰ siècle, la « couleur éloquente » appelée de bien des vœux manque encore en partie au français. Est-ce parce qu'elle a surtout été pensée par des philosophes ? Faut-il voir dans la remarquable homogénéité politique et sociale de l'« Ancien Régime » une cause latérale de ce relatif immobilisme ? Toujours est-il que pour beaucoup, comme pour Rousseau, la langue française demeure désolamment « plate », incapable d'exprimer les passions, les visions. Que dire des poètes ? Laissons ici le dernier mot à un André Chénier abattu devant sa page en 1783 :

> *O langue des Français, est-il vrai que ton sort*
> *Est de ramper toujours et que toi seule as tort[20] ?*

2.

Le français hors de France

Depuis le Moyen Age, on l'a vu, le destin de la langue française ne s'est jamais confondu avec celui du royaume de France. Un débordement hors de frontières d'ailleurs fluctuantes s'est toujours observé, vestige de ce que fut le royaume médiéval de Charles le Chauve, allant de la Flandre aux Pyrénées. Par ailleurs, la présence de Calvin à Genève a établi dans la frange occidentale de la Suisse un usage cultuel du français qui est venu se superposer aux usages dialectaux romans en contact avec les variétés alémaniques. Enfin, le français a joui, dès le XVIe siècle, du statut de langue de cour ailleurs qu'en France, notamment auprès de Charles Quint et d'Henry VIII d'Angleterre. Ces trois facteurs combinés expliquent que le français soit l'une des langues européennes qui connaissent la plus large diffusion. A ces trois sources déjà hétérogènes de présence extérieure, il a bientôt fallu ajouter celle qui a résulté de la colonisation, mouvement engagé au XVIIe siècle en Amérique et bientôt doublé, au XVIIIe siècle, par l'océan Indien. Ainsi, au cours du XVIIIe siècle, la situation linguistique du français commence à ressembler un peu plus à ce qu'elle est aujourd'hui, à savoir que la forte cohésion d'un français standard se double de la présence de français extérieurs qui voient se mettre en place des processus d'autorégulation et d'autonomisation.

Le XVIIIe siècle est à cet égard une époque charnière et constrastée. Autant à l'intérieur de l'Europe le français jouit d'une vogue croissante, autant la France va essuyer, à l'extérieur de celle-ci, des revers qui vont limiter l'extension de cette « francophonie », comme on ne dit pas encore. Ces multiples contradictions s'insèrent dans le contexte d'une vie politique fébrile, marquée, vers la fin du siècle, par une brutale accélération. En marge de ces mouvements, par ailleurs, les usages dialectaux poursuivent quant à eux leur vie quasi autonome. L'écart s'accroît entre ce qui est attendu du « standard » et les véritables usages. La généralisation de l'écrit dans les milieux cultivés a pour effet de creuser encore un peu plus cette distance. La Suisse romande, la Belgique wallonne, le Luxembourg, en Amérique le Canada français vont bientôt se trouver pris dans cette tension entre un attachement à un français fait de désir de norme ou de correction et le maintien de spécificités qui vont bientôt se doter d'un caractère identitaire.

DE LA SUISSE À LA WALLONIE

La Suisse « romande », incluant le Jura, les régions de Neuchâtel, de Genève, l'actuel canton de Vaud, le Valais et le Val d'Aoste (aujourd'hui en Italie), forme au début du XVIIIe siècle un ensemble dont les parlers se rattachent pour une part à l'ensemble « francoprovençal ». L'établissement des communautés protestantes, au XVIe siècle, et la révocation de l'édit de Nantes, à la fin du XVIIe siècle, ont eu pour résultat d'y diffuser de façon massive le français standard. Le « suisse romand » ne s'étant jamais standardisé de façon autonome, il en résulte une opposition entre parler vernaculaire, souvent associé à un usage oral et à une culture traditionnelle (plus rarement à une littérature dialectale locale, comme il en a existé dans les provinces françaises), et français, réservé à des usages élevés (religieux, intellectuel). Toute la région entre Genève et Neuchâtel voit passer, dans la seconde moitié du XVIIIe siècle, modes françaises et écrivains de renom, comme Mme de

Charrière, Voltaire et Rousseau, lui-même citoyen de Genève. Des lettrés, tel Besenval, qu'on a qualifié de « Suisse le plus français qui ait jamais été » et qui fonda une bibliothèque publique de 4 000 volumes, contribuent à diffuser massivement un usage littéraire du français désormais éloigné de la tradition calviniste. Genève, Lausanne et Neuchâtel sont les foyers d'une presse à grand tirage, comme en atteste le succès du *Mercure suisse* de Neuchâtel, fondé en 1732.

La Confédération helvétique est encore, au XVIIIe siècle, officiellement germanophone. Le bilinguisme commencera à y être reconnu en 1738, et véritablement en 1838. La relation des locuteurs à leurs parlers est donc assez tendue. L'attachement au français se traduit par des attitudes normatives assez fortes, qui ne peuvent empêcher l'apparition de régularisations spontanées, lesquelles vont à la longue, comme en français du Canada, fixer des archaïsmes dans l'usage « standard » que parlent les Suisses romands. Cette Suisse romande forme un milieu qui s'intéresse beaucoup aux questions d'enseignement et de description des langues. Elle sera la patrie de Ferdinand de Saussure, le fondateur de la linguistique moderne en Europe ; avant lui de Court de Gébelin, qui fut un philologue de premier plan. Les discussions sur les langues, les leçons privées de français, formatrices de l'esprit, étaient à l'époque monnaie courante. La région de Genève devenait un lieu de véritable culture linguistique, en lien étroit avec la France, par le biais de nombreux voyages, mais développant aussi une activité intellectuelle propre. Ville calviniste sans théâtre, Genève se passionnait pour tout ce qui était intellectuel.

Pour autant, l'existence de ces foyers de culture de la langue ne doit pas faire oublier qu'au même moment la mode anglaise, là comme ailleurs en Europe, commence à gagner. De plus en plus de familles genevoises aisées choisissent l'Angleterre comme lieu où faire terminer leurs études à leurs fils. Dans la seconde moitié du XVIIIe siècle, l'association entre langue française et « idées nouvelles » pose un problème à certains Suisses. L'interprétation à donner au travail de Rousseau crée des clivages. Comme en domaine alémanique commence déjà à se mettre en place, ainsi qu'en Allemagne, une sensibilité différente aux langues, moins universaliste et plus sensible aux spécificités locales, la pénétration du français standard est parfois vue comme une imposition autoritaire.

La pénétration d'un français standard marqué socialement est aussi un phénomène qui s'observe en Wallonie, surtout après 1750. Les Pays-Bas sont passés sous domination autrichienne après le traité d'Utrecht (1713). Politiquement, ils devraient devenir germanophones. Cependant, la présence de la langue française est respectée, notamment par l'archiduchesse Marie-Christine, qui aimait les fêtes et le divertissement, volontiers associés à la culture française. Ce fut sous son impulsion que la ville de Bruxelles, par exemple, délaissa peu à peu le flamand au profit du français.

En Belgique comme en Suisse, les variétés dialectales ne se sont pas standardisées. Il existe plusieurs formes de parler wallon, un parler souvent décrié et considéré comme impropre à la communication élevée. L'aristocratie préfère l'usage du français, dont l'usage s'est largement répandu grâce aux institutions d'éducation. Comme dans les provinces françaises, elle prend néanmoins plaisir à voir représenter le langage du cru, au moyen du théâtre par exemple. La « théâtralisation » des dialectes au XVIIIᵉ siècle est un phénomène qui s'inscrit dans la continuité de l'apparition d'une littérature dialectale à partir de la fin du XVIᵉ siècle, mais elle va plus loin. Dans des pièces comme *Li Lidjès égadji* (Le Liégeois égaré), ou *La Fiesse di Hoûte s'i-ploût* (La Fête d'Ecoute-s'il pleut), ou l'opéra comique *Li voyèdje di Tchaufontainne*, qui date de 1757, le dialecte est donné à entendre comme une sorte de musique populaire, qui réjouit l'oreille.

L'enseignement sur les terres wallonnes, au XVIIIᵉ siècle, était très marqué par l'Eglise. La politique de la couronne d'Autriche, influencée par le despotisme éclairé, fut de limiter cette influence, de réduire les biens du clergé et d'essayer de constituer des contrepoids à l'impact institutionnel de l'Eglise. En 1786, deux séminaires d'Etat, à Louvain et à Luxembourg, remplacèrent les séminaires épiscopaux. On se posa à un moment la question de savoir s'il ne fallait pas créer des universités parallèles, en flamand et en français. Devant cette incertitude, les autorités autrichiennes préférèrent conserver momentanément le latin. Le monde de l'éducation était ainsi trilingue (flamand, français, latin), comme le fut l'Académie impériale et royale des sciences et des belles-lettres, créée par Marie-Thérèse en 1772 à partir d'une société littéraire.

Ici comme ailleurs en Europe, la langue française est souvent associée à la diffusion des idées nouvelles, celles de Voltaire et de Montesquieu, dont on publie les œuvres très tôt dans la principauté de Liège. Dans ce contexte rendu favorable par la grande ouverture d'esprit du prince-évêque Velbruck, une Société d'émulation fut créée en 1779, qui avait pour objectif explicite de faire mieux connaître la langue française, mais s'inscrivait aussi dans la dynamique progressiste alors en faveur. En 1789, le français devint immédiatement la « langue de la Révolution française ». Les troupes autrichiennes furent chassées, mais la France reperdit plusieurs fois ces territoires avant la victoire de Fleurus (1794). Avec le traité de Campoformio (1797), les neuf départements créés devenaient français. La solidarité entre une langue et un mouvement politique fut alors – pour peu de temps – totale.

Mais la relation des Wallons au français est complexe. Depuis le xvᵉ siècle, les manuels abondent, qui ont pour propos d'initier la partie flamande de la population à la langue française. Au xviiiᵉ siècle, de nombreuses Grammaires voient le jour, parfois bilingues. A mesure que le prestige de la langue française, appuyé sur la croissance du rôle focalisateur de Paris ainsi que sur les progrès de la diffusion par écrit, augmente, les locuteurs développent une révérence envers la norme que vient doubler son pendant logique : un sentiment d'insécurité linguistique. Au

XVIIIe siècle, aux authentiques parlers vernaculaires wallons se substitue graduellement l'emploi d'idiotismes qui donnent à la population l'impression de parler un français « impropre ». Comme la Suisse, mais plus encore, la Belgique deviendra une terre de grammairiens et de linguistes attentifs à la norme et à la caractérisation des usages.

Dans le courant du XIXe siècle, comme en Suisse ou au Canada, à partir d'un ensemble de spécificités entre lesquelles il est bien difficile d'établir une cohérence (archaïsmes, traits dialectaux, phénomènes ponctuels de calques dus à des contacts avec des langues proches géographiquement), se construira la conscience d'une variété « belge » de français.

L'« ENVIE DU FRANÇAIS »

Au XVIIIe siècle, la frontière entre une « francophonie » au sens moderne, c'est-à-dire un usage partagé par toute une population, et une francophonie étroite, limitée à certains milieux bien spécifiques, classes aristocratiques ou milieux intellectuels, est parfois difficile à tracer. Dans la mesure où, dans les pays dits « francophones », le peuple parle souvent « patois » et n'est pas en mesure d'avoir accès au français standard, il n'y a parfois que peu de différence entre des diglossies impliquant le français et des dialectes de base française, d'un côté, et le français et d'autres langues vernaculaires, de l'autre. Dans certains pays non « francophones », la conscience linguistique de certains milieux a tellement valorisé le français que la population en est venue à considérer son idiome même comme un dialecte. C'est le cas parfois en Allemagne (Frédéric II ne considérait-il pas que l'allemand était tout juste bon pour ses palefreniers et leurs chevaux ?) et en Russie.

Etrange phénomène, à la vérité, que cette focalisation de presque toute l'Europe des Lumières autour d'un idiome, le français, considéré comme langue véhiculaire transnationale mais aussi comme symbole, icône de la culture. Sur leur sol, les Français en tireront parfois une gloire bien vaine, prenant au pied de la lettre l'engouement de certaines têtes couronnées et se voyant déjà à la tête d'une « Europe parlant français »... La brièveté de cet épisode (quelques décennies, autour du milieu du siècle, selon les pays) et la rapidité avec laquelle les mêmes aires qui n'avaient juré que par le français s'en détournèrent ensuite permettent de relativiser le phénomène. Contrairement à ce que certains ont pu considérer, la Révolution française n'a pas constitué l'élément décisif dans cette désaffection que le français eut à subir à la fin du XVIIIe siècle : le mouvement était déjà bien amorcé au moment où elle éclata. Elle défit en tout cas de manière radicale le lien qui s'était tissé, depuis la Régence, entre langue française et culture des mœurs, de la politesse, du raffinement. La violence qui fit suite à l'expression des idéaux prit à rebrousse-poil les grands esprits européens qui avaient associé au français un espoir un peu naïf dans le progrès de la condition humaine.

Entre-temps, le latin s'étant de manière irréversible effacé, le français est utilisé dans certains traités comme ceux d'Utrecht (1713), de Rastatt (1714), dans les préliminaires de la convention de Vienne (1736) ou le traité d'Aix-la-Chapelle (1748). Un traité entre la Russie et la Turquie, le traité de Kutchuk-Kaïnardji, fut d'abord rédigé en trois langues : russe, turc et italien ; puis Catherine II le fit publier en français. Dans ce cas-là, le français apparaît comme une langue de « fixation » neutre des termes.

Si on a souvent associé le français, au XVIIIe siècle, au monde de la diplomatie et des échanges politiques internationaux, c'est surtout que, outre les traités, le français était présent en Europe de par l'envoi de nombreux émissaires. Cela fit partie de la politique des gouvernements de Louis XV, puis de Louis XVI, que de développer à l'étranger des réseaux humains importants, constitués d'ambassadeurs, de personnels diplomatiques officiels comme moins officiels, voire d'espions. Louis XIV avait déjà su jouer la confusion des genres dans ses représentations à l'étranger. Culture, affaires, diplomatie : tout était associé dans un mode d'action hybride qui servait d'abord la cause de Versailles. Le nombre d'émissaires était parfois disproportionné : il apparut tel à l'Espagne, qui en renvoya une partie. Durant le XVIIIe siècle, les voyageurs français sont partout, et ils créent de puissants réseaux d'influence. Sans doute doit-on beaucoup à ces mondes parallèles, autant qu'aux politiques officielles, pour l'usage politique du français en Europe pendant ces décennies.

Dans *Le Siècle de Louis XIV*, avec un ethnocentrisme douteux qui sera repris plus tard dans l'article « Français » de l'*Encyclopédie*, Voltaire met aussi en avant que, si le français est devenu pour lui, en une formule abusive, « la langue de l'Europe[1] », c'est parce qu'il a produit des ouvrages scientifiques, philosophiques et littéraires plus que les autres langues. Comme paramètres, il cite également des phénomènes circonstanciels, tels que l'exil des pasteurs calvinistes après la révocation de l'édit de Nantes, la présence de Bayle en Hollande, celle de Saint-Evremond à Londres, le mariage de Mme d'Olbreuse en Allemagne…

Ce qui est sûr, c'est que dans la première moitié du XVIIIe siècle le français s'est répandu dans plusieurs cours d'Europe, particulièrement des cours du Nord. Le déplacement du centre de gravité européen vers le nord est un phénomène qui date de la seconde partie du XVIIe siècle. Graduellement, l'Espagne et l'Italie cessent de jouer le rôle de modèle qui avait été le leur à la Renaissance et au début du XVIIe siècle. La Hollande et l'Angleterre s'imposent comme de nouveaux pôles d'activité économique et intellectuelle. Mais, comme on n'y trouve pas, contrairement à l'Espagne et à l'Italie, une association étroite entre langue et culture nationale, la circulation des langues y est plus importante.

Si l'Espagne et l'Italie (et, secondairement, le Portugal) ont autant valorisé leurs langues dans un souci d'affirmation culturelle à la fin du XVIIe siècle, c'est que, comme la France, elles ont dû passer par des sortes de « querelles des Anciens et des Modernes » pour se libérer de la tutelle du latin. L'affirmation des littératures nationales est un trait qu'on retrouve dans tous les pays latins quasi simultanément au début du XVIIIe siècle.

En Espagne, par exemple, une Académie royale est créée en 1714, sur le modèle de l'Académie française. Elle se fixe pour objectif, notamment, d'homogénéiser et de régler le vocabulaire de l'espagnol standard, et de faire en sorte que les emprunts – au français notamment – soient limités. L'Espagne, en tant que royaume catholique, ayant refusé d'accueillir sur son territoire les réfugiés protestants, la population française n'y est pas très nombreuse. Une bonne partie des nobles plus ou moins espions que la couronne française avait envoyés auprès du roi ont été renvoyés. Bon nombre de nobles espagnols, malgré tout, lisent le français. Toutefois, cette diffusion livresque est regardée avec suspicion. Les philosophes français ne cessent de dénoncer l'obscurantisme, de mettre en cause l'Eglise en rappelant la réalité de l'Inquisition, de l'Index, des bûchers.

L'Espagne du XVIIIe siècle se caractérise donc par l'apparition d'un mouvement assez net de résistance au français, qui s'appuie parfois sur une défense ethnocentriste (c'est partout la tendance, alors) des caractères du castillan, jugé supérieur au français. Commentateurs et auteurs de théâtre, comme Isla avec son *Fray Gerundio*, raillent la mode de la francisation. Il faut dire que, comme presque partout en Europe à l'époque, des « calques » étaient apparus en espagnol (*mano de obra* pour « main-d'œuvre »), ainsi qu'un grand nombre d'emprunts, inégalement hispanisés. Les textes hésitent entre *Madame, Madam* et *Madama, Monsieur* et *Monsiur,* jouent indifféremment des *dama, damisela, madamisela, domestico, maître d'hôtel* ou *mettre-dotel, hombre de calidad…* Pour tout ce qui est du domaine des mœurs, de la mode, de la cuisine, de la littérature, on voit fleurir les expressions qui affichent leur air d'ailleurs : *la pieza es execrable, cantar a la perfeccion, remarcable, furiosamente, bonete de noche, deshavillé, toaleta, bucle…*

Au Portugal comme en Espagne (en Andalousie particulièrement), la présence du français est assurée par des artisans qui jouent un rôle important dans la vie civile. Mais, comme en Espagne, le français, s'il jouit d'une certaine mode, est souvent associé au travail subversif des philosophes. Sa pénétration dans l'éducation, par exemple, est sévèrement contrôlée. Le Portugal, qui avait entretenu des liens étroits avec la France au XVIe siècle, tend à s'isoler. Il valorise lui aussi son idiome, créant ses académies.

L'Italie s'était montrée relativement indifférente au français dans le courant du XVIIe siècle. Dans les premières décennies du XVIIIe siècle, l'éclat de la littérature française demande néanmoins qu'on la traduise. Surtout, on s'intéresse au phénomène de la culture moderne. Au cours du XVIIIe siècle, les classes cultivées italiennes se tiennent très au courant de la production des littérateurs et des philosophes français, mais, la plupart du temps, par l'intermédiaire de traductions. En dépit de l'existence d'ouvrages spécialisés et de méthodes (dont la plus connue est *La Lingua francese spiegata co'piu celebri autori moderni* de Michele Feri, parue à Florence en 1697 puis en français à Venise en 1712 sous le titre *Nouvelle Méthode abregee, curieuse et facile pour apprendre en perfection & de soi même la langue Françoise*), la connaissance du français semble avoir été plus réduite que dans d'autres pays.

A la cour de Parme, la situation est un peu particulière. Le prince de Parme est à la fois petit-fils de Louis XIV et gendre de Louis XV. Il est entouré de Français. La venue du grand philosophe français Etienne Bonnot de Condillac (1715-1780) pour l'instruction du prince, de 1758 à 1767, fut évidemment de nature à renforcer cette présence de la langue française. Condillac écrivit pour le prince un *Cours complet d'instruction* qui est considéré comme un ouvrage majeur du XVIIIe siècle français.

De façon générale, l'Italie du Nord est naturellement plus marquée par l'influence du français que l'Italie du Sud. A Milan, et surtout à Turin, la présence du français est forte. Ici encore, l'aristocratie préfère souvent l'usage du français à celui du dialecte italien local ou du florentin, considéré comme rétrograde : on envoie fréquemment les fils de famille faire leurs études en France. A Milan comme dans d'autres grandes villes européennes, la mode du théâtre et de l'opéra régnait, entraînant de nombreux échanges culturels, avec la circulation de troupes et les collaborations croisées. Dans la seconde moitié du XVIIIe siècle, les Italiens se montrèrent également plus sensibles à la connaissance de la littérature en langue originale. Plusieurs librairies proposèrent des catalogues de livres français. Ici comme en Espagne, il y eut une certaine opposition du clergé à la diffusion des idées nouvelles venues de France ; celles-ci, néanmoins, intéressaient. Il existe une édition très curieuse de l'*Encyclopédie* – un peu censurée – parue à Livourne, et dont tous les souscripteurs étaient italiens.

A Venise également, les représentations théâtrales en français connaissaient un vif succès. Une figure majeure de la francophilie y fut Casanova (1715-1798). Après un premier voyage en France en 1750 à l'occasion duquel il se perfectionna en français auprès du dramaturge Crébillon père, il devint ensuite à Paris un familier de Voltaire et du duc de Choiseul. Alors qu'il avait été initialement destiné à l'état ecclésiastique, il devint, en marge de ses nombreuses activités plus ou moins interlopes, un ardent promoteur des idées et du mode de vie modernes du XVIIIe siècle, dans le sillage du libertinage. Ses *Mémoires, ou Histoire de ma vie* sont bien entendu son ouvrage le plus connu, mais Casanova est l'auteur d'une œuvre abondante, où coexistent romans, œuvres historiques, récits autobiographiques et, peu après la Révolution, réflexions sur l'évolution de la langue française… Tôt dans sa carrière, Casanova fit le choix du français comme langue d'expression. Ce choix est expliqué au début des *Mémoires* : pour lui, le français est une langue « plus répandue » que l'italien. L'époque est à la circulation des hommes et des idées. Le caractère d'ouverture prime l'expression idiomatique.

D'autres écrivains connus dans l'Italie de l'époque ont utilisé le français. Carlo Goldoni (1707-1793) est surtout connu pour sa production théâtrale comique, à laquelle il se consacra en seconde carrière, après avoir mené celle d'avocat. Ses pièces, marquées par le dialecte vénitien, sont centrées autour de l'observation de la vie quotidienne plutôt que des conventions de la *commedia dell'arte*. Elles remportèrent un grand succès, mais lui attirèrent la vindicte de Carlo Gozzi, autre écrivain de théâtre de l'époque. Par lassitude de ces attaques, il finit par quitter Venise et s'installer à Paris. Il y écrivit plusieurs comédies de caractère en français (*Le Bourru bienfaisant,* 1771, *L'Avare fastueux*, 1773), et devint un acteur important de la vie littéraire française. Ses *Mémoires* parurent en français en 1787, juste avant la Révolution, période pendant laquelle il devait mourir dans la misère. L'itinéraire de Goldoni est emblématique de cette internationalisation croissante de la vie littéraire et culturelle à la fin du xviiie siècle, avant que la sensibilité aux caractères nationaux des langues et des cultures ne la recentre sur ses foyers d'origine. Dans cette internationalisation, la France fut indiscutablement l'un des pôles majeurs d'attraction. Mais elle ne fut pas le seul. A la fin du xviiie siècle, l'Angleterre joue un rôle focalisateur tout aussi grand.

On peut s'en apercevoir en jetant un coup d'œil à la carrière de Vittorio Alfieri (1749-1803), l'auteur tragique italien le plus connu de la fin du xviiie siècle. Originaire d'Asti, dans le Piémont, Alfieri était tellement imprégné de français que sa pratique de l'italien en était altérée. Alfieri fut véritablement un écrivain bilingue, rédigeant son journal alternativement dans les deux langues. Il fut dans sa jeunesse un grand voyageur, et parcourut toute l'Europe. Chantre de la liberté face aux images du pouvoir dans ses tragédies, il devait rencontrer les idées de la Révolution française avant de s'en détacher violemment, ce qui donna lieu à un pamphlet retentissant, *Il Misogallo* (autrement dit « L'Antifrançais »). Installé à Florence, il y découvrit l'anglais, plus présent depuis quelques décennies. L'itinéraire cosmopolite d'Alfieri, son attirance momentanée pour la France, son goût préromantique pour l'anglais témoignent d'une évolution dans la manière de se représenter les langues. Les hommes de culture circulent alors à travers elles comme à travers les pays, les considérant comme des points d'ancrage d'idées et de conceptions philosophiques plus que comme des idiomes nationaux.

Si, dans l'Italie du Nord, les contacts avec le français étaient nombreux et significatifs, il n'en va pas de même dans l'Italie du Sud. A Rome, les papes, qui traditionnellement se familiarisaient avec les langues étrangères, continuèrent à pratiquer un bon français. Le pape Clément XIV écrivait en français à Louis XV, par exemple. Mais, pour le reste, la littérature française étant pour la plupart soumise à l'Index, les échanges s'en trouvaient limités. A Naples, le français fit une certaine percée par le théâtre, mais celle-ci n'était qu'une pâle image de ce qu'elle était au même moment, et dans des conditions similaires, dans les pays du Nord. Certes, l'aristocratie essayait de s'initier à un français « international », mais le pourcentage de population concernée demeura très faible.

Tout au long du siècle, également, les relations culturelles entre la France et l'Italie sont empoisonnées par des polémiques portant sur le caractère des langues, leur plus ou plus moins grande faculté à être poétiques, à être éloquentes. Les Italiens rejettent le rationalisme à la française, privilégiant, comme le philosophe Giambattista Vico, une conception du langage expressif qui anticipe sur le romantisme. Francesco Algarotti, qui, comme Voltaire, a fréquenté la cour de Frédéric II de Prusse, croise le fer avec notre chauvin philosophe et conclut à la « nécessité » pour chacun, plutôt que de se tourner vers le français, d'écrire dans sa propre langue.

A la différence de l'Italie, de l'Espagne et du Portugal, la Hollande ne peut pas se targuer, au XVIIIe siècle, d'une culture linguistique et littéraire très forte. Le néerlandais n'y faisait pas encore l'objet d'une valorisation significative. Ainsi, depuis le XVIIe siècle, la Cour et l'aristocratie pratiquaient volontiers le français. La littérature en français du XVIIIe siècle peut ainsi s'enorgueillir des romans d'Isabelle van Zuylen (1740-1805) qui, éduquée en Hollande, a voyagé en Angleterre et en France, avant de s'installer à Neuchâtel, désormais Mme Charrière, et vivant complètement immergée dans le français. Tandis que le latin de Spinoza reste en Hollande une importante langue intellectuelle et scientifique, plusieurs « bibliothèques » – on désigne sous ce nom des publications périodiques – diffusent en français sous forme de « digests » un savoir moderne : la *Bibliothèque universelle et historique,* la *Bibliothèque choisie,* la *Bibliothèque des sciences,* la *Bibliothèque ancienne et moderne*... Beaucoup sont ensuite exportées en France. Les grands noms de la littérature française viennent tous au moins une fois en Hollande : Voltaire (qui y séjourna cinq fois), Diderot, Montesquieu, l'abbé Prévost (qui y écrivit *Manon Lescaut*)... La Hollande reste la terre de tolérance et d'accueil qu'elle avait été pour Bayle. Au début du XVIIIe siècle, le monde intellectuel français vit avec la pensée de la Hollande comme d'une terre d'amitié, fraternelle et voisine, seconde patrie de la langue et de la culture.

Pour autant, la Hollande, qui fut au XVIIe siècle l'un des premiers pays à bien diffuser le français, fut aussi au XVIIIe siècle le premier à s'en détourner, ou du moins à le délaisser. L'impact des guerres de Louis XIV ne fut sans doute pas mince dans ce « désamour ». Il faut désormais compter avec l'allemand, très bien diffusé en Hollande au XVIIIe siècle par le biais de nombreux précepteurs notamment, avec l'anglais, et bientôt, dans la seconde moitié du siècle, avec le néerlandais, nouvelle langue à la mode par un retour aux pratiques locales. Pour être en phase avec sa population, la Cour se remet au flamand, et le français perd beaucoup de terrain.

En Angleterre comme en Hollande, une relation ancienne au français va s'altérer. Le français ayant été souvent associé à la noblesse, dans les classes populaires la haine du français grandit sur le terreau d'une haine de classe. Puis cette dévaluation gagne les classes élevées. Les caricaturistes se régalent alors à moquer les coutumes françaises, les habits, les pratiques de cuisine... L'Angleterre n'a plus, également, la même fascination pour la littérature et la philosophie françaises. Elle sait dorénavant qu'elle-même est à l'origine, avec Bacon, Newton, Locke, Berkeley, de l'impulsion nouvelle que connaît la science en Europe. Ici, des philosophes qui découvrent Newton avec trente ans de retard n'impressionnent pas. Les *Lettres philosophiques* de Voltaire (1734), dites aussi « Lettres anglaises », témoignent de ce décalage. Les Français n'ont en aucun cas à en remontrer à l'Angleterre sur le plan intellectuel : ils viennent plutôt y chercher l'inspiration.

Depuis le XVIIᵉ siècle, l'enseignement du français en Angleterre a également beaucoup baissé. Les réfugiés de 1685 se sont fondus dans la population et ont abandonné l'usage du français. Les écoles qu'ils avaient fondées sans beaucoup de moyens avaient un côté misérable qui en avait graduellement détourné la bonne société... Elles fermèrent après quelques décennies.

Ce n'est que dans les classes très élevées et dans les milieux intellectuels que le français conserva du prestige, associé qu'il fut à une vertu qu'on s'accordait à trouver défaillante en Angleterre : la sociabilité. De part et d'autre de la Manche, dans des cercles assez étroits et spécifiques, des liens se tissèrent. Mme de Tencin fut liée au poète Matthiew Prior, par exemple, Mme du Deffand à Horace Walpole, le créateur du « roman noir ». La France passe pour la terre des intrigues amoureuses faciles, du plaisir, de la légèreté, avant d'être supplantée dans ce rôle par l'Italie. Lord Chesterfield est connu pour avoir stimulé chez son jeune fils une éducation « à la française » qui incluait les bras de quelques jeunes dames nobles choisies pour lui. Sa correspondance fut jugée par le terrible Samuel Johnson comme propre à enseigner « des mœurs de putain et des manières de maître à danser ».

Sans doute cet aspect de légèreté manquait-il aux nobles anglais de l'époque, déjà pris dans un début de puritanisme, un pragmatisme économique et des carcans sociaux qui les étouffaient. Le milieu aristocratique français, de son côté, accueillait avec bonheur ces esprits enthousiastes, cultivés, politiquement avisés, moins versés dans la facilité que leurs homologues français. L'échange intellectuel entre la France et l'Angleterre à cette époque est ainsi l'un des plus fructueux de l'histoire européenne. Il survit dans d'immenses correspondances, écrites pour la plupart en français. La liberté de mouvement des Anglais en France était grande à cette époque, et la langue française fut pour eux une langue d'évasion. Une des sources du romanesque propre au XVIIIe siècle est à déceler dans ce décentrement fondateur d'une certaine modernité, et qu'illustre par exemple le *Sentimental Journey* de Laurence Sterne (1768), où se mélangent autobiographie et fiction.

Toutefois, ce qui donna le plus de lustre au français en Europe au XVIIIe siècle fut sans conteste que, dans la seconde moitié du siècle, un certain nombre de princes de l'Europe du Nord et de l'Est s'enthousiasmèrent littéralement pour la langue et la culture françaises, se réunissant, se retrouvant, dans cette passion.

Elevés à la dure par un père brutal, le jeune Frédéric II de Prusse, né en 1712, et sa sœur aînée Wilhelmine avaient rapidement trouvé dans la culture française une échappatoire à un quotidien fait de vexations. Plus tard, Frédéric n'eut de cesse de vouloir vivre « à la française » dans ses châteaux de Rheinsberg et de « Sans-Souci » à Potsdam. Ses lettres montrent comment il se projette littéralement dans la figure de Voltaire comme maître praticien d'une langue française écrite dont il fait un emblème d'évasion, de dépassement de soi. Il s'y déclare « affamé » de ses ouvrages, désireux surtout que Voltaire lui enseigne comment écrire dans cette langue où les sentiments et les idées prennent un lustre qu'ils n'ont pas en allemand. Il est curieux de voir la manière dont Voltaire s'est laissé prendre à cette aliénation qui faisait vivre Frédéric II dans un monde à part. Dans ses lettres, il ne peut faire autrement que lui retourner ses flatteries à double sens, mais on voit affleurer le doute. Toujours est-il que Frédéric s'est « fait » lui-même en français, sans négliger les autres langues puisque l'italien était également très pratiqué à sa cour, autour de Francesco Algarotti, ainsi que l'anglais, langue dans laquelle se lisaient les œuvres de Newton.

Au reste, Frédéric était très conscient de l'implication politique du maniement des langues. Sa pratique du français avait aussi pour but d'impressionner l'Europe, objectif qui fut atteint. Plus ou moins consciemment, le roi développa un style de gouvernement où le prestige culturel, la revendication jalouse de civilisation, l'exhibition de langues-« icônes » jouaient un rôle décisif, presque publicitaire. Dans cette comédie, Voltaire se sentit à juste titre utilisé. Il découvrit peut-être que se jouait à travers lui un mécanisme qui le dépassait.

En Prusse, le goût du français ne date cependant pas de Frédéric. Déjà, en 1700, la princesse Sophie-Charlotte, aidée de Leibniz, y avait créé, sur le modèle de l'Académie française, une Académie, dite « de Berlin », qui joua un grand rôle dans la diffusion du français et, plus tard, dans la diffusion des sciences et du savoir en général. Cette Académie accueillit beaucoup de Français au début du XVIIIe siècle et, après une éclipse, vit son rôle confirmé par Frédéric II. Le goût d'écrire est souvent associé à la langue française. Donner à ses pensées et à son imagination un tour autre que celui qui serait le leur dans l'idiome quotidien est un plaisir auquel s'initient de nombreux nobles allemands et d'Europe du Nord en général, et particulièrement des femmes.

Charlotte-Sophie d'Aldenburg était d'origine danoise ; elle épousa en 1738 le comte Wilhelm Bentinck[2]. Profitant de la présence à Berlin de Voltaire et de Maupertuis, qui dirigea un moment l'Académie, elle se prit de passion pour les échanges culturels en français, et se vit surnommer « la Sévigné de l'Allemagne ». Elle fait partie de ces femmes éclairées de l'Europe qui passent une grande partie de leur temps à entretenir une correspondance assidue avec les grands esprits du temps. Cette correspondance est comme une chambre d'écho, où elle vit par procuration les événements culturels de son époque. Ecrire en français lui permet, pour ainsi dire, d'« y être ».

L'histoire de la présence du français en Russie commence avec Pierre le Grand, dans les premières années du XVIIIe siècle. Au XVIIe siècle, il y avait bien eu quelques ambassadeurs, quelques commerçants et quelques réfugiés, après la révocation de l'édit de Nantes, pour vouloir, soit développer des relations diplomatiques avec la Russie, soit s'y établir. Mais le pays apparaissait encore comme lointain, fermé, hostile. Il fallut la politique d'ouverture de Pierre le Grand pour que l'immense territoire des tsars se rapproche de l'Europe. Désireux d'embellir la toute nouvelle Saint-Pétersbourg (fondée en 1703), Pierre fit venir des artisans de toute l'Europe, notamment d'Italie et de France. Au plan politique, néanmoins, le rapprochement tardait à venir. Le Louis XIV des dernières années ne voyait pas l'utilité qu'il y avait à se rapprocher de ce lointain empire.

C'est avec le règne d'Elisabeth Petrovna, sa fille, à partir de 1741, que le français commence à se répandre significativement en Russie. Le rôle de modèle joué par Frédéric II n'y est pas pour rien. Comme en Prusse, le français devient la langue fétiche de l'aristocratie, un symbole de culture « occidentale » ; c'est la langue de la littérature, des sciences, de la philosophie, si l'italien reste celle de la musique. Les Académies des sciences et des beaux-arts, créées à Saint-Pétersbourg en 1758, parlent essentiellement français. L'aristocratie commence à

vouloir éduquer ses enfants dans cette langue, en recou-
rant si besoin est à des précepteurs français ou suisses.
Nombreux sont les jeunes gens qui font le voyage en
France, faisant étape à Strasbourg, qui sert alors de car-
refour européen, avant de poursuivre vers Angers ou
Paris. On sait que la capitale française, au milieu du
XVIIIᵉ siècle, était remplie de Russes qui dépensaient leurs
fortunes en achats dispendieux et en allant au théâtre.
L'amant en titre de la tsarine, Chouvalov, était très au
fait de tout ce qui se passait à Paris. Frédéric II le sur-
nomma ironiquement « Monsieur Pompadour ». Il aida la
tsarine à la fondation des académies.

Entre-temps, le goût de la littérature française s'était
répandu en Russie, notamment le goût du théâtre. Un
théâtre français permanent, dirigé par un certain Serigny,
était installé à Saint-Pétersbourg depuis Elisabeth. De la
même façon que Pierre le Grand avait jadis obligé les
nobles à construire leurs hôtels particuliers dans de coû-
teux matériaux, Elisabeth astreignit l'aristocratie, sous
peine d'amendes, à assister à ces représentations. Le prix
à payer pour la culture ! Au fil des décennies, le voyage
de Russie devenait de plus en plus intéressant pour les
troupes d'acteurs français : les cachets y atteignaient des
sommes faramineuses, et la vogue du français était telle
dans l'aristocratie que tout le monde se les arrachait.

D'origine allemande, Catherine II, qui accéda au pouvoir en 1762, n'avait pas de goût politique particulier
pour la France mais souhaita poursuivre l'entreprise commencée par Pierre le Grand, à savoir ouvrir son pays vers
l'Europe. Fervente admiratrice de Frédéric II, elle comprit
l'intérêt politique qu'il y avait à associer à son exercice du
pouvoir des philosophes français, qui lui conféreraient un
prestige européen. Mue par un désir mimétique, elle
s'intéressa en priorité à Voltaire, avec qui elle entretint
une importante correspondance, et qui s'était déjà intéressé à la Russie à l'occasion de son *Histoire de l'empire de
Russie* (1759). D'Alembert fut invité à devenir le précepteur du prince ; Catherine l'autorisa également à impri-

mer librement l'*Encyclopédie* sur son territoire. Quant à
Diderot, il fit un long séjour à Saint-Pétersbourg en 1773.
Même si elle le tenait en moindre estime que Voltaire, elle
eut avec lui d'importants échanges sur la possibilité de
moderniser les structures de son pays. Elle lui acheta sa
bibliothèque, le fit voyager et l'associa de très près à
l'exercice du pouvoir. La Russie apparaissait alors comme
un territoire d'expérimentation, une occasion de rebâtir à
neuf une nouvelle France d'idéaux, sans devoir y assumer,
comme au Canada, la défense d'intérêts politiques.

Catherine était fière d'écrire en français. Les Français
la flattèrent beaucoup dans ce sens. Elle a laissé une très
abondante correspondance qui fut publiée à Paris de son
vivant, non sans l'action de quelques correcteurs pour
l'orthographe et la syntaxe, ce qui provoqua l'ire de la
tsarine. Catherine écrivit également en français quelques
pièces de théâtre, qui furent rassemblées sous le titre de
Théâtre de l'Hermitage. Comme de nombreuses grandes
familles, elle dota ses petits-enfants d'un précepteur suisse ;
son favori Potemkine reçut également des maîtres français.

La pratique d'écrire et même de publier (des souvenirs,
des pensées diverses) en français était devenue fréquente
en Russie. La plupart des familles nobles possédaient leur
bibliothèque, où Voltaire, Buffon et Rousseau avaient leur
place. La langue française était associée à la danse, aux
arts, à l'habillement, à la cuisine. Ce goût pour le traves-
tissement linguistique et culturel était souvent envisagé
de manière ludique.

Cependant, le français n'était pas la seule langue occidentale présente dans le royaume des tsars au XVIIIe siècle.
L'italien, puis l'allemand, et bientôt l'anglais étaient également bien représentés. La Russie éclairée se faisait fort
d'être cosmopolite. Mais, ici comme ailleurs, une réaction
ne tarda pas à se faire sentir. Dès 1735, une Société des
amis de la langue russe se proposait de montrer les beau-
tés et les richesses de l'idiome national, sur le modèle de
ce qui s'était fait ailleurs en Europe. L'époque était à la

comparaison des langues. La fréquence des emprunts du russe au français (*brochura, delikatno, dokument, eksemplar, gouvernantka*) était critiquée, tout comme celle des emprunts à l'allemand, d'ailleurs. Bientôt, une Académie russe aura pour premier travail, par le biais d'un dictionnaire, d'essayer de purger le russe de tous ces emprunts aux langues étrangères. En 1789, une revue, *La Poste des esprits*, se moque de la francomanie paradoxale de la noblesse, qui préfère de plus en plus l'anglais pour l'éducation de ses enfants.

Il serait impossible de faire ici la liste des personnalités importantes d'Europe qui furent marquées par l'usage du français[3]. Outre Stanislas II Poniatowski, roi de Pologne, réservons toutefois une place particulière à Gustave III de Suède, né en 1746, qui était le neveu de Frédéric II. Pour lui, la langue française était venue pour ainsi dire « en héritage ». Il commença à écrire dès l'âge de onze ans ses lettres en français[4], maîtrisant bientôt très bien cette langue et correspondant avec des savants comme Marmontel. Comme en Russie, l'initiation au français est un moyen pour la Suède, marquée par des traditions féodales encore fermement ancrées, de faire un bond dans le temps et de rejoindre le concert des nations développées. Les liens de Gustave III avec la France ne sont pas seulement linguistiques : c'est par un coup d'Etat favorisé par les subsides français qu'il prit le pouvoir en 1771. Aux yeux des Français il devait apparaître comme l'un des rois européens du XVIIIe siècle les plus « éclairés », féru d'histoire, de philosophie, pratiquant une politique de tolérance religieuse, abolissant la torture. Mais Gustave III se retrouva débordé par le conservatisme de sa propre noblesse et fut assassiné en 1792, à un moment précisément où, ironie de l'Histoire, il s'apprêtait à intervenir contre la Révolution française.

Dans cette francophilie quasi générale de l'Europe du Nord au XVIIIe siècle quelques constantes se retrouvent : peu de monde au départ et, à l'arrivée, de véritables engouements collectifs, d'authentiques foyers d'usage, un effet d'entraînement très fort, qui ne franchit toutefois pas des limites sociales précisément marquées, et le rôle focalisateur de quelques personnalités, Voltaire notamment.

De l'autre côté de l'Atlantique, ce que l'on prêtait de « politesse » à la langue française, plutôt que de culture, était surtout synonyme d'égalité. Benjamin Franklin, qui a beaucoup séjourné en France et a bien connu Mirabeau, voit dans la Révolution le prolongement normal de ce qu'il a perçu de la culture française.

LE FRANÇAIS HORS D'EUROPE

Pendant tout le XVIIe siècle, l'Amérique a été un continent potentiellement français. Toutefois, tandis que les Anglais menaient en « Nouvelle-Angleterre » une politique active de peuplement, la population établie allant jusqu'à atteindre un million et demi d'habitants dans la seconde moitié du XVIIIe siècle, la population francophone de Nouvelle-France stagna, ne dépassant pas, au même moment, 75 000 personnes, et ce malgré des incitations à l'émigration. Mais le plus grave fut que, Louis XIV s'étant engagé en Europe dans la guerre de succession d'Espagne, il négligea le Canada, où les Anglais manifestaient une volonté hégémonique de plus en plus prononcée. A la signature du traité d'Utrecht (1713), la France perdit la baie d'Hudson, Terre-Neuve et l'Acadie.

L'histoire du Canada français au XVIIIe siècle est ainsi marquée par la perte graduelle d'influence de la France dans ses anciens territoires, et par les vexations que subirent les nouveaux colons de la part des Anglais. L'épisode le plus connu est celui qu'on appelle le « Grand Dérangement ». Il s'agit du déplacement forcé, en 1755, des familles françaises d'Acadie (les actuelles « Provinces maritimes » du Canada, notamment le Nouveau-Brunswick), pour une part vers les colonies anglaises d'Amérique, et pour une part dans les îles (les Antilles françaises). La volonté des Anglais était de régner sans partage sur le

Canada, et de se débarrasser des Acadiens (au total, quelque 10 000 personnes furent expulsées, c'est-à-dire la moitié de la population acadienne) au moyen d'un ordre de déportation qui demeura en vigueur jusqu'en 1764. Une guerre s'ensuivit, jusqu'à la capitulation des colons français devant un ennemi supérieur en nombre, en 1759. La France perdit alors toutes ses possessions canadiennes (traité de Paris, 1763). Entre 1765 et 1770, environ 1 200 Acadiens rejoignirent la Louisiane, entre-temps devenue espagnole. Aujourd'hui, seul l'archipel de Saint-Pierre-et-Miquelon reste politiquement dans le domaine français, comme un vestige de cette ancienne et immense Amérique française.

Si la France n'était plus présente politiquement au Canada, restait la langue française. Les populations d'Acadie lui étaient apparemment très attachées. Malgré la volonté affichée des fonctionnaires de la couronne britannique de faire renoncer les populations à leur langue (ainsi qu'à leur religion, les deux questions restant associées au XVIIIᵉ siècle), celles-ci refusèrent pour la plupart, manifestant une volonté de résistance. Mais, à la fin du XVIIIᵉ siècle, la domination anglaise était de plus en plus mal perçue. La Couronne ne pouvait plus se permettre d'imposer sa politique sans concertation : elle craignait les mouvements sécessionnistes. C'est ainsi que l'ex-Canada français obtint, avec l'Acte du Québec en 1774, une reconnaissance de la langue française dans les actes officiels. Celle-ci devait être corroborée en 1791 par la création d'une province distincte, le « Québec », où le bilinguisme devint officiel et l'usage du français resta majoritaire.

Le Canada cessait donc d'être français. Il en fut de même pour la Louisiane, cédée à l'Espagne entre 1763 et 1800, puis à nouveau française, très brièvement, avant d'être finalement vendue par Napoléon en 1803. Colonie de la Couronne depuis 1731, la Louisiane était un territoire malaisé, presque inculte, au climat éprouvant. La France ne réussit au début à le peupler qu'avec des populations forcées à l'exil, qui s'ajoutèrent aux Canadiens exilés. Centrée autour de La Nouvelle-Orléans, ville fondée en 1718, la Louisiane française du XVIIIe siècle remontait jusqu'au Missouri, région dans laquelle une variété de français a longtemps continué à vivre. Le sud du territoire était aussi une aire de traite des esclaves, d'où la présence, au XVIIIe siècle, d'un créole.

Quelle est la part de la langue des Acadiens dans la formation du *cadien* (en anglais *cajun*), qui en tire son nom par le biais d'une prononciation palatalisée ? C'est bien difficile à dire. En effet, les Acadiens ne sont encore que peu nombreux en Louisiane à la fin du XVIIIe siècle : 6 000 à 7 000 au maximum. De plus, certains d'entre eux ont fait le détour par la France, où ils ont résidé, après le « Grand Dérangement » de 1755-1785. Ceux-ci, leur parler s'est « frotté » avec le français de France. En outre, d'autres populations vinrent ajouter leurs usages du français à cette base : des coureurs des bois du Québec, des colons français de la colonie de Mobile (actuel Alabama) cédée à la Grande-Bretagne en 1763, bientôt rejoints, au tournant des XVIIIe et XIXe siècles, par des réfugiés venant de Saint-Domingue / Haïti. A cela il faut ajouter que des tribus amérindiennes (les Houmas) choisirent le français, que celui-ci fut également adopté par des colons espagnols…

Au total, la situation linguistique de la Louisiane à la fin du XVIIIe siècle devait être très complexe, et assez fascinante. Quelque chose comme un « français cajun » était en train de se former, ensemble de variétés régionales de français parlées au sud de la Louisiane, parmi lesquelles certaines populations eurent très peu de contacts avec les colons acadiens, voire pas du tout. Cela n'empêcha pas une forte identité acadienne d'apparaître dans cet Etat. Bientôt, entre le français cajun, le français métropolitain semé d'archaïsmes encore parlé par certains, et le « gombo », ou « gumbo », créole parlé majoritairement par la population noire, des interférences se produisirent. Les processus d'homogénéisation sont de plus sans cesse contrecarrés par l'apparition de nouvelles variations régionales liées au repli des communautés sur elles-mêmes, dans des contextes de démographies limitées. Le taux élevé d'analphabétisme et l'absence de pression normative accélèrent les diversifications. C'est ainsi que les usages du français sur le continent américain sont devenus, au cours du XVIIIᵉ siècle, relativement étanches. Bientôt, l'ancien français acadien n'existe plus de façon distincte en Louisiane. Les parlers du Sud et de l'ancienne « Nouvelle-France » doivent être abordés séparément.

Au Canada, depuis le traité de Paris, le pouvoir échappe de plus en plus fréquemment aux francophones. Ce phénomène sera encore accru avec l'indépendance des Etats-Unis, l'émigration au Canada des loyalistes britanniques et l'Acte constitutionnel de 1791, qui partage le Canada en deux : Haut-Canada et Bas-Canada. Du côté francophone, fonctionnaires dépossédés de leur influence, commerçants enrichis ou haut clergé font souvent le choix de rentrer en France. Restent au Canada des populations beaucoup plus fragiles socialement : bas clergé, agriculteurs, petits artisans, trappeurs et coureurs de bois, anciens militaires de niveau inférieur. Tout ce qui est de l'ordre de l'administration, du haut commerce, de l'industrie leur échappe et est assuré par les anglophones. La population francophone devient alors cantonnée à la terre : ce sont les « habitants ». Catholique, cette population se retrouve sous l'autorité d'une Eglise qui contrôle totalement le réseau d'enseignement (monolingue). Une communauté « de survie » s'est ainsi constituée, fondée sur des réflexes conservateurs et ce qu'on a appelé la « revanche des berceaux », autrement dit une natalité exceptionnellement forte.

La plupart des Canadiens francophones ont perdu contact avec leur culture d'origine. Celle qu'ils possèdent repose beaucoup sur l'oral, sur la transmission d'un mode de vie, de coutumes. Linguistiquement, le français canadien se trouve engagé dans une phase de différenciation. Si l'on met à part le domaine acadien, on distingue désormais dans les parlers du Québec ceux de l'est (bas Saint-Laurent) et ceux de l'ouest (Montréal et les Laurentides). Il en sera ainsi jusqu'au milieu du xxᵉ siècle où, dans le sillage du redéveloppement des français régionaux ou marginaux, de nouvelles formes de standardisation apparaîtront, et où l'urbanisation montréalaise suscitera le « joual ».

Si les possessions françaises connaissent au xvIIIᵉ siècle des revers sur le continent américain, en revanche elles se portent assez bien dans les « îles ». La Guadeloupe et la Martinique connaissent au cours du siècle un développement régulier, appuyé sur la pratique de la plantation esclavagiste et sur un commerce fructueux. Il se développe à cette époque une société à la structure complexe, donnant naissance à différentes cultures. Saint-Domingue, française depuis 1697, est également très peuplée et prospère. Les Indiens y ont presque complètement disparu. Au xvIIIᵉ siècle, l'île constitue le fleuron de la richesse française dans les Caraïbes. Une partie de la population noire est déjà sortie de l'esclavage. Elle s'enrichit parfois ; des mariages mixtes ont lieu. On voit se constituer des relations sociales nouvelles, plus détendues que ne voudrait la métropole. En 1745, celle-ci se voit contrainte de régulariser dans les îles les unions libres, tant celles-ci sont nombreuses. On craint également que des tendances sécessionnistes apparaissent.

C'est ce qui finit par se produire pour Saint-Domingue. Dans le sillage de la Révolution française, des troubles donnent lieu à une guerre d'indépendance qui est un des épisodes les plus intéressants de l'histoire américaine. En 1804 est proclamée l'indépendance de la première république noire : Haïti.

Par ailleurs, les deux îles de la Dominique et de Sainte-Lucie firent l'objet de disputes incessantes entre Français et Anglais au cours du xvIIIᵉ siècle. Elles furent définitivement perdues par la France en 1805 et 1803, mais on continua à y parler le créole local, de base lexicale française quoique fortement influencé par l'anglais. Il existait aussi des créoles français à Trinidad et à la Grenade, créoles aujourd'hui disparus.

Dans toutes les îles, si les Blancs étaient souvent plus nombreux que les esclaves aux débuts de la colonisation, la tendance devait progressivement s'inverser dans le courant du siècle. En Guadeloupe et Martinique, par exemple, les Blancs devinrent très rapidement minoritaires devant une population essentiellement africaine ou mulâtre. La « phase d'installation », durant laquelle on privilégie l'installation de colons, l'importation d'esclaves se limitant aux besoins de circonstance, aura duré environ cinquante ans pour ces deux îles. Parfois, comme en Louisiane ou en Guyane, en raison des difficultés rencontrées, elle sera plus longue, allant jusqu'à un siècle ou plus.

Dans cette phase d'installation, l'unité de production s'appelle l'*habitation* (ce sera la *plantation* lors de la seconde phase). On a du mal à s'imaginer quelles étaient les conditions réelles de vie de ces premières habitations, dirigées par des familles entourées d'un nombre très limité d'esclaves (une demi-douzaine au maximum). En fait, compte tenu des conditions d'existence difficiles, la vie matérielle des maîtres et celle des esclaves n'étaient pas si différentes ! La lecture qu'on fait des sociétés coloniales d'alors est souvent beaucoup trop marquée par l'image qu'on en a tirée à partir du XIXe siècle. En réalité, tout le monde travaillait au XVIIIe siècle : maîtres comme esclaves. Le fait qu'il y ait eu peu de femmes blanches conduisait à des unions interraciales très fréquentes, socialement très importantes. La société coloniale du XVIIIe siècle est d'emblée métissée.

De façon générale, les populations françaises (surtout des hommes) qui émigrent vers les nouveaux territoires sont souvent issues de l'ouest ou du nord de la France (à l'ouest d'une ligne Bordeaux-Lille). Ce sont souvent des aventuriers, qui ne reculent pas devant les risques que comporte le voyage. Pour ce qui est des esclaves, dans la zone caraïbe, ils viennent essentiellement d'Afrique de l'Ouest et, dans l'océan Indien, de Madagascar, d'Afrique

de l'Est ou d'Inde. Ceci implique que les langues importées dans ces deux zones étaient différentes, appartenant
même, selon les classifications aujourd'hui retenues, à des
groupes éloignés. Un marchand d'esclaves danois du
début du XVIIIe siècle dans le golfe de Guinée, L.-F. Römer,
note dans son récit aujourd'hui publié : « Ce qui m'étonne
avant tout, c'est combien les langues des Nègres diffèrent
entre elles[5]. » Les marchands d'esclaves ne s'y retrou-
vaient pas : ils confondaient les ethnies, les langues, les
« nations ». Si les esclaves avaient beaucoup de mal à
communiquer entre eux (situation sur laquelle s'appuyaient
les négriers pour diminuer les risques de rébellion), il
semble à première vue qu'on pourrait en tirer des arguments pour défendre la thèse selon laquelle les créoles
seraient des langages fabriqués dont les caractéristiques
reproduisent des phénomènes observables dans l'acquisition du langage. Ainsi, plus de 50 % des esclaves vivant
au XVIIIe siècle dans l'île Bourbon (la Réunion) venaient
d'un seul endroit : Madagascar[6]. Les langues qu'ils parlaient sont bien connues, grâce notamment à une étonnante description qui en a été faite dès le XVIIe siècle[7]. Or,
on observe que le créole réunionnais ne conserve qu'une
centaine de mots d'origine malgache.

Les esclaves amenés dans les nouvelles colonies étaient
souvent très jeunes, adolescents ou même enfants. Des
textes de l'époque évoquent explicitement l'avantage,
dans la rentabilité et l'adaptabilité, qu'il y avait à utiliser
une main-d'œuvre jeune. « On a du moins l'avantage de
les élever comme on veut, dit l'un de ces textes, on leur
fait prendre tel pli et telles allures qui conviennent à leurs
maîtres, ils apprennent plus aisément la langue du païs et
les coutumes, ils sont plus susceptibles des principes de la
religion, ils oublient plus aisément le païs natal et les
vices qui y règnent, ils s'affectionnent à leurs maîtres,
sont moins sujets à aller marrons, c'est-à-dire à s'enfuir,
que les nègres plus âgés[8]. » Il s'agissait d'une véritable
politique du déracinement, propice à l'installation d'usages
nouveaux, notamment linguistiques.

L'île Bourbon était déserte avant son occupation par les Français en 1665. Dans l'océan Indien, la politique de colonisation fut de progresser d'île en île et de peupler les nouvelles îles avec des populations issues des anciennes. Un ingénieux système fut mis au point. Les terres étaient données à défricher aux « habitants », c'est-à-dire aux créateurs d'« habitations », mais ceux-ci n'en étaient pas propriétaires. C'est ainsi que l'île Bourbon fut peuplée avec de nouveaux colons issus de Madagascar. Les premiers colons français s'étaient installés à Madagascar en 1642, mais ils en furent chassés après le massacre de Fort-Dauphin. Les contacts des Français avec Madagascar resteront toutefois fréquents au XVIIIe siècle à partir des autres îles. L'« île de France » (aujourd'hui île Maurice) fut occupée par les Français en 1721. Néanmoins ces deux îles restèrent extrêmement peu peuplées jusqu'au milieu du XVIIIe siècle : on comptait 1 402 Blancs et 1 775 Noirs à l'île Bourbon en 1725. Ces habitants furent apparemment réticents à soutenir le développement de l'île de France, malgré l'action de la Compagnie des Indes, qui y fit séjourner des Blancs et des esclaves « bourbonnais » pour stimuler l'implantation de la vie coloniale. L'île de France devait être prise par les Anglais en 1810, et rebaptisée Mauritius.

Quant aux Seychelles, une centaine d'îles disséminées sur une importante surface maritime, elles furent conquises par les Français en 1770. Leur colonisation se fit à partir d'habitants de l'île Bourbon et de l'île de France, ce qui explique que leurs créoles partagent des traits avec ceux des deux premières îles. Ici encore, la mainmise française céda devant les Anglais en 1814.

Au total, les possessions françaises de l'océan Indien forment au XVIIIe siècle un ensemble instable, où l'on essaie de développer les cultures du sucre et du coton, avec des résultats divers, mais où l'implantation humaine connaît un relatif échec. Ces îles ne connaîtront leur véritable essor qu'au XIXe siècle, au moment où Indiens (d'Inde) et

Africains de l'Est y apporteront leurs massifs contingents de population.

Dans le courant du XVIIIe siècle, les créoles, qui se caractérisaient au XVIIe siècle par leurs emprunts lexicaux au français, développent une grammaire propre. Ils se constituent une phonologie ; ils développent souvent un marquage morphologique simple, fondé sur des particules plutôt que sur des flexions (disparition du -s du pluriel, par exemple) ; leur syntaxe se systématise.

Des changements économiques et sociaux importants expliquent le développement de ces créoles au XVIIIe siècle. Alors qu'au XVIIe siècle les esclaves nouvellement arrivés étaient souvent amenés à apprendre le français, ou du moins une certaine variété de français, pour communiquer avec leurs maîtres, les exploitations étant petites, l'extension des domaines au XVIIIe siècle conduisit les maîtres à faire diriger les esclaves par ce qu'on appelait des « commandeurs ». Ceux-ci étaient eux-mêmes des esclaves ; on leur confiait les tâches ingrates de l'encadrement du travail. De fil en aiguille, le monde de « la cour » (un emploi d'origine dialectale normande), autrement dit de la maison, avait de moins en moins de contacts avec celui des activités agricoles. C'est un point essentiel qui explique le processus d'autonomisation du créole par rapport au français. Les esclaves qui parlaient français (c'est-à-dire les domestiques) n'étaient plus les mêmes que ceux qui parlaient créole (les ouvriers agricoles). Dans la société de plantation, les deux mondes tendirent à se scinder.

Le XVIIIe siècle est aussi l'époque où les créoles commencent à acquérir chacun leur physionomie. On a peu de textes – témoignages de prêtres évangélisateurs, archives judiciaires qui font figurer parfois quelques phrases en créole, textes littéraires ou religieux, textes parodiques ou burlesques – mais suffisamment néanmoins pour se faire une petite idée. Le corpus de la Réunion et de Maurice est le seul, pour l'instant, à avoir fait l'objet d'une étude systématique[9]. La retranscription n'est pas nécessairement fiable, mais l'étude fournit quelques enseignements.

Aujourd'hui les linguistes distinguent généralement les créoles de ce qu'on appelle les *pidgins*. Au contraire des créoles, les pidgins sont le fruit d'authentiques métissages de langues. La pidginisation s'observe fréquemment en domaine anglais. Quelques exemples ont impliqué le français, comme le « souriquoien », utilisé en Nouvelle-Ecosse, le « michif », né du contact du français avec une langue indienne, le « cree », le pidgin français de Nouvelle-Calédonie, ou « bichelamar », formes langagières mixtes en partie disparues depuis.

Les créoles, de leur côté, se signalent par la présence de phénomènes d'autorégulation, c'est-à-dire l'installation de régularités que n'explique aucune prescription particulière. On sait par exemple que les colons, au xviie siècle, disaient, pour les personnes du pluriel, *nous autres, vous autres, eux autres*, prononcés *aut'*. Les historiens notent également que l'ancien français avait déjà eu une tendance à substituer aux formes sujet *je* et *tu* les formes régimes *moi* et *toi*, plus « lourdes », plus expressives. Ainsi, le système des personnes (en français standard *je/tu* ou *vous/il* ou *elle/nous/vous/ils* ou *elles*) se décline-t-il en français d'Amérique *j'* ou *ch'/t'* ou *vous/i* ou *a* ou *al/nous autres/vous autres/eux autres*, et en créole martiniquais *moin/ou/i* ou *li/nou/zot/yo*[10]. Les créoles ont fait des choix, dans des systèmes qui n'étaient d'ailleurs pas ceux du français standard de l'époque. Pour la deuxième personne du pluriel, le créole martiniquais n'a retenu que le dernier élément du syntagme, le transformant en *zot* ; pour la troisième, en revanche, il a retenu le premier (*yo* dérive de *eux*), à la différence du créole réunionnais, qui dit également *zot*.

Le panorama de la présence de la langue française hors d'Europe au xviiie siècle serait incomplet si l'on n'y incluait les comptoirs de l'Inde, dont le plus connu est Pondichéry, fondé en 1674. Toutefois, il est à noter que, si ces comptoirs furent des centres commerciaux actifs, ils ne furent jamais significativement peuplés. Au pic de son activité, Pondichéry abritait moins de 2 000 Français. On n'y observa pas de développement d'usages spécifiques du français, ni de créoles.

La rivalité franco-anglaise dans la découverte et la conquête de territoires nouveaux se poursuit également en Océanie au XVIIIe siècle. Français et Anglais mettent le pied pour la première fois sur certaines de ses îles dans les dernières décennies du siècle : Tahiti en 1767, la Nouvelle-Calédonie en 1774. Celles-ci ne seront développées et peuplées qu'au XIXe siècle. Le XVIIIe siècle dut n'être que le moment du premier contact entre les langues européennes et les langues polynésiennes et mélanésiennes, alors inconnues des Européens.

3.

Derniers jours de l'Ancien Régime

Essayer de mesurer quels ont été les usages du français en France au milieu du XVIIIe siècle, c'est s'exposer à un curieux paradoxe : tandis que des cours européennes se plaisent à cultiver cette langue qui leur est étrangère comme un objet de goût et de plaisir, que les salons à Paris dissertent savamment pour savoir quel nom donner en français aux récentes découvertes des physiciens, et que des marins du royaume emmènent la langue française sur les mers de désormais quasiment tout le globe, force est de reconnaître qu'à l'intérieur de ses frontières une bonne partie de la population ne parle toujours pas cet idiome parfois envié.

Cette scission pose un problème particulier, dont le XVIIIe siècle français aura plus d'une fois conscience, sans parvenir à le résoudre. Pour autant, quelques faits semblent *a priori* favorables à une diffusion plus grande du français dans l'espace du royaume. Depuis la création en 1716 des « Ponts et Chaussées », le temps de trajet nécessaire pour se rendre de Paris jusqu'à des villes qui, au XVIIe siècle, apparaissaient encore comme très reculées, commence à chuter. L'accélération est surtout frappante à la fin du siècle : Marseille s'atteint en treize jours depuis Paris en 1765 ; en huit seulement quinze ans plus tard. La systématisation de la diligence, qui remplace les coches ou les carrosses, assure de bien meilleurs moyens de communication.

Toutefois, si le Nord commence à être bien desservi, des parts importantes du royaume restent enclavées, comme le Centre. Les communications vers la Bretagne s'arrêtent à Rennes. Deux grands itinéraires pénètrent au Sud : ceux qui mènent à Marseille et à Toulouse. Mais tout ce qui est situé plus au sud ou sur les marges est et ouest de ces lignes reste inaccessible.

Ceci est peut-être un élément d'explication dans le renforcement d'un clivage qui existait déjà au XVIIe siècle entre le Nord, où s'est largement diffusé le français, surtout à l'ouest et au sud-ouest de Paris, et un Sud qui reste patoisant. Les différences dans les niveaux de culture deviennent flagrantes. Un phénomène de concentricité se développe autour de Paris, qui s'est trouvé accentué par la centralisation du pouvoir amenant la ruine des cours provinciales. De grandes villes régionales qui avaient connu une certaine prospérité au XVIe siècle, et encore au XVIIe siècle, sont désormais frappées d'une relative anémie. L'écart s'accroît entre une capitale désormais forte de 800 000 habitants (sous Louis XVI) et des villes de second plan nettement moins peuplées (150 000 habitants pour Lyon, par exemple).

La population générale de la France s'accroît, mais le taux d'urbanisation reste faible : il était de 15 % en 1725 et n'est que de 18 % à la Révolution. Hormis l'attraction incontestable qu'exerce Paris, attraction parfois perçue comme dangereuse par les contemporains, qui se représentent volontiers la capitale comme une sorte de « miroir aux alouettes » pour les pauvres paysans précipités dans la misère, les villes se développent peu. Aucun centre urbain nouveau n'est créé au XVIIIe siècle, par exemple. Dans nombre de régions, un phénomène nouveau apparaît : la « provincialisation », caractérisé par une imbrication nouvelle des paramètres sociaux et régionaux. Ceux-ci tendent désormais à se superposer, marginalisant encore davantage les classes défavorisées éloignées de la capitale.

Parler patois au temps des Lumières

En dépit d'une progression notable de l'idiome des philosophes dans certaines couches de la population, la situation linguistique de la France au XVIIIe siècle est encore celle d'une cartographie de dialectes.

Autant nous disposons de peu de documents pour reconstituer l'état de langue de certaines régions françaises au XVIe siècle et au XVIIe siècle, autant le XVIIIe siècle nous fournit une quantité appréciable de sources, qu'il s'agisse d'archives ou de livres imprimés. Deux faits marquants caractérisent en effet les règnes de Louis XV et de Louis XVI pour ce qui est du devenir des patois : l'apparition d'une littérature en des endroits où on n'en connaissait pas jusqu'alors – une littérature essentiellement folklorique, mettant l'accent sur le pittoresque – et la naissance d'un intérêt philologique nouveau, se traduisant par la publication de dictionnaires, de grammaires, d'anthologies...

Avec les progrès de la philologie, la science se fait plus sûre, plus synthétique. L'année 1723, par exemple, est marquée par la double parution d'un *Dictionnaire breton-français du diocèse de Vannes*, dû à Pierre de Chalons, et d'un *Dictionnaire provençal et français* par le père Pellas. L'occitan et le breton constituent les deux continents linguistiques considérés comme réellement distincts du français. Bientôt, viendront s'y ajouter l'alsacien et le corse. Le breton présente pour les philologues un intérêt particulier, dans la mesure où l'approfondissement de sa connaissance aide à relancer la piste « celte ». Le *Dictionnaire étymologique de la langue bretonne* que fait paraître Le Pelletier en 1752 participe de ce mouvement ; il est suivi, deux ans plus tard, par un *Mémoire sur la langue celtique* de Jean-Baptiste Bullet (1754), qui défend l'origine celtique du français.

Souvent, ces travaux sur les parlers sont le fait d'ecclésiastiques. L'Eglise a compris qu'en s'accrochant au latin, elle allait perdre une grande partie de son public, ou du moins se l'aliéner. La pratique du français, de son côté, se trouve de plus en plus associée au monde des philosophes. Les langues régionales, les dialectes, les patois apparaissent alors comme des occasions de rétablir la communication de l'Eglise avec la population, le développement d'une littérature religieuse en dialecte en atteste.

Outre le breton, l'occitan, ou « provençal », est l'objet principal de curiosité. Au fil du temps, beaucoup d'interférences s'y sont produites avec le français, interférences absentes dans le cas du breton, protégé par une forme d'étanchéité. La population occitanophone est tellement vaste, sous l'Ancien Régime, que le contact linguistique est constant. Par ailleurs, de malencontreux usages venus du Sud se retrouvent périodiquement à Paris, au point de nécessiter pour certains la publication de *Gasconismes corrigés*, tels ceux de Desgrouais en 1766. Mais, bientôt, les lecteurs de ce type d'ouvrages (ou du *Dictionnaire languedocien-français* de l'abbé de Sauvages, dont la première édition était parue en 1756) seront plus curieux de se renseigner sur les dialectes que de se prémunir des risques de contagion.

Jusqu'à la Révolution, pour autant, les locuteurs auront de la difficulté à tracer une limite nette entre formes dialectales d'un côté et formes du standard de l'autre. En 1787, encore, le *Dictionnaire wallon-français* proposé par Cambresier aux locuteurs nordistes traque en fait ce qu'on appellera plus tard les « belgicismes ». Ce genre de publications entretiennent l'illusion de « progrès » toujours possibles des dialectes vers le français. L'abbé Grégoire, bientôt, aura une vision plus radicale : pour lui, il faut reconnaître les dialectes comme tels – et passer au français.

Pour rester dans le Nord, l'extension graduelle de l'usage du français, s'étendant sans cesse davantage autour de Paris par cercles concentriques, a eu pour effet de cantonner l'expression patoise à des formes souvent anecdotiques, plaisantes, où, sous la dérision exercée à l'encontre de « petites différences », se lit facilement un doute quant au bien-fondé des usages. Déjà fréquents au XVIIe siècle, les chansons de colportage, les saynètes, les contes se sont beaucoup popularisés. Dans des lieux de grand passage (carrefours, etc.), le public – un public mêlé, où se retrouvent marchands, dentellières, sayetteurs (fabricants de tissus de laine) – les écoute, puis les achète[1]. Il s'agit souvent de dialogues, qui mettent en présence des personnages contrastés, comme un savetier et une femme de la bourgeoisie d'une ville voisine, entre lesquels la communication sera particulièrement difficile... Le vrai personnage de ces dialogues, qui se stéréotypent à tel point qu'ils en viennent à créer un nouveau genre, la « pasquille », c'est la langue – les usages linguistiques, les malentendus liés aux différences. La marqueterie des patois y fait d'ailleurs parfois l'objet de commentaires explicites. Une chanson énumère tous les noms que l'on donne aux ivrognes dans les différentes villes du Nord : *blasez* à Lille, *coups-d'houlettes* à Tournai, *bouffis* à Douay et Arras – alors qu'en bon français, celui de Paris, nous dit l'auteur, « on les appelle des *polmoniques*[2] ».

Le niveau de culture s'étant élevé, tous ces textes, désormais, sont publiés. Dans le Nord, un nom émerge : celui de François Cottignies (1678-1740), dit « Brûle-Maison[3] », connu pour s'être fait une spécialité de jouer sur les rivalités entre centres urbains en parodiant tour à tour, à l'intention d'un public chauvin et goguenard, les usages respectifs de Tourcoing et de Lille. L'opposition ville-campagne est également très porteuse : personnage très populaire, Brûle-Maison crée une une vraie vogue autour de cette littérature éphémère et percutante. Des publications périodiques apparaissent, comme cette *Abeille lilloise* que fonda le libraire Panckoucke, auteur également d'une satire intitulée *Les Embarras du jour de l'an, Lille civilisée sous la domination française par l'établissement des Académies* (1731), dont le titre dit bien, au-delà de la parodie de Boileau, la relation problématique qu'un centre

urbain important comme Lille pouvait avoir, au milieu du
XVIIIe siècle, avec Paris et le pouvoir central.

Les mises en scène linguistiques sont alors là pour renforcer des oppositions culturelles plaisamment et complaisamment déclinées. Dans le « patois », le public retrouve
un rapport subjectif au langage qui a tendance à se perdre
dans les usages normés, alors que, malgré tout, la standardisation progresse. Fils de François Cottignies, Jacques
Decottignies (1705-1762)[4] a perpétué, outre le commerce
familial, cet esprit satirique qui caractérise la chanson
picarde au XVIIIe siècle.

A l'époque, les usages patois servent beaucoup d'exutoire à une colère sociale et politique qui ne pourrait
s'exprimer aussi librement en français. Les patois sont des
lieux « autres », où l'autorité royale ne s'étend pas. Les
darus et darusses de la littérature picarde (le mot daru
signifie originairement « grossier », mais a tendu par la suite
à désigner des personnages « délurés et plein d'entrain »[5])
sont, à l'échelle locale, les descendants des personnages
burlesques qui, dans la France d'Ancien Régime, ont toujours associé grossièreté et revendications politiques.
L'anonyme Coup d'œil purin (1773) est une diatribe en
vers contre le pouvoir royal et les ministres de Louis XV
significativement écrite en « patois purin », le parler de
Rouen et de sa région. Sous la Révolution, l'usage des
patois continuera d'abriter la critique des pouvoirs en
place. La dynamique politique tendra alors à s'inverser,
pour faire des patois des lieux de « réaction ». Mais nous
aurons l'occasion d'y revenir.

En Bretagne, sous l'influence du clergé, la diffusion de
la langue locale est toujours associée à la propagation,
auprès du plus grand nombre possible d'esprits, des vérités de la foi. Toutefois cette diffusion se heurte à un phénomène d'acculturation, au cours du XVIIIe siècle, qui fait
baisser sensiblement le nombre de lecteurs potentiels du
breton. La population qui sait lire se tourne de plus en
plus vers le français. Les auteurs catholiques en breton,
comme Charles Le Bris (1660-1737), sont beaucoup plus

prolifiques que leurs prédécesseurs[6], mais ils ne peuvent ignorer le contact avec le français qui imprègne désormais la vie non seulement culturelle, mais quotidienne. Bien souvent, pour rester pertinents en termes spirituels, ils doivent se consacrer à la traduction d'œuvres françaises, comme l'*Introduction à la vie dévote* de François de Sales, du français en breton – opération de moins en moins rentable en termes de public potentiel. Les « puristes » postérieurs considéreront vite la langue ainsi produite comme abâtardie, en raison du grand nombre d'emprunts que contiennent leurs textes.

La Bretagne connaît une crise économique majeure au XVIIIe siècle. Le contexte est peu favorable à l'émergence et à la stabilisation d'une classe, disons, « moyenne-inférieure » consolidée dans son statut professionnel et développant une conscience de son identité culturelle, comme dans le Nord. Le breton tend à devenir une langue « de misère » et d'éducation religieuse pour les moins lettrés. On observe bien l'existence d'un théâtre comique similaire à celui qu'on rencontre partout en France à l'époque, mais il semble curieusement « décalé » historiquement, observant des schémas du XVIIe siècle déjà bien oubliés ailleurs.

Dans le domaine d'oc, la renaissance poétique du XVIIe siècle a eu un effet paradoxal. Elle a remis à l'honneur des pratiques culturelles oubliées depuis les troubadours ; mais elle a aussi gravement défiguré la langue, notamment par l'adoption de graphies influencées par le français. Il en est résulté qu'au XVIIIe siècle une coupure s'est produite entre ces littératures et les usages réels. Une certaine standardisation de l'occitan littéraire moderne ainsi qu'un relatif « académisme » lié au rôle centralisateur de Toulouse ont fait perdre de leur pertinence aux productions écrites.

Néanmoins, la mode de la campagne, le goût du bucolique, du rustique, si caractéristiques du second XVIIIe siècle, ont permis de relancer la vitalité de l'idiome à travers un attachement prononcé aux « terroirs ». Ainsi Claude Peyrot (1709-1795) s'est voulu à Millau une sorte de « Virgile » occitan. Couronné à l'Académie des Jeux floraux de Toulouse en 1748, il est l'auteur de nombreux poèmes en « patois » célébrant la nature et les travaux des champs : le *Primo Rouërgasso*, le « Printemps rouergat » (1774), ou *Los Catre Sosous ou los Georgicos Potuosos*, les « Quatre Saisons ou les Géorgiques patoises », une des œuvres les plus populaires et les plus originales de cette seconde moitié du XVIIIe siècle en domaine d'oc. Son inspiration joviale, son sens critique, son attention au détail savoureux l'ont fait immédiatement aimer par ses contemporains, tandis que, plus profondément, on peut reconnaître dans son œuvre la manifestation d'un courant d'idées qui annonce la Révolution.

A Paris, à la Cour ou dans les cercles aristocratiques, le dédain dans lequel a longtemps été tenu tout ce qui venait du Sud fait désormais place à un attachement attendri. Louis XV, dit-on, développa un goût pour les chansons béarnaises de Despourrins, et la Cour applaudit la pastorale occitane *Daphnis et Alcimadure* mise en musique par Cassanéa de Mondonville.

Au XVIIIe siècle, une nouvelle terre va également venir s'ajouter à la France : la Corse. Depuis la révolte de 1729 contre les Génois, les Corses se sont trouvés propulsés aux avant-postes des Lumières en rédigeant en 1734, avant les Etats-Unis d'Amérique, une Constitution. Mais, par le biais de deux interventions militaires successives (1740 et 1750), la France, pour des raisons essentiellement économiques, prit pied en Corse. L'apparition d'un personnage charismatique, Pascal Paoli, retarda néanmoins l'assujettissement politique de la Corse à la France. On connaît l'œuvre importante de Paoli dans le domaine de la vie civile : la création d'un enseignement primaire obligatoire, d'une université, d'un service militaire. Par bien des aspects, sa politique, qui fit l'admiration de Voltaire et de Rousseau, annonce les futures réalisations de la Révolution française. Mais l'épisode n'eut qu'un temps. En 1769, l'armée corse est défaite et les députés corses prêtent serment au roi de Corse. La langue corse, qui ne se rattache pas au domaine d'oc, entre dans le vaste ensemble des idiomes parlés en France. A la fin du XVIIIe siècle, elle est toujours très vivante : la francisation de l'île, à la vérité, ne sera que très lente, et les premiers émissaires du gouvernement seront contraints au bilinguisme.

Au total, comment se représenter cette marqueterie d'idiomes jugée pourtant impertinente, inadéquate aux efforts de centralisation ? Le XVIIIe siècle popularise une désignation vague, bien commode et révélatrice : celle de *patois*. Le mot est le biais essentiel par lequel, désormais, la réalité linguistique est abordée en France ; il véhicule aussi des connotations très négatives. On ne sait pas bien non plus toujours ce qu'il désigne. Lorsque Voltaire considère qu'« un reste de l'ancien patois s'est encore conservé chez quelques rustres dans cette province de Galles, dans la Basse-Bretagne, dans quelques villages de France » (*Dictionnaire philosophique*), veut-il parler de ce « gaulois » ou « celtique » que la plupart des intellectuels, au XVIIIe siècle, aiment à se représenter comme le substrat du français ?

Face à lui, un mot plus sérieux, plus intellectuel, se popularise : le mot *dialecte*. Le XVIIIe siècle français l'applique essentiellement à la Grèce. Dans son *Histoire ancienne*, Rollin considère que la Grèce antique connaissait quatre dialectes. Dans ce qu'il appelle l'« ancien français », il en voit trois : normand, picard, bourguignon. Pour ce qui est de l'époque moderne, en revanche, la situation est plus confuse. Si les contemporains reconnaissent volontiers des dialectes à l'italien, le vénitien, par exemple, ils répugnent à considérer comme tel aucun des « patois » du français. La lecture du trajet historique n'est pas la même. Le rôle des patois, en France, est vu comme un rôle de formation, amené à s'effacer un jour ou l'autre devant le mouvement de standardisation et de centralisation. Leur reconnaître un statut de dialectes serait les faire sortir de cette logique à laquelle le XVIIIe siècle est d'abord attaché.

Il faut dire qu'un paramètre brouille singulièrement les représentations. Nous l'avons vu, tout au long de l'Ancien

Régime, l'usage des « patois », ou « dialectes », comme on
voudra, n'a cessé d'être moins lié à des facteurs géographiques qu'à des facteurs sociaux. Au XVIIIe siècle, le « patois »
est avant tout la langue de l'ouvrier ou du paysan, que
l'on pourrait comprendre mais à laquelle on ne se commet
pas, pour des raisons sociales. Les populations se sont
beaucoup déplacées, aussi. Dans certaines grandes villes,
on entend des patois venus de toutes sortes d'endroits différents, et parfois on ne cherche pas vraiment à les distinguer. Il y a *un* patois, qui recouvre toutes sortes de
marges de statut inférieur. Dans l'article « Langue » de
l'*Encyclopédie*, par exemple, le terme *patois* désigne des
« prononciations ou terminaisons différentes d'un même
mot ». Il s'agit, est-il dit, d'« usages subalternes ».

Poussée irrépressiblement vers une logique nationale,
sinon nationaliste, la France ne peut désormais plus supporter ce sentiment d'appartenance provinciale qui caractérise l'essentiel de sa population. Les usages des patois
sont devenus illégitimes, injustifiés, sinon à titre de vestiges entretenus seulement par la mauvaise éducation. La
France de la fin du XVIIIe siècle refuse toute cohérence,
aussi bien linguistique que culturelle, à des ensembles qu'elle
prive désormais de leur identité. Confrontée à l'hétérogénéité sociale, elle choisit durablement de fermer les yeux
sur l'hétérogénéité langagière.

LA NOUVELLE CARTOGRAPHIE DU FRANÇAIS

Ainsi, le XVIIIe siècle est marqué par un glissement progressif des usages patoisants, notamment du Nord, vers ce
qu'on ne va pas tarder à appeler des français « régionaux ». Les mots formés sur des bases lexicales distinctes
du français tendent à disparaître au profit de prononciations différentes d'un même mot. Dans le Nord, les
formes *poplieu, popliu, peupillier, popier, poupier* jouent
désormais le rôle de formes patoises pour « peuplier ». Par
ailleurs, comme de plus en plus de mots patois sont

désormais écrits, la graphie du mot joue un rôle rétroactif sur sa prononciation. Beaucoup de mots patois entrent en variation avec les mots français correspondants. Dans l'Artois, le mot *draps* apparaît, à côté du mot patois *lincheus*. D'abord en variation, les deux mots vont ensuite développer des sens différents : les *draps* désigneront des draps par paires, tandis que les *lincheus* seront des draps par unités, dépareillés, réemployés... On voit bien alors comment le mot dialectal a graduellement été réservé aux éléments de la réalité les moins usuels ou les moins nobles. Il était fatal, ainsi, que le mot *lincheus* en vienne à ne plus être employé, le mot *draps* récupérant alors le sens de « draps par unités ». A la fin du XVIIIe siècle, seul le mot *draps* est employé, dans tous les sens[7].

Autour de Paris, les particularités locales s'effacent également. Le *Vrai recueil de Sarcelles* publié à Amsterdam en 1764, mais qui contient des *sarcelades* écrites par un certain Nicolas Jouin entre 1730 et 1748, s'offre comme un reportage sur les façons de parler d'un lieu alors considéré comme éloigné de Paris. Mais un examen attentif du texte ne tarde pas à révéler qu'il y a peu de différences entre ce qui est proposé et les caricatures de langage populaire proprement parisien qu'on trouve ailleurs. Il en est ainsi des *Lettres de Montmartre* de Coustelier (1750[8]), ou du *Discours prononce au roy par un paysan de Chaillot* anonyme de 1744[9]. Ces lieux remplacent l'ancienne place Maubert du XVIIe siècle comme lieu stéréotypique des parlers du peuple.

Fortement compartimentée sous Louis XIV, la société française voit graduellement se fragiliser, au cours du XVIIIe siècle, les frontières jusqu'alors étanches qui séparaient les classes. La bourgeoisie, notamment, accède à des places jusqu'alors réservées à la noblesse. Au fil des décennies, bien des nobles se verront dépossédés de la puissance économique. Du coup, il se créera une solidarité culturelle nouvelle et paradoxale entre l'aristocratie et les milieux populaires – paysannerie, domesticité. Ce rapprochement, bien sûr, se fait avec beaucoup de dédain et d'ironie de la part de l'aristocratie, mais il se fait quand même. Bien des nobles désargentés préféreront frayer avec les classes populaires plutôt qu'avec une bourgeoisie qui leur fait horreur et dont ils condamnent tout : l'avidité, les usages, le goût…

Au plan linguistique, cette porosité nouvelle se traduit par la « remontée » dans le français le plus élevé de termes provenant des classes inférieures. Ceux-ci sont souvent adoptés par jeu, dans un premier temps. Mais ils finissent par s'installer… L'un des témoignages majeurs que nous conservons de la langue populaire du XVIIIe siècle réside précisément dans cette mode qui saisit le public aristocratique des usages bas, grossiers, réprouvés. On se plaît, après souper, à contrefaire sous forme de bouffonneries les façons de parler du peuple, jugées hilarantes. En 1730, se crée une académie parodique, l'« Académie du Bout du Banc ». Il n'est pas indifférent que le peuple soit alors représenté sous l'angle exclusif de la grossièreté : son image s'est très dégradée depuis le XVIIe siècle. La culture populaire n'est plus considérée comme le socle ancien, légitime, de la culture savante, mais comme un univers séparé, qui sert de défouloir aux fantasmes d'encaillement des classes élevées. Un terme apparaît pour désigner les gens du peuple : on les appelle les *grenouilles* – métaphore animale significative. A l'origine, on désignait ainsi les débardeurs, souvent en contact avec l'eau. Mais c'est à d'autres liquides, dispensés dans les cabarets, qu'on associe bientôt les *grenouilles*. Si l'on fait volontiers du paysan un « bon sauvage », l'homme du peuple urbain focalise autour de lui tous les vices qu'on prête à la ville : vol, misère, prostitution, alcool…

Sous Louis XV, ce nouveau goût pour l'encaillement donne une couleur spécifique, plus outrée, à la veine qui, de Molière à Labiche, s'attache à caricaturer au théâtre le langage paysan et populaire. Une pièce comme *Le Marchand de merde* de Thomas Gueullette en est une bonne illustration. Un genre nouveau apparaît : celui du théâtre « gaillard », ou « poissard ». Le mot *poissard*, *poissarde* servait, selon Furetière, d'injure entre les harangères « qui se le disent les unes les autres pour se reprocher leur vilenie et leur malpropreté ». Il n'est pas dit que le terme *poissard* était utilisé par ceux qui le parlaient pour caractériser leur langage ; mais il deviendra bientôt un terme à la mode, dans les classes élevées, pour désigner le langage du peuple[10].

Un écrivain s'illustre particulièrement dans le style poissard : Jean-Joseph Vadé (1719-1757). La vogue qui l'entoure est significative. Même D'Alembert s'en fait l'écho. Une gravure du musée Carnavalet le représente en train d'aller jouer les provocateurs auprès des « vendeuses de marée » des halles pour mieux recevoir leurs injures – butin précieux pour son futur travail. En 1749, il a fait paraître des *Lettres de la Grenouillère*, dans lesquelles il explore de larges pans du lexique populaire et de cette syntaxe de l'oral qu'il nous est si difficile aujourd'hui de reconstituer. Dans ce texte, la graphie est spécialement choisie pour renforcer l'impression d'exotisme. Voici un petit extrait de ces *Lettres*, à titre d'exemple : « Monsieux, Vous avez sorti d'cheux nous venderdy en façon d'un homme qu'est comme en fureur pour la cause que j'vous ai pas consenti sur la d'mande auquel vous m'avez dit que j'vous dise une réponse. A Pasques prochain qui vient, j'naurai qu'vingt-trois ans. Faut vous donner patience pardi […][11]. » Faut-il voir là un témoignage probant de ce que pouvait être le langage populaire oral du milieu du XVIIIe siècle ? A l'évidence, il y a bien de la mise en scène dans ces « morceaux choisis ».

Cet aspect de théâtralisation est bien montré par les recommandations aux acteurs que donne Cailleau en tête de son *Waux-hall populaire ou Les Fêtes de la Guinguette* de 1769 : « Tout ce qui est marqué par des guillemets à la tête de chaque vers, doit être prononcé d'un ton enroué, à l'imitation des gens de la Halle et des Ports : c'est en contrefaisant la voix et les gestes de ce peuple grossier, qu'on peut trouver quelqu'agrément à la lecture de ces sortes d'ouvrage, qui veulent être lus avec cette grâce ori-

ginale et plaisante, qu'on a souvent de la peine à attraper.
Le lecteur observera encore qu'il faut lire les vers pois-
sards avec les abbréviations telles qu'elles sont marquées[12]. » Exhiber la différence renforce alors la fonction
de catharsis sociale que ce type de théâtre était amené à
remplir. Lorsqu'elles sont publiées, comme les *Parades* de
Beaumarchais[13], ces productions théâtrales violent à des-
sein toutes les normes alors en vigueur.

Après avoir reculé sous les coups de l'académisme et de
l'idéologie puriste, le goût de la satire revient en force au
XVIIIᵉ siècle. On connaît bien ce parti des « rieurs » qui
anima la Régence ; tout au long du siècle, se multiplient
les pratiques de la charge, du persiflage, utilisant un
matériau langagier beaucoup plus vaste et se renouvelant
sans cesse, jusqu'à la néologie. C'est la mode des *cacouacs*,
terme qui, dans le sillage de l'*Encyclopédie*, désignera les
philosophes. Dans la seconde moitié du siècle, ce goût
prendra progressivement une couleur réactionnaire, qui
culmine avec Rivarol.

Des événements comme l'arrestation du bandit Cartouche, en 1721, servent aussi de révélateurs d'une réalité
qu'on a toujours plus ou moins travestie, depuis le début
du XVIIᵉ siècle, sous des couleurs littéraires. Immédiatement après cette arrestation, en 1725, un certain Nicolas
Ragot fait paraître un poème versifié intitulé *Le Vice puni,
ou Cartouche*. Il y insère un glossaire présenté comme issu
d'entretiens avec le prévenu quelque temps avant son exé-
cution. Un monde à part est soudainement placé sous les
projecteurs : celui de l'*argot*. (On a fait le rapprochement
avec le nom de l'auteur du poème, mais il ne s'agit pas
d'une étymologie : le terme est attesté, comme on l'a vu,
depuis le début du XVIIᵉ siècle.)

Longtemps associé au langage des voleurs, des bandits
de grand chemin, des « coupeurs de bourse », comme les
appelle Richelet, et synonyme de *jargon* au XVIIᵉ siècle, le
terme *argot* fait son apparition dans le Dictionnaire de
l'Académie – fait significatif – en 1740. Ce n'est plus un
langage à part : il remonte de la condition obscure et

totalement marginale qui est la sienne à l'origine pour intégrer la dimension simplement « basse » de la langue. Certes, le mot *argot* conservera encore longtemps son premier sens technique, pour désigner le langage d'un corps de métier, par exemple. Mais, dans cette période que l'on a appelée la phase « proto-industrielle » de l'histoire française[14], il commence à construire une antithèse avec le « bon langage » qui ne fera que s'accentuer au XIXe siècle.

Le goût du « bas » est un contrepoint fascinant au développement de la culture aristocratique tout au long de l'Ancien Régime. Périodiquement, il est stigmatisé ; périodiquement, il réapparaît. Après le « nouveau burlesque » des années 1720, bientôt dépassé sur ses marges, il se fait le vecteur du « blasphème social » qui vient se conjuguer avec les blasphèmes religieux et moral. L'œuvre de Sade est l'emblème de cette utilisation nouvelle du langage, qu'on a parfois décrite sous le nom de « subversion ». Dans sa littérature érotique, Sade distingue deux styles : « avec mots » et « sans mots ». Héritier du français littéraire le plus châtié, il commence par jouer sur la qualité euphémistique, dissimulatrice, d'« estompement des contours », que les usages littéraires postclassiques, stimulés par l'esthétique mondaine de la conversation, avaient mise en avant. Mais il a aussi exploré la dimension la plus crue du lexique de son temps, ouvrant les yeux sur cette porosité, désormais active et signifiante, entre les lexiques aristocratique et ordurier.

Une mention spéciale doit d'ailleurs être attribuée, pour ce qui est des usages langagiers, à la pornographie. Depuis la Régence, les ouvrages pornographiques se sont multipliés, et il ne serait peut-être pas excessif de dire qu'elle a pu servir de base culturelle commune entre les classes. On connaît l'épisode fameux de la perquisition du château de Versailles, en 1749, à l'occasion de laquelle fut découverte de la littérature pornographique dans quasiment chaque chambre, des princes aux laquais. Rançon

de l'expansion considérable de l'imprimé : la difficulté
qu'a la censure à la contrôler...

Les décennies précédant la Révolution sont donc marquées par une interpénétration croissante entre la langue
« élevée » et des usages qui, à force d'être parodiés et stig-
matisés, ont fini par être mieux connus. De ces interférences la bourgeoisie est plutôt absente. En revanche,
c'est son langage qui émergera de la Révolution, laquelle
se montrera hostile à cette représentation outrée et satirique du peuple. Ce seront les royalistes qui, sous la Révolution, recourront aux formes basses du langage du
peuple. Entre-temps, le bel édifice de la hiérarchisation
des styles, encore présent dans le *Traité du stile* de Mau-
villon (1751) et où le classement des mots selon des
oppositions nettes (noble/ignoble ou haut/bas) dessine
une cartographie repérable, est mis à mal. L'idéal de
l'« honnête homme » est en recul, qui associait le « bon
usage » à l'appartenance à une classe. Louis-Sébastien
Mercier peut noter : « les mots proscrits de la langue sont
positivement dans toutes les bouches, depuis les princes
jusqu'aux crocheteurs[15] ».

ÉTUDIER ET CONNAÎTRE LE FRANÇAIS

Marqué par une modification sensible des usages sous
l'apparente « immobilité » de la langue classique, le XVIIIᵉ
est néanmoins le siècle décisif dans l'extension du français. Il le doit beaucoup à l'éducation. On a dit du
XVIIIᵉ siècle qu'il avait eu la « passion d'éduquer » ; il est
vrai qu'après 1760 se multiplieront, dans le sillage de
l'*Emile* de Rousseau, les réflexions sur l'éducation, la
pédagogie, les moyens de diffuser les connaissances...

Il faut dire qu'au début du XVIIIᵉ siècle, les collèges
jésuites continuant à jouer le rôle essentiel dans l'éducation, l'enseignement en latin restait prédominant. Pour
autant, en 1726, dans une initiative novatrice, Charles
Rollin (1661-1741), professeur au Collège de France et

recteur de l'université de Paris, jette, dans un *Traité des études* influencé par l'enseignement des jansénistes, les bases d'une culture scolaire en français : apprentissage des règles de la langue, pratique de la composition et de la traduction, lecture d'ouvrages canoniques comme les tragédies de Racine ou les *Pensées* de Pascal.

Vers le milieu du siècle, l'hostilité vis-à-vis de l'enseignement religieux se fait plus véhémente. Des années que passa Voltaire dans les collèges jésuites, on connaît son appréciation : « je savais du latin et des sottises ». Prévost, de son côté, fut l'un des premiers grands intellectuels français à ne pas du tout apprendre de latin. L'article « Collège » de l'*Encyclopédie*, rédigé par D'Alembert, s'indigne qu'on regrette les soutenances de thèse en grec et, de façon générale, le mouvement des philosophes est en faveur de la diffusion du français dans l'enseignement. Le « Concours général », destiné à récompenser les meilleurs élèves des institutions du royaume, est créé en 1746, et comporte un prix de discours français. Les nouvelles générations sont ainsi davantage familiarisées avec la lecture des classiques français, même si l'étude de notre langue ne fait souvent encore qu'accompagner la base que constitue l'enseignement du latin.

1762 est une double date (outre celle de la parution de l'*Emile* de Jean-Jacques Rousseau) : c'est celle de la suppression des institutions jésuites (suppression temporaire, jusqu'à leur rétablissement en 1814) et celle d'une disposition de la faculté des Arts de Paris introduisant la lecture des classiques français du siècle précédent comme support à l'enseignement de la rhétorique : Bossuet, Fléchier, Massillon, mais aussi Boileau et Racine. Cette orientation rhétorique de l'enseignement du français sera par la suite critiquée, la maîtrise scolaire du français étant encore souvent assimilée à une compétence en matière de harangues, mais il faut y voir un indéniable progrès. L'une des inflexions apportées par les années 1780, et prolongées pendant la Révolution, sera de mettre davantage l'accent sur l'aspect grammatical de l'enseignement, au moyen de vulgates telles que les *Eléments de grammaire française* de Lhomond (1780), abrégé des connaissances de base en matière de langue rédigé sous la forme questions-réponses et qui devait connaître d'innombrables rééditions pendant tout le xixᵉ siècle.

Entre-temps, le premier enseignement absolument sans latin est apparu dans le collège de bénédictins dénommé l'« illustre maison de Sorèze » (1759), et les thèses de Rousseau sur les effets néfastes sur l'esprit du lourd apprentissage du latin sont relayées par des réformateurs comme La Chatolais, auteur d'un *Essai d'éducation nationale* (1763) qui met au premier rang des priorités l'enseignement en français, ou Rolland d'Erceville, qui dirige l'enseignement du Parlement de Paris. Le mouvement commence à toucher l'éducation des jeunes nobles de sexe masculin. Si on compte en 1760 quelque 300 collèges de garçons, en effet, l'enseignement des filles reste très négligé. Encore faut-il compter que ces collèges n'accueillent qu'un sur cinquante environ des garçons d'une classe d'âge[16].

Les universités, quant à elles, restent encore très spécialisées. Les 24 que compte le territoire regroupent environ 10 000 à 12 000 étudiants, essentiellement juristes, médecins, théologiens. A ce niveau, le lien n'est pas toujours fait entre l'acquisition de connaissances instrumentales et la « culture » en langue française.

L'un dans l'autre, la progression de l'écrit est malgré tout indéniable. On a pu estimer le pourcentage d'actes d'inventaires après décès comportant au moins un livre à 34 % au milieu du siècle dans les villes de l'Ouest[17]. Mais ce livre n'était-il pas la Bible, ou un ouvrage de piété ? Dans la seconde moitié du siècle, une curiosité nouvelle se répand dans toutes les couches de la population, que viennent satisfaire des bibliothèques publiques, des « cabinets » de lecture, que le voyageur anglais Arthur Young a décrits à Nantes en 1788.

La progression de la lecture est un phénomène particulièrement sensible au plus bas de la hiérarchie sociale –

en milieu urbain, toutefois. A Paris, en 1780, 40 % des domestiques et 35 % des compagnons ont des livres, alors que ces pourcentages étaient inférieurs à 20 % au début du siècle. Mais la circulation des livres est encore assez anarchique. Beaucoup de contrefaçons sont sur le marché, ou de livres publiés illégalement. Tout un monde d'« écrivains » s'active autour du milieu des imprimeurs, pour des succès parfois limités. La « placardisation » des informations continue, et plus nombreux désormais sont ceux qui savent lire les affiches !

Mais, si cette situation caractérise bien le milieu urbain, il n'y a toujours que très peu de livres en circulation dans les campagnes, trop occupées par les travaux des champs. La fin du siècle stigmatise beaucoup l'attitude des curés dans ce qui est de plus en plus interprété comme l'agencement concerté d'un obscurantisme[18]. Dans les campagnes, les lectures, quand il y en a, sont encore essentiellement constituées par des ouvrages pieux et des almanachs, tels *L'Almanach liégeois* ou *Le Messager boiteux,* véhiculés par les colporteurs. Le XVIIIe siècle voit aussi l'apparition de toute une littérature qu'on pourrait appeler aujourd'hui « de série B » : chroniques de mœurs, récits plus ou moins sanglants, littérature fantastique, érotique ou pseudo-érotique, ainsi que la popularisation de toutes sortes d'imprimés secondaires, gazettes, brochures… Les livres bien connus de la « Bibliothèque bleue » sont l'emblème de ce nouvel écrit populaire, assez fréquent mais souvent de faible qualité.

Le taux d'alphabétisation reste encore assez bas. On a estimé qu'à la fin du XVIIe siècle 80 % des hommes et 60 % des femmes étaient capables de signer un testament, et que ces chiffres étaient passés, un siècle plus tard, à 90 % pour les hommes et 80 % pour les femmes[19]. La différence, encore que les chiffres avancés en ce domaine, en raison des difficultés méthodologiques, soient contestables, montre au moins un progrès dans l'accès des femmes à l'écriture. Mais écrire véritablement était encore un tout autre défi.

L'ORTHOGRAPHE : UN OBSTACLE MAJEUR

L'une des raisons essentielles en est que, au début du XVIIIᵉ siècle, la fameuse question de l'« orthographe » demeure non tranchée. Au fil du temps, elle est devenue tellement complexe que les projets de réforme radicale, comme on en connaissait au XVIᵉ siècle et au début du XVIIᵉ siècle, se raréfient, pour la simple raison qu'ils ne seraient pas viables. Conjuguer la fidélité phonologique, le souci de préserver l'architecture lexicale et l'objectif d'assurer une visibilité aux règles grammaticales : tel devient l'invraisemblable cahier des charges de ceux qui, à l'orée d'un siècle où l'écrit va se diffuser considérablement, s'attellent à la « modernisation » de l'orthographe. Gile Vaudelin, auteur d'une *Nouvelle Manière d'écrire comme on parle en France* (1713), et Gabriel Girard, qui publie en 1716 *L'ortografe française sans équivoques et dans sés principes naturels*, sont de ceux-là. Leur projet est simple : aligner l'orthographe sur la prononciation, en rompant avec les traditions des imprimeurs. Ils sont conscients que cette question ne concerne plus seulement le petit monde des belles-lettres, mais qu'il devient nécessaire de toucher un public plus vaste, et notamment les femmes (*Orthographe des dames* de Wailly, en 1782).

Sur une question comme celle de l'orthographe, on attendait bien évidemment l'Académie. Dans le dictionnaire de 1694, celle-ci avait adopté une position d'arrière-garde. L'édition de 1718 introduit une distinction graphique importante dans la physionomie de la langue, une de celles qui permettent à un lecteur d'aujourd'hui de faire la différence entre un texte du XVIIᵉ siècle et un texte du XVIIIᵉ : la séparation entre des *i* et *u* désormais exclusivement voyelles, et des *j* et *v* semi-consonnes. Jusqu'à présent, les textes imprimés mêlaient indistinctement les deux.

Mais c'est l'édition de 1740 du Dictionnaire qui devait apporter le plus d'innovations, lançant le mouvement de l'orthographe proprement « moderne ». De nombreuses graphies étymologiques sont abandonnées. L'emploi des accents est davantage systématisé. Le circonflexe remplace désormais nettement le -s ; les accents grave et aigu sont généralisés à l'intérieur des mots. Toutes ces procédures témoignent d'une conscience nouvelle du rapport entre graphèmes et sons, rapport qui a longtemps été considéré comme aléatoire, labile, sujet aux changements, tant dans l'espace que dans le temps, et dans lequel on commence malgré tout à découvrir qu'il est possible d'installer une certaine rationalité.

Le français du XVIIIᵉ siècle respecte encore beaucoup l'opposition des longues et des brèves, laquelle demeure un trait pertinent. Ainsi, la différence du masculin et du féminin dans les participes passés *fini/finie* s'entendait encore, à l'époque, alors que ce n'est plus le cas aujourd'hui. Beaucoup de grammairiens pensaient, comme Regnier-Desmarais ou D'Olivet, qu'on pouvait rendre cette différence, si celle-ci se trouve à l'intérieur du mot, au moyen d'une distinction entre consonnes doubles, marquant que la voyelle précédente est brève, et consonnes simples, marquant qu'elle est longue.

Les consonnes doubles sont l'un des faits qui ont le plus agacé les grammairiens et les praticiens du français écrit à la fin du XVIIᵉ siècle. Des précieuses à Dangeau et Wailly, en passant par Richelet, beaucoup ont voulu réduire toutes les consonnes doubles à des consonnes simples lorsque, pour faire simple, on « n'entendait qu'une consonne ». Pour Richelet, les consonnes doubles « défiguraient » les mots en français. Mais deux principes s'opposaient à une réforme aussi radicale : le principe étymologique tout d'abord, toujours mis en avant par l'Académie, et le principe d'une notation possible des voyelles. Le premier ne doit pas être négligé : c'est lui qui nous vaut, essentiellement, le maintien toujours actuel de la plupart des consonnes doubles… Ce n'est pas, toutefois, le seul souci de l'histoire qui en a fait la force. Autour du caractère « étymologique » des consonnes doubles est venue se greffer une curieuse idée de prestige qui a voulu inscrire dans la physionomie même du français écrit la difficulté et le raffinement qu'il y avait à l'écrire. Etonnante logique du matériau...

Utiliser les consonnes doubles pour noter la longueur de la voyelle pose un problème, car la longueur de la voyelle, dans certains cas, vient se doubler d'une ouverture spécifique. De là de nombreuses irrégularités en français. Si l'opposition est bien visible dans le couple *je cède* (long)/*je jette* (bref), par exemple, la forme traditionnelle de l'infinitif, *jetter*, que l'Académie conservait encore en 1740 et qu'elle devait choisir d'abandonner en 1762, perturbait le système. Cette réfection générale n'a pas été menée jusqu'au bout, en français, si bien qu'aujourd'hui encore de nombreuses bizarreries étonnent les apprenants étrangers.

Un graphème qui n'a jamais cessé de constituer un problème, dans l'histoire du français, c'est le *y*, ce fameux *y* introduit au XVIᵉ siècle à des finalités ornementales et auquel on n'avait jamais, depuis, attribué une fonction précise dans le système. A partir de 1740, l'Académie lui a conféré le soin de se substituer au double *ii* intervocalique, comme dans *payer*, *abbaye*. De la sorte, il ne devait plus être toléré dans des mots comme *gaîté*, *joie*, *aïeul*. C'est à coups de petits détails de ce type que la physionomie du français écrit a été tant soit peu rationalisée – non sans que ces efforts n'entraînent de nouvelles irrégularités. Dans son souci de faire les choses « insensiblement », l'Académie n'était pas allée en effet jusqu'au bout de la logique réformiste. Elle laissait dans le sillage de la réfection de certains mots un cortège d'exceptions, créant parfois de fausses impressions de régularité. Certes, beaucoup de consonnes étymologiques furent supprimées, mais pourquoi garde-t-on *doigt* alors que l'on a désormais *toit*, et qu'ils sont issus tous les deux de mots latins comportant une consonne avant le *-t* ?

Même si cette orthographe nouvelle n'est pas toujours entérinée dans les discours officiels, on la voit malgré tout s'expérimenter dans la pratique quotidienne de l'écrit. Des lignes de partage apparaissent alors. L'orthographe fait un peu office de ce que seront les perruques quelques décennies plus tard : elle permet de distinguer les tenants de l'ancien monde et les promoteurs du nouveau. L'exemple fameux de la concurrence entre les graphies *oi* et *ai* l'illustre particulièrement bien.

Le XVIIe siècle associait trois prononciations au graphème *oi* : les prononciations /we/, /e/ et /wa/, que les groupes sociaux s'échangeaient et se disputaient à loisir. Le XVIIIe siècle voudrait fixer des correspondances strictes entre sons et signes écrits. Certains proposent, pour noter la prononciation /we/, l'inattendu digramme *oè*, somme toute logique. Vers 1750, toutefois, la prononciation en /we/ est devenue le symbole d'une aristocratie poussiéreuse, presque « ringarde ». Depuis très longtemps – Vaugelas le notait déjà –, elle s'était ouverte en /e/, tant chez le peuple qu'à la Cour, et plus généralement à Paris, par snobisme. Ainsi, on disait *mémère* pour « mémoire ». En parallèle, une prononciation moins marquée s'était installée, utilisée dans les lieux où l'on ne désirait pas se faire remarquer, comme le palais, par exemple : la prononciation en /wa/. En 1750, c'est devenu la prononciation la plus usuelle en France, la prononciation « standard », bourgeoise.

En 1761, dans son *Dictionnaire grammatical de la langue française*, Féraud considère qu'il y a une prononciation en /e/, qui est celle de la vie quotidienne, de la conversation (*croire* se prononcera *crêre*, donc, selon sa notation), et une prononciation en /wa/, qu'il associe au « discours soutenu » (*croire* se prononcera *cro-âre*[20]). « Le plus sûr », dit-il, est encore de prononcer *cro-âre*. Le phénomène va-t-il être systématique ? Hélas, l'une des conséquences les plus courantes des situations de variation est de créer des sortes d'aiguillages à partir desquels les mots adoptent des routes divergentes. Si, pour le verbe *croire*, la prononciation la plus courante semble avoir été /wa/ , comme dans *gloire, foire, moi*, etc., dans les finales des imparfaits, par exemple, la prononciation en /e/ visiblement s'imposait.

Faut-il, dès lors, continuer à ne conserver qu'un signe écrit, le digramme *oi*, et écrire indistinctement *disois* et *croire* ? En fait, on observe que, dès les années 1740, plusieurs auteurs ont commencé à adopter une graphie qu'ils sentaient plus proche du son à rendre : la graphie *ai*, qui désormais commandera la réfection des imparfaits en *disais, faisais*, etc.

La culture de l'écrit se répandant rapidement, le XVIIIe siècle se signale par l'apparition de prononciations nouvelles, jamais entendues, et dont l'origine est clairement à rapporter à l'habitude désormais prise de *voir* les mots sous un certain aspect. Les contemporains s'en sont étonnés : désormais, on observe une tendance nouvelle, celle de prononcer toutes les lettres. Il faut dire qu'au fil du temps une espèce de « rabotage » général des consonnes en avait fait tomber beaucoup, le *-s* final et le *-r* final des infinitifs, par exemple, ou à l'intérieur des mots. Désormais, on se remet à faire sonner les consonnes finales, comme le note Rousseau dans *La Nouvelle Héloïse* en 1762 ; toutes sortes de consonnes disparues réapparaissent, tels le *r* et le *p* de *lorsque* et de *psaume*. Etonnant mouvement rétroactif de l'orthographe qui, tel un boomerang, vient rappeler d'anciennes prononciations, et parfois « réétymologiser » les mots. Le /k/ final de *tabac*, de *lac*, est à nouveau entendu. On cite des extravagances, comme l'apparition d'une variation nouvelle dans la prononciation du graphème *eu*, entendu généralement /e/ comme dans *feu*, mais que certains se plaisent à prononcer en deux temps, « *éu* », dans le participe passé *eu* du verbe *avoir*, « comme s'il y avait un accent sur l'e », ainsi que le note Douchet en 1762. Ainsi semblait naître un nouveau français : le français lu, pour ainsi dire – et réétymologisé, regrammaticalisé. De cette époque nous restent, dans nos usages, bien des irrégularités. Pourquoi prononçons-nous selon deux principes différents les mots *fléau* et *août* ? Le *c* de *direct*, mais pas celui d'*aspect* ?

L'écrit spontané au XVIIIe siècle

L'écrit : voilà un continent qui a considérablement évolué au XVIIIe siècle. La belle opposition qui pouvait fonctionner, dans une certaine mesure, au XVIIe siècle entre langue orale et langue écrite, est bousculée. Ce sont désormais toutes sortes de formes hybrides qui s'offrent à l'observation de l'historien étonné. Quittant son statut de prestige et les rayons bien repérables des bibliothèques, l'écrit existe désormais dans toutes sortes de lieux inattendus : boutiques des marchands, ateliers, chambres de bonne, offices des lingères... Les catégories se brouillent dès lors qu'on aborde ces pratiques hybrides, qui singent tour à tour la littérature élevée, l'oral le plus libre, la norme grammaticale, les usages administratifs, l'échange familier...

De ces écrits, certains peuvent être considérés comme des témoignages de ce que pouvait être le français oral de l'époque, mais aussi de la relation particulière que des « peu lettrés », autrement dit des individus peu familiers des livres, du papier et de la plume, pouvaient éprouver vis-à-vis de ce mode d'expression qui, pour leur avoir longtemps été étranger, leur était à présent plus accessible.

« Mademoiselle, je finie vostre lestre en vous priant de ne me point oublier pour du marte et si il est à bon conte vous pouriez en nanvoier à votre maman en nous moveant le prix juste elle y gagneroit quelque chose, mais si il est cher ne man navoiez que pour faire la bordure d'une plice. Nous faisons ce que nous pouvons pour consoler vostre chere mère qui est fort changée. Songée à vous conserver pour elle et a lui écrire le plutaux qu'il vous cera possible. Adieu je vous ambrace et suis vostre tres humble servante. Ce 21 aoust 1765. Femme Diderot[21]. » Tel est, dans sa version originale, le texte d'un court billet qu'Antoinette Champion, la femme de Diderot, adresse à une jeune actrice, Mlle Jodin, sur le départ pour la Russie.

On y retrouve, outre l'absence de ponctuation et le mépris de l'orthographe bien connus, le phénomène de la phrase infinie, caractéristique de la narration cursive des épistoliers dès le XVIIe siècle. La phrase ne se révèle que dans son déroulement dynamique, qui est celui de la diction, relancée périodiquement par des conjonctions de coordination, mais non hiérarchisée ; la ponctuation, visiblement, est perçue comme inutile ; il n'y a pas d'alinéas. Outre la graphie, la ponctuation et la grammaire, on observe une curieuse gestion de l'information : celle-ci piétine, a du mal à progresser. Alors que l'écrit est censé être par essence plus synthétique que l'oral, ici, il l'est presque moins.

Par ailleurs, la lettre d'Antoinette Champion enseigne sur bien des points. On y apprend la prononciation du mot *pelisse*, noté *plice*, ce qui révèle la chute bien connue du /e/ entre consonnes dans le mot, prononciation « parisienne ». On y remarque aussi que la pratique de l'écrit dans la graphie a produit des artefacts inattendus. Exemple : le mot *lestre*, écrit curieusement « à la savante »… La conscience de devoir respecter des codes spécifiques à l'écrit crée chez celui qui s'y attelle une pression normative telle qu'il en vient à innover de façon incongrue. Des associations raffinées de graphèmes, sous forme de stéréotypes formels, d'icônes, surgissent de nulle part, comme dans *plutaux*… La graphie, ici, n'est pas phonétique : elle joue sur le code graphique, elle mime la complexité. De même, on relève le système des salutations, à la fin de la lettre : il témoigne de l'importance du caractère phraséologique de la formulation, au XVIIIe siècle, dès lors qu'on veut écrire.

Antoinette Champion n'était pas à proprement parler une femme du peuple ; d'ailleurs, sa lettre n'est pas totalement illisible… Elle témoigne d'un niveau de maîtrise qu'on pourrait qualifier d'intermédiaire. Il en est tout autrement de la femme de Rousseau, Thérèse Levasseur, qui était lingère. Les femmes d'écrivains représentent une mine appréciable d'informations pour l'exploitation des corpus écrits du XVIIIe siècle : leurs lettres, notes, documents manuscrits ont souvent bénéficié de la jalouse conservation des écrits de leurs époux. De la confrontation entre leur production et l'incroyable sophistication à laquelle la réflexion sur les langues et le langage était parvenue dans le monde de leurs maris naissent d'instructives réflexions quant au degré de schizophrénie atteint par la société du XVIIIe siècle. Il est raisonnable de penser que la conscience des écarts s'était fortement accentuée depuis le XVIIe siècle – écarts entre les sexes, écarts de classe, écarts dans l'éducation.

Thérèse Levasseur n'était pas illettrée ; mais elle écrivait avec une graphie, pour le coup, très éloignée des codes graphiques patiemment agencés par les institutions, et dont on retrouvait malgré tout une trace chez Antoinette Champion. « Ce Merquedies a quateur du matin ceu ventrois guin, mileu en soisante e deu. Mon cher ami, quele goies que ge euues deu reuceuvoier deu voes cher nouvele. Geu vous assurre que mon ques pries neu tesnés plues a rien deu douleur deu neu paes vous voir… », commence Thérèse, un matin, donc, de 1762[22]. Le point essentiel, ici, est la méconnaissance des codes, code d'usage comme de transcription (le *g*, par exemple, est révélateur).

Ainsi s'ouvre à nous le vaste monde de ceux qu'on a longtemps tenus dans l'ombre, et qui apparaissent mieux à la lumière depuis quelques décennies[23] : ceux qui se sont jetés dans l'écrit sans en avoir encore tout à fait les moyens. Dans la seconde moitié du XVIIIe siècle, toutes sortes d'apprentis écrivains se lancent dans la tâche, jadis considérée comme enfermée dans le domaine étroit et réglementé des « belles-lettres », de produire du *texte*[24].

Le cas de l'ouvrier vitrier Ménétra, auteur d'un *Journal de ma vie*[25], mérite l'attention. Le document, conservé à la Bibliothèque historique de la Ville de Paris, est composé de 331 folios rédigés sans ponctuation et dans une orthographe très fantaisiste. L'auteur en est un compagnon, de son nom de compagnon « Le Bienvenue », qui a sillonné la France avec cette activité très sollicitée de la vitrerie.

En plus de ce journal, Ménétra a beaucoup écrit : poésies amoureuses en vers boiteux, épitaphes familiales, acrostiches, chansons de compagnons composées sur la route, vers politiques, poésies érotiques, pièces en prose consacrées à la Révolution française, traités religieux, ainsi qu'une ambitieuse *Recherche de la Vérité*... – catalogue qui eût ravi Rimbaud. Tout est plus ou moins commencé sans être fini, laissé à l'état d'ébauche, comme un vaste contrepoint mimétique et ironique apporté, du lieu d'un ouvrier supposé illettré, au monde de la culture savante, de la « littérature ».

Dans des conditions matérielles certainement difficiles, le soir, à la bougie, probablement dans des lieux improbables, Ménétra commence, « an lan 1764 », son « Journal de Mavie » par ces mots : « Je suis née le 13 juillet 1738, natif de cette grande citée mon pere etoit de la clase de se que lon apelle ordinairement artisanat il profesoit letat de vitrie cest donc deluy que jetabliray la souche demafamille et ne parlere nulement de mes ancetre... » Tenu pendant quarante ans, jusqu'au « 25 vendémiaire an XI », le journal déroule des souvenirs personnels et des réflexions, sur un ton souvent hâbleur et plein de gouaille. Ménétra avait un goût visible pour la posture, la séduction, la provocation.

Mimant parodiquement l'épître liminaire au roi qui accompagne obligatoirement en France tout livre imprimé, Ménétra l'adresse « à [son] esprit ». En quelques vers assonancés mais sans mètre, il se met en scène avec humour, évoquant son « griffonnage », se traitant d'« écrivailleur », parlant de « paperasses »... Rapidement, on comprend que l'un des propos du *Journal* est de moquer les mémoires aristocratiques, qui remontent rituellement aux « preux chevaliers » et listent armes, blasons et quartiers. Ménétra révèle non seulement une culture sociale réelle, mais aussi un sens aigu des mots, de la formulation. Au fil de son texte, d'ailleurs, il distille quelques fines remarques sur le parler des gens qu'il rencontre.

Faux naïf radical, il donne donc à lire au lecteur qu'il sait choqué un texte roué. Visiblement, la première page a été refaite : l'écriture y est soignée, laborieuse, élégante, pleine d'ornementations, broderies, soulignements, paraphes ostentatoires… L'absence de rature montre qu'elle a été recopiée. Cet effort, qui à l'époque coûtait cher à tous les sens du terme – cher en papier, encre et bougie, et cher en concentration –, ne se reproduira plus : la suite se dégrade rapidement.

Dès les premières lignes, on retrouve quelques-uns des traits les plus courants de l'écriture des « peu lettrés » : phrase infinie, absence de ponctuation, mots liés, absence de hiérarchie du discours… Toutefois, notre rusé vitrier nous le dit bien dans sa dédicace : l'absence d'orthographe est consciente, sinon revendiquée. « Ils trouveront avec raison qu'il n'y a ni orthographe ni virgule encore moins de voyele, de consoles [*sic*] et pleine de lacunes. » Selon une pratique bien dix-huitiémiste, le manuscrit est présenté comme devant être « trouvé », et donc soumis, lorsqu'il le serait, à un travail tant philologique qu'éditorial. C'est ce qui sera le cas en… 1982. Encore qu'il dispose de bribes éparses du système orthographique, qu'il s'efforce d'agencer ici et là, Ménétra a bien compris que le détachement vis-à-vis de l'orthographe faisait partie des codes aristocratiques. Là où il ne sait pas, donc, il affiche une désinvolture volontaire qui peut être interprétée comme une distance retournée de classe. Si l'aristocrate ne prend pas la peine d'écrire correctement, pourquoi l'ouvrier le devrait-il ? Traversant les mutations culturelles de son temps, Ménétra sait qu'il en sera considéré plus tard comme un témoin privilégié ; et c'est bien là ce qui est vertigineux dans son texte.

Toujours pour ce qui est de la graphie, l'indifférence aux accents révèle que ceux-ci étaient encore considérés comme des raffinements récents de l'écriture. On peut se demander alors si, peintre de la langue autant que scribe,

Ménétra n'a pas privilégié les signes comportant des potentialités graphiques, comme les vastes « tildes » qu'il place aléatoirement au-dessus de certaines voyelles, anciens signes de nasalisation dans l'imprimé traditionnel mais qui peuvent être confondus ici avec les plus récents accents circonflexes. Dans un autre genre, les majuscules ne semblent intervenir que pour certaines lettres. Les *l* et les *s* en début de mots, par exemple, se transforment quasi systématiquement en majuscules.

Le texte révèle par ailleurs des confusions de vocabulaire récurrentes. Ménétra utilise indifféremment *demander* et *dire*, par exemple, *que* et *dont*, *ou* et *et*, *lorsque* et *alors que*, *malgré* et *à cause*[26]. Certaines de ces confusions sont étonnantes ; on peut se demander si Ménétra n'a pas cherché à « respecter » un usage linguistique qu'il pensait propre à l'écrit, oblitérant, du coup, une partie de sa compétence de locuteur. De même, il a tendance à écrire *je* et *je ne* pour *j'ai* et *je n'ai*. Ces faits nous révèlent l'un des traits essentiels à prendre en compte dans la définition d'un « peu lettré » : c'est d'abord quelqu'un qui lit peu. Du coup, il n'a parfois pas d'image visuelle du mot. Il « bricole », pour ainsi dire, avec les éléments dont il dispose, la plupart du temps empruntés à des sources diverses, hétérogènes. L'ensemble ne fait pas système. Des pans de français soutenu côtoient ainsi, de façon inattendue, des usages totalement hors norme.

Visiblement, la norme est perçue comme une forme d'autorité que l'apprenti écrivain intériorise mais, certaines des règles étant mal connues ou restées obscures, l'auteur n'hésite pas à les réinventer, introduisant une rationalité non négligeable dans ses usages. Ménétra, par exemple, systématise l'emploi de l'indicatif après *malgré que*, ou pratique la syllepse dans les accords : « Toute la garnizon a été prisonniers. » Il y a là un système qui resterait à identifier avec précision, même s'il n'est pas celui du standard.

Témoin emblématique des décennies précédant la Révolution et de la Révolution elle-même, le *Journal de ma vie* de Ménétra illustre donc bien cette croisée des chemins où se situe alors la langue française. Diffusée largement au moyen de l'imprimé, celle-ci reste marquée par les efforts considérables qui ont été déployés pour la standardiser. Elle s'en trouve comme accablée, épuisée sous l'ouvrage. Le nombre de contraintes de tous ordres qui sont venues s'abattre sur la gestion écrite de la langue, contraintes graphiques, lexicales, grammaticales, discursives, est devenu disproportionné par rapport aux possibilités réelles de maîtrise des locuteurs, et surtout des écrivains. Ce n'est pas un hasard si la pratique littéraire du temps s'est considérablement rapprochée des usages des « peu lettrés » : la *Vie de Monsieur Nicolas* de Restif de la Bretonne, par exemple, parue entre 1793 et 1797, en est un bon témoignage. C'est comme s'il y avait une lassitude générale à l'égard de l'« hyperstandardisation » qui avait été orchestrée par les générations classique et postclassique.

LE REGARD DES PHILOSOPHES

Assumer l'héritage « classique » n'avait pas été chose aisée, en effet, pour les premières générations du XVIIIe siècle. Qu'il ne faille plus rien toucher à l'édifice d'un français maintenant vu comme langue « parfaite » avait de quoi inhiber !

A vrai dire, l'histoire de la pensée sur la langue au XVIIIe siècle est celle d'un progressif dégagement hors de ces schémas idéalisants et rationalistes à l'excès, ceux-ci continuant néanmoins d'exercer leur influence jusqu'à la fin du siècle. Depuis la révolution intellectuelle qu'a apportée l'*Essai sur l'entendement humain* de Locke, qu'on trouve depuis 1700 environ sur les étals des librairies françaises, les anciens canons du cartésianisme et du rationalisme sont ébranlés par ce qu'on appelle bientôt le « sensualisme ». Tandis que tous les grammairiens du français s'étaient jusque-là appuyés sur l'idée qu'il existait ce qu'ils ont appelé un « ordre naturel » de l'expression des idées, et donc de la constitution de la phrase, reposant sur un trajet entre le sujet, en tête, expression de la « substance », le verbe, au milieu, et le complément, à la fin, un philosophe venait soudainement tout bouleverser en expliquant que ce que l'esprit reçoit d'abord, ce sont des impressions, et que donc l'ordre « naturel » du langage devrait être l'ordre inverse, celui qui commence par le complément...

Le premier à avoir osé appliquer le schéma au français est le grammairien Batteux, auteur en 1748 de *Lettres sur la phrase française comparée à la phrase latine*. Batteux reçoit les théories sensualistes comme une évidence. Pour lui, plus de doute : l'« ordre naturel » véritable, c'est l'ordre objet-verbe-sujet, et la véritable inversion, c'est le français qui la présente ! Bientôt, le problème passionna les philosophes, de Diderot (*Lettre sur les sourds et muets*, 1751) à Rousseau, en passant par Condillac. Que le propos réel du langage soit, non pas de traduire la formation rationnelle des idées, mais de se faire l'écho du désir, de la passion qui anime le sujet envers ce qui est d'abord perçu, a de quoi révolutionner le regard qu'on porte, outre sur la rhétorique, sur la constitution des langues elles-mêmes.

Les traces de cette révolution se lisent bien dans les articles consacrés aux questions de langue qui figurent dans l'*Encyclopédie*, d'abord rédigés par Du Marsais (jusqu'à la lettre G) puis Beauzée. En 1750, le libraire François Le Breton lançait le Prospectus de cette vaste entreprise qui devait porter le titre de *Encyclopédie ou dictionnaire raisonné des Sciences, des Arts et des Métiers par une société de gens de lettres* ; en 1751, paraissait le premier volume, précédé du *Discours préliminaire* rédigé par D'Alembert sur « la connaissance de la langue comme fondement de toutes les espérances ». C'est dire la place qu'occupait le langage, ou la langue, dans ce projet ambitieux. D'ailleurs, lorsque, à partir de 1782, il s'agira de découper l'*Encyclopédie* en volumes thématiques (l'*Ency-*

clopédie méthodique), il est significatif que les trois volumes de *Grammaire & Littérature* figurent parmi les premiers à sortir. Ce qui est de l'ordre de l'étude du langage bénéficie alors d'approches scientifiques nouvelles. Beauzée a intégré notamment les progrès réalisés dans la connaissance physiologique de l'appareil phonatoire. La structure phonologique du français, qui avait été abordée jusque-là en termes purement normatifs, s'éclaire d'un jour nouveau. Cette mutation est capitale. La langue française va désormais pouvoir être comprise avec des instruments linguistiques.

Sa grammaire est également expliquée de façon plus simple. Alors que chacun reprochait aux grammaires d'être soit trop théoriques, soit trop chargées de remarques, dans tous les cas trop complexes, de nouveaux auteurs s'attellent à la tâche d'élaguer et de simplifier la description du français à l'usage d'un public plus nombreux. C'est l'objectif de la *Petite Grammaire françoise simplifiée* que fait paraître en 1778 Urbain Domergue (1745-1810), futur fondateur du *Journal de la Langue Françoise* à partir de 1784 et « grammairien patriote » de la Révolution.

Approfondissant la critique du rationalisme qui avait été engagée par des Français (Fénelon, Houdar de La Motte), mais surtout des étrangers (Vico), plusieurs philosophes de la seconde moitié du siècle vont également orienter la représentation des langues vers d'autres terrains. Une première fois, dans une *Lettre sur la musique française* qui date de 1753, puis plus systématiquement dans un essai fameux intitulé *Essai sur l'origine des langues,* sans doute rédigé vers 1763, Rousseau développe une vision des langues gouvernée par le critère poétique. Pour définir le caractère poétique des langues, Rousseau ajoute à l'idée de métaphore déjà mise en avant par Vico celle d'harmonie musicale. Pour lui, plus encore que la métaphore, c'est l'aptitude à faire usage de « signes sensibles », autrement dit de ce qu'on appelle aujourd'hui le « signifiant », qui fait le fondement le plus profond des langues. Le regard porté sur le français va s'en trouver radicalement modifié. Praticien du français en musique (dans son opéra *Le Devin du village*), Rousseau n'y voit pas une langue rationnelle, claire, élégante..., mais une langue moins musicale que l'italien, peu accentuée, peu expressive.

Pour lui comme pour Montesquieu dans l'*Esprit des lois*, les langues comme les cultures sont également influencées par les climats. Considérant que les premières langues du monde ont été des langues orientales, donc du « Sud », Rousseau estime qu'elles comportent un aspect rhétorique et signifiant qui s'est perdu dans les langues du « Nord », la raison étant alors valorisée aux dépens de la « mélodie » et de l'« énergie ». Au sein de cette théorisation nouvelle, le statut du français constitue un problème. La tradition le rangeait dans les langues « du Midi », mettant l'accent sur sa latinité. Faut-il croire à présent qu'il est plutôt « au nord » ? C'est ce que semble penser Rousseau, qui verrait bien en lui une langue dans laquelle la raison a eu la primauté sur le rythme et les caractères de la parole.

Ces conclusions peut-être un peu générales amènent en tout cas à revenir sur la « latinité » du français, objet de nombreux débats depuis le xvıᵉ siècle. Pierre-Nicolas Bonamy est de ceux qui estiment que, certes, la « romanité » a fait le fond principal du français, mais que cela a été une erreur, motivée par des soucis excessifs de « dignité », de se focaliser dans les recherches sur le latin classique. Afin de comprendre réellement le français, il faut, à un moment ou un autre, se pencher sur cet objet « bâtard », tant soit peu étrange : le latin « vulgaire ». En 1750, paraît un essai historique intitulé *Sur l'introduction de la langue latine dans les Gaules sous la domination des Romains* ; il sera complété l'année suivante par des *Réflexions sur la langue latine vulgaire*. En remettant à l'honneur l'usage, dans les provinces, du « latin vulgaire », Bonamy balaye les préjugés attachés aux variétés basses de la langue, aux dialectes, à tout ce qui échappe à la standardisation. En approfondissant l'enquête du côté des *Serments de Strasbourg*, il s'interroge aussi sur les *Causes sur la cessation du tudesque en France* (1756). Les formes médiévales du français font l'objet d'une curiosité nouvelle. On ne les considère plus, désormais, comme des préludes maladroits à un « français » qui s'en extrairait par la suite comme d'une gangue, mais comme des variétés qui ont leur cohérence. Le *Dictionnaire de la langue romane* de Lacombe, en 1768, vient combler une partie de ces lacunes.

La piste celte, également, très populaire depuis le XVIᵉ siècle, est relancée. Au milieu du siècle, J.-B. Bullet remet la question à l'honneur en trois volumes parus entre 1754 et 1760, intitulés *Mémoires sur la langue celtique* et dont le contenu sera réutilisé dans l'*Encyclopédie*. Il existe désormais une certaine vulgate consacrée au celte comme éventuel « noyau primitif » du français. Le mouvement ne fera que prendre de l'ampleur en allant vers la fin du siècle. On se cherche dans l'antiquité de ce substrat éventuel des raisons de soutenir l'« universalité » du français à l'époque moderne, alors que celle du latin – en une énigme qui pose des questions à la culture – s'est disloquée. En 1796 (an V de la République), La Tour d'Auvergne fait paraître *Des Origines gauloises et celtes des plus anciens peuples de l'Europe puisées dans leur vraie source*.

« Qu'est-ce qui a rendu la langue française la langue universelle de l'Europe ? Par où mérite-t-elle cette prérogative ? Peut-on présumer qu'elle la conserve ? » Telles furent, dans ce contexte, les questions posées en 1782 par l'Académie de Berlin à l'Europe entière[27]. De ces « concours » proposés au XVIIIᵉ siècle par les académies locales, on peut dire qu'ils jouaient un peu le rôle des modernes « numéros thématiques » des grands magazines ou d'émissions de télévision : il s'agissait de jeter un coup de projecteur sur une question brûlante dans le débat contemporain...

La question était brûlante parce que, en dépit de l'existence d'une francophilie réelle dans le monde cultivé européen entre 1740 et 1780, la « prérogative » du fran-

çais n'allait nullement de soi. En Allemagne, une certaine
francophobie était en train de se consolider, en réaction à
la faveur excessive, quasi aliénante pour les Allemands,
où le français avait été tenu dans l'entourage de Frédéric II. Quatre ans après le concours, à la mort du roi, en
1786, l'hostilité à la langue française se donnera libre
cours. Rappelons également que le concours faisait suite
à un concours similaire organisé en 1781 par l'Académie
de Mantoue, où les auteurs se proposaient de réfléchir à
la question du goût littéraire en Italie, et aux moyens de
le corriger. Les réponses au concours avaient fait apparaître des réactions très vives contre ce qui était perçu
comme une domination outrancière de la langue française, et les textes brodaient sur le thème de l'invasion.
Enfin, il convient de se remémorer que le XVIIIᵉ siècle a
vécu, pratiquement depuis son début, dans le climat d'une
rivalité culturelle entre la France et l'Angleterre qui a été
minimisée en France. Entre le français et l'anglais, il y a
eu des épisodes de « guerre des langues » dont le français,
la plupart du temps, est sorti vaincu. Ainsi, en 1731,
un *bill* excluait définitivement le français des tribunaux
d'Angleterre, avec, peut-on penser, quatre cents ans de
retard sur l'histoire réelle des langues. La lutte pour la
mainmise politique et économique en Amérique, également, a eu des implications sur le rapport des deux langues entre elles. Enfin, le fort développement intellectuel
de l'Angleterre au XVIIIᵉ siècle a eu pour effet un incontestable ascendant de l'anglais comme langue de culture,
surtout scientifique et technique – ascendant qui se tra-
duira même par une « anglomanie », en France comme en
Europe.

De tous les textes présentés en réponse à la question
du concours, qui correspondait davantage à une dynamique constatée vers 1750 qu'en 1782, c'est celui de
Rivarol qui a fait l'objet du plus grand nombre de commentaires. On oublie généralement qu'il ne fut pas le
seul à recevoir le prix, mais que celui-ci fut attribué *ex
aequo* à l'Allemand Johann Christoph Schwab, qui avait

été précepteur dans des familles suisses. Héritier de la position rationaliste française, Rivarol, qui enchante encore quelques puristes français attardés, nous choque aujourd'hui par son chauvinisme, la faiblesse de ses arguments, son ignorance des faits politiques. Ce qui l'a sauvé, ce sont ses qualités d'écrivain, qui en font un digne représentant d'un « esprit français » de la fin du XVIIIe siècle, dans la lignée de Vauvenargues et de Chamfort. Aujourd'hui, c'est avec beaucoup d'intérêt que nous lisons les autres réponses envoyées au jury de Berlin, qui permettent de nous faire une idée plus complète des opinions et des analyses existant alors en Europe à propos de la place du français : celles de Friedrich Melchior Grimm, Franz Thomas Chastel, au travail très politique, Peter Villaume, Etienne Mayet, Carl Euler...

Simpliste, réducteur, le texte de Rivarol relayait les principaux motifs de l'imaginaire linguistique de Bouhours et des grammairiens rationalistes, Voltaire en tête : « ordre naturel », « clarté », répugnance aux métaphores... D'ailleurs, il suscita des réactions en France même, celles de Garat et de Domergue, notamment, qui mettent en cause la surinterprétation dont certains « philosophes » s'étaient rendus coupables vis-à-vis des faits de langue.

Schwab, à l'opposé, appuie sur le développement territorial, l'extension du goût pour les sciences, le caractère plus ou moins centralisé politiquement du domaine, le rôle joué par les autorités, l'analyse du degré d'uniformisation de la langue, indépendant de sa prétendue valeur intrinsèque. D'autres commentateurs (Chastel, Villaume, Mayet) estiment que, si on devait se référer aux seules « qualités » internes, précisément, le français n'aurait pas eu la chance de devenir une langue de culture largement partagée : la plupart le jugent « timide », lourd, plein de bizarreries de prononciation et d'orthographe... Beaucoup mettent en avant le dynamisme politique, économique et même militaire de la France des derniers rois. La politique agressive de Louis XIV, notamment, est souvent citée comme l'élément dominant. Le parallélisme est souvent fait entre cette forme moderne d'impérialisme et la pratique romaine de la colonisation, facteur d'uniformisation linguistique. Enfin, plusieurs contributeurs mettent en avant le rôle joué par un phénomène longtemps passé sous silence, et pour cause, en France : l'émigration protestante. Les Français « de France » étaient bien conscients que l'émigration avait diffusé leur langue hors des frontières de façon massive. Mais ils considéraient la plupart du temps que ce qui fut appelé au XVIIIe siècle le « style réfugié » était un français « corrompu » qu'il convenait de contrôler[28].

C'est que l'époque est à une modification des zones d'influence en Europe. Un lien nouveau se fait entre langue et culture, qui vient nourrir les débuts de ce qui sera bientôt les grands nationalismes du XIXe siècle. Le grammairien russe Lomonossov ne considère-t-il pas au même moment que la langue russe est supérieure à toutes celles d'Europe, non seulement par l'étendue de son domaine, mais aussi « par son ampleur et par sa richesse propres[29] » ? En Allemagne, le philosophe Fichte développe l'idée de *Volkstum*, le « génie des peuples ». Les idées d'universalité, désormais, intéressent moins que celles de nation ou de peuple.

Qu'en sera-t-il lorsque des bouleversements politiques réels vont venir doubler ces longues et souterraines mutations ? C'est ce qu'il nous reste à voir.

4.

La langue française et la Révolution

Le français est-il sorti changé de cette décennie fulgurante qui, de 1789 à l'ascension de Bonaparte, a vu passer tant de bouleversements politiques, dans une accélération de l'Histoire telle qu'il est presque impossible d'en débrouiller le cours ? On pourrait l'attendre – on se pose en tout cas la question. De la radicalité de la rupture politique, du bouleversement dans l'organisation de la société, dans les représentations, on aimerait induire un remaniement profond des usages langagiers.

Qu'en est-il dans la réalité ? Il va bien falloir se rendre à l'évidence : la Révolution – terme générique qui se dissout bientôt à mesure que l'on s'approche des événements – est une période infiniment complexe qui, en dépit de l'immense bibliographie qu'elle a déjà suscitée, réserve encore des zones d'ombre, de contradictions difficilement explicables, de retournements idéologiques, de dispositifs doubles, à interprétations multiples... Les questions de langage n'échappent pas à cette « indécidabilité » qui fait de la décennie révolutionnaire, tantôt la gangue où se trouvent enfermées, comme des joyaux, des audaces incroyablement novatrices, tantôt le prolongement assez conservateur de traditions ancestrales parfois réactivées à rebours de la modernité qui avait caractérisé le « second XVIIIᵉ siècle » en France.

Une des questions que l'on peut se poser, par exemple, est de savoir si la Révolution s'est montrée ouverte aux variétés basses de la langue, aux usages non normalisés, aux patois, en réaction prévisible à une standardisation « par le haut » que l'on associe volontiers – et légitimement – à l'Ancien Régime. Ici, la réponse se révèle incertaine. Certes, la Révolution est le premier moment où l'on s'intéresse de près à ce que parlent réellement les gens sur le territoire, mais c'est dans un but précis : celui d'« éradiquer » – c'est le mot qu'emploiera l'abbé Grégoire – la diversité linguistique au profit d'un « français » unique propre à assurer la diffusion des idées révolutionnaires et à sortir les populations rurales de la crasse culturelle dans laquelle elles se trouvaient.

Il en est de même des usages publics de la parole. Plus de deux siècles après la mise en place d'une rhétorique distincte de la rhétorique antique, la Révolution pourrait être considérée comme un laboratoire pratique de ces réflexions. Or, on s'aperçoit que le phénomène qui frappe le plus dans ces années, au contraire, est un « retour à l'antique » massif et déconcertant, inspiré par les expériences démocratiques grecques et par l'histoire républicaine de Rome. Quelle part faut-il accorder au modèle, quelle part à l'improvisation, à l'effet de la hâte, à la surprise, à la réactivité ? La Révolution est un épisode à la fois réfléchi et confus de l'Histoire, en France, qui, tout en travaillant concrètement dans l'espace à peine croyable de l'utopie, est devenu un creuset où se sont condensés quelques-uns des présupposés les plus enfouis de ce qu'on pourrait appeler l'« inconscient culturel » d'une époque.

C'est à la lumière de cette contradiction de base que le rapport à la langue, dans cette période, peut sans doute être le mieux décrypté.

L'IMPACT DE LA PAROLE

Première remarque, banale : les hommes qui ont fait la Révolution sont issus de l'Ancien Régime. Leur culture est également faite d'entraînements à la harangue, de pratiques déclamatoires, de modèles classiques solides. Dans les décennies qui précèdent 1789, la culture mondaine n'a plus la cote. La sensibilité de Rousseau, grand artisan de la restauration de l'éloquence dans la prose française, est passée par là. On préfère désormais le « sérieux », l'articulé. Dans son *Tableau de Paris*, Louis-Sébastien Mercier regrette qu'il n'existe pas dans la capitale une « tribune aux harangues », « où l'on parlerait au public assemblé », où l'on « tonnerait contre de cruels abus qui ne cessent en tout pays que quand on les a dénoncés à l'animadversion publique »[1]. On entend déjà dans cette phrase des accents révolutionnaires : on remarque le goût du grossissement imagé (*tonnerait*), le calque latin (*animadversion*), et cette manière si particulière qu'auront les discours révolutionnaires de placer le propos sur un plan général, héritage de l'usage « philosophique » du langage.

Un certain « goût de l'antique » tend à substituer à la modernité aristocratique comme à l'« éloquence de la chaire » une autre forme de parole d'autorité, « laïcisée », énergique, vertueuse, volontiers héroïque. Le culte des « hommes illustres » est déjà bien en place au moment où la Révolution éclate. Il donne lieu à une pratique éloquente fondée sur l'emphase et sur cette figure décisive de l'*apostrophe*. L'influence linguistique du latin dans la culture ayant reculé, tout se passe comme si les hommes de la fin du XVIIIe siècle avaient abandonné les valeurs traditionnellement investies dans l'instrument au profit des aspects de la culture romaine que l'on peut traduire ou adapter dans le monde moderne.

L'éloquence se fait moins illustrative ou démonstrative : plus délibérative, plus argumentative. La dimension contradictoire, polémique, qui constituait une part majeure du modèle cicéronien, est restaurée. Certains discours d'avocats passent désormais à la publication, sous forme de brochures. C'est en s'appuyant sur des faits similaires qu'on a pu parler d'une « politisation » générale du discours et de la culture avant la Révolution[2].

Pour cette nouvelle pratique polémique de la parole, certains aspects du modèle conversationnel aristocratique ne sont pas inutiles. Qu'était la conversation mondaine d'Ancien Régime, en effet, sinon, en partie, la transposition sur le mode verbal du duel, d'origine aristocratique ? A ce jeu-là, beaucoup étaient formés, à la veille de la Révolution. Un homme, paraît-il, brillait particulièrement dans le second XVIIIe siècle : Diderot, « celui de tous les hommes qui, par la parole, influait le plus puissamment sur ceux qui l'écoutaient », selon un contemporain[3]. En 1796, le périodique conservateur *La Quotidienne* considérera que quelques vers d'un poème de Diderot sur l'« homme naturel » « ont servi de texte aux discours les plus véhéments des clubs révolutionnaires[4] ».

Aussi, grâce à cette maîtrise de classe ou personnelle de l'art de la parole, de nombreux nobles joueront un rôle essentiel dans la Révolution, comme Hérault de Séchelles, qui fut avocat au Parlement de Paris avant de devenir président de la Convention nationale. Au contraire de l'Angleterre, où une riche éloquence parlementaire avait pu se développer, la France avait vécu, pendant tout le XVIIIe siècle, sur le socle d'un régime absolutiste qui muselait la parole des individus, de quelque origine qu'ils soient, d'ailleurs. Cela fait de la Révolution, à certains égards, une sorte de « fronde » d'une partie de l'aristocratie contre le pouvoir royal. C'est tout son côté « remuant », batailleur, incontrôlable, qui s'est alors donné carrière. Le modèle tout récent des assemblées américaines, également, a exhorté des aristocrates cultivés et façonnés par les Lumières à sortir du statut anecdotique dans lequel les enfermait le pouvoir royal pour s'inventer des personnages à la hauteur de leurs aspirations.

Armés pour la bataille publique à coups de sarcasmes, d'ironie, de discours enflammés à la phraséologie toute prête, les hommes de la Révolution purent prendre modèle sur quelques grands contemporains et renouer avec le fil d'une tradition antique relue à la française. En revanche, ils étaient coupés du peuple. Ce fait a son importance pour expliquer les multiples décalages qui surviendront, au fil des années, entre le langage initial de la Révolution et la fabrication d'une dynamique politique originale. Pour un homme du XVIIIe siècle, en effet, le peuple est incapable d'éloquence. Il ne saurait être question de lui donner la parole. Certes, il est promu au rang de juge ultime dans l'appréciation de la parole (il donne son *suffrage*), mais il ne saurait avoir un rôle moteur. C'est là une contradiction fondamentale de 89.

1789, LE TORRENT

1789, c'est un déchaînement, un torrent de paroles, un déferlement de volontés de sens. Selon les mots d'Adrien Dusquesnoy, député du tiers état, l'annonce de la convocation des états généraux a provoqué « une fureur de parler inconcevable[5] ».

C'est tout d'abord le début d'une véritable fièvre de réunion. On assiste à la multiplication des assemblées – bientôt des « clubs » et des « comités ». Deux sensibilités s'affrontent : celle qui privilégie la démocratie « libre », laissant ceux qui veulent s'exprimer aussi longtemps qu'ils le souhaitent, et celle qui voudrait au contraire canaliser cette énergie, limiter les temps d'intervention, encadrer par des règlements, des comptes rendus, des procédures ce débordement prévisible. Ce faisant, c'est une grande opposition rhétorique d'origine antique qui se trouve réactivée, entre tradition « prolixe » de la parole – l'antique tradition de la *copia*, de l'abondance – et tradition laconique, brève, rigoureuse. Du côté de l'inspiration « copieuse » on trouve les tenants d'une certaine démocratie directe, mais aussi ceux de la mise en scène du moi, sous-produit de l'éducation et de la culture d'Ancien Régime. Du côté du laconisme se rangent volontiers ceux qu'anime une réflexion politique sur le gouvernement, comme Saint-Just.

La Révolution française fut aussi une période d'extension brutale et rapide du domaine de l'écrit. La brochure, l'écrit court, le feuillet viennent souvent donner une seconde chance aux paroles envolées. Les décennies 1770-1780 avaient déjà connu un premier « boom » des publications éphémères ou périodiques. Les almanachs, notamment, constituaient un lien privilégié entre culture populaire et sources d'information. Mais 1789 voit naître un phénomène sans commune mesure avec ce qu'on pouvait observer auparavant. Au début de l'année 1789, on ne comptait à Paris qu'un seul grand quotidien d'information, le *Journal de Paris*. Dans les derniers jours de l'année, on recense 23 quotidiens, 8 trihebdomadaires, 8 bihebdomadaires et 7 hebdomadaires[6]. On estime que 3 000 brochures et pamphlets ont été publiés en 1789 – plus que le total des deux décennies précédentes.

Qu'est-ce qui motive semblable recours à l'écrit ? Comment avait-on les moyens de fabriquer pareille quantité d'imprimés ? Quel public était visé ? En fait, la conception de l'écrit et de l'imprimé a considérablement changé. Elle s'est beaucoup éloignée de l'idéal « livresque », d'essence conservatrice, souvent encore entaché de connotations savantes ou religieuses. L'écrit révolutionnaire est un écrit qui vole, se diffuse, qui n'est pas nécessairement conservé. Avec ses feuilles volantes souvent imprimées à la hâte dans des imprimeries plus ou moins clandestines, c'est à la naissance d'un écrit à proprement parler « journalistique » qu'on assiste, un écrit, d'ailleurs, qui se décentralise, puisque de très nombreux titres voient le jour en province ou à l'étranger.

Les tirages sont parfois énormes pour l'époque : 13 000 pour le journal de Mirabeau, par exemple. Certains titres, comme *L'Ami du peuple,* de Marat, constituent des condensés des débats. C'est une rage d'écrire, de diffuser, qui se met en branle à partir de 1791. Parfois, l'écrit ainsi conçu ne se suffit pas à lui-même, s'aidant du théâtre (floraison des pièces d'actualité dans ces années-là) ou des arts graphiques (estampes, caricatures). Ainsi pouvaient être touchées les catégories de population insuffisamment lettrées. La Révolution fait la chasse à tous les emblèmes de l'Ancien Régime et leur substitue des symboles nouveaux, imagés, vifs, émotionnels ; elle découvre que le pouvoir d'une statue, d'une cocarde, d'un vêtement (carmagnole, pantalon, bonnet phrygien…) peut être plus fort, plus efficace comme facteur d'identification, que de longues formules oratoires.

S'INVENTER UNE LANGUE

Pour ce qui est de son langage, la Révolution s'est d'abord faite sur des mots d'Ancien Régime qui ont vu leur valeur exaltée par le climat de violence, ou bien inversée pour des raisons idéologiques. « Le propre de la langue révolutionnaire est d'employer des mots connus, mais toujours en sens inverse », dira La Harpe[7] avec quelque exagération. Les débuts de la Révolution se sont faits sur fond d'une incompréhension quant aux mots, ceux-ci étant souvent repris dans des sens détournés, dotés de valeurs ironiques, tandis qu'apparaissaient de nouvelles expressions. Que de malentendus ne naquirent pas des premières années de la Révolution ! On rapporte ce mot de Louis XVI : « je désapprouve l'expression répétée de *classes privilégiées* que le Tiers emploie. Ces expressions inusitées ne sont propres qu'à entretenir un esprit de division[8] ».

Le premier langage de la Révolution est donc extraordinairement hétérogène. Les dernières décennies du XVIIIe siècle ayant été fortement marquées par le goût de la nature, on y trouve d'abord souvent une inspiration bucolique, emphatique, florale, à la fois mièvre et exaltée, aimant les contrastes appuyés[9]. Le renouveau métaphorique est net, après presque un siècle de discrédit. 1789 vu par les contemporains n'est ainsi qu'affrontement des ténèbres contre la lumière, nuées, fléaux, bourgeons, printemps, automne, lutte de la vie contre la mort…

L'influence de l'Eglise se retrouve également, sous forme laïcisée, dans le goût des martyrs, des fondateurs d'un nouvel ordre, des cérémonies, des intronisations. Bien des éléments de la phraséologie révolutionnaire restent très marqués par ces connotations religieuses (le terme *salut* en étant un exemple frappant et emblématique).

Quant au vocabulaire moral, il imprègne en profondeur l'idéologie révolutionnaire. Celle-ci est toute *vertu*, et s'appuie, pour fonder le politique, sur une dénonciation morale préliminaire de la monarchie, de l'aristocratie et des vestiges du féodalisme. L'*impuissance*, royale, par exemple, est condamnée.

A ce substrat français est venue s'ajouter une influence forte venue de l'étranger : l'influence anglaise. L'Angleterre est la puissance majeure en Europe en ce XVIIIᵉ siècle finissant. Son poids politique, militaire, culturel s'est affirmé toujours plus depuis le XVIIᵉ siècle. Au moment de la Révolution, l'influence de l'anglais sur le vocabulaire français est déjà avérée. Depuis les traductions de Locke, de Pope, de Newton, les intellectuels français sont familiers des idées anglaises et du vocabulaire qui les exprime. Vers le milieu du siècle, on a également beaucoup traduit les romanciers : Swift, Defoe, Richardson, n'hésitant pas à produire calques et anglicismes, tel ce curieux *management* employé dans un sens proche du sens actuel et qu'on trouve chez l'abbé Prévost.

Depuis les années 1740-1750 régnait en France une véritable « anglomanie[10] », touchant les arts comme la vie quotidienne. Quelques mots de la modernité sont des emprunts lexicaux parfois francisés, ou « naturalisés », comme on disait alors (*plaid, gigue, rosbif, paquebot* – de *packet-boat* –, *contredanse* – de *country-dance* –, *partenaire* – de *partner*). Certains de ces mots reviennent d'Angleterre après y être partis au Moyen Age : c'est ainsi que le mot *budget*, issu de l'ancien français *bougette* (petit sac en cuir), a retraversé la Manche pour s'inventer une nouvelle carrière…

Cette anglomanie a également une dimension politique, dans la mesure où le régime parlementaire anglais a fait l'objet d'une attention particulière de la part des « philosophes » qui, tels Montesquieu et Voltaire, se sont rendus en Angleterre. Au total, ce sont les vocabulaires afférents au commerce, aux lois, à l'organisation de la société qui subissent une modification importante. En français, le verbe *voter* existait déjà, renvoyant à la pratique des chapitres dans les monastères. Mais le substantif *vote* n'est attesté qu'en 1704, pour décrire une décision prise par la Chambre des communes anglaise : il s'emploiera pour décrire une réalité française à partir de la Révolution. Le mot *session* a suivi le même parcours : pendant la Révolution, son sens politique venu d'Angleterre est devenu usuel, alors que ses connotations religieuses étaient les seules existant en France avant cette date.

Si, coloré par l'anglais, le français politise certains aspects de son vocabulaire existant, il traduit aussi des expressions figées, telles que *esprit public* (*public spirit*), *libre-penseur* (*free-thinker*) ou *vertus sociales* (*social virtues*). Les mots les plus importants du nouvel exercice démocratique de la vie politique proviennent de ce remaniement venu d'outre-Manche, tels ceux de *majorité*, de *minorité*, de *motion,* de *verdict,* de *veto* (un latinisme à sens juridique restreint). A partir de la loi du 16-24 août 1790, les *jurys* de *pairs* seront une institution décisive de la Révolution.

Pendant la Révolution, les détracteurs des idées nouvelles brocarderont souvent l'invasion des mots anglais ; pour preuve cet auteur anonyme du pamphlet *De l'Abus de la liberté* : « Quant à la législation, on veut absolument que nous soyons anglais ; des mots nouveaux sont dans toutes les bouches. On s'*organise*, on fait des *motions*, on rédige des *adresses*, et sur tous les sujets[11]. » Le Dictionnaire de l'Académie de 1798, où figurent 60 anglicismes nouveaux, ne fait mention de leur origine que pour 20 d'entre eux.

En fait, il y a bel et bien eu occultation de l'influence de l'anglais sur le vocabulaire français de l'époque. Cette occultation s'explique tout d'abord par la rivalité directe dans laquelle France et Angleterre se sont trouvées engagées pendant la seconde moitié du XVIIIe siècle. Par ailleurs, l'attachement chauvin de certains commentateurs français à leur langue a eu tôt fait de relever qu'un certain nombre des nouveaux anglicismes étaient en fait des « dépouilles » de l'ancien vocabulaire français passé en Angleterre au Moyen Age. On explique ainsi que l'« énergie » particulière à certains mots nouveaux anglais est en fait d'origine française...

Dès 1790, également, la valeur jusque-là positive du « modèle anglais » tend à s'inverser. Les *Réflexions sur la Révolution en France* de Burke, qui remportent à Londres un vif succès en brossant un tableau critique, voire hostile, des événements de France, creusent un fossé culturel préparé par le soutien français apporté à la Révolution américaine. Robespierre, en 1791, prononce un discours où il dénonce l'idolâtrie dont ont fait l'objet les institutions anglaises, pour de mauvaises raisons. Bientôt, la mise en place de schémas nationaux, voire nationalistes, achèvera de gommer l'évidence d'une dette linguistique et culturelle vis-à-vis de l'Angleterre, alors que, au-delà des emprunts ponctuels, l'influence de l'anglais a aidé le langage révolutionnaire à sortir des représentations abstraites, universalistes, sur lesquelles les philosophes avaient travaillé.

Avant de se lancer dans l'aventure audacieuse d'une réinvention lexicale des réalités de la vie, empruntant massivement à l'anglais et occasionnellement au vocabulaire institutionnel de l'Antiquité romaine (*préfet*, 1793 ; *consul*, 1799), la Révolution a commencé par retravailler des mots déjà présents dans le lexique français, auxquels elle allait donner des significations nouvelles. Ces mots ont l'avantage d'être déjà connus. Il convient simplement de les repenser. Il en est ainsi des mots *fraternité, nation, patrie, peuple* ; et bien sûr des deux mots-pivots de l'esprit de 89 : *régénération* et *révolution*.

Le mot de *régénération* est issu d'un double contexte, religieux et médical[12]. Dans un cas il exprime l'idée d'un renouveau spirituel, dans l'autre il s'applique à ce qu'on appelait alors la « faculté régénératrice » de la chair, sa capacité à se reconstituer après une blessure. La vision qu'eurent les révolutionnaires des événements de 89 cumula les deux valeurs. Pour Mirabeau, 89 avait libéré une « énergie miraculeuse » ; or, l'idée de *miracle* est à la fois religieuse et médicale. Les événements deviendront donc synonymes d'une genèse recommencée à valeur spirituelle comme d'une reformation des tissus du peuple et de la nation mis à mal par l'asservissement de l'Ancien Régime. Le mot de *révolution*, de son côté, est passé d'un sens cosmologique (où il désigne le mouvement d'un astre dans son orbite), puis chronologique ou architectural (l'escalier « à double révolution »), à un sens politique[13]. L'influence de l'anglais *revolution* pour parler du renversement de la monarchie anglaise au XVIIᵉ siècle, puis de la Révolution américaine au XVIIIᵉ siècle, est certaine. Très courant, mais dans un emploi vague de « retournement politique » dans la langue du XVIIIᵉ siècle, conceptualisé par Montesquieu, le mot *révolution* est réellement « révolutionné » en 1789-1790.

Des mots nouveaux pour un monde nouveau ?

Nulle part ne se lit mieux la volonté de s'inventer une nouvelle langue politique que chez l'abbé Siéyès (1748-1836), cet artisan de l'insertion des idées nouvelles issues des philosophes dans l'esprit révolutionnaire dont la brochure *Qu'est-ce que le tiers état ?* connut un retentissement immense en 1789[14]. C'est Siéyès qui fut en grande partie le maître d'œuvre de la transformation préliminaire qui devait constituer la pierre de touche de la Révolution, tant dans les institutions que dans les

dénominations ; c'est lui qui prépara le remplacement
du terme *tiers état* par le terme *nation*, celle-ci désormais définie comme « un corps d'associés vivant sous
une loi commune et représenté par une même
législature[15] » ; c'est lui également qui motiva en grande
partie la transformation des états généraux en Assemblée nationale à partir de juin 1789.

Chacun des acteurs de la Révolution aura, par la suite,
son ou ses mots fétiches, mots simples utilisés comme
des icônes, cristallisateurs de conceptions et de visions
qu'ils s'échangeront. Ainsi le mot *patrie* fonctionnera-t-il
chez Danton comme un emblème de sa morale de l'action.
Chez Robespierre, il sera employé de façon plus allégo-
rique, glissant vers la personnification. L'expression
métaphorique du lien social comme lien personnel ou
familial se retrouve dans le mot *fraternité*, nœud de
représentations chrétiennes, de vertus philosophiques et
d'identification sociale. C'est le début de luttes infinies
pour l'appropriation des mots, de malentendus, de procès intentés pour « abus ». La Révolution française peut
aussi être lue comme la scène d'une lutte des anciens
mots du français, lancés à présent les uns contre les autres,
chargés de nouvelles valeurs, au point qu'aujourd'hui un
« Dictionnaire critique[16] » n'est pas de trop pour y voir
clair et dissiper les écrans de fumée installés par les discours.

La nécessité de dictionnaires, d'ailleurs, était vite apparue aux contemporains emportés par ce tourbillon lexical et sémantique. C'est ainsi qu'on vit paraître dès 1790
un *Dictionnaire national et anecdotique* dû à Chantreau[17],
un grammairien qui vécut à Paris pendant la Révolution
et participa plus tard à la Commission de l'Instruction
publique.

Reconfigurant sémantiquement nombre de mots de
forte fréquence, la Révolution s'est surtout rendue spec-
taculairement visible par le biais d'une « néologie » touchant non seulement le vocabulaire politique, mais aussi
celui de la vie quotidienne. C'est ce qu'on a nommé la

« crise néologique » des années 1790-1793. De cette époque, on retient parfois quelques îlots de pittoresque, tel cet improbable *loyaume*, terme proposé par Domergue pour se substituer à l'ancien *royaume* sur la base de la loi substituée au roi. Au milieu du XVIIIe siècle, l'idée que les innovations auraient à franchir la barrière de la toute-puissance d'un contrôle académique s'est considérablement affaibli. Pendant la Révolution, la créativité lexicale peut se donner libre cours. Il s'agit de frapper les sens en utilisant le pouvoir imagé des mots, leurs connotations[18].

En l'espace de quelques années, la Révolution a ainsi connu une fièvre de nomination. Celle-ci commence par les lieux, racines de la vie. Pour la Constituante, les villes, bourgs et paroisses ne portaient pas leurs « vrais » noms : elle considérait plutôt que les seigneurs leur avaient donné leurs « noms de famille »... Ainsi, dès 1790, elle les autorisa à « reprendre leurs anciens noms » les seuls considérés comme légitimes. Toute mention de « saint », de « roi », de titres de noblesse tels que « comte », fut abolie. Ce mouvement devint massif après la mort du roi. Foin de *Nogent-le-Roi* ou *Fontenay-le-Comte* désormais : on aura *Nogent-la-Haute-Marne* et *Fontenay-le-Peuple*... On estime qu'une commune sur dix environ fut débaptisée à partir de l'an II. Rues et places arborent dorénavant des noms de vertus ou de héros tels que Bara ou Marat.

Enjeu tout aussi symbolique de nomination, les prénoms furent eux aussi réformés au moyen du « baptême civique ». Toute une génération, celle née en l'an II, fut renommée, à hauteur de 50 à 60 %, estime-t-on. Elle porte les nouveaux prénoms héroïques de la République, inspirés d'allégories de vertus, de l'actualité, de la République romaine ou du nouveau calendrier républicain. Ainsi se croisent Marat, Brutus, Mucius Scaevola, Messidor, Rose et Laurier... L'inspiration florale fait un lien, d'ailleurs, entre les hommes, les temps et les lieux. Bientôt, le « calendrier révolutionnaire » est adopté par la Convention (le 5 octobre 1793). Il sera aboli le 1er janvier 1806. Il est presque étonnant qu'il ait duré aussi longtemps – presque quinze ans – alors que son principe relève de la haute fantaisie d'un doux rêveur, Fabre d'Eglantine. La déesse Nature étant la protectrice de la Révolution, tulipe, camomille, narcisse, rose, violette, céleri, romarin, agricole, pensée, amarante se partagent les jours, tandis que des suffixes spécifiques se répartissent les mois et les saisons, dans une palette signifiante qui rythme le temps comme la course du soleil les travaux des champs : pluviôse, nivôse, ventôse...

Sur un tout autre plan – technique et institutionnel –, l'une des réformes les plus emblématiques de la Révolution est celle des poids et mesures. Sous l'Ancien Régime, les mesures – près de 800 différentes – étaient soumises à des particularismes locaux, d'anciens usages provinciaux, des coutumes parfois mal connues. Parfois, la même unité avait des valeurs différentes selon les lieux. Il s'ensuivait des litiges sans fin. Le 8 mai 1790, la Constituante met à l'étude un projet d'unification piloté par une commission dans laquelle on relève les noms de Lavoisier, Monge ou Laplace. Il s'agit en quelque sorte d'établir un « Villers-Cotterêts » des poids et mesures. L'idée est d'« étalonner » le rapport à la réalité supposé par les mots, dans le but de diminuer les risques de contentieux mais surtout de construire un système pérenne, « universel », échappant à l'arbitraire. Le 7 avril 1795, une loi promulgue l'usage du *mètre* et du *kilogramme* comme seules mesures officielles dans la nation, éléments d'un système décimal appelé à se diffuser largement. Néanmoins, pendant tout le début du XIXe siècle, les anciennes mesures continuèrent souvent à être utilisées, dans une relative anarchie, jusqu'à la loi de juillet 1837.

La vie civile et sociale fait l'objet de la sollicitude des réformateurs. En juin 1790, est promulguée la suppression des blasons et des titres de noblesse, un signe particulièrement voyant de l'Ancien Régime. La Convention décide également, le 10 brumaire an II (31 octobre 1793), de remplacer les appellations de *Monsieur* et *Madame* par celles de *citoyen* et *citoyenne*. Ces termes d'adresse font partie des rares vrais néologismes de base française dont la Révolution est l'auteur.

Le tutoiement, inspiré de l'ancienne Rome, est également institué – un tutoiement qui s'exerce également envers les supérieurs. De ce tutoiement, on pouvait lire ici et là les signes avant-coureurs dans certaines pratiques du second XVIIIe siècle. Déjà Diderot, dans l'*Histoire des Deux Indes*, tutoyait le jeune souverain Louis XVI avec une familiarité toute romaine. Il devient courant dans la correspondance administrative. En revanche, on relève une importante inertie des usages. D'ailleurs, resté obligatoire seulement dans l'armée (dans tous les sens de la hiérarchie), le tutoiement sera rapidement aboli dès juin 1795. L'un des domaines du lexique qui ont été le plus retravaillés est sans doute celui qui concerne la communication, les rapports sociaux, la manière d'envisager les rapports humains. Le roi n'est pas *interrogé*, mais *entendu* ; on ne parle pas d'*instruction*, mais d'*information*. C'est au moyen de petites altérations semblables que la Révolution est, malgré tout, parvenue à subvertir et infléchir la gestion de la langue dans le discours.

On a beaucoup retenu de cette époque la faillite qu'ont rencontrée beaucoup de mots nouveaux à s'imposer ; mais c'est négliger le remaniement parfois moins visible du lexique existant, qu'elle a accompli en profondeur. Elle y a introduit un élément inédit de pensée, de conscience, qui nous parle aujourd'hui, après deux siècles où l'importance des enjeux qui touchent les mots s'est davantage révélée.

Les acteurs de la Révolution sont conscients que la « question de la langue », dans une période d'intense communication, reste de premier plan, en dépit de l'urgence qu'il y a à construire les institutions du nouveau régime et bientôt à défendre la « patrie » contre ses ennemis. C'est cette conscience qui donnera lieu à la première « politique de la langue » de véritable ampleur qui aura lieu dans notre pays – une politique sans commune mesure avec les efforts de François Ier ou de Colbert. Talleyrand, dans un rapport de 1791, voudrait qu'on s'attelle à une relecture de tous les mots anciens qui ont été oubliés au fil des siècles pour voir s'ils ne seraient pas susceptibles de connaître une nouvelle vie. Le rejet de l'attitude de « tri », qui avait souvent été celle de l'Académie, motiva en partie la dissolution, le 8 août 1793, de ce « mauvais établissement », ce suppôt de l'élitisme royaliste et aristocratique. Héritière des conceptions centralisatrices de la monarchie, la Convention rêvait d'un « dictionnaire national ». C'est ainsi que les commissaires délégués de la Convention, s'étant aperçus qu'en dépit des connotations royalistes qui l'entachaient, le Dictionnaire de l'Académie, surtout l'édition de 1762 révisée par Duclos, D'Alembert et Beauzée, avait l'avantage de représenter une base de travail sérieuse, firent paraître en 1798 sa cinquième édition – objet éminemment paradoxal, publié à un moment où l'Institut n'existait plus. L'Académie, d'ailleurs, s'empressera de le désavouer, une fois rétablie en tant qu'institution en 1816. Mais, entre-temps, c'est une ironie savoureuse de l'Histoire que la Révolution ait fait participer cette assemblée conservatrice à sa politique de la langue sans son consentement…

Dans cette édition, c'est surtout le « Supplément contenant les mots nouveaux en usage depuis la Révolution » qu'on retient aujourd'hui. Organisé en deux parties, il comprend tout d'abord une liste de 213 néologismes lexicaux qui, tels que *kilogramme, nivôse, club, carmagnole, cocarde, tyrannicide,* expriment les réalités désormais incontournables de la Révolution. Suivent 118 néologismes sémantiques, parmi lesquels certains, comme *aristocrate,* peuvent étonner. Les mots *aristocrate, aristocratie* existaient évidemment dans le lexique français avant la Révolution. Mais ils ne s'appliquaient qu'à l'Antiquité. Cessant désormais de se borner à la valeur purement descriptive de « membre de la noblesse », le mot *aristocrate* se charge d'une valeur nouvelle, celle de « partisan de l'Ancien

Régime ». C'est ainsi qu'il y a eu, pendant la Révolution, des « aristocrates bourgeois »...

Ce caractère profondément marqué d'un lexique parfois bien connu (*école, massacre*...) serait à étudier en profondeur, mais nous reste parfois difficilement accessible parce que les mêmes mots se sont trouvés « démarqués » et ont évolué une fois l'épisode révolutionnaire terminé. A l'établissement de conventions nouvelles, celles qui s'établirent sous le Directoire et l'Empire, la « polarité » révolutionnaire donnée aux mots s'est résorbée dans un caractère neutre, prélude à l'institutionnalisation. Les mots *bureaucratie, divorce, département, municipalité, procédure* scandent un paysage commun, qui sera celui des régimes postérieurs.

Naissance d'une politique de la langue

Saisie par des débats sans fin sur les mots, animée d'une fureur éloquente dont elle retrouve le souffle dans l'Antiquité la plus lointaine, impatiente de s'inventer une nouvelle réalité, la Révolution a bougé dans la langue comme un animal pris dans des filets. De ses initiatives en matière de lexique, il faut cependant reconnaître que les principaux bénéficiaires sont d'origine aristocratique et bourgeoise. L'essentiel des débats qui eurent lieu entre 1789 et la naissance de la Convention ont été totalement incompris du peuple des provinces, d'abord parce que ces populations vivaient à des années-lumière de ce qui se passait à Paris ; ensuite parce que la barrière linguistique continuait de représenter une démarcation infranchissable. Entre 1791 et 1793, plusieurs initiatives tentèrent de s'attaquer au problème.

La plus connue, certainement, est l'envoi par l'abbé Grégoire, le 13 août 1790, d'une « série de questions relatives aux patois et aux mœurs des gens de la campagne » destinée à produire ensuite un « Rapport sur la nécessité et les moyens d'anéantir les patois et d'universaliser la langue française », qu'il présentera le 16 prairial de l'an II (1793) à la Commission de l'Instruction publique de la Convention[19].

Né en 1750, Henri Grégoire fait partie de ces membres éclairés du clergé du XVIIIe siècle qui dès avant la Révolution s'étaient attaqués avec audace aux questions sociales. En Lorraine, dans les années 1780, il avait déjà déployé d'énergiques efforts pour enseigner le français aux paysans, luttant contre l'abêtissement provoqué par la culture des almanachs, et constituant pour ses élèves une bibliothèque sérieuse de lecture. En 1788, une initiative considérable l'avait déjà fait connaître : son *Essai sur la régénération physique, morale et politique des juifs*, essai qu'il déposa à la Société royale des sciences et des arts de Metz. Familier du statut réservé à ceux que, dans son territoire, il appelait les « juifs allemands », il fut l'un des artisans du vote des droits civils et politiques accordés aux juifs (de même qu'il sera l'un des artisans principaux de l'abolition de l'esclavage). C'est donc un personnage de première importance, trop oublié aujourd'hui.

En 1790, la Révolution à ses débuts découvre que, pour reprendre les chiffres donnés par Grégoire, il y a en France six millions de « Français » incapables de soutenir une conversation dans la langue nationale. Pour Grégoire, il n'y a pas de doute : ce fait est le résultat d'une action concertée de l'Ancien Régime, qu'on peut faire remonter à l'époque féodale, qui consistait à morceler le pays de façon à prévenir tout risque de révolte organisée. Comment un fuyard se serait-il débrouillé, en effet, hors du cercle très étroit des terres de son seigneur si, dès le village voisin, le « patois » différait ?

Sans doute entre-t-il une part de paranoïa sociale dans le raisonnement de Grégoire mais, sur le fond, l'Histoire lui donne raison. Il est clair que le morcellement linguistique du royaume pendant l'Ancien Régime a été, en dehors des besoins administratifs centralisateurs, « soigneusement conservé », pour reprendre les mots de Grégoire. Au départ, Grégoire n'en avait pas particulièrement après les cultures provinciales, mais il considérait comme une urgence de résorber cette fracture, renforcée au cours des siècles, entre un peuple cantonné dans l'usage des parlers locaux et une classe supérieure accédant aux places et au savoir grâce à son usage du français. Si la réforme proposée n'est pas suivie d'effet, prédit Grégoire, « bientôt renaîtra cette aristocratie qui jadis employait le patois pour montrer son affabilité protectrice à ceux qu'on appelait insolemment les petites gens. Bientôt la société sera réinfectée de gens comme il faut ; la liberté des suffrages sera restreinte, […] et […] entre deux classes séparées s'établira une sorte de hiérarchie. Ainsi l'ignorance de la langue compromettrait le bonheur social ou détruirait l'égalité[20] ».

Mais comment faire ? Dans un premier temps, pour diffuser ses réformes, la Révolution procéda à des traductions, de manière inégale d'ailleurs, à chaud, pressée par le temps, dans une certaine confusion. La traduction des décrets est décidée le 14 janvier 1790, et on commence à la mettre en œuvre. Des bureaux départementaux, surtout dans l'Est, s'y activent. Quelques-uns des grands textes des années 1790-1791 seront traduits dans les « patois ». Ce sera également le cas de *La Marseillaise*…

L'ENQUÊTE DE L'ABBÉ GRÉGOIRE

Afin de se rendre compte de l'étendue réelle des patois, de toutes les formes d'usage et des perspectives d'accès des citoyens au français, Grégoire rédige un questionnaire en 43 points qu'il adresse à une série de correspondants disséminés dans les principales régions concernées, et plus ou moins motivés pour entreprendre le travail de collecte. Précis, formulé en termes rationnels, objectifs, le questionnaire de Grégoire constitue à bien des égards le premier exemple d'une « enquête sociolinguistique ». Son honnêteté – sa candeur, même – est à relever. L'enquête commence par cette question liminaire : « L'usage de la langue française est-il universel dans votre contrée ? Y parle-t-on un ou plusieurs patois ? » Suivent une série de questions sur les patois visés : phonétique, étendue du lexique, origine des mots, plus ou moins grande « affinité » avec le français, usages terminologiques, richesse des parlers à exprimer « les nuances des idées et les objets intellectuels »... On trouve aussi : « Les gens de la campagne ont-ils le goût de la lecture ? » ; ou « Quelles espèces de livres trouve-t-on le plus communément chez eux ? ». Une suspicion plane, en effet, quant au rôle de censeurs que pourraient jouer les « curés et vicaires ». Et puis une question qui fait dresser l'oreille : « Quelle serait l'importance religieuse et politique de détruire entièrement ce patois ? »

On conserve 49 réponses à ce questionnaire, de longueur et d'intérêt très inégaux. Beaucoup viennent de l'Est, où Grégoire était connu, et beaucoup également du Sud, notamment du Sud-Ouest occitan et gascon. C'est ainsi qu'on dispose d'une très longue réponse venant de Guyenne, de la plume de Pierre Bernadau. Selon lui, c'est surtout le bas peuple qui parle gascon : harangères, marchands. Le « petit artisan », écrit-il, « affecte surtout de parler français ». Bernadau a une haute estime pour le gascon, qui est, écrit-il, « un idiome très-étendu et très-varié, [qui] présente tous les termes de la langue française ». Toutefois, il juge que la forme de ce « patois » varie beaucoup de village en village. « La prononciation est dans certaines contrées infiniment pénible et change singulièrement l'idiome », complète-t-il. Bernadau trouve une spécificité au parler de Bordeaux, et finit par se demander s'il ne serait pas juste de voir en lui un « français avec terminaisons gasconnisées » – constatation précoce de l'existence d'un français régional, distinct à la fois du français central et du parler local, patois, dialecte ou langue ? Que les paysans emploient beaucoup de mots « latins », espagnols et même anglais (il fait par exemple un petit relevé d'anglicismes dans le district de Lesparre) ne lui paraît pas autrement problématique.

C'est ainsi qu'à la question fondamentale, la motivation essentielle de l'enquête de Grégoire, à savoir s'il est possible d'« anéantir » les patois, Bernadau répond : « Il n'y aurait aucun inconvénient à détruire le patois, supposé que par quelque institution on pût lui substituer une autre langue. Nos paysans n'y tiennent pas autant que les Basques et les Bretons [à leur langue]. Serait-ce parce qu'il n'est pas si difficile de l'apprendre ? Mais, après tout, il leur faut des signes ; et, supposé qu'on leur apprît ceux du français, ils les auraient bientôt altérés ; c'est pourquoi je doute qu'on puisse trouver le moyen de détruire le patois[21]. » Le décalage de son analyse par rapport au point de vue de Grégoire, qui avait voulu tracer une limite entre patois et « français » afin de préparer au remplacement des uns par l'autre, est significatif. Bernadau est conscient que ces « patois » sont saisis dans un mouvement, dans une histoire, tout comme l'est le français. Cependant, pour lui, il ne fait pas de doute que le gascon, qui se rapproche déjà du français « depuis un demi-siècle », finira par le rejoindre. Une nuance importante à cette analyse : elle ne concerne que le gascon « des villes ». Le bas peuple, dit-il, parlera toujours un « jargon particulier ». La réponse de Bernadau a le mérite de pointer un fait décisif dans l'approche relativement simpliste que faisait Grégoire des patois : la variation sociale est aussi importante, sinon plus, que la variation géographique.

Entre le début de l'enquête (1790) et le rapport présenté à la Convention (octobre 1793), les choses ont changé dans la perception politique qu'on peut avoir des « patois ». La contre-Révolution a commencé à instrumentaliser les patois, et à en faire des obstacles à la diffusion des idées nouvelles. Le discours de Barère au Comité de salut public, le 8 pluviôse an II, va dans ce sens. Il ne faut plus laisser, dit-il, les ennemis de la liberté s'emparer des populations paysannes au moyen de l'usage des patois. Sont particulièrement visés les domaines breton, « allemand » (francique lorrain et alémanique alsacien) et basque.

Le « 16 prairial de l'an II », Grégoire présente donc son rapport. Il est significatif que ses premières phrases se fassent l'écho du concours de Berlin autour du français « langue universelle » de l'Europe. Grégoire s'appuie sur le paradoxe qu'il y a, selon lui, à voir que le français jouit à l'extérieur d'un grand prestige alors qu'il n'est parlé à l'intérieur que dans quinze départements environ. Les « trente patois » de France, dit Grégoire, l'assimilent à une « tour de Babel ». Pour lui, c'est clair : il faut « diminuer le nombre des idiomes reçus en Europe », et notablement dans nos frontières, de façon à ce que les citoyens « puissent se communiquer leurs pensées ». Sinon, dit Grégoire, c'est la porte ouverte au malentendu. Et de rapporter à ce sujet une anecdote qu'il juge comme pouvant être « plaisante » « si elle n'était déplorable ». Elle porte sur le mot *décret*, qui, au moment de sa diffusion, a parfois été compris au sens de l'ancien *décret de prise de corps*, autrement dit d'arrêt de mort. « Ce serait bien dur de tuer M. Geffry, écrit un citoyen, mais au moins il ne faudrait pas le faire souffrir »…

Traduire ? Cela reste, pour Grégoire, un pis-aller. Pour lui, les dialectes, idiomes pauvres, « jargons lourds et grossiers, sans syntaxe déterminée », sont incapables d'exprimer des idées abstraites. Par ailleurs, l'un des objectifs essentiels de la Révolution, créer les principes d'une fraternité, ne pourrait être accompli par cette procédure, qui n'aboutirait qu'à perpétuer des barrières par ailleurs dénoncées. Il s'agira plutôt de persuader les gens du peuple, de stimuler leur désir de connaître les lois et, par là même, de devenir des « vrais républicains ».

Grégoire est ce qu'on appellerait aujourd'hui un « universaliste » : un digne héritier des Lumières, à qui la notion de différence reste étrangère. On a pu voir dans son initiative la première manifestation d'un « écrasement » des parlers – et donc des cultures – d'une France encore riche de sa diversité ; on a pu au contraire saluer l'intention d'instruction, qui prime sur la considération portée envers ces parlers. Grégoire est incontestablement une grande figure de la Révolution, mais aussi un esprit si bien formé par un certain type de rationalisme, qu'en lui utopie et vision autoritaire ont pu se rejoindre. De son projet, il ne vit pas même le commencement. Une initiative qui se donne pour objectif de modifier les usages linguistiques de millions de personnes ne peut à l'évidence pas aboutir si rapidement. De fait, dès Thermidor, la pression linguistique que Grégoire souhaitait exercer sur les destinées de la Révolution se relâchera, et on en reviendra aux tolérances anciennes. Il faudra des décennies d'instruction républicaine, à la fin du XIXᵉ siècle, pour accomplir dans les faits, et autrement, le programme proposé par Grégoire. En revanche, grâce à son enquête, une idée plus claire de la diversité linguistique de la France est accessible.

LE FRANÇAIS, LANGUE DE LA RÉVOLUTION

On a déjà noté cette « fureur pédagogique » qui s'était emparée du dernier XVIIIᵉ siècle. A ce titre, le rapport de Grégoire est difficilement séparable d'un autre rapport présenté à la Convention, celui du député Lanthenas, intitulé « Rapport et projet de décret sur l'organisation des écoles primaires, présentés à la Convention nationale au nom de son Comité d'Instruction publique » et déposé le 15 octobre 1792[22]. Le projet de Lanthenas est solidaire de celui de Grégoire, mais son objet est très spécifiquement l'enseignement « primaire » : « Votre Comité a senti qu'il fallait, par les dispositions du premier enseignement, avancer l'époque où l'unité de la République en aura tellement fondu toutes les parties, qu'une seule et même langue, riche de mille chefs-d'œuvre familiers à tous les citoyens, les liera ensemble, pour toujours, de la manière la plus indissoluble. » On voit que la démarche de Lanthenas, d'une certaine manière, s'inscrit dans une logique d'assimilation, ou d'« intégration », comme on dirait aujourd'hui. Sa considération des patois et des langues régionales est néanmoins plus nuancée que celle de Grégoire. Pour lui, le corse, le basque, le breton, l'alsacien, le lorrain restent politiquement intéressants, dans la mesure où, situés en zones frontalières, ils opèrent (à l'exception du breton ?) un lien entre la France et ses « voisins ». Un bilinguisme des populations frontalières est donc considéré par lui comme pouvant présenter un intérêt pour la République. Idée curieuse, fondée sur une vision gauchie des parlers, mais symptomatique de la nouvelle articulation entre langues et nations qui est en train de voir le jour.

Dans les dispositions de Lanthenas, on lit également un souci du particulier qui nous intéresse aujourd'hui, à l'époque de débats sur la « discrimination positive ». Si l'article 1 du titre III stipule que « l'enseignement public sera partout dirigé de manière qu'un de ses premiers bienfaits soit que la langue française devienne en peu de temps la langue familière de toutes les parties de la République », l'article 3 précise bientôt : « Dans les contrées où l'on parle un idiome particulier, on enseignera à lire et à écrire en français ; dans toutes les autres parties de l'instruction, l'enseignement se fera en même temps dans la langue française et dans l'idiome du pays, autant qu'il sera nécessaire pour propager rapidement les connaissances utiles. » Les articles portant sur le domaine germanique spécifient expressément que les instituteurs qui y seront recrutés devront « être versés dans les deux langues ». Tout ceci est soigneusement pensé. L'erreur du dispositif, néanmoins, pourrait être d'avoir imaginé un parallélisme parfait des idiomes dans l'accès aux connaissances. C'était sans compter avec les différences d'équipement linguistique et la complexité qu'entraînait la mise en place de procédures aussi fines. En fait, le français allait s'imposer comme seule langue d'éducation.

Les institutions pédagogiques créées sous la Révolution figurent malgré tout parmi ses grandes réalisations. Il existe à cette époque un véritable engouement p[...] français auquel participent de nombreuses personnalités, parmi lesquelles beaucoup d'abbés « éclairés » qui déploient leur éloquence contre le latin. Que le français doive s'imposer face au latin dans l'éducation, cela est affirmé clairement dans le grand débat qui eut lieu à la Convention le 2 juillet 1793, débat dominé par la figure de Grégoire. Le 21 octobre de la même année, une loi constituait les écoles primaires de l'Etat. Cinq projets de décrets avaient été déposés, avec pour auteurs Talleyrand, Condorcet, Lepeletier, Bouquier et Lakanal. Pour ce qui concerne les langues régionales, certains, comme Talleyrand, sont sur la ligne assez raide de Grégoire. Considérant que les langues régionales introduisent des « barrières insurmontables » dans la communication, il écrit : « Les écoles primaires vont mettre fin à cette étrange inégalité : la langue de la Constitution et des lois y sera enseignée à tous ; et cette foule de dialectes corrompus, dernier reste de la féodalité, sera contrainte de disparaître ; la force des choses le commande[23]. »

« Egalité » : c'est le maître mot de la politique d'unification par la langue. C'est pour assurer l'égalité réelle, dit Condorcet dans son rapport, que le langage doit cesser de « séparer les hommes en deux classes ». C'est au nom de l'égalité, toujours, que la tradition jacobine française s'opposera plus tard à tout plurilinguisme sur le territoire, et ce… jusqu'au refus de signer la « Charte européenne des langues régionales » en 1992.

Si les déclarations en faveur de la langue française comme langue unique de l'éducation furent dans un premier temps les plus voyantes, dans un second temps, néanmoins, la souplesse préconisée par le Girondin Lanthenas finit par s'imposer. La langue de l'éducation serait laissée à la discrétion des pédagogues. C'est la victoire temporaire d'une attitude favorable au plurilinguisme, laissant aux langues régionales la possibilité d'être partie prenante du dispositif d'éducation nationale française, face à ce qui sera bientôt appelé la tradition jacobine, représentée par Romme.

La défense du français comme langue d'éducation, dans les années 1792-1794, est accompagnée d'un souci philologique renouvelé. C'est ainsi qu'on valorise la dimension historique dans l'apprentissage de la langue. Un certain Maugard, dans un mémoire qu'il adressa au Comité, défendit l'initiation à l'ancien français ; son initiative fait partie de ces belles idées qui devaient bientôt se heurter au principe de réalité... Les questions de réforme de l'orthographe furent également à nouveau agitées. Elles étaient d'un enjeu plus immédiat. Certains, comme Daunou, sont favorables à une réforme en profondeur ; d'autres, tel Grégoire, à une limitation aux « rectifications utiles ». Une nouvelle fois, les projets de réforme les plus audacieux sont remis à plus tard.

Le 2 Thermidor an II (20 juillet 1794), c'est le « Villers-Cotterêts de la Révolution », pour ainsi dire : « A compter du jour de la présente loi, dit le décret, nul acte ne pourra, dans quelque partie que ce soit du territoire de la République, être écrit qu'en langue française. » Un décret à validité très momentanée, puisqu'il sera annulé dès le 2 septembre de la même année. Autre date importante : la création, en l'an III, des « Ecoles normales ». Celles-ci, pilotées par une génération de grammairiens très investis dans la vie publique, comme Roch Ambroise Cucurron, dit Sicard, deviennent bientôt des foyers de la « régénération » promise dans le souffle de 89.

Toutes les « institutions de la langue » sont repensées. Impossible de citer tous les projets de dictionnaires, de grammaires, de « plans », tous les discours sur la langue qui se manifestent alors, dans cette année 1794 marquée à la fois par la « crise néologique » et par le nécessaire retour à une certaine forme de « classicisme » que suppose la vocation pédagogique. Le 14 brumaire an IV (4 novembre 1795), le petit manuel intitulé *Eléments de grammaire française* de l'abbé Lhomond, clair, simple, exemple de ce que produisait en matière de vulgarisation la culture encore pétrie de latin du dernier XVIIIe siècle, gagne le concours ouvert pour les manuels ; il est choisi comme ouvrage de base pour l'éducation au français. Avec le recul, on est médusé de l'énergie qui a été déployée en si peu de temps autour de la langue. Rien d'étonnant à ce qu'une immense bibliographie, aujourd'hui, soit consacrée à cette décennie ! Tant de décisions majeures y ont été prises, tant de réformes envisagées, et parfois mises en œuvre... Depuis la création du Comité d'Instruction publique (1791), quasi contemporaine de la conversion totale du Collège de France au français, c'est une accélération brutale. Dissoute le 8 août 1793, l'Académie française a été transformée en un Institut national (1794). La Révolution cherche à faire siens ces symboles de l'unité nationale que représentent les grands « lieux de la langue ».

En juin 1794, c'est le « Rapport sur les idiomes » présenté par Bertrand Barère au Comité de salut public[24]. Barère fut l'un des artisans essentiels de la Terreur, et son itinéraire est représentatif de la radicalisation qui a touché de nombreux acteurs de la Révolution, ralliés à la Montagne après 1792. Ce rapport préconise l'envoi d'« instituteurs » dans les départements. L'enthousiasme pour le français a alors des ailes. Les moyens, néanmoins, sont minces. L'un des vecteurs imaginés pour diffuser la langue avait été la création, dès 1790, d'un périodique intitulé *La Feuille villageoise*, publication destinée à pénétrer profondément dans les campagnes. Le tirage de cette *Feuille*, 15 000 exemplaires en souscription, est considérable pour l'époque.

Dans ces années 1793-1794, la question de la langue en est venue à tourner à l'obsession pour le nouveau régime. Il est question, selon les mots de Barère, de « révolutionner la langue ». On voit se populariser l'idée selon laquelle il serait possible de faire du français une langue « nouvelle ». Pour ce faire, outre l'orthographe, il faudrait réformer le vocabulaire, et même la syntaxe, selon les vœux de l'audacieux Waudelaincourt, qui était

intervenu dans les débats sur l'enseignement. Du français, on ferait une authentique « Langue Républicaine »
opposable, selon Garat (*Discours préliminaire au Dictionnaire* de 1798), à la « Langue Monarchique ». Deux entités dorénavant bien distinctes, emblématisées par leurs
majuscules, impossibles à confondre. L'après-Thermidor,
c'est la révélation que la Révolution a tourné à l'esprit
de division. Le manichéisme a tourné au « délire » et au
« vertige », ces deux ferments que Domergue, dans une
déclaration enflammée, menace d'aller semer partout en
Europe au moyen de la langue française. Le danger
qu'on redoute, désormais, est celui d'anarchie.

Scission, continuité ? Le débat reste ouvert quant à
l'impact des initiatives prises pendant la Révolution française sur les usages langagiers. Indiscutablement, la Révolution a installé dans le rapport à la langue une collusion
volontariste entre devenir de la nation et devenir de la
langue. Dans ses intentions, la Révolution requiert la rupture, la scission. Cependant, l'autoritarisme des positions
adoptées en est venu à entériner dans les faits un certain
conservatisme. Nombreux sont les observateurs à mettre
en avant le peu d'influence réelle que la Révolution aura
eu sur la physionomie de la langue.

La Révolution française a dû affronter une contradiction redoutable, quasi impossible à surmonter. Politiquement, elle s'est définie comme un effort pour donner la
voix au peuple. Linguistiquement, en fait, elle a donné la
parole à la bourgeoisie et à d'anciens nobles porteurs
d'utopies parfois éphémères (phénomène qu'on décrivait
alors sous le nom de *fanatisme*). Son projet de donner
réellement la parole au peuple, autrement dit de l'éduquer à la langue, représentait un travail de titan. Faute de
mieux, la Révolution s'est souvent contentée de discours,
de décrets. Les événements se sont déroulés trop vite,
également, pour que des moyens d'action correspondant
aux intentions puissent être déployés. La Révolution a
rêvé en grande partie une scission qui n'a pu se produire
dans les faits. A bien des égards, comme on a pu le dire,

elle a été une *logomachie*, un théâtre de paroles et d'attitudes. Dans les actes muets, elle a pu sombrer dans la violence et la tuerie.

Si nous sommes très informés des discours qui ont entouré la « politique de la langue », bien maigres sont donc les témoignages de ce qui a pu se passer dans les usages réels. On peut en avoir peut-être une petite idée d'après tous ces textes qui ont été produits, après l'an II et l'an III, dans le sillage des nouveaux « tribunaux révolutionnaires », lettres, dépositions, attestations, où de nombreux « peu-lettrés » ont pris la plume[25]. Dans la manière de tourner le propos de ces textes, on décèle la charge phraséologique que la Révolution a répandue dans les usages du français. Faisant alterner formules toutes faites avec écarts individuels et régionalismes, ces textes montrent que plusieurs niveaux de norme et d'usage s'affrontaient alors. On sent que le maniement de la langue était tiraillé par des forces qui s'exerçaient en sens contraire : respect pour la formule, pour les rites de présentation, mais aussi souci d'expressivité, d'éloquence personnelle, voire de violence : *riches égoïstes, fanatiques outrés, écarts scandaleux*[26]... De façon générale, l'écrit est encore entouré d'un aspect de cérémonie qui est une manière de réponse apportée à son instrumentalisation politique, mais aussi un hommage au passé, où la langue écrite, à de rares exceptions près, appartenait à l'élite. Le sentiment de participation à un mode d'être collectif y est très important. La présence d'un caractère contraignant propre à l'écrit participe de ce sentiment.

Pour autant, beaucoup d'historiens l'ont noté, l'individualisation du rapport à la langue qu'a créée son usage « hyper-rhétorique » de la part de quelques aristocrates rompus aux techniques et aux subtilités du discours a essentiellement profité à la bourgeoisie. De ce qui était auparavant une culture d'élite, la culture de « lettrés » praticiens du latin comme du français, de manieurs de langage, la Révolution a fait une culture bourgeoise, francophone, « démocratique » dans le sens où aucune barrière explicite n'était disposée à son accès, et cependant étrangère au peuple. Si des « idées-forces », comme les appelait Lucien Febvre, se sont installées dans les mots pendant la Révolution (*nation, patrie, loi, aristocrate* restent comme de superbes vestiges d'une vie toujours reconduite), c'est bientôt à la « mystique » de ces mots qu'on en aura. C'est au beau classicisme d'un français moulé par les siècles que la réaction romantique voudra bientôt revenir, avant que, très lentement, l'épaisseur réelle, populaire, dialectale, marginale des usages pluriels de la langue ne remonte à la surface du sentiment de la langue.

5.

D'une Révolution l'autre

La période qui commence en 1789 et se clôt en 1815, après le retour de Napoléon, les Cent-Jours et le désastre de Waterloo, est évidemment cruciale pour l'histoire de la France et de l'Europe.

Le rapport des francophones européens à leurs langues fait alors partie des objets sociaux révolutionnés. Pourtant, la langue française en elle-même et ses usages les plus apparents – rhétorique politique révolutionnaire, discours militaires, institutionnels, juridiques, techniques, scientifiques… – ne témoignent d'aucun bouleversement par rapport aux périodes immédiatement précédentes. La sensibilité littéraire, cependant, évolue plus rapidement qu'au cours du XVIIIe siècle. Le « français » de Chateaubriand – non pas « langue », mais un type de discours, marqué par un style – n'est plus le même que celui de Rousseau, pour choisir deux termes de comparaison de hauteur extrême et que l'on peut confronter sans ridicule.

Plus discrètement, le discours scientifique en français, dans la succession du latin, celui de Lavoisier, de Lamarck, présente dans une rhétorique et une syntaxe communes – ou presque – des différences sensibles avec celui de Buffon.

Si la grammaire du français, dans ses réalisations conservées – de l'écrit, et surtout de l'écrit socialement valorisé, notamment littéraire –, ne semble aucunement révolutionnée, il n'en va pas de même pour la langue dans ses réalisations orales spontanées ; ni pour la relation entre le français et les autres idiomes, patois, dialectes, langues, tous usages vernaculaires différents, marginalisés, rabaissés, honnis par rapport au français. Dans ces domaines, les bouleversements de la Révolution, les changements de régime – royauté constitutionnelle, république, consulat, Empire –, la novation des institutions en de nombreux domaines, les évolutions sociales et culturelles – on pense à la « décompression » des mœurs urbaines lors du Directoire –, ne pouvaient pas rester sans effet sur certains aspects du langage, autour de cette langue française triomphante, irradiante, les pouvoirs passant vis-à-vis d'elle de plusieurs siècles de « défense » à l'attaque, à l'agressivité « nationale » incarnée un temps et de manière ambiguë par cette étonnante figure révolutionnaire et conservatrice à la fois que fut l'abbé Grégoire, dénonciateur du « vandalisme » révolutionnaire – il pensait avoir inventé le mot ; il l'a lancé – au nom d'une idée patrimoniale douée d'un brillant avenir. Grégoire fut le dur mais inefficace adversaire de tous les parlers du passé, qui s'opposaient, tous les révolutionnaires le pensaient, à la diffusion de l'idiome national et véhiculaient les valeurs de l'« Ancien Régime ». Cette idéologie jacobine du français victorieux au nom des valeurs nouvelles portait en elle des pouvoirs contraires et continuait en profondeur l'action monarchique : pour combattre l'hydre des patois et des langues concurrentes, l'esprit rationnel d'Henri Grégoire le conduisit à enquêter sur les réalités langagières de la France, pour mieux connaître l'ennemi. Il en résulta, pour la première fois à cette échelle, un savoir social sur la répartition des idiomes qui survivaient en France autour d'un « français » sans cesse plus fort, en prélude à deux siècles de paradoxe. On vit se déployer une connaissance renouvelée de la diversité jusqu'à ce qu'on nommera officiellement au début du XXIᵉ siècle les « langues de France », mais aussi on assista au recul recherché par tous moyens de pouvoir – politique, économique, culturel… – de ces mêmes idiomes, étouffés, combattus, humiliés, éradiqués en même temps qu'on en vantait les mérites.

Des effets sur l'usage des langues, entre 1794 et l'abdication de Napoléon (1814), il y en eut d'importants, mais difficiles à cerner. La violence réciproque des guerres intérieures – en particulier celle de la chouannerie vendéenne – déchire la France tout en diffusant la langue française avec les armées révolutionnaires. Les campagnes victorieuses de la France (Valmy, Jemmapes), puis celles d'Italie, qui mettent en valeur un jeune général corse nommé Bonaparte, sont l'amorce d'une présence et d'une violence militaires sur l'Europe qui rendront possible une France impériale très agrandie, artificielle, multilingue et multiculturelle. Cet empire européen très provisoire aura de grands effets historiques et culturels sur les Pays-Bas et la future Belgique indépendante, sur l'Italie du Nord après Marengo (1800) ou, de manière tragique et néfaste, sur l'Espagne.

On peut voir dans le nom même du jeune et brillant officier venu de Corse – île récemment acquise par la France –, ce Napoleone Buonaparte francisé facilement en Napoléon Bonaparte (ç'aurait pu être Bonnepart ou Bonpart), un indice de l'unification du langage en œuvre depuis des siècles en France, et assumée par les jacobins. De l'unification, on va passer, avec le coup d'Etat de Brumaire, en 1799, à la tentation puis à la réalité d'un totalitarisme.

Entre-temps, on avait assisté avec la parenthèse du Directoire, surtout à Paris, à un extraordinaire relâchement des mœurs, à une « décompression » après l'angoisse et la folie du règne de la peur. Cela était préparé par le mélange effrayant de réjouissances et de supplices, de bals donnés à l'ombre de la guillotine que décrit Louis-Sébastien Mercier dans son *Nouveau Tableau de Paris*. Les modes, y compris les modes de langage, expriment alors ce « mariage du Ciel et de l'Enfer » que l'Anglais William Blake avait transformé peu avant en thème poétique. C'est ainsi qu'on voyait dans les plaisirs populaires une coupe de cheveux « à la victime » dégageant le cou, on imagine par quelle allusion.

Une explosion d'extravagances aboutit en 1795 aux élégances vestimentaires et verbales des « Mêveilleuses » et des « Incoyables », qui associaient à une vêture carica- turale de l'Ancien Régime, faite pour effacer l'image du citoyen en pantalon, du « sans-culotte », et celle de la femme en bonnet, une diction d'où le *r* était banni. Cette diction pouvait combattre la prononciation dite « pari- sienne » de la consonne, phénomène populaire récem- ment répandu, en outrant le *r* « roulé » d'antan jusqu'à l'avaler.

Moins superficiellement, et plus durablement, la poli- tique révolutionnaire de la langue ayant organisé un ensei- gnement primaire, le Consulat et l'Empire – cette dictature héritée d'une révolution – s'occupent de ce qu'on nomme le « secondaire ». En 1801, priorité est donnée aux sciences, aux mathématiques et en même temps... au latin ! Les sciences sont en train de bouleverser la pensée et les tech- niques qu'elles suscitent, le monde. En même temps, l'Empire, par son nom même, fait référence à l'Antiquité romaine : le peintre David, d'un même admirable pin- ceau, image le combat des Horaces et des Curiaces et le sacre pompeux, théâtral, immense de Bonaparte *impera- tor*. La contradiction, pour nous flagrante, entre science et latin n'est pas assumée.

En 1807, dans les nouveaux « lycées », le français s'enseigne en latin, à coups de versions et de thèmes : l'élève Emile Littré fut en proie à cet enseignement au lycée impérial Louis-le-Grand[1] ; la composition latine y est reine, l'histoire moderne en est absente et la science très estompée. Pourtant, instituées récemment, l'Ecole poly- technique, l'Ecole normale supérieure reçoivent leur défi- nition moderne : il faudra bien que la science – et les « multiples techniques » – y règnent.

Car un facteur décisif, au tournant du XIXᵉ siècle, va permettre, même dans un enseignement bourré de tradi- tions, la victoire définitive de la langue vivante. C'est

l'extraordinaire activité scientifique et technique, prémices d'une révolution industrielle et financière bénéfique
à la bourgeoisie et au capital. C'est le moment où Legendre
publie la *Théorie des nombres*, où Laplace décrit ce qu'il
nomme la « mécanique céleste », où Monge écrit sa *Géo-
métrie descriptive*. La chimie, après Lavoisier, est redevable à Berthollet, la physique à Gay-Lussac. Cuvier fonde
l'anatomie comparée qu'il applique aux formes de vie disparues, aux « monuments fossiles » (1812) : avec trois os,
il décrit un organisme. La médecine évolue vite ; Pinel
transforme l'idée ancienne de « folie » et crée une psy-
chiatrie. Hors de France, les langues anglaise et allemande expriment les idées nouvelles de Gauss, Herschell,
du Suédois Berzélius, qui écrit aussi en français, de
Davy… L'hypothèse atomique de l'Anglais Dalton (1802)
gagne du terrain, avec l'Italien Avogadro. Quant à celle
d'une évolution des espèces vivantes, rejetée par Cuvier,
elle est avancée par un grand botaniste, Lamarck, dans sa
Philosophie zoologique, élaborée de la fin du XVIIIe siècle à
1808. Les techniques ne sont pas en reste : télégraphie,
pile de Volta (1800), sous-marin, puis bateau à vapeur de
Fulton, métier Jacquard, première locomotive de Stephen-
son (1814)…

Pendant que l'Europe se ligue contre l'« ogre de Corse »,
la révolution techno-industrielle, indifférente aux politiques, se met en place, d'abord en Angleterre, puis en
Europe continentale. Elle s'exprime en anglais, en français, en allemand, en italien et non plus en latin. (Malgré
le culte de l'Antiquité, favorisé par l'idéologie impériale,
le latin ne reprendra pas vigueur.) L'industrialisation est
l'occasion du gonflement rapide des vocabulaires courants
et des terminologies dans chaque spécialité pendant toute
la première moitié du XIXe siècle (voir plus loin : « Tonnerre sur le lexique »).

Quant à la langue française, exaltée au détriment de
tout autre idiome pendant la Révolution, elle est plus que
jamais l'organe d'expression du pouvoir et celle du droit
(le code Napoléon) ou de l'administration. La grammaire

majeure du français sous l'Empire est celle, conservatrice, de Girault-Duvivier (1811), qui succède au conventionnel Domergue, auteur d'une tentative de réforme de
l'orthographe (1796 ; 1806) qui échoue comme toutes
les autres.

Près du pouvoir, à la cour de l'Empereur, ni la grammaire ni l'orthographe ne sont une préoccupation majeure.
Si Napoléon avait acquis une parfaite maîtrise de la langue française et d'un style oratoire impérieux autant
qu'impérial, il n'en allait pas de même de la mamma Laetitia, ni du maréchal Ney, Sarrois, ni de Masséna, Niçois
au français incertain. Il semble, d'après l'évocation postérieure de Victorien Sardou dans sa pièce *Madame Sans-
Gêne*, que l'épouse du maréchal Lefebvre pouvait exercer
sans grande contrainte son extrême liberté de langage.

Quant au vocabulaire, l'enrichissement le plus intense
fut celui de la Révolution, et il fut ressenti et décrit par
maints dictionnaires contemporains (comme il est dit plus
haut) : la *Néologie* de Louis-Sébastien Mercier, en 1801,
va au-delà des mots vers l'histoire des idées nouvelles, qui
dépassent la France et le français.

L'influence de la France sur les cultures et les langues
européennes fut immense dès 1789 ; d'autres faits, sous
l'Empire, ont modifié les relations de la langue de France
avec celles d'Europe à travers les nouveautés culturelles et
littéraires. Celles-ci sont portées par les textes de Chateaubriand et, sur le plan des idées, par ceux de Germaine
de Staël, fille de Necker, amie de Schlegel, qui ménage un
pont entre la pensée et la langue allemandes, celles de
l'italien et les françaises. C'est ainsi qu'elle permet au
français de passer de l'idée des « beaux-arts » à celle
d'« art » en y plaçant les contenus de l'allemand *Kunst*, ou
qu'elle introduit le concept moderne de « littérature ». Le
tout jeune Chateaubriand, réfugié à Londres, traduit en
français le *Paradise Lost* de Milton. C'est une date dans
l'histoire de la traduction, et le début d'une tentative de
fidélité à ce qui fait l'identité d'un texte littéraire : un
style, un rythme.

En France même, le journalisme politique, qui avait suscité, comme l'art oratoire, d'incontestables talents – tels Hébert et son *Père Duchesne* à la rhétorique tradition-nelle mais parsemée de *bougre* et de *foutre*, ou bien Camille Desmoulins –, fut proprement assassiné par Napoléon. Ce dernier, avec un cynisme teinté d'humour froid, envoyait en 1807 à Fiévée, le censeur du *Journal de l'Empire*, un billet qui portait ces mots : « Chaque fois qu'il parvient une nouvelle désagréable au gouvernement elle ne doit pas être publiée jusqu'à ce qu'on soit tellement sûr de la vérité qu'on ne doive plus la dire parce qu'elle est connue de tout le monde[2]. » En 1803, il y avait encore 130 quotidiens à Paris ; en 1811, il en restait 4, dont *Le Moniteur universel*, enfant chéri de Napoléon, et le *Journal de l'Empire*...

Cette période historique, qui voit des chefs-d'œuvre poétiques paraître en Angleterre et en Allemagne, est illustrée en France, outre Chateaubriand et Germaine de Staël, par un profond philosophe au langage pur, Maine de Biran, et un groupe de penseurs original, les « idéologues », conduits par Destutt de Tracy et de Gérando, précurseurs des théories modernes du signe et de la signification annoncées par Locke et, plus récemment, par Condillac. Soucieux de ces signes des idées que sont les mots et leur assemblage, Destutt inclut en 1803 une grammaire dans ses *Eléments d'idéologie*, dans l'esprit des grammaires générales des deux siècles précédents ; on y reviendra.

Le pouvoir impérial fera tout pour étouffer cette réflexion ouverte qui permettrait à la langue variété et évolution ; le retour à la fixité des règles et au purisme, au mépris d'une évolution galopante de l'Histoire, fut la doctrine officielle, tant de l'Empire que de la Restauration.

La langue est pourtant en cause dans les nouveautés culturelles. Outre le culte de l'Antiquité romaine, c'est l'Egypte, depuis l'expédition militaire de Bonaparte en 1798, qui envahit l'imaginaire de la France impériale, comme l'atteste le style décoratif. Après la réflexion générale de Volnay sur les ruines – celles des civilisations enfouies, qui sont elles aussi des « monuments fossiles » –, les écrivains, artistes, archéologues qui accompagnaient cette aventure, au premier rang desquels Vivant Denon, ont fait revivre l'ancienne civilisation de cette Egypte encore mystérieuse, avant le déchiffrage proche de ses hiéroglyphes par Champollion (1822). Ce fut aussi la naissance de l'idée moderne du musée, bénéficiant à celui du Louvre, en partie grâce au pillage d'œuvres européennes antiques et modernes organisé par le gouvernement impérial.

Mais cet enrichissement du patrimoine culturel français pris sur l'Europe que Napoléon rêve d'assujettir se combine avec l'abandon spectaculaire des intérêts de la France et des Français en Amérique : c'est Bonaparte qui signe la fin d'une grande francophonie nord-américaine en vendant l'immense Louisiane.

Après l'échec du rêve européen de Napoléon Ier, le passage aux volontés colonisatrices outre-mer de la Restauration, du Second Empire et de la IIIe République en continuité constitue l'un des faits les plus marquants du XIXe siècle pour la langue française.

En attendant ces évolutions, le statut des langues dans la grande France impériale nous est révélé, on va le voir, par une enquête remarquable, qui prolonge celle de l'abbé Grégoire pendant la période antérieure.

PARENTHÈSE IMPÉRIALE

Dans la période qui va de la Restauration des Bourbons à 1848, la langue française s'affirme en Europe, et d'abord sur le territoire national français, où les traces de féodalité, les privilèges de la noblesse et de l'Eglise ont disparu. En même temps, et non sans rapport avec le dernier point, l'importance du latin – langue écrite, face au français écrit, le latin oral étant l'apanage exclusif ou presque de l'Eglise catholique – a fortement diminué, tandis que les usages spontanés des classes dirigeantes, alors définies par l'argent et non plus par la naissance, se tournent entièrement vers le français. Quant aux classes populaires, encore majoritairement rurales, leur rapport au langage évolue vers une hiérarchisation forte : patois, dialectes et langues autres que le français restent vivants, mais sont marqués d'infériorité ; de moins en moins présents à l'écrit, ils sont cantonnés dans l'expression immédiate, l'activité manuelle, la sensibilité régionale, dans une France où, d'ailleurs, les régions traditionnelles ont été morcelées en « départements ». Cette gestion administrative nouvelle du territoire, avec un pouvoir préfectoral centralisé, va dans le sens du jacobinisme langagier, alors que le pouvoir politique a rétabli une monarchie, il est vrai constitutionnelle.

Le retour des aristocrates émigrés, avec celui des Bourbons, n'a pas ramené le passé en matière de langage. La Charte établissait un régime représentatif, qui sélectionnait de manière fort peu démocratique les voix de la nation : environ 80 000 électeurs seulement avant 1830 ! La division du pouvoir s'effectuait entre l'aristocratie (les pairs, héréditaires, dont la Chambre était entièrement nommée par le roi) et la néobourgeoisie (la Chambre des députés, élue au régime censitaire par la fraction la plus aisée de la population). Et même l'aristocratie des Pairs, éliminant les hobereaux ruinés ou pauvres, s'assimilait à un capitalisme terrien peu à peu voué à devenir anachronique.

Car cette époque voit s'affirmer, en France après l'Angleterre, l'évolution majeure qu'on appellera « révolution industrielle », mais qui va beaucoup plus loin que l'« industrie » (au sens actuel du mot). Révolution technoscientifique, sociale, géographique, culturelle et, par induction, langagière, qui s'accomplit dans chaque secteur linguistique de l'Europe, d'abord septentrionale puis occidentale, y compris le secteur francophone.

Les domaines où le langage est entraîné avec le plus de force dans cette évolution sont ceux des discours et des usages, ceux du rapport à ces usages et de leur régulation, et enfin, faisant partie aussi du système qu'est toujours une langue, celui du lexique, qui ouvre sur le monde. Quant aux discours, ce sont, dans le registre de l'écrit, ceux qui ont le plus d'influence sociale qui importent et, parmi eux, celui qui va se mettre en mesure de témoigner de la variété des usages – notamment en français –, à savoir le discours littéraire.

Mais qu'en est-il de la langue française, dans ses lieux d'origine et ailleurs, dans ses multiples usages, dans ses rapports avec d'autres idiomes, dans la tête et dans le cœur de celles et ceux qui l'emploient, et dont elle modèle en partie la vision du monde ?

LE RECUL DES PATOIS

A la Révolution, la France rurale, au grand scandale des Conventionnels, parlait volontiers un dialecte et, aux périphéries, quelques langues différentes du français. L'enquête de l'abbé Grégoire, en 1790, avait donné une idée de la complexité de la situation, et aussi de la difficulté à la décrire. Pour les observateurs du temps, il n'y avait parfois pas beaucoup de différence entre les dialectes et ce qui était reconnu comme du « français », à peu près compréhensible par les locuteurs de français central normalisé, et que l'on voyait n'être pas très différent en Brie, ou dans le Berry, de l'usage rural des environs de Paris, et parfois même proche de celui du « peuple de Paris ».

On était encore loin de l'étude moderne des dialectes, la dialectologie, nettement distinguée de celle des variétés des usages du français. Mais l'intérêt politique et administratif, autant et plus que l'intérêt socioculturel des pratiques de langage, va susciter, entre 1806 et 1812, la démarche intelligente d'un haut fonctionnaire impérial et de son fils[3]. Charles Etienne Coquebert de Montbret dirigeait le Bureau de la statistique au ministère de l'Intérieur, instrument de gouvernement au service de l'administration et de la police, dans un système politique qui comptait cent trente départements couvrant l'intégralité de la France actuelle, un morceau d'Allemagne, au nordouest de l'espace germanophone la future Belgique, les Pays-Bas ainsi que des territoires italiens, le long de la Méditerranée, en une bande allant jusqu'à Rome. L'idée de sonder les cent trente préfets pour connaître les parlers en usage dans leur portion de territoire avait été acceptée par le ministère. L'un des objectifs avoués était de tracer les limites du français par rapport à des langues différentes, flamand, breton, basque, catalan, italien, alémanique alsacien et allemand.

La méthode était d'une simplicité, sinon biblique, du moins évangélique : un fragment célèbre de l'Evangile de saint Luc (15, 11-32), contenant la parabole de l'Enfant prodigue, choisie pour la simplicité du thème narratif, qui évoquait des situations concrètes et compréhensibles pour tout locuteur rural du début du XIXe siècle (le veau gras était certes plus familier que la dragme perdue...). Partant de la traduction française de la Vulgate et sans trop s'inquiéter du fait que les traducteurs devaient forcément maîtriser le français standard du texte de départ – les monolingues non francophones étant écartés –, les préfets d'assez nombreux départements se prêtèrent à l'exercice, fournissant parfois plus de dix traductions et des commentaires linguistiques précieux.

Sans doute à cause de la suppression du Bureau de la statistique, en 1812, l'enquête laissa de côté la partie de la France entourant Paris : la collecte concerne surtout la Belgique et le nord de la France, la Bretagne, une partie des régions de l'Est et surtout le domaine occitan, avec des manques.

Selon les auteurs, les populations de vingt-cinq départements, vers 1810, n'utilisaient que le français : on y parlait « le français purement quoique parfois un peu altéré par un accent particulier, un mélange de quelques expressions locales ou retenues de l'ancienne langue [...], ou bien par l'emploi de quelques manières de conjuguer les verbes qui ont été rejetées de la langue française écrite ».

Cette situation concernait les anciennes provinces à considérer comme le « berceau de la monarchie française ». Même si le diagnostic paraît trop simple (en comptant la Normandie, une partie de la Bretagne ou la Champagne dans les régions sans patois, Coquebert force évidemment le trait), on peut et on doit regretter que son *Essai d'un travail sur la géographie de la langue française* publié dans ses *Mélanges* de 1831 en soit resté à une préface.

Il y avait sous l'Empire une certaine lucidité politique à admettre que la langue française ne pouvait être « considérée comme véritablement nationale que par rapport aux habitants de la partie septentrionale de l'ancienne France ».

Les résultats statistiques de cette enquête impériale font état – pour l'ensemble des cent trente départements – d'environ 28 millions de locuteurs du français, 4 millions de l'italien, 2,7 millions de l'allemand, un peu moins du néerlandais flamand, un peu moins d'un million de bretonnants et plus de 100 000 locuteurs du basque (côté Empire français). Cependant, on a vu que le français proprement dit n'était langue unique qu'autour de Paris. Le compte du « français » incluait donc les locuteurs des dialectes occitans, les autres langues étant partagées entre une forme normalisée et des dialectes (ainsi du néerlandais et des dialectes flamands de la future Belgique, ou bien de l'allemand et des dialectes alémaniques, parmi lesquels l'alémanique alsacien et les parlers germaniques de Suisse...). Ces statistiques, concernant les rapports entre usages langagiers, sont donc très insuffisantes et peu interprétables, sauf peut-être en ce qui concerne les variantes du breton et celles du basque, présentant une réelle unité socioculturelle face au français (et, pour le basque, au castillan).

Reste le sentiment justifié d'une intrication des groupes de parlers qui ne disparaît pas avec l'Empire napoléonien, les dialectes italiens étant pratiqués dans le Niçois et en Corse, les germaniques en Alsace et en Lorraine, les « flamands » dans le nord de la France, les variétés du breton en « Basse-Bretagne », celles du basque au nord de la frontière espagnole, le catalan autour de Perpignan.

En effet, le fond de tableau géographique des usages du français, sous le Premier Empire et ensuite, ne présente pas beaucoup plus d'homogénéité que celui des cent trente départements artificiels voulus par Napoléon. Les rapports entre français, d'une part – en des usages très variables –, et, d'autre part, dialectes et langues sont très différents selon les zones. La vitalité dialectale est grande, tant en France, au nord, à l'est, à l'ouest – surtout en Bretagne orientale – et dans l'espace occitan, qu'en Belgique sous le régime français. En 1815, le wallon et le picard se portent à merveille, tandis que le français, à Bruxelles, résiste au néerlandais – trop distinct des dialectes flamands de la région brabançonne – que voudrait imposer Guillaume de Hollande. Il faudra attendre le milieu du XIXe siècle pour assister à un vigoureux « réveil flamand ». En Suisse, un instant centralisée par le Directoire, Napoléon a rendu au pays sa structure fédérale cantonale (1803, Acte de médiation). Trois cantons sont francophones (Vaud, Neuchâtel, Genève), trois pratiquent le français et l'alémanique (Berne, incluant le Jura suisse, Fribourg, le Valais). L'importance historique de Genève, longtemps « capitale » de la France protestante, celle de Lausanne ont contribué à faire reculer les dialectes romans (« franco-provençaux », comme en Savoie), au bénéfice d'un français considéré comme très pur et dont Calvin puis Jean-Jacques Rousseau – avec des idéologies opposées – furent les garants prestigieux. Les « patois » ruraux de la Romandie ont donc cédé, d'abord dans les grandes villes, Genève vers le milieu du XVIIIe siècle, Neuchâtel et Lausanne au tout début du XIXe. L'école en français leur fut fatale, alors que les dialectes alémaniques, dans l'usage quotidien, résistaient à l'influence de l'allemand central, et cela jusqu'à nos jours. Ce qui n'empêchera pas, surtout au XXᵉ siècle, un vaste regain d'intérêt pour ces parlers, plus vif sans doute en Suisse et en Belgique qu'en France même. De manière analogue à la pratique dialectale alémanique, le luxembourgeois – le Grand-Duché étant doté par l'Empire français du titre de « département des Forêts » – sut résister aux influences du français et de l'allemand standard, jusqu'à devenir en 1984 langue nationale.

Quant aux dialectes francoprovençaux de Savoie ou de Bresse (patrie de Vaugelas, on peut le noter), ils furent laminés entre le français et l'« italien » (ou plutôt, jusqu'à l'unification, les dialectes italiens), et c'est le réglage et le conflit des usages entre italien et français, qui avaient commencé au XVIᵉ siècle, qui dessinent le paysage linguistique savoyard. Côté français, semble-t-il, ces dialectes savoyards ont cependant mieux résisté que leurs homologues de Suisse. A Nice et dans sa région, seuls le dialecte nissart et l'italien étaient employés avant la Révolution. La francisation par l'école, en 1805, fut un échec, et l'emploi de la langue française ne pourra se généraliser que dans la seconde moitié du XIXᵉ siècle. Quant à la Corse, depuis sa vente à la France par la République de Gênes en 1767, il semble que les populations se soient davantage tournées vers l'influence française, ce qui ne fut pas sans effet sur l'usage des langues dans l'île. Au début du XIXᵉ siècle, le régime politique de département impérial français fit de l'île de Beauté un territoire partiellement francophone, dans un équilibre linguistique inégalitaire qu'on peut comparer à celui de Nice.

Au total, le XIXᵉ siècle est une époque où la langue française, dans la France politique, dans la moitié méridionale de la Belgique et en Suisse romande, est victorieuse sur trois fronts : la perte d'influence du latin, la mise sous tutelle des patois et dialectes, la contrainte imposée aux langues autres. Ce fut au prix d'un travail institutionnel intense et d'une première révolution esthétique et culturelle impliquant l'usage du français mais inaugurée dans des langues germaniques, l'allemand et l'anglais, à savoir : le « romantisme ».

Ce fut aussi grâce aux évolutions de l'Histoire, changements sociaux, technoscientifiques, économiques tout à fait indépendants des intentions politiques quant au langage, mais qui vinrent les soutenir. Ces changements n'ont ni le même rythme ni la même importance selon les périodes ; mais, au moins de 1815 à 1914-1918, ils sont cumulatifs et exercent une action continue, en dépit des retournements politiques et des crises.

Les deux coups de projecteur donnés sur la réalité des usages en France et autour de la France au tournant du XIXᵉ siècle, l'enquête de Grégoire – révolutionnaire et jacobine, militante – et celle des Coquebert – statistique et d'apparence objective, mais toujours politique et « impériale » –, ne suffisent certes pas à dresser le portrait de la pratique langagière des populations concernées. Pourtant, un fait est certain et massif : c'est le recul, la fragmentation, l'infériorisation, la clôture des « patois » – des dialectes – et des langues différentes face au français dominant, normalisé, imposé. Les facteurs essentiels sont à chercher dans la valorisation de l'écrit, et notamment de l'écrit imprimé, dans sa diffusion culturelle, en particulier par la littérature, dans les brassages sociaux, l'urbanisation, la révolution techno-industrielle, dans les volontés politiques, servies par l'administration et surtout par l'école, enfin dans l'usage massif du discours en français écrit et imprimé lors des « médiations » culturelles – politiques, intellectuelles... – avec la diffusion du premier média de masse (relative), la presse. Tous ces facteurs sont difficiles à isoler, car ils interfèrent sans cesse.

1815-1848 : Trente-trois ans de caution bourgeoise

Epoque de révolutions politiques en France et de mutations sociales partout en Europe, le XIXᵉ siècle est aussi celle d'un paradoxe : la relative indifférence des évolutions langagières aux grands événements de l'Histoire. Ainsi, 1789 ne fut une date dans la trajectoire du français que dans le vécu, le ressenti, non pas dans le système de la langue, ni dans la pratique immédiate de ses usages. 1830, 1848, 1870, malgré des bouleversements de plus en plus profonds, non sans effet sur la pratique des langues, ne seront pas plus significatifs. Les repères chronologiques proposés ici : 1815-1848, de 1848 à la « Grande Guerre », puis de 1920 à 1945, de 1945 jusqu'au XXIe siècle, sont donc de simple commodité. Du côté du système même de la langue, il y a sans doute moins de différence entre le français de 1815 et celui de 1850 qu'entre celui d'Ancien Régime et celui de 1815, encore que l'évaluation soit délicate et subjective en ce qui concerne la langue parlée. Et ces délimitations ne sont pas toujours pertinentes pour ce qui nous intéresse ici : rapports du français et des autres langues ; expansion, situation, puis parfois retrait du français hors d'Europe et en Europe ; évolutions, lentes de la prononciation et de la grammaire, galopantes du lexique et des terminologies en français ; valeur de la littérature comme reflet des évolutions et de la variété des usages ; attitudes spontanées et savantes sur la langue, développement du savoir objectif et des mythes concernant les langues, le français et d'autres ; crises idéologiques du purisme et catastrophisme récurrent des augures.

Pour aborder la période 1815-1848, Marcel Cohen affichait un titre politique : « Le français et le régime bourgeois du suffrage restreint », alors que Jacques-Philippe Saint-Gérand, dans la *Nouvelle Histoire de la langue française* dirigée par Jacques Chaurand, prend pour surtitre un slogan social : « Une langue pour tous les Français », ce qui laisse pendante la question du français pour les Belges, Suisses ou Aostins et ne concerne qu'une intention affichée.

Ces différences d'approche posent la question du poids du régime et des institutions politiques, ou bien des projets plus culturels, mais évidemment politisés aussi, des volontés des pouvoirs quant aux langues. Ces volontés s'incarnent dans de nombreuses institutions, la principale était sans doute l'école, et doivent composer avec l'état de fait défini par la démographie, l'économie, la technique ou encore le nouveau pouvoir « médiatique », comme on dira plus tard, celui du journal.

Au début du XIXe siècle, il est évident que la pratique des langues, en France, popularise et favorise le français par rapport aux autres idiomes ; et populariser n'est pas forcément démocratiser. En milieu rural, la bourgeoisie terrienne héritière de l'aristocratie subsiste, appuyée par le clergé : elle maintient une hiérarchie qui se reflète dans le langage. Le hobereau de jadis parlait volontiers comme « ses » paysans, en patois, quitte à pratiquer un français régional ou parisien entre soi. Le propriétaire terrien de la Restauration et le curé donnent l'exemple d'un français présumé correct et qu'ils savent mieux écrire. Cependant, la bourgeoisie d'affaires, d'industrie, de commerce, de banque prend le pas sur les notables ruraux. La révolution de juillet 1830 marque une étape : le roi bourgeois est chargé d'ouvrir la voie aux pouvoirs nouveaux de la technique et de l'argent. L'apparence des pouvoirs politiques, la royauté crispée à la Charles X, le légitimisme éthique à la Chateaubriand, cédant devant la monarchie constitutionnelle voulue par la classe bourgeoise. Après l'épisode républicain, le montage illégitime du Second Empire, derrière le coup d'Etat et la dictature, recouvrit le même puissant mouvement, qui est la montée du capitalisme, accompagnée de celle de son correctif, le socialisme, mais aussi de celle de son prolongement : le colonialisme.

Les effets de cette évolution sur les us et coutumes langagiers sont multiples, inégaux selon les lieux et les espaces sociaux. Les régions de marges – avec le domaine germanique : nord de la France, Belgique, Alsace, Suisse ; avec les autres langues romanes ; sud de l'Occitanie – ne peuvent réagir comme le centre de la francophonie européenne, polarisé sur Paris, lieu des succès économiques et financiers de la grande bourgeoisie, ni comme des régions à forte croissance économique, du fait de richesses minières ou de facilités de transport.

Dans le même temps, les sources du « bon français » demeurent prises dans le réseau de la noblesse ancienne, qu'est venue brouiller la noblesse d'Empire dont une partie a dû se rallier à la restauration monarchique. Même chez les jeunes romantiques, le titre – réel ou fictif – est considéré comme un atout et une légitimation.

Dans le feuilletage social de l'époque, la naissance comme supériorité hiérarchique est remplacée soit par l'argent, soit par la vertu d'influence que donne la notoriété. C'est le début d'une période où le Gotha cède la place à ce que l'on appellera en anglais le « Qui est qui » (*Who's Who*). La « langue pour tous les Français », dans la première moitié du XIXᵉ siècle, est encore un objectif, loin d'être atteint en ce qui concerne l'écrit. Or, c'est l'écrit imprimé qui va répandre le français hors des milieux qui le connaissent bien et de ceux, plus restreints, qui en maîtrisent les formes valorisées, fournisseurs de lectures pour tous ceux et celles qui ne sont pas analphabètes, dont le nombre augmente.

Ainsi, le journal à un sou lancé par Emile de Girardin en 1832, *La Presse*, dont les 40 000 exemplaires doivent correspondre au triple de lecteurs – et bien moins de lectrices –, représente un facteur plus que symbolique dans l'emploi du français, s'agissant de l'information, de la politique, et dans la consommation littéraire, par le roman-feuilleton, alors que la consommation du livre augmente.

Dans l'ignorance très grande où nous sommes des pratiques langagières spontanées dans tous les lieux où l'on parle et écrit le français – à côté d'autres parlers, souvent –, nous devons nous rabattre sur les images de la langue fournies par diverses pratiques écrites. La grammaire continue à critiquer et à diriger, ce qui induit une observation ; les dictionnaires construisent des représentations relativement cohérentes, mais confuses, des évolutions du lexique ; la théorie linguistique reste dans l'abstraction, mais les purismes institutionnels ou privés fournissent des réactions qui révèlent des actions : ainsi, les dictionnaires de fautes nous informent sur les usages réels ; en outre, les œuvres littéraires et théâtrales trahissent certaines spontanéités langagières rurales, populaires ou simplement bourgeoises, en les utilisant à des fins idéologiques ou esthétiques, et les patois commencent à s'écrire…

Entre 1815 et 1848, écrit Marcel Cohen, « la grammaire et l'orthographe françaises ont été bureaucratisées[4] ». En effet, l'administration et tout le pouvoir politique, en cela héritiers involontaires à la fois des jésuites et de la Révolution, se donnent les moyens d'instaurer un français plus codifié et plus unifié, sans pouvoir réduire la variation inhérente à un emploi généralisé et étendu. Alors que des évolutions en profondeur dans la prononciation, mais aussi dans la construction des mots et dans la grammaire, sont repérables entre les états anciens du français, on l'a bien vu dans cet ouvrage, ce qui va dominer au XIXe et au XXe siècle, c'est le conflit entre la variation et la norme, résolu par unification autoritaire. Par rapport à cette langue fixée, tout écart est une « faute » ; or, tout idiome ne cesse d'évoluer en faisant des fautes d'autrefois la règle d'aujourd'hui.

Ainsi, au début du XIXe siècle, l'enseignement donne progressivement plus de place à la leçon de français, au détriment du latin, et ce français est défini selon une norme unique : l'orthographe de l'Académie, la grammaire présentée aux enseignants par Noël et Chapsal (1823). Mais cette grammaire très utilisée, assez rigide, se borne en pratique à l'enseignement d'une orthographe remplie d'« exceptions » et de bizarreries. Peu importe : sa maîtrise devient (en 1832 dans les textes officiels) nécessaire à l'obtention du moindre emploi public. Le temps où l'orthographe souffrait des variantes personnelles chez les plus grands écrivains est révolu ; plus la classe sociale est modeste, plus l'ascension dans les hiérarchies exige de la rigueur dans le respect des règles.

Cette exigence est reflétée par des textes d'époque, qui montrent à quel point « le français », s'il n'est plus codifié selon les normes de Vaugelas, reste défini et imposé d'en haut. Déjà, pendant la période révolutionnaire, les trivialités violentes d'un père Duchesne étaient des effets de style, les grands discours à l'antique de Robespierre ou de Saint-Just illustrant une idée noble et corsetée de la langue.

Une bonne illustration du rôle de la « bonne langue » dans l'ascension sociale à cette époque est fournie par le *Petit Dictionnaire du peuple à l'usage des quatre cinquièmes de la France* de J.-C. Desgranges, qu'a étudié Georges Gougenheim[5]. L'auteur, critique à l'égard des ouvrages savants, « inintelligibles » pour la « classe inférieure du peuple », se propose de dénoncer les fautes qui caractérisent cet usage :

> Si, par mon Dictionnaire, un de mes lecteurs se défait de ses fautes les plus grossières, il sera content de lui et de moi. Devenu puriste sans s'en douter, il rira de ses amis et de ses proches même, et il les forcera, pour ainsi dire, à extirper le jargon que je cherche à extirper.

Cette pédagogie de la dérision, censée agir par capillarité, donne une image déplaisante de la démocratisation du bon français, mais elle décrit des mécanismes psychosociaux qui ont certainement joué. Montrer au peuple son ridicule langagier, l'inciter à se corriger pour « faire fortune dans le monde », consistait à dévoiler, derrière les nobles préoccupations pédagogiques, un aspect culturel du célèbre « enrichissez-vous ! » qui dynamise cette époque. Un autre moyen de parvenir au « bon français » est dévoilé par Labiche dans sa pièce *La Grammaire*, et c'est l'orthographe ; on y reviendra.

L'école mais aussi la pédagogie langagière pour les adultes opposent le bon français au « bas langage », ainsi qu'aux « patois » (le mot « dialecte » n'est guère employé) s'agissant du domaine français.

Un dictionnaire de ce langage-repoussoir est publié par d'Hautel en 1808 ; il sera suivi par plusieurs recueils du même genre, ouvrages correctifs, en France et dans d'autres espaces francophones : partout où la maîtrise du français officiel n'est pas assurée. Les puristes veulent alors faire descendre l'« usage » du trône où l'avaient placé Vaugelas et ses successeurs : c'est la règle, et non l'usage, ce « tyran des langues », qu'il faut suivre. Ces journaux puristes qui manient une pseudo-logique arbitraire, ces dictionnaires de fautes sourcilleux font partie de l'arsenal antiromantique. La majorité de l'institution, de l'Académie française à l'école primaire, sert une doctrine conforme et conformiste. Comme au XVIIᵉ et au XVIIIᵉ siècle, on l'a vu, les règles du « bon langage » prétendent définir une « langue », alors qu'en vérité elles tendent à fixer une norme où tous les usages doivent être réduits, contraints au modèle que définissent la classe dominante et les intellectuels (comme on ne dit pas encore) qui la servent.

Mais cette classe dominante a profondément changé, et les idéologies ont suivi. A tel point que ce sont les milieux supérieurs et les convictions conservatrices, alors monarchistes, qui ont fourni, par les effets imprévisibles du génie littéraire, les moyens de bouleverser ces images reçues de la langue. Deux noms s'imposent : Hugo, Balzac ; le premier parcourt le trajet symbolique qui le mènera de l'état de jeune monarchiste à celui de mage républicain ; le second dépeint la société de son temps avec un sens critique qui en révèle les mensonges. Bien d'autres écrivains ont enregistré la parole spontanée de l'époque, mais ces deux-là en ont dévoilé les secrets.

Parcourir les images du français, de ses usages spontanés, de leur variété sociale et régionale, images que donne la littérature d'époque romantique puis « réaliste », c'est suppléer en partie à une terrible lacune. Tous les documents sur la langue, sur les langues des lieux où le français se parle, les grammaires, les dictionnaires, les préceptes puristes, les décisions pédagogiques

même ne concernent directement qu'une faible partie
des usagers du français. La parole et même l'écriture du
peuple sont ignorées ou négligées, et seraient perdues
sans ceux qui commencent à les décrire, souvent pour
les stigmatiser.

A travers les prismes que fournissent les écrivains, les
dialoguistes de théâtre, les journalistes, la multiplicité des
usages du français se manifeste imparfaitement. Outre les
prononciations déviantes et les flottements de la syntaxe,
l'élément qui caractérise le mieux la variété à l'intérieur
du français, c'est à coup sûr les mots qui servent à nommer le monde.

Les plus grands de la génération précédente, sur qui
planent la prose sublime et la pensée pénétrante mais
idéologiquement marquée de Chateaubriand, incarnent
un français de transition, manifestant que la tradition
classique, la phrase hantée par le latin, la période, le
vocabulaire surveillé, tout cela pouvait être mis au service d'une sensibilité nouvelle, aussi éloignée de l'académisme réactionnaire du XVIIIe siècle – bien attesté – que
de l'esprit des Lumières. Mais personne n'a jamais parlé
comme Chateaubriand écrit, alors que des discours multiples vont laisser des traces dans la prose romanesque
qui se déploie ensuite.

Quant à la poésie, la représentation du langage qu'elle
offre est tout autre. Vers 1805 et ensuite, les écrivains
en français sortent d'une période de didactisme figé et
de rhétorique enflée. Un écrivain à cheval sur les deux
siècles, Benjamin Constant, confiait en 1794 à une cor-
respondante : « Je n'aime la poésie dans aucune langue. »
Jugement acceptable s'agissant de la France, avant
Chénier. Espérons pour Constant qu'il ignorait l'allemand et l'anglais. Mais non ! Il trouvait que le *Faust* de
Goethe « [valait] moins que *Candide* » (*Journal*, 12 février
1804), comparant le lyrisme emporté, grandiose, à la
prose narrative spirituelle et critique, ce qui n'a pas grand
sens.

LA FRANCE ET TOUS SES LANGAGES

Que s'est-il passé, entre langues et sociétés, autour du français, de la Restauration à 1848 ? Qui parle, qui écrit quoi, et comment, en France et hors de France ? Trop vaste programme, sans doute.

Le cadre politique, en France, est double. De 1815 à 1830, s'installe un régime monarchique « selon la Charte » où le cens, c'est-à-dire le brevet de bourgeoisie précapitaliste, remplace la naissance. Louis XVIII et Charles X ménagent la transition sociale entre l'aristocratie terrienne – le régime féodal ou du moins ses restes ayant été officiellement abolis – et une bourgeoisie terrienne riche. L'autre bourgeoisie, qui s'enrichit et s'augmente grâce aux débuts de la révolution industrielle, va se rebeller, soutenue par le mécontentement et la naïveté populaires, par la demi-révolution de 1830. Le légitimisme bourbonien, soutenu par le haut clergé, persécuteur des bonapartistes, plus autoritaire sous Charles X, avait perdu la partie.

De 1830 à 1848, le duc d'Orléans, devenu Louis-Philippe, devient roi non plus de France, mais « des Français ». Le cens qui permet d'être électeur étant abaissé, la couche bourgeoise moyenne peut s'exprimer : on passe à plus de 200 000 électeurs. L'ancienne noblesse et la récente, fabriquée par Napoléon, une fois les persécutions antibonapartistes terminées se joignent à la haute bourgeoisie. Celle-ci, écartant la noblesse héréditaire, peut mettre au pouvoir le monde de la finance et des affaires (Jacques Laffitte, Casimir Perier) et les penseurs qui expriment ses intérêts (François Guizot, Adolphe Thiers).

La petite et moyenne bourgeoisie « juste milieu » de cette époque fait souvent partie de la garde nationale, milice de civils autorisés à conserver des armes à domicile. Une de ses principales fonctions fut de contribuer avec l'armée à la répression des émeutes et insurrections populaires dans les grandes villes, Paris ou Lyon notamment (en 1831, 1834…). Le reste du temps, cette pseudo-armée bourgeoise servait de cible à l'ironie des libéraux.

Satisfait dans son rêve d'héroïsme, le moyen bourgeois parisien, entre vie de bureau, garde nationale et lectures patriotiques, s'incarne dans le type de Joseph Prudhomme, créé en 1830 par le caricaturiste et écrivain Henri Monnier, qui reste, par son écoute exceptionnelle, l'un des grands témoins de ce stade historique et social du discours en français, du populaire des *portières* (plus tard nommées par emphase *concierges*, avant que ce mot ne se dévalue) au discours pompeux, néoclassique et cocasse de M. Prudhomme. En voici un exemple célèbre, extrait d'une pièce écrite par Monnier peu après 1848. A un groupe de jeunes artistes qui viennent de lui offrir un sabre d'honneur, Prudhomme adresse ce discours enflammé :

> Messieurs ! Ce sabre […] est le plus beau jour de ma vie. Je rentre dans la capitale, et si vous me rappelez à la tête de votre phalange, messieurs, je jure de soutenir, de défendre les institutions et au besoin de les combattre[6].

Il suffit de confronter cette rhétorique pseudo-classique (la « capitale », la « phalange ») avec les transcriptions des langages sociaux, de haut en bas, du même Monnier, ou de Balzac et d'Eugène Sue, pour constater que la variété des usages du français est non seulement vécue mais perçue et mise en scène par les écrivains (ou journalistes) de cette époque. Un mot de cette population, qui révère le « bon français ». Alors que les grands pays européens accélèrent leur croissance démographique, 40 à 50 % en moyenne, 70 % en Grande-Bretagne, la France ne gagne que 29 % d'habitants. De 20 % de la population européenne au XVIIᵉ siècle, on est passé à 16 % en 1800, pour descendre à 10 % un siècle plus tard. Ce mouvement relatif semble continu. La densité de population augmente beaucoup moins qu'en Grande-Bretagne.

Un facteur essentiel de la croissance démographique est la baisse de la mortalité. Vers 1850, un quart de la population atteint 70 ans ; l'espérance de vie à la naissance est de 42 ans. Pendant ce temps, le nombre des naissances par famille diminue : cinq enfants vers 1800, entre trois et quatre en 1850. C'est ce second facteur qui aura limité la population, car la fécondité ne baisse guère en Grande-Bretagne, ni en Allemagne, ni en Europe méridionale.

Vers 1800 encore, Paris comptait près de 550 000 habitants ; c'était la deuxième ville d'Europe, et peut-être du monde, derrière Londres. Mais, si on a pu parler de Londres et du « désert anglais », la France avait quatre cités autour des 100 000 habitants : Marseille, Lyon, Bordeaux et Rouen (l'Allemagne en comptait deux, l'Italie cinq). Au milieu du siècle, le nombre de Parisiens avait presque triplé, les Lyonnais et les Marseillais étaient deux fois plus nombreux qu'en 1815.

Les effets de cette urbanisation sont multiples : développement des faubourgs, zones de prolétarisation et des parlers populaires ; apparition de territoires à la fois ruraux – pour alimenter les grandes villes – et en voie d'urbanisation : les banlieues ; différenciation sociale de la géographie urbaine.

Dans un pays où les grands industriels apparaissent – les Schneider au Creusot, en 1837 – ainsi que les banquiers investisseurs, et où le modèle industriel anglais, avec ses effets sociaux – urbanisation, prolétarisation –, est imité avec retard, toutes les valeurs, culturelles comme économiques, sont confisquées par une minorité agissante et dominatrice, de plus en plus indépendante du pouvoir monarchique. Celui-ci, déjà, avec le mythe du roi-citoyen, est au service de cette classe capitaliste.

La fixation normative du français se fait, elle aussi, sous l'égide de la haute et moyenne bourgeoisie, avec des relents d'aristocratisme. Il est de bon ton de se trouver un titre ou d'orner son nom d'une particule indue, comme on peut le lire chez le plus impitoyable critique de cette société, par ailleurs monarchiste, Honoré « de » Balzac.

On voit aussi, dans sa *Comédie humaine*, comment, à côté des salons huppés, les rédactions des journaux deviennent les lieux où se fabrique, dans un français fort correct et parfois traité avec talent, l'opinion publique.

Celle-ci est menée, « de haut en bas », par l'élite, la finance, le commerce, l'aristocratie héritière et l'intelligence arriviste (tout Balzac...) dans les villes ; par les classes supérieures – aristocratie, haute bourgeoisie, clergé – en milieu rural. Mais l'élite intellectuelle est divisée : la collusion entre journalisme – y compris sa littérature, avec le roman-feuilleton – et libéralisme produit les proses influentes d'Edgar Quinet, de Michelet, d'Emile de Girardin, des chrétiens sensibles à la question sociale, tel Lamennais. De la gazette réservée à quelques-uns, on passe aux journaux à (relativement) grande diffusion, souvent encore lus à haute voix. La rigueur des clivages sociaux, clairement visible par le vêtement, l'hygiène corporelle, la coiffure, est au moins aussi tranchée dans les pratiques de langage. Quant aux idées, s'affrontent dans les textes imprimés les défenseurs des valeurs du passé, politiques et religieuses, Bonald, de Maistre, les libéraux et les premiers socialistes, qui donnent aux positions révolutionnaires de Babeuf une assise économique (*Le Système industriel* de Claude-Henri de Saint-Simon, 1820-1823) ou bien une dimension mythique (Charles Fourier, poète d'idées autant que théoricien). Si le phalanstère de Fourier relève du songe, la démarche des saint-simoniens n'est pas aussi « utopique » que Marx voudra le dire. En tout cas, elle fait percevoir l'existence d'un monde industriel qui va modifier profondément la vie et le langage des classes considérées comme inférieures, durablement.

Le paysannat non propriétaire est au bas de l'échelle. Ses usages langagiers sont mal connus. Ignorant souvent le français, surtout dans la partie occitane de la France, ce monde parle « patois », mot péjoratif qui exclut en général l'écriture et correspond à un usage local, sans conscience nette d'une appartenance à un ensemble dialectal important. Eugène Le Roy, à la fin du siècle, évoquera cette époque, dans le Périgord, par un récit de révolte, *Jacquou le Croquant*.

Quant aux paysans aisés, depuis le XVIIIᵉ siècle, ceux de la partie nord de la France se sont mis au français, gardant souvent l'usage dialectal. Leurs relations avec les notables des villages et des bourgs, tous francophones, les poussent vers le français. L'influence encore très grande du clergé catholique ne passe plus par le latin, confiné dans l'église et chassé de la sacristie.

Une partie notable de la classe populaire vit d'un artisanat. Cette activité, dans certains domaines qui dépassent la vie locale, demande la maîtrise du français, y compris en terre occitane. Mais l'artisan de village, sabotier, forgeron, maréchal-ferrant, est dans la même situation linguistique que le paysan. En revanche, l'élite de l'artisanat, organisée par les compagnonnages – qui par ailleurs, à cause des conflits d'intérêt, ne permettaient pas l'apparition d'une conscience de classe –, peut s'exprimer dans le français « du haut », soit par la voix d'écrivains bourgeois attentifs au peuple (*Compagnon du tour de France*, de George Sand, 1840), soit par sa propre expression. Ainsi, le compagnon menuisier Agricol Perdiguier – inspirateur, en l'occurrence, de George Sand – écrit le *Livre du compagnonnage* (1839). Le socialiste Pierre Leroux est typographe.

Ainsi, selon les lieux et les situations dans la société, peu avant le développement d'un prolétariat industriel, l'unité absolue d'un français codifié, surveillé, respecté, « pur » et « clair » – selon les termes mythiques et mystifiants des jugements d'époque[7] –, d'un français mesure de toute parole, dont les écarts ne peuvent être qu'impureté, dégradation, erreur et faute, relève à la fois d'un volontarisme des pouvoirs et d'une mythologie collective.

La réalité, toute différente, est une variété d'usages, des interférences entre dialectes ou langues (le flamand, le breton, l'alsacien, le catalan, les variétés d'occitan, le basque) et langue française fixée en intention. Cette variété était sans doute aussi grande, avant la victoire quasi absolue du français, ou plutôt « des » français en tant qu'usages régionaux, que dans les usages de cette langue hors de France, en Belgique, en Suisse, en Savoie, qui n'était pas encore française, et même hors d'Europe, en Amérique du Nord et dans les Caraïbes.

Une chose est, au XIXᵉ siècle, le maintien dans les campagnes des dialectes hérités et des langues maternelles, et la progression du français dans les villes ; autre chose, l'opinion que la classe supérieure des francophones, concentrée à Paris et dans quelques métropoles régionales, pouvait avoir quant à la variété des parlers de France.

Un bon exemple de ces façons de percevoir une réalité complexe et mal comprise, la variété des mœurs, des coutumes, et parmi elles des langages, est fourni par un remarquable recueil paru avant 1848, *Les Français peints par eux-mêmes*. La mentalité dominante sous la Restauration y est reflétée par l'articulation même de cette collection, éditée par Léon Curmer et rédigée par des contributeurs alors connus – Balzac y a écrit « La femme de province » –, écrivains et journalistes en vue. En effet, elle privilégie les types humains censés représenter « Paris » sur un modèle voisin des « Physiologies » alors en vogue. Quatre volumes sont consacrés à Paris, alors que la France entière et ses colonies sont évoquées dans les trois volumes publiés sous le titre de « Province », notion des plus parisiennes et, on le voit, extrêmement floue.

Dans le peu de place consacré aux usages de langage, deux attitudes s'y manifestent, l'une sensible, compréhensive, voire admirative à l'égard des dialectes et langues issus du latin ou des autres langues, qu'elles soient latines (l'occitan, le catalan), celtes ou isolées (le basque) ; mais, s'agissant de formes de parlers correspondant aux « patois » d'oïl ou à des dialectes germaniques autres que l'allemand standard, les jugements absurdement méprisants fusent, vilipendant les jargons, « horribles mélanges » que sont censés parler de misérables peuples à demi sauvages. Car les jugements de ces messieurs les auteurs parisiens ne sont pas tendres à l'égard de leurs compatriotes illettrés, jugés barbares.

Pourtant, ces textes – qui contrastent avec ceux de témoins plus proches du réel et qui savaient de quoi ils parlaient, telle George Sand – révèlent un certain nombre de réactions intéressantes. La plus importante est la conscience, positive ou insultante, de la variété des pratiques langagières. Mais les attitudes sont sous-tendues par l'idéologie de l'ouvrage, conservatrice, catholique et monarchiste, désespérée devant l'effondrement des valeurs morales héritées, hostile à la révolution industrielle, et, de ce fait, capable d'exprimer certaine commisération sociale sur le sort fait au prolétariat et aux pauvres petits « enfants de fabrique » (titre d'un chapitre).

Quant à la philosophie de la description, elle consiste à inventer des types, en attribuant à l'autochtone de chaque région, ou à chaque type professionnel, une personnalité physique et morale étrangement fantasmée, précise comme les gravures qui accompagnent l'ouvrage.

Sous la Restauration, les Français cultivés avaient donc conscience de la spécificité linguistique des grandes provinces, surtout quand leurs mœurs et coutumes paraissaient différentes et étranges – le « pittoresque » est roi –, leur niveau de civilisation étant toujours jugé inférieur. Mais certains appréciaient les différences, et cet intérêt pouvait se reporter sur les langues.

Ainsi, Amédée Achard, l'auteur du chapitre sur le breton, écrit que si, dans cette terre « poétique » de Bretagne, la langue bretonne ne lui paraît pas avoir « notablement reculé depuis plusieurs siècles », « on ne la parle pas en tous lieux avec la même pureté, et souvent l'adjonction d'une foule de mots français dont les désinences seules sont changées en fait une sorte de jargon qu'on nomme du breton de curé »[8]. Il ajoute : « Soit mépris de la langue maternelle, soit oubli partiel, pendant les longues années d'études et de séminaire, il est certain que la plupart des prédicateurs la traitent avec un sans-façon déplorable

[...]. L'idiome breton a en outre pour ennemis jurés le préfet ou le sous-préfet, représentant naturel du système d'aplatissement général connu sous le nom de centralisation, et surtout le maître d'école, lequel [...] punit sévèrement le crime de l'enfant qui a prononcé quelques mots dans la langue que lui a apprise sa mère. » Suit un éloge de la diversité des parlers bretons qui font de la basse Bretagne le pays de la variété, tandis que dans certaines villes elle « expire[9] ».

Le même auteur ne se félicite guère de l'avancée du français dans le sud du pays. Traitant du « Roussillonnais », il écrit :

> L'idiome catalan parlé par les Valenciens et les Aragonais, est toujours en usage dans le Roussillon. C'est la langue du peuple, c'est un dialecte peu altéré de la langue romane qui, pendant tant d'années, domina sur les deux versants des Pyrénées. Cependant le français a envahi les villes, et l'idiome roman recule devant lui comme le font le breton dans le Morbihan, et le patois provençal et languedocien dans nos départements méridionaux[10].

On voit bien l'esprit de ces textes : antijacobins, ils soutiennent la pureté des idiomes anciens, attaquée de l'intérieur, et leur existence même, combattue par le pouvoir central (même royal). Amédée Achard met le doigt sur un facteur essentiel dans leur déclin : le « mépris de la langue maternelle ».

Revenant à cette Bretagne qui fascinait, on doit citer Flaubert. Relatant le voyage qu'il fit en terre celte avec son ami Maxime Du Camp, il évoque un incident qui révèle un peu la nature du bilinguisme breton-français. La scène se passe à Pont-l'Abbé ; deux femmes gravement blessées déclenchent un tumulte populaire. Le commissaire de police arrive sur les lieux : « Il commença par se mettre en colère. Mais, comme il ne parlait pas le breton, ce fut le garde qui se mit en colère pour lui et qui chassa le public de céans[11]. » Ailleurs, Flaubert trouvait à la ville

de Quimper, « centre de la vraie Bretagne », « une tournure toute française et administrative »[12]. Quand les deux
voyageurs se perdent, près de Daoulas, ils s'adressent à
des paysans, qui ne leur répondent « que par des cris
inintelligibles[13] ». Car on parle et on crie en breton, dans
les campagnes. Cependant, les dialogues rapportés sont
en français, mais le breton doit être très présent, puisque
Flaubert tient à préciser que, dans un cimetière voisin de
Carnac, « un jeune homme [...] dit en français à un
autre : "Le bougre puait-il ! Il était presque tout pourri !
Depuis trois semaines qu'il est à l'eau, c'est pas étonnant" ». Transcription de français oral, certes, mais dont
le caractère régional ne frappe pas... Ces passages donnent à penser que la Bretagne, pour un écrivain normand
du XIXe siècle, était un pays entièrement étrange, à la langue incompréhensible et quasi animale (le coup du « Bar-
bare » pour les Grecs) et qui ne se donnait des allures
françaises qu'administrativement. Un récit contemporain
sur l'Algérie ou le Sénégal eût-il été différent ?

Si l'on passe aux dialectes gallo-romans de la moitié
nord de la France, les opinions sont variables. Ainsi, un
autre contributeur des *Français peints par eux-mêmes*,
Georges d'Alcy, emploie à propos du « Dauphinois » la
désignation « le roman » pour les « dialectes vulgaires »
de ce qu'on appellera plus tard le francoprovençal. Quant
à Emile de la Bédollière, à propos du « Lorrain », il
célèbre la faconde et l'habit du paysan messin qui « parle
au besoin le français, mais plus volontiers son patois, vif,
animal [il ne faut pas exagérer dans l'éloge des Barbares],
expressif » ; en revanche, l'habitant des cantons de Bitche
n'a d'autre patois qu'« un *horrible mélange* de français et
d'allemand ». Ce sont probablement les sonorités germaniques, mais différentes de celles de l'allemand cultivé,
qui conduisent les observateurs de l'époque à déprécier
tout ce qui leur évoque cette civilisation germanique,
alors que les dialectes « romans » et même la langue celte
leur paraissent dignes de louanges et mériter d'être pré-
servés. Le même La Bédollière, traitant de l'« Alsacien » et

se demandant si c'est du « français » ou de l'allemand que parle l'« ouvrier », conclut : « C'est plutôt, comme dit Bossuet, quelque chose qui n'a de nom dans aucune langue, un patois dénué d'harmonie, rebelle à toutes règles grammaticales, également incompréhensible à Dresde et à Paris[14]. »

Et le voyageur parisien de s'étonner du patriotisme français de cette population « féconde en barbarismes, cette confusion d'Allemands, de Français, de Suisses, de Souabes, de Badois, cette masse hétérogène, quasi germanique par le langage, les mœurs, les habitudes, [...] toute française par le cœur ». La confusion ici évoquée était sans doute contagieuse, pour inspirer ces jugements extravagants interdisant aux idiomes germaniques de France la fameuse variété prônée ailleurs... Comment peut-on être germain, étant français ?

Pour les dialectes d'oïl, la confusion s'établit entre patois et « français corrompu », peut-être suscitée par la francisation qui fait ailleurs parler – sans doute plus exactement – de « dialecte impur ». A propos des habitants de la Beauce, dépeints avec sympathie, Noël Parfait écrit :

> Les Beaucerons n'ont point, à proprement parler, de patois ; mais ils parlent un langage corrompu, semé parfois de traits assez bizarres et tout plein de vieilles locutions qui s'accordent avec leurs vieilles habitudes. Ils ont la voix haute et chantante, l'accent traînard, presque autant que celui des Normands, et donnent aux syllabes finales des sons particuliers, qui ôtent à leur prononciation toute élégance et toute noblesse[15].

Corruption, archaïsme, grossièreté, mais « en accord » avec les mœurs ; ce qui implique que la langue locale, malgré ses défauts, convient à ceux qui la parlent.

Même constatation, à propos du pays de Caux, par E. de la Bédollière. Ce dernier a du mal à définir l'idiome local, qui « n'est pas précisément un patois [... mais] de la langue d'*oui* mêlée de français corrompu, un français rendu méconnaissable par une prononciation vicieuse ».

Et l'auteur distingue des variantes, l'une lente, pour la basse Normandie, l'autre rapide et chantante, en haute Normandie. Il décrit les sons par rapport à ceux du français de référence : *plache* présente un *ce* changé en *che*, *bestias* est *bestiaux* où *aux* est changé en *as*, la *mée*, un *éclé*, un *jou* manifestent que le Normand « bredouille et escamote les *r* ».

Tout manifeste que, malgré des rappels opportuns et émus d'histoire littéraire, ces dialectes n'existent guère en eux-mêmes. Ils sont, même dans les chansons, « lourds », « accentués » et, en Bresse, « les désinences en *o* y dominent » (Francis Wey). Le même auteur, pourtant linguiste du bon usage et aimé des puristes, entend en Picardie « un patois qui ressemble assez à du vieux français » et cite une poésie picarde aux pensées « gracieuses, point grossières », empreintes de « la franchise et la galanterie françaises ». Et voilà le picard sauvé de l'opprobre, bien qu'il donne à ceux qui le parlent, lorsqu'ils sont « dépaysés », « un accent traînard analogue à celui des Bressans ».

Un long article sur le vendéen, prétexte pour une diatribe antirépublicaine et un éloge dithyrambique des chouans, cite des phrases de français local à peine modifié, mais avec un lexique régional, accompagnées de ce surprenant commentaire : « Beaucoup de mots du jargon vendéen ont une étymologie latine, d'autres proviennent on ne sait de quelle origine, et ceux-là ne sont ni les moins expressifs, ni les moins dignes de rester français[16]. »

Une remarque plus pertinente, à propos des dialectes d'oïl, est celle de leur variété selon les lieux : ainsi, en Bourgogne, s'il y a « deux ou trois variétés d'habillements masculins », « il n'en est pas de même des patois ; chaque commune, chaque arrondissement, et souvent chaque village, a sa langue et pourrait avoir son dictionnaire [il en aura souvent un] ». « La plupart de ces idiomes sont pittoresques et imagés ; quelques-uns, mais peu, sont presque inintelligibles[17]. » Mais on sent, par la suite de l'exposé, que le relatif respect pour ces patois, celui de la région dijonnaise étant le plus noble, vient surtout d'un passé littéraire, illustré par les *Noëls* de Bernard de la Monnaye. Ce sont des considérations euphoniques et de style qui commandent l'appréciation qu'on fait des dialectes, bien plus que l'attachement que peuvent leur porter ceux qui les parlent.

Dans ces conditions, les régions isolées et pauvres sont perçues comme les plus barbares. A la « finesse » et au « commencement de civilisation » des pays bourguignons, s'opposeront la « sauvagerie » et la « grossièreté » du Morvan, où « le patois est le plus inintelligible » mais présente « dans [son langage tout particulier] quelques mots qui ne sont pas dépourvus de pittoresque »[18]. Et la suite manifeste une vision des langues très archéologique, car le dialecte du Morvan est « un véritable salmigondis de celtique, de latin et... de morvandeau, tout en affectant parfois les mignardises de l'italien » (parce qu'on y prononce *fieur*, *bié*, pour *fleur*, *blé* !).

Quant à décrire les usages langagiers autrement que par des considérations esthétiques saugrenues, la chose est rare et discrète. Cependant, quand Francis Wey s'attaque au franc-comtois bourgeois, urbain et passé par Paris, notant qu'il garde son accent et conserve « ces termes étranges qui lui sont spéciaux[19] », il décrit évidemment un français régional, et non pas un de ces dialectes soit d'oïl, soit appelés (plus tard) « francoprovençaux ».

La connaissance des parlers de France est si faible et si superficielle, vers 1840, que Félix Pyat, faisant un portrait attendri du misérable paysan de Sologne, entre Beauce et Berry, avec des mœurs « qui datent de plusieurs siècles », pense qu'il « parle presque la langue romane des anciens troubadours ».

Cette langue « d'oc » – ainsi baptisée par Dante – fascine les romantiques ; elle vient d'être quasiment redécouverte par Raynouard. Aussi les auteurs des *Français peints par eux-mêmes* en traitent les déclinaisons avec faveur. E. de la Bédollière, dans un élégant dialogue en français, tente de s'informer, le malheureux, auprès d'un avocat qui lui traduit ce que dit en « patois » un marchand de bestiaux fort courtois avec lequel il voyage en diligence. Transcrivant ses paroles « selon la prononciation », « faute de règles positives », il peut noter que « la langue nationale est répandue dans la Corrèze, mais [...] est encore imparfaitement bégayée dans les solitudes du haut Limousin ». « Ce patois, dit La Bédollière, ne m'a pas semblé dépourvu d'harmonie. » On lui répond : « Il est rapide, animé [...] ; ayant été peu écrit et affranchi de règles fixes, il a presqu'autant de variétés que l'on compte de cantons. » Pensant entendre une analogie avec l'espagnol, il enregistre une anecdote : conversant fréquemment en patois avec un vieillard près d'une auberge, son compagnon s'était aperçu que cet homme était catalan, d'Urgell (visiblement, la différence entre castillan et catalan n'apparaît pas pertinente)[20].

Malgré leur désir, par amour de l'histoire nationale, de retrouver le gaulois, surtout chez les Eduens du Morvan et chez les Arvernes, les observateurs des parlers locaux doivent admettre que « l'on trouverait difficilement aujourd'hui [1842], dans le patois de la montagne, des débris de l'idiome primitif [celte] ». Une étude du patois bas-auvergnat, poursuit Alfred Legoyt, auvergnat lui-même, conserve une foule de mots et même de phrases qui sont « du très pur latin ». Et l'auteur invente une théorie où, le latin étant devenu du roman sous l'influence d'invasions analogues, l'auvergnat se retrouverait cousin de l'italien moderne. Le passé littéraire du dialecte auvergnat complète ce tableau valorisant, qui ne s'occupe ni de la variété dialectale, ni de la pratique du français dans les villes d'Auvergne, déjà ancienne.

Enthousiaste du Limousin, La Bédollière ne pouvait que célébrer les parlers du Languedoc, descendants directs de l'occitan littéraire. Ce « patois languedocien, écrit-il, a des variétés, [... mais] partout il est gracieux, musical, accentué, riche en onomatopées [...]. Il possède une infinité de mots imitatifs qui font image, qui peignent l'objet par les

sons » et ses diminutifs font « qu'il se prête merveilleuse-
ment à la peinture des sentiments amoureux »[21]. Dans les
villes, par exemple à Montpellier, l'auteur prête à un étudiant un étrange discours qu'il donne pour patois et qui
paraît représenter un français occitanisé qui n'est pas sans
évoquer l'écolier limousin de Rabelais, parlant latin en
français :

> [...] ici poudès pas faire un pas sans rincontra dé savants
> médicins, dé savants chirurgiens, dé savants estudiants, dé
> savants chimistes, enfin dé savants de toute espéço. Per cé qué
> regardo la medecino, Mountpellié és la capitalo de l'Uropo !

Même appréciation, culturelle, intellectuelle, linguistique, à propos du gascon par Edouard Ourliac. Ce dernier s'attriste de ce que « cette langue qu'on a flétrie du
nom de patois », l'habitant de la Gascogne « ne [la] parle
plus ». Ce jugement assez léger n'est pas sociolinguistique
mais historique, et vise les rapports entre Paris, le pouvoir
et une province orgueilleuse et noble, où une pensée,
« une conception nue et originale [...], a fait un langage
si vif et si lumineux[22] ». Langage « vif », plein d'« esprit »,
que d'autres observateurs, tel le natif de Millau Louis de
Bonald, cité par Ourliac, rapportent plutôt aux « peuples
du midi de la France », dans la mesure où ceux-ci, selon
lui, parlent bien « une langue qui leur est particulière »,
tandis que les peuples du Nord parlent mal « une langue
qui n'est pas la leur ». « Les peuples du Midi parlent
mieux leur idiome que le peuple picard ou normand ne
parle le français », ajoute Bonald, pointant, au-delà du
caractère un peu schématique de l'analyse, les problèmes
profonds créés par le remplacement, à l'époque où Bonald
écrit, des usages maternels (le picard, le normand) par
une langue apprise. Cette idée est essentielle pour mesurer le drame humain de toute acculturation, et notamment le passif terriblement sous-estimé de la diffusion
d'une langue, aussi appréciée soit-elle. Mais il est facile de
remarquer que les Gaulois avaient sabordé leur langue et

leur personnalité intellectuelle en adoptant le latin. En outre, ce qui était arrivé aux Picards et aux Normands allait se réaliser, au cours du XIXe et du XXe siècle, pour les Occitans et tous les « Méridionaux ».

Il y a cependant un domaine de la langue où la variété est si sensible, si évidente, que volonté et mythe unitaires et, on pourrait le dire, totalitaires du « bon français » ne peuvent s'y imposer que par un arbitraire délirant : ce sont le lexique, les vocabulaires, les terminologies, les manières de dire, sans cesse en ébullition.

TONNERRE SUR LE LEXIQUE

Dans l'histoire littéraire, tout le monde a noté l'explosion romantique qui bouscule la hiérarchie des genres. Cela ne concerne au départ que la poésie et les discours littéraires, mais la vision du lexique va en être bouleversée. Pour Hugo, remplacer le mot noble *génisse* par le roturier *vache* est une violence poétique ; mais le mot *vache* se portait fort bien dans le discours quotidien – comme *bœuf* : vocables de cultivateurs et de bouchers.

L'époque a conscience de l'étendue des nouveautés. Les emprunts s'accélèrent, la langue anglaise devenant prépondérante. Elle l'était déjà au XVIIIe siècle, notamment dans le domaine politique, mais il s'agissait souvent de mots d'origine latine passés en Angleterre et qui revenaient avec un autre sens, ce qui n'est plus le cas des emprunts techniques du XIXe siècle. L'édition de 1838 du Dictionnaire de l'Académie voit apparaître toute une série de mots nouveaux (ou presque) : *confluer* (sur *confluent*), *cuivré*, *désappointement*, *dissentiment*, *écouteur*, *envahisseur*, *étrangeté*, *explorer*, *se fendiller*, *hivernage*, *illégalité*, *inanité*, *italianisme*, *jésuitique*, *lucidité*, *marteleur*, *population*... Formés selon l'analogie, et mieux acceptés que d'autres nouveautés par les conservateurs, ils sont souvent, en réalité, plus anciens[23]. Le changement, ici, n'est changement que de fréquence ou de statut.

En réalité, les listes de mots nouveaux ne suffisent absolument pas pour caractériser l'époque : locutions, usages dans la phrase, glissements de sens et registres d'emplois, fréquences (inconnues hors des discours littéraires) seraient nécessaires pour estimer l'état des lieux.

Si on voit très clairement la nature multiple et l'abondance de l'apport révolutionnaire et impérial, manifeste en politique, en administration, en droit (les codes), en science, en technique..., celui de la Restauration est moins apparent, mais très abondant, avec évidemment des domaines privilégiés, comme la médecine, qui use et abuse des éléments grecs, relayés par des langues vivantes (*homéopathie* est une création allemande de Hahneman, en 1796, passée en français avant 1830), par le latin (*hyperesthésie*, 1803, du latin *hyperaesthesis* formé en 1795[24]) ou utilisés directement en français. C'est l'évolution des idées scientifiques que ces terminologies trahissent, et ces idées, ainsi exprimées, viennent indifféremment des langues pratiquées dans les lieux de la recherche, au début du XIXe siècle, surtout l'Angleterre, la France et l'Allemagne. Le vocabulaire des techniques suit les nécessités de la révolution industrielle : le lexique de la vapeur et des chemins de fer, bien étudié[25], marque l'influence de la langue anglaise, non sur le français seul, mais sur toute l'Europe en voie d'équipement. Ainsi, l'électricité, domaine de physiciens au XVIIIe siècle, ou encore des amateurs d'expériences amusantes, devient à cette époque une affaire de techniciens. Sa terminologie est en grande partie redevable à Faraday, dont les mots anglais sont empruntés par le français : ce lexique deviendra l'affaire de tous dans la seconde moitié du XIXe siècle et au début du XXe.

Qu'on ne pense pas, donc, trouver dans les nomenclatures enflées des dictionnaires de cette époque, encore moins dans celle du bizarre « Complément » au Dictionnaire de l'Académie publié en 1842 après une dizaine d'années de travaux sous la responsabilité d'un professeur de philosophie à la retraite, Louis Barré, une image raisonnable de l'évolution du lexique, ni de celle des vocabulaires de spécialité – qu'il s'agisse ou non de terminologies structurées.

Cet ouvrage, riche d'environ 100 000 entrées, est un plaisant capharnaüm. On y trouve les noms de personnages de l'Antiquité (mais pas de modernes), des noms de lieux en abondance – ce qui, en effet, « complémente » tout dictionnaire de langue – et, en vrac, des archaïsmes, des mots scientifiques et techniques, beaucoup de philologie, de théologie, un déferlement de curiosités lexicales, de variantes graphiques, empêchant toute vision d'ensemble. Seules des séries formées sur un élément grec ou latin reflètent l'évolution des besoins de nomination, tels les nombreux composés en *électro-* ou encore des emprunts du genre de *rail* (et même de *railway*, « expression anglaise »).

Dans la plupart des dictionnaires de l'époque, même quand on veut apporter du nouveau, on s'arrange encore pour célébrer le passé et la tradition, le Trône et l'Autel (un immense vocabulaire liturgique), quitte à multiplier les mots savants les plus obscurs et les dérivés les moins attestés. Cette politique culminera avec les frères Bescherelle et, surtout, avec Pierre Larousse ; mais au moins ceux-ci revendiquent-ils d'autres principes que l'Académie : refléter pédagogiquement l'encyclopédie de leur époque. Qui cherche une image des mouvements sociaux réels du français doit se plonger dans la forêt du discours, dans les journaux et les textes littéraires, de plus en plus soucieux de dire la vérité du langage.

A ce titre, parmi les écrits majeurs de l'école romantique, qui fait craquer tous les corsets de l'académisme, un poème de Hugo dont quelques passages sont souvent cités. C'est « Réponse à un acte d'accusation », écrit en 1834 et publié dans *Les Contemplations*. Le chef de file romantique y expose une philosophie exaltée du « mot », confronté à « l'homme » et qu'une révolution doit faire passer du statut de sujet, dans une inégalité scandaleuse, à celui de citoyen. La métaphore révolutionnaire produit des images par lesquelles Hugo se pose en libérateur, dans le respect d'une loi, la syntaxe, et d'un Dieu, le Verbe. Après avoir décrit ce « Quatre-vingt-treize » du français, Hugo monte d'un cran, dans une « Suite » composée un an et demi plus tard. Entre le premier vers de ce second poème : « Car le mot, qu'on le sache, est un être vivant », et le dernier : « Car le mot, c'est le Verbe, et le Verbe, c'est Dieu », c'est un chemin royal et mystique qui est dessiné, contre les rois et les prêtres. Ce poème exalte le mot, « face de l'invisible, aspect de l'inconnu », trouvant le sens « comme l'eau son niveau ».

Dans le premier poème, l'auteur démiurge pouvait clamer : « j'ai mis un bonnet rouge au vieux dictionnaire » ; faire chanter la *Marseillaise* du lexique et de la littérature : « Aux armes, prose et vers ! formez vos bataillons ! » tout en faisant soumission à la loi du langage : « […] et je criai dans la foudre et le vent : / Guerre à la rhétorique et paix à la syntaxe ». Dans la « Suite », Hugo montre l'être humain soumis à cette force qui le dépasse et l'élève : le mot porteur de lumière, luciférien.

Cette fois, un peu comme au XVIe siècle, et dans une démarche inverse de celle de Malherbe, la puissance poétique se met au service de la richesse expressive de la langue, au moyen du « mot » souverain. En dehors de toute politique de savoir – la linguistique naissante –, le programme lyrique de Hugo déborde largement la révolution littéraire. Car c'est par les textes romantiques que l'ensemble des usages et des situations de la langue française vont entrer en scène, plus que dans la course essoufflée des lexicographes qui tentent, par accumulation, de refléter les besoins et les moyens nouveaux du français.

A consulter les reflets déformés de cette évolution dans les dictionnaires, Boiste, Laveaux, Raymond, Bescherelle, le « Complément » de l'Académie, on est frappé par l'absence de hiérarchie et de cohérence de ces listes-fatras. Dans certains domaines, par exemple les sciences naturelles, peu est resté des grandes classifications qui, après Linné, avec Cuvier et ses contemporains, tentaient d'organiser la nature.

Si l'esprit en est demeuré vivant, les termes en ont été plusieurs fois bouleversés.

C'est donc plutôt du côté des mots nouveaux restés dans un usage assez large – quitte à changer de sens – qu'il faut se tourner. On peut le faire aujourd'hui grâce à la recherche en matière de datations.

Ainsi, on voit surgir, dans la décennie 1810-1820, toutes sortes de vocables, dont l'absence présumée avant cette époque étonne : *assourdissant, attentionné, camion-nage* (évoquant évidement le transport hippomobile), *carambolage, chatoiement, combativité, déterministe, manu-tention* (au sens moderne), *massage, panoramique, préfec-toral* et, sans surprise, *romantisme* désignant le mouvement littéraire (le mot était antérieur). Ces nouveautés, dans l'absolu ou dans la diffusion sociale – car on ne peut négliger le fait que des dates de première attestation seront reculées dans le temps –, montrent que la dérivation au moyen des suffixes courants est demeurée vivante. Elle va le rester.

Sur un autre plan, celui des domaines du savoir, on voit apparaître de nombreux mots de médecine et d'anatomie (*amniotique, antitétanique, asthénique, auscultation* et *aus-culter*, grâce à Laennec, *fœtal, hypertrophie, hypophyse…*), de pharmacie (*dosage*), de botanique (le concept essentiel de *chlorophylle*), de chimie, en grande abondance (*alumi-nium, ammonium, chlore* et ses dérivés, *cadmium*, parmi les corps simples dénommés en dix ans seulement). Les sciences humaines apparaissent (*ethnographie*), l'archéo-logie devient un métier (*archéologue*). Evidemment, les mots de la technique et de l'industrie signalent l'appa-rition de matières (le *coke*), de procédés (*électrochimique, autoclave*), d'industries (*épinglerie*). Plus inattendue, l'appa-rition du nom d'un couvre-chef qui caractérise alors, dans la hiérarchie sociale, l'ouvrier : *casquette*. La mode[26], les mœurs apportent leur lot d'emprunts, secteur où l'angli-cisme domine, du *clergyman* au *dandy* (mais la conscience de cette influence va susciter, dans la décennie suivante, deux jugements de valeur complémentaires incarnés par deux adjectifs : *anglophile* et *anglophobe*, plus culturels que politiques).

Ce jeu des mots nouveaux, pour peu qu'on élimine tous ceux qui ont disparu (ce qui incite à filtrer sérieusement les recueils du temps), apporte des éléments exploitables quant aux possibilités accrues du français et quant au rapport entre les francophones et ce qu'ils peuvent maintenant exprimer, selon leurs connaissances et leurs activités. Sur ce plan, on remarque immédiatement que les activités agricoles et artisanales traditionnelles ne se signalent plus, au XIXe siècle, par des mouvements de vocabulaire, sauf quand un mot savant vient remplacer d'autres façons de dire (*apiculteur* et *apiculture* dans les années 1840). La modernisation du secteur agricole, pourvoyeur de mots, est encore à venir.

L'étude lexicologique de domaines cohérents apporte à la fois des éléments connus de l'historien (des techniques, des sciences, etc.) et des surprises, s'agissant des désignations. Ainsi, l'expression *chemin de fer*, correspondant à l'anglais *railway* (*rail* passe en français avant 1820), ne sera concurrencée par *voie ferrée* qu'en 1859. Dans ce domaine si important, les mots des années 1820 (emprunts : *tunnel, wagon*[27], la spécialisation d'un nom très général : *train*) et 1830 (*locomotive, tender, gare*, 1835 au sens moderne, d'abord « espace de croisement », terme plus ancien dans le domaine maritime) forment déjà un réseau de désignations pour cette réalité nouvelle qui va, entre autres choses, accélérer les mouvements de population et modifier les conditions de diffusion du français en tous milieux.

MIROIRS ET REGARDS

On peut considérer que toute langue, parvenue au pouvoir de communication pour une communauté assez importante, en vient un jour ou l'autre au « stade du miroir ». Pour le français, ce stade, on l'a vu, a été atteint au xvɪᵉ siècle, à la Renaissance, lorsque ceux qui le parlent et parfois l'écrivent en contemplent les images. Celles-ci sont multiples, contradictoires, déformées, et surtout interprétées selon les regards.

L'une d'entre elles est focalisée autour de l'écrit, en un abus et une distorsion qui ont aidé à ce que soit dénié le nom de langue à des parlers jugés inférieurs ; les patois et dialectes, les langues sans écriture, les créoles…

Ce n'est pas, en vérité, une « langue », un système rendant compte de tous ses usages, que visent les grammairiens du français depuis qu'il en existe, c'est soit une pratique, l'apprentissage de telle langue par ceux qui l'ignorent, soit un code juridique, un ensemble de lois, capable de définir, non pas une langue, malgré les intentions affichées, mais un seul usage estimé acceptable, en un mot, une norme. Mot ambigu, dont l'effet est de travestir en règle et en usage majoritaire ce qui ne représente qu'un « bon usage » imposé.

Au début du xɪxᵉ siècle, la doctrine du bon usage fait partie du passé, mais ses effets demeurent puissants. La grammaire devient essentiellement pédagogique ; codifiée avec une dose impressionnante d'arbitraire, elle s'impose par l'enseignement. Appliquée sans le dire aux seuls usages écrits, elle est indissoluble de l'orthographe. La Trinité « grammaire-orthographe-enseignement » ne permet d'en distinguer les natures que dans la pratique : des livres de préceptes à appliquer, les grammaires ; des règles pour écrire sous peine de sanction sociale, l'orthographe ; un système éducatif appliqué à cet ensemble, qu'il faut inculquer à la jeunesse dans tout lieu où « le français » est un idéal.

Pour simplifier, en tout espace francophone – ceux d'Europe, mais aussi d'Amérique et bientôt d'Afrique et d'ailleurs –, une seule grammaire, une seule orthographe, sans nuance. L'administration de l'Ancien Régime négligeait les langues ; la Révolution et l'Empire s'y intéressent, on l'a vu ; la Restauration veut les contrôler dans ses bureaux – et ses écoles. Des grammaires savantes, on tire un manuel d'obligations (la Grammaire de Noël et Chapsal, 1832), à l'époque précise où la connaissance d'une orthographe officielle, celle de l'Académie, devient requise pour tout emploi public. C'est aussi l'époque où la loi crée un enseignement primaire d'Etat, encore non obligatoire et qui élimine l'emploi des livres en latin.

L'arsenal mis en place en France par l'école et les publications didactiques sur le français a deux objectifs explicites : « substituer la langue française au jargon de chaque province[28] » et corriger, partout et pour tous, les fautes « de français » – c'est-à-dire de syntaxe et de lexique – avec la gradation héritée du latin et qui fait songer aux péchés du catéchisme catholique : fautes vénielles du solécisme, mortelles du barbarisme – et, plus détestables encore car elles entachent l'écriture (est-ce, là aussi, une transgression vis-à-vis des « saintes écritures » ?), les fautes d'orthographe.

L'enseignement, et pour longtemps, sanctionne d'abord l'usage de toute autre langue ou de tout dialecte qui n'est pas « du français » ; ensuite, il sanctionne la façon de s'en servir et de l'écrire. L'orthographe est vécue comme le « presque-tout » de la grammaire. On a rappelé plus haut que la pièce de Labiche qui s'intitule *La Grammaire* met en scène un brave bourgeois, de ceux qu'on appellera les nouveaux riches, qui se déshonore vis-à-vis de lui-même et de la société par une écriture fautive.

Qu'il s'agisse d'orthographe ou de grammaire, en effet, la sanction n'est plus seulement le ridicule, mais le rejet social. Les écrivains, les penseurs et les puissants doivent se soumettre à la norme, comme les enfants à l'école et les paysans parvenus, comme les bourgeois, comme les politiques qui les représentent. La faute de français, à côté de la faute d'orthographe, est ressentie sans exception sociale. On peut ainsi se moquer du ministre de la Guerre lorsque, à la tribune de la Chambre des députés, le 25 février 1834, il profère « lorsqu'il s'a agi de former l'armée du Nord » et qu'il réitère, après la correction d'un député[29].

Face à la faute, pathologie sociale – et non pas, comme une époque plus généreuse l'aurait pensé, effet inévitable d'un apprentissage en progrès –, une armée de médecins du langage se dresse, les pharmacopées sont légion. Ce sont de commodes dictionnaires répertoriant, mot par mot, les fautes à éviter, comme le remarquable *Dictionnaire des difficultés grammaticales et littéraires de la langue française* de Jean-Charles Thibault de Laveaux (1826 ; enrichi en 1846). Sagement, Laveaux dénonçait dans le « Discours préliminaire » de son ouvrage l'application des règles de la grammaire latine au français, doté de nominatifs et d'ablatifs dont il n'a que faire ; il définissait la valeur pragmatique du mot « grammaire » : un « livre utile pour le maître », une « bonne méthode pour l'instruction des jeunes gens ».

L'époque fait feu de bon bois sec, même assez vieux : les manuels de grammaire de De Wailly, apparus en 1754, en sont à leur onzième édition sous l'Empire et ont du succès jusqu'en 1870 ; ces grammaires « postclassiques » transmettent sans faiblir les grands mythes langagiers du xviie siècle : le génie de la langue, sa pureté, les « lois de l'usage », qu'on trouvera, comme le faisait Vaugelas, chez les meilleurs écrivains.

Car la littérature est presque toujours convoquée, en matière « grammaticale », quelquefois de manière révélatrice. Ainsi, les frères Bescherelle, dont le nom a traversé deux siècles grâce à la description des capricieux verbes français, sont avec Litais de Gaux les auteurs d'une grammaire doublement « française » (1834) : par la langue qu'elle décrit, et en ce qu'elle se veut « nationale », au prix d'abus puisqu'elle intègre dans les « écrivains les plus distingués de France » que recense son titre complet le citoyen de Genève Jean-Jacques Rousseau.

Une autre flèche du carquois des militants du bon français est constituée par les dictionnaires qui dénoncent les mauvais usages, barbarismes, cacologies et cacographies, bas langages et langages vicieux – pour employer les termes de la grande dénonciation. Un certain Louis Platt publie en 1835 le *Dictionnaire critique et raisonné du langage vicieux ou réputé vicieux, ouvrage pouvant servir de complément au « Dictionnaire des difficultés de la langue française »* par Laveaux. On notera le changement de perspective qui s'opère entre le « bas langage » (on a déjà mentionné le dictionnaire de D'Hautel qui porte ce titre), qui dénonce la classe sociale défavorisée, et le « langage vicieux », qui transforme la « faute » en jugement moral et religieux négatif (le « vice »).

La plupart de ces ouvrages visent des publics précis, localement ou socialement. Ainsi J.-B. Reynier, dans un livret de 1829, se propose de corriger « les fautes de langage et de prononciation qui se commettent, même au sein de la bonne société, dans la Provence et dans quelques provinces du Midi ». L'auteur, apparemment, renonce à corriger l'usage du français dans les « basses classes » de sa région, pour qui le français est encore une langue étrangère.

Cette époque prolifique en commentaires sur la langue mêle volontairement les genres : les dictionnaires se font grammaires, des grammaires sont alphabétiques, toute pratique est justifiée non tant par une théorie du langage que par des intentions morales, et, comme on disait à l'époque, « philanthropiques ». Un conflit entre le rationalisme universaliste hérité de Port-Royal et le pragmatisme de la correction des « fautes » donne aux propositions leurs limites et leur intérêt. Certains en ont parfaitement conscience. Dans l'unique numéro d'un périodique avorté, *La France grammaticale* – car la grammaire est devenue une affaire « nationale » –, les frères Bescherelle écrivaient en 1838 que la grammaire était « une science plutôt qu'un art », mais qu'en permettant que ceux qui s'en servent deviennent « plus habile[s] par la pratique », par la correction et l'élégance du discours, et d'abord en leur fournissant les « moyens d'éviter les locutions vicieuses », elle était aussi « un art »[30].

D'autre part, la tradition du pinaillage correctif, inaugurée par l'Académie au XVIIᵉ siècle et portée à son apogée par Voltaire, est dignement perpétuée. Ces exercices de purisme pointilleux s'adressent surtout aux grands écrivains, pourtant choisis comme garants du bon français, comme s'il fallait montrer que la pureté et la clarté absolues n'étaient pas de ce monde. La confusion essentielle, posée dès les origines du français, entre le discours littéraire et poétique et l'essence de la langue, fait alors de toute grammaire un manuel de stylistique et de rhétorique « raffinées », parfois « alambiquées », pour en tirer une quintessence. Cette grammaire porte sur les règles, la syntaxe, les mots eux-mêmes. Elle fonde tout jugement de valeur. Elle sert à rejeter les illettrés, les béotiens, hors du langage, en instituant une hiérarchie sociale liée à l'éducation, non plus à la naissance ni à l'argent, en inventant un ordre social où la fréquentation littéraire requise serait indépendante de tout statut matériel.

Et on peut admettre que la sévérité critique des puristes à l'égard des textes littéraires les plus admirés est de nature à établir un univers de la faute inévitable, revers de la norme intangible, peut-être capable de consoler les pécheurs mais non de les conduire à la rédemption. Une langue pour tous, ou une langue pour personne ? Un paradis à tout jamais perdu, ou un purgatoire général ?

On imagine sans peine que, dans cette exigence délirante de respect d'un système dont on s'épuise par ailleurs à décrire les incohérences, les jugements sur les autres parlers – langues ou dialectes – étaient rarement positifs. Certes, on continue de respecter et de valoriser le latin et le grec. Pour les langues vivantes, on établit des modèles qui cadrent avec le concept ambigu de « civilisation » : il y a des langues primitives et inférieures, et des langues plus évoluées, auxquelles se rattache évidemment le français. Lorsqu'on a le sentiment qu'une langue « étrangère » menace par son influence le bon français, on la juge hostilement : au XVIe siècle, l'italien était vilipendé ; au XVIIe, c'était l'espagnol ; au XIXe siècle, voici venir, avec l'omniprésence anglaise, l'*anglophobie* (mot de ce temps).

Car juger une langue, c'est alors juger ceux et celles qui la parlent et l'écrivent, la comprennent et la lisent. C'est juger une nation, son histoire, son « génie », sa littérature, son art, sa science. Du coup, il devient difficile d'accabler l'italien ou l'anglais – alors qu'on ne se gênait pas pour le faire à l'époque classique – et les jugements à l'égard des grandes langues européennes sont au moins contrastés. Il n'en va pas de même pour les langues des autres mondes, celles qu'on prétend « primitives », et pour toutes celles auxquelles on dénie tout ordre interne. Les « patois » sont dans une autre catégorie encore : dans la mesure où ils constituent un élément du patrimoine national, on les envisage avec émotion et respect, à la manière de Méri-mée, plus tard, sauvant les églises romanes ; dans la mesure où ils sont parlés par des êtres humains incultes et mal lavés, on les méprise. Car, pour le Français bourgeois triomphant, la langue est un idéal de perfection inacces-sible lorsqu'il s'agit de sa classe – quitte à traquer partout les fautes et les manquements qu'on lui fait subir – mais un jargon informe lorsqu'elle se manifeste dans les classes inférieures. Quant aux enfants qui, en français comme en d'autres usages, parlent autrement que les adultes, il n'en est jamais question, alors que la principale institution qui leur est destinée, l'école, est partout présente dans la poli-tique de la langue. A croire que l'école pour tous est conçue pour faire, à tous, oublier son enfance.

La révolution de l'enseignement préconisée par la Convention avait abouti, sous le Consulat (25 floréal an XI), à un programme scolaire en cinq ans, où le latin prenait une place énorme. Un peu d'arithmétique, de géo-graphie, d'histoire ancienne et, pour finir, de rhétorique française complétait ce tableau. Dans les programmes de l'Empire, la grammaire était considérée comme univer-selle, et son application à la langue « vulgaire » n'était pas spécifique. D'abord le latin, comme on le voit par les études du jeune Emile Littré au collège impérial Louis-le-Grand, au début du XIXe siècle[31]. Grammaire et rhétorique du français avaient alors pour objet des sujets antiques,

pendant que Napoléon bouleversait l'histoire de l'Europe…
Etrange distraction.

Jusqu'au milieu du XIXe siècle, on considère souvent que les ouvrages de base sont ceux du XVIIe et du début du XVIIIe siècle. Les grammaires contemporaines ne seront intégrées qu'assez tard. Mais ces grammaires sont déjà légion, ainsi que les manuels[32]. Parmi les procédés pédagogiques alors appliqués pour l'apprentissage du français, qui prend définitivement le dessus sur le latin en 1832 avec l'enseignement primaire d'Etat (l'enseignement de la lecture doit se faire avec des textes en français), figurent les deux analyses, la grammaticale et la logique, décrites en 1813 par Letellier et qui s'utilisèrent jusqu'au milieu du XXe siècle. Ces deux opérations transmettaient une philosophie classique du langage, à la recherche d'universaux logiques pour toute langue en envisageant ses spécificités. Elle avait de grands avantages pédagogiques.

Ce n'est qu'après 1848 que l'enseignement du français se « modernisera », notamment par l'étude plus attentive des éléments observables du langage, tels ces « Eléments matériels du français » placés en tête du *Cours supérieur de grammaire* de Bernard Jullien en 1851.

Les historiens de la linguistique ne donnent pas des sciences du langage, en terre francophone dans la première partie du XIXe siècle, une image très flatteuse. De toute part, on admet que la comparaison des langues, commencée dans l'intuition et le mythe, devient scientifique quand les indianistes britanniques, puis l'admirable savant danois Rasmus Rask et l'incontournable Franz Bopp ou encore August Schleicher établissent les concepts de langue indo-européenne (un nationalisme allemand lié au romantisme l'ayant camouflée en « indo-germanique ») et de linguistique comparée. En France, sont actives la philologie des langues antiques du Bassin méditerranéen, à commencer par l'égyptien dont l'écriture est déchiffrée par Champollion en 1821, l'avestique ayant été étudié par Abraham-Hyacinthe Anquetil-Duperron au milieu du XVIIIe siècle, et celle des langues modernes d'Asie. Abel

Rémusat pour le chinois, Jean-Louis Burnouf revenant sur l'avesta dans les années 1820, Antoine de Chézy pour le sanskrit et le persan... sont des références majeures. Volnay, l'auteur des *Ruines*, célèbre philosophe de la culture, publie en 1819 l'*Alphabet européen appliqué aux langues asiatiques*, ce qui en fait un précurseur de l'orthographe phonétique.

Lorsque l'objet d'étude est le français ou, en général, les principales langues romanes, c'est le professeur allemand Friedrich Diez qui est le maître. Sa *Grammaire des langues romanes* est publiée en 1836 et 1838, mais elle ne sera traduite en français qu'en 1872, tout comme la *Vergleichende Grammatik* de Franz Bopp, publiée à cette époque (1833-1849), ne sera traduite en français qu'en 1866. La plupart des étymologies qui feront une part de la nouveauté du grand Dictionnaire de Littré sont redevables à F. Diez.

Quant à la connaissance objective des idiomes parlés en France, on cite surtout l'activité d'un dramaturge qui avait connu le succès avec une tragédie historique, *Les Templiers* (1805). François Raynouard était né à Brignoles en 1761 et son origine explique en partie sa passion pour l'ancienne poésie occitane (*Choix de poésies originales des troubadours*, 1816-1821). Il passa la fin de sa vie à composer un dictionnaire d'ancien français, domaine à peu près abandonné, et cet ouvrage publié après sa mort (*Lexique roman*, 1839-1844) lui valut une notoriété plus durable que les pièces de sa jeunesse révolutionnaire, marquée par son élection à l'Assemblée législative suivie par un emprisonnement pour cause de modération (1793-1794). Mais Raynouard, précurseur, en accord avec le goût romantique, était un philologue amateur, un érudit doué d'une perspicacité exceptionnelle et mû par la passion romantique qui avait suscité en Angleterre le mythe d'Ossian : poésie orale, celtique et occitan anciens, même combat.

Plus loin encore de l'esprit scientifique, plus enfermé dans la philosophie classique de la grammaire-logique, un

grand écrivain érudit et polymorphe, Charles Nodier. Ses
œuvres sur le langage et la langue sont pour nous décon-
certantes, qu'il s'agisse d'un *Dictionnaire des onomatopées*
qui reprend sur le français les thèses anciennes sur l'origine expressive du langage – moyen d'atteindre en chaque
langue un universel – ou du recueil dénommé *Linguistique*, à une époque où on ne parlait guère que de « philologie ».

Cette science a pour objet, non pas les langues, mais
leurs produits légués par l'écriture : les textes, producteurs et organisateurs des cultures. Mais il arrive que
cette étude des textes, pratiquée avec ardeur depuis la
Renaissance, débouche sur la connaissance des langues
qu'ils animent. Champollion, Rémusat ou Raynouard sont
dans cet espace. La « linguistique » en français, à cette
époque, est seconde par rapport à l'analyse des chaînes de
signes que sont les textes, et qui conduit à des configura-
tions signifiantes : croyances, mythes, poèmes, connaissances ; en un mot, mis à la mode en allemand, les
« cultures ».

Cette orientation vers les secrets des « produits de
l'esprit humain » (formule de Renan, lui-même grand spécialiste des langues sémitiques, dans ce texte épistémologique majeur qu'est *L'Avenir de la science*), on la retrouve
chez un penseur français trop vite oublié, un notable du
Premier Empire, pair de France, membre de l'Institut – et
aussi de la Société philosophique de Philadelphie –,
Antoine Destutt, comte de Tracy. C'était le chef de file
d'une philosophie de la pensée qu'il nomma « idéologie »,
mot qui allait avoir des malheurs, mais qui était alors pur.
La seconde partie de son ouvrage, venant après l'étude de
la composition des idées et des jugements dans l'esprit,
propose l'analyse de tous les signes qui servent à exprimer
et transmettre ces idées, dont les plus raffinés, formant
les systèmes les plus riches, sont les langues humaines. La
Grammaire de Destutt parut en 1803, fut rééditée en
1817. Auteur en 1800 d'un *Projet d'Eléments d'Idéologie à
l'usage des Ecoles centrales de la République française*, Des-

tutt, qui s'accommoda de l'Empire et de ses « lycées » et ne vit pas reparaître la République, eut une influence intellectuelle certaine en France : ce fut le maître à penser du jeune Henri Beyle qui, devenu Stendhal, ne le renia jamais ; et le chef de file d'une brillante série de penseurs autour de la notion centrale et cartésienne de raison analytique exprimée par des systèmes de signes.

Marginalisées ou simplement oubliées par la suite, ces théories du langage auraient dû inspirer les pédagogues et les commentateurs de la langue française à cette époque, au moins dans l'enseignement supérieur. Jusqu'à plus ample informé, il n'en fut rien. Pourtant, le dernier chapitre de la *Grammaire* de Destutt, « De la création d'une langue parfaite, et de l'amélioration de nos langues vulgaires », pose fortement ce problème : pas de langue universelle savante, reflet exact de la pensée logique – ce qui écarte la *Characteristica* de Leibniz, caractère utopique des langues artificielles – ce qui condamne tous les espérantos –, dimension sociologique inéchappable des langues humaines, et imperfection essentielle de la pensée humaine, entraînant celle des signes qu'elle emploie.

Autre lacune majeure dans la pensée française sur le langage, les langues et en particulier la langue française, la faible (euphémisme) prise en considération de la pensée géniale de Wilhelm von Humboldt. Moins célèbre en France que son frère cadet Alexandre, grand géographe, Wilhelm fascine par son aptitude politique – ce fut un grand diplomate – et institutionnelle – il fonda l'université de Berlin en 1835 –, par ses capacités de polyglotte et de connaisseur des langues les plus différentes, alors négligées (du sanskrit au chinois, du basque au birman, du hongrois et du japonais aux langues amérindiennes du Mexique…), par son art philologique et son pouvoir de synthèse en linguistique générale. Pourtant auteur d'une *Lettre* au sinologue français Abel Rémusat « sur la nature des formes grammaticales […] et le génie de la langue chinoise », qui fut traduite en 1859 par un jeune linguiste français, Tonnelé, Humboldt fut absolument négligé en France tout au long du XIXᵉ siècle.

Ce linguiste-philosophe synthétisait tous les domaines de la pensée sur la langue, y compris la philologie chère aux chercheurs français de l'époque, y compris l'influence du XVIIIᵉ siècle ; mais il suivait Hegel dans l'idéalisme transcendantal et l'idée d'« énergie de l'esprit », très étrangers à la tradition française (Auguste Comte refusait de lire Hegel). En outre, il accompagnait le romantisme allemand dans son idée du rapport entre peuple, nation et langue. Le centre de ses réflexions, cependant, était par nature menaçant pour l'attitude d'ordre et d'autorité imposée à la langue qui conduisait alors la politique langagière en France. Car le langage est pour lui une *Energeia*, un processus de création (*Tätigkeit*) et non une œuvre faite (*Ergon, Werk*).

Aussi bien, c'est sur la création du discours, éminemment sur la littérature et la « poésie » (de *poiéin*, « créer ») que s'appuie la réflexion sur la langue, là où s'emploie le français.

Créer en français

Nous l'avons vu dans les précédentes parties, un ouvrage consacré aux rapports entre les locuteurs et leurs langues, autour du français, ne peut pas faire l'économie de cette activité productrice de textes qu'est la « littérature ». Encore faut-il noter que ce ne sont pas tant les écrits des « grands écrivains » (choisis par une critique élitaire) qui comptent, dans cette optique, que la production et la circulation de l'imprimé, facteurs d'influence dans des contextes sociaux et langagiers changeants.

Au début du XIXᵉ siècle, l'écrit imprimé, c'est le livre, mais aussi le journal, les premières réclames, les papiers officiels, tout cela rédigé dans un français voulu conforme aux règles de l'école. A la fin du XVIIIᵉ siècle et pendant la Révolution, deux types de lecture sont en usage : la lecture muette à laquelle nous pensons d'abord, mais aussi une lecture oralisée à l'intention d'une personne (les « lectrices » de riches dames à la vue basse) ou, plus souvent, d'un groupe. Cette lecture remédie aux insuffisances des connaissances et entretient une convivialité active, par commentaires et questions. La lecture peut être, dans les milieux populaires, une petite cérémonie autour d'une narration palpitante (Henri Monnier l'a évoqué dans ses *Scènes populaires*).

Cette lecture à haute voix continue de se pratiquer au XIXᵉ siècle pour ce qu'on nomme étrangement « littérature orale », notamment en milieu rural, où subsiste la veillée accompagnée de récits alors improvisés dans la langue de la communauté : patois, dialecte large, langue autre que le français. Il est probable que la concurrence de la lecture en langue française, complémentaire et opposée, écrit oralisé – comme de nos jours à la radio – plutôt qu'oralité spontanée, a commencé à jouer. Le conte populaire en langue maternelle fut peut-être alors l'objet d'une francisation progressive, sauf quand cette langue était très éloignée du français par sa forme ou son esprit : le breton, par exemple, ou, dans les « îles », le créole.

Si la littérature pour l'élite cultivée continue son cours majestueux, celle qui s'adresse aux couches « inférieures » de la population importe plus, s'agissant de la diffusion de la langue française et de sa maîtrise passive (pour ce qui est de l'active, c'est l'école et le milieu familial ou social qui agissent). Signalons, pendant la Restauration, l'augmentation des tirages et la baisse concomitante des prix, tant des livres que des journaux et des revues. On doit aussi noter la vitalité du colportage, qui apporte du « lisible-en-français » dans les campagnes, les villages et les bourgs. Les colporteurs transmettaient des textes variés, certains réécrivaient d'anciens romans de chevalerie, des récits comiques en général antiféministes (indice du petit nombre de lectrices et souvenir vivace de la littérature médiévale), des contes de fées, pas seulement pour les enfants, et aussi – innovation du XVIIIᵉ siècle –

des évocations de la dure vie du peuple, par l'entremise
d'un personnage-symbole, le *Bonhomme Misère*. Ce fonds
traditionnel se présentait souvent sous forme de petits
opuscules ou de volumes à bas prix connus sous le nom
de « Bibliothèque bleue ». S'y ajoutent des volumes plus
riches en textes, à l'intention de la petite bourgeoisie plus
lettrée. Les contenus vont du *Télémaque* de Fénelon, de
Paul et Virginie ou de *Robinson Crusoé*, pourvoyeurs d'exotisme et de beaux sentiments, aux fables et aux romans
de Florian, aux romans de Ducray-Duminil, précurseur
des grands du roman-feuilleton, et de Mme Cottin (Marie-
Sophie Risteau), personnage étonnant, mariée à dix-sept
ans à un vieux banquier, veuve à vingt-quatre, morte à
trente-quatre après avoir écrit plusieurs ouvrages, notamment un roman sentimental et révélateur qui fut un
grand succès, *Claire d'Albe*. La femme auteur est bien
présente dans cette production narrative, comme le montre
Mme d'Aulnoy avec ses beaux *Contes*.

Cependant, après 1840, le roman en feuilleton dans la
presse allait tuer la Bibliothèque bleue, déjà éprouvée par
l'évolution des lecteurs avec le développement de l'instruction élémentaire, cela malgré l'apparition des éditions
populaires illustrées et en images qui s'attaquent aux succès contemporains, *Notre-Dame de Paris* ou Eugène Sue[33].

Souvent méprisée, parfois jugée exprimer l'« idéal inférieur de l'époque » (Emile Montégut en 1856), toute une
littérature « pour tous » apparaît, qui vise le plus grand
nombre de lecteurs et influence plus que la grande littérature la réception des textes en français dans la société
de la Restauration. Aussi oubliés qu'ils furent lus, les
romans époustouflants de Pigault-Lebrun (*M. Botte*, 1802 ;
Nous le sommes tous, 1819), les cocasseries sentimentales
de Charles Paul de Kock (six volumes par an, de 1820 à
1867 ! sans compter une évocation précieuse de Paris),
les histoires terrifiantes et naïves de François-Guillaume
Ducray-Duminil ou de Victor Ducange font partie des
à-côtés du romantisme et figurent dans le secteur « production industrielle de romans ». Appartiennent à cette

catégorie les premiers écrits de Balzac et les très grands
auteurs de romans en feuilletons – pour *La Presse* de
Girardin, à partir de 1836, pour *Le Journal des Débats*,
depuis 1837, puis *Le Siècle* ensuite… –, à savoir le Balzac
de *La Comédie humaine*, Dumas, Sue et, injustement
oublié, Frédéric Soulié.

Création journalistique ou technique de diffusion plus
que genre littéraire, le roman-feuilleton engendre une
production accélérée et suscite de véritables ateliers
d'écriture – tel celui de Dumas, avec Maquet, qui fut plus
que le maquettiste du grand Alexandre –, en partie pour
répondre aux incessants besoins d'argent des auteurs, en
partie pour combler l'avidité de lecture des nouveaux
consommateurs de belles histoires en langue française.

En outre, qu'il s'agisse d'œuvres sans concession, où le
talent individuel s'exprime librement, ou bien de compromis avec le goût collectif, les écrits romanesques,
qu'on les juge bien ou mal sur le plan du bon usage (on
sait à quel point Balzac fut houspillé), ont une vertu particulière. A l'exception des romans historiques (A. Dumas,
Hugo dans *Notre-Dame de Paris*), ils apportent ce qui
était exceptionnel avant la Révolution : un reflet, une
évocation de la parole spontanée, de la variété des
usages sociaux de la langue française. *Les Mystères de
Paris* (1842-1843) sont une mine quant au parler populaire parisien, à ce qu'on commence vers 1800 à appeler
l'« argot ». Toutes les œuvres d'Henri Monnier, théâtre et
récits, jouent sur la comédie des langages sociaux en
français.

Ici encore, ce sont souvent les productions marginales
de la littérature qui apportent le reflet des usages spontanés et qui manifestent le caractère essentiel de la parole
sociale dans la caractérisation des personnages. Ce sera
une tradition du roman européen, et notamment du
roman en français, jusqu'à nos jours. Pendant la première
moitié du XIXᵉ siècle, il faut compter aussi avec les productions de commande d'écrivains et de journalistes : les
nombreuses *Physiologies* censées peindre plaisamment un

type social, la collection des déjà cités *Français peints par eux-mêmes*, divisée en deux parties inégales qui reflètent un jugement d'importance : plus de place consacrée à *Paris* qu'à *La Province*. Peinture de mœurs partiellement réaliste, où les usages langagiers sont évoqués, parmi les us et coutumes, moins précisément et moins abondamment, sans doute, que chez les grands romanciers.

Le premier d'entre eux, Balzac, qui collabore souvent à ce type d'ouvrages collectifs, relève (dans un article pour *La Mode* du 22 mai 1830) que, dans une société où les différences de manières et de costumes tendent à s'estomper, « un homme au courant de la *mode des mots* se trouve armé d'un immense pouvoir ». Exercice narcissique que Bourdieu étudiera plus tard sous le nom de « distinction » (« se reconnaître au milieu de la foule »). Ainsi, en 1830, parler de l'*actualité*[34] d'un livre ou d'un événement vous surclasse ; l'adjectif *providentiel* agit « comme un *Abracadabra* » ; *étourdissant* étourdit l'auditoire :

— Madame, elle a été sublime hier…

Deux ou trois élégants qui avaient quelque respect pour la façon de votre habit, pour le bon goût de votre canne, pour l'*agencement* de votre cravate, vous tournent le dos, et vous devinez qu'il vous est échappé une sottise.

— Oh ! elle a été *étourdissante* !…, vous répond la maîtresse de maison.

Comprenez-vous ?…. Le mot *étourdissant* était le chaînon qui devait lier toutes les parties de votre être et de votre toilette. Vous êtes un homme incomplet, *une belle qui n'a qu'un œil*, aurait dit Savarin.

Aujourd'hui, toutes les admirations, toutes les impressions, tout se résume, tout se résout par *étourdissant* !….

Divin, adorable, merveilleux… Bah ! vieux style. Un homme n'a rien exprimé s'il ne dit pas : « J'ai lu *La Confession*, la préface est étourdissante ! »

Un homme qui ne se sert pas de ce mot, qu'est-ce ?…. rien, ce n'est pas un être, il ressemble à ceux qui lisent *Le Constitutionnel* en prenant un petit verre, et qui portent un chapeau d'osier.

A côté des vertus multiples des grands romans balza-
ciens, on devra reconnaître là une maîtrise exceptionnelle
dans le décryptage des signes sociaux, y compris ceux de
la langue française. Et il suffit de relire les discussions des
hôtes de la pension Vauquer, dans *Le Père Goriot* (avec
l'apparition du pseudo-suffixe *-rama*, pour *-orama*, due au
succès des *panoramas*), ou l'initiation à l'argot par un certain Vautrin inspiré par la personnalité fascinante de
Vidocq, ou encore la transcription (répudiée par les phonéticiens) de l'accent du banquier allemand Nucingen
pour amorcer un champ d'études révélatrices. Le souci
de Balzac – de tout narrateur, alors comme aujourd'hui
– est de faire parler « juste » ses personnages. Tandis
qu'il maîtrisait au départ beaucoup moins les secrets du
langage mondain que le langage petit-bourgeois d'un
César Birotteau, à partir de 1839 Balzac a su « parfaitement *faire parler les duchesses* », comme l'ont relevé certains analystes[35].

Stendhal romancier apporte moins de matériel langagier que Balzac, car le plus souvent il évoque et transpose,
sans chercher à reproduire. Cependant, les œuvres personnelles, tels les *Mémoires d'un touriste*, contiennent
maintes remarques sur les manières de parler contemporaines.

Mais toute la « grande littérature » de l'époque mérite-
rait investigation dans ce domaine, romans, prose narrative,
récits, souvenirs, voyages (avec des allusions et jugements
sur d'autres langues que le français, des emprunts aussi,
comme cette *pizza* et ce *pizzaïolo* trouvés en lisant le
très divertissant *Corricolo*, récit d'un voyage d'Alexandre
Dumas à Naples et dans la région).

Chaque écrivain notoire de ce temps contribue à cette
ouverture des usages du français depuis Mme de Staël,
importatrice en France de deux concepts majeurs, ceux
que désignent des mots chargés d'un sens nouveau : *art*,
inséminé par l'allemand *Kunst*, et *littérature*, depuis
l'immense Chateaubriand jusqu'aux romantiques grands

et petits, de Gautier à Nerval (des grands !), ou jusqu'à la pensée socialiste et révolutionnaire d'avant 1848.

Un autre rôle de la littérature – on vient de le noter à propos de Germaine de Staël – est la diffusion de termes qui traduisent les sensibilités et les goûts de l'époque : vocabulaire italien de la musique par Stendhal, de l'architecture par Hugo et Stendhal (l'art « roman » nouvellement désigné figure dans *Notre-Dame de Paris* et dans les *Mémoires d'un touriste*), surtout par Mérimée (inspecteur des monuments historiques en 1834), de la médecine et d'autres sciences réelles ou fictives (la « phrénologie » de Gall) par la prose de savants et de vulgarisateurs.

Les discours imprimés de cette époque jouent pour la langue un rôle pédagogique au moins aussi grand que celui des grammairiens et des lexicographes, ou des pédagogues. Une littérature pour l'école, d'ailleurs, extraite de textes pour enfants ou de poésies célèbres, va se développer dans les manuels de lecture et autour d'une opération symbolique dans l'apprentissage du français écrit normalisé : la « dictée », lecture à haute voix remplie de pièges et occasion perverse de perpétuer l'univers peccamineux de la religion.

La littérature sert à tout et, par exemple, à évoquer la diversité régionale des usages dialectaux et français : la région de Tours s'exprime discrètement par la plume de Balzac (*La Rabouilleuse*), le Berry plus fortement par celle de George Sand (*François le Champi*), etc. Mais l'idée absurde de littérature régionaliste – à moins d'y inclure toute évocation de Paris – ne s'est pas encore imposée. D'ailleurs, Flaubert et ses personnages sont assez peu normands par le parler, et George Sand, aux talents quasi universels, ne donne aux patois qu'une valeur révélatrice pour la psychologie sociale des paysans qu'elle aime.

Parmi les témoins d'un usage partagé du langage – l'un des plus partagés –, figure la chanson, fille de deux Muses, celle de la musique, alliée à la danse, et celle de la poésie. La chanson poétique est de l'écrit versifié et chanté, mais l'oralité, par destination, doit s'y glisser. Les versifications, savantes de la chanson de cour, populaires des chansons dites plus tard « folkloriques », en français et en tous dialectes ou langues en contact, ont produit des paroles et des airs mémorables à travers les siècles.

Au début du XIXe siècle, la langue unifiée – le français qui fut celui du roi et des princes, puis celui de la Révolution – produit des chansons célèbres. Certaines ont une importance politique. Alors, la chanson urbaine quitte son domaine séculaire, la rue, pour ce qu'on appelait les « goguettes », réunions et banquets chantants héritiers du « caveau » du XVIIIe siècle, ressuscité en 1806 avec des chansonniers tels que Marc-Antoine Désaugiers (auteur de l'immortel *Bon voyage, Monsieur Dumollet*, 1808), puis Pierre-Jean de Béranger, qui titille la cour de Napoléon sous l'Empire (*Le Roi d'Yvetot*, 1813) puis célèbre l'Empereur sous la Restauration (« Parlez-nous de lui, grand-mère, Grand-mère, parlez-nous de lui », *Les Souvenirs du peuple*, 1828). Le « Caveau moderne » inaugure pour la chanson une véritable entrée en littérature (*La Clé du Caveau*, 1817). Le texte de chanson imprimé et le souvenir des airs donnent alors à ce genre un étrange pouvoir sur la mémoire collective. Ce que les classes populaires vont intégrer de la tradition poétique en français par les dictées et les lectures scolaires est déjà en action avec la mise en chansons d'œuvres de poètes célèbres (Musset et son « Andalouse au sein bruni » ou sa *Mimi Pinson* – 1845 –, « L'aurore s'allume » de Hugo – 1834 –, complétée par « Le soir » de Marceline Desbordes-Valmore, ou « Le lac » chanté par Lamartine – 1820) et, surtout, par les textes écrits par les grands talents chansonniers de la Restauration, Béranger, bien sûr, mais aussi Gustave Nadaud, auteur fécond, ou Charles Gille. La dimension sociale de ces chansons, qui accompagnent la modernité, est alors sensible ; elle devient éclatante peu avant la révolution de 1848, notamment avec les œuvres de Pierre Dupont, qui chante le travail paysan avec des succès durables, comme « J'ai deux grands bœufs dans mon étable » (1845) ou *Le Chant du pain* (1847), et qui surtout, lyriquement, incarne *Le Chant des ouvriers* (1846), puis se politise en évoquant l'insurrection (*Le Chant du vote*, 1849), ou la révolution, ou la République paysanne (*Le Chant des paysans*, qui sera cause de l'exil de l'auteur, plus tard gracié par Napoléon III)[36].

A la même époque, la chanson se diffuse aussi par les cafés chantants, ancêtres du caf' conc', qui caractériseront le Second Empire et la IIIe République.

Le français de la chanson est en général « poétiquement correct », avec un rien d'archaïsme et moins d'inventivité que la grande poésie romantique, mais il lui arrive de frôler le constat d'une variation des usages. Les représentations de l'oral commencent alors à apparaître. Une chanson de Désaugiers, sous l'Empire, est ainsi transcrite (*Cadet Buteux au boulevard du Temple*, 1809) :

> *L'café Turc est l'jardin des Grâces*
> *Aussi vient-on, après les r'pas*
> *Y prend' café, liqueurs et glaces*
> *Ou punch, ou… qu'est-c' qu'on n'y prend pas ?*

On lit aussi dans le texte de cette chanson : « queuqu' chose », « si j'l'échauffons » ou « quand j'fouillons dans mes poches », qui nous semblerait (à tort, certainement) plus rural que boulevardier.

Il ne s'agit là que de notation écrite, et nous ignorons comment on chantait Béranger, Debraux ou Naudé, dont les textes sont écrits comme à l'école (par le maître).

Apparaît aussi l'évocation sonore d'accents régionaux, celui d'Alsace permettant d'amuser ceux de l'intérieur par le jeu des consonnes sourdes et sonores grossièrement manipulées, pour faire rire :

> *Mon béti Vrançois* (bis)
> *Toi fouloir que che t'apprenne*
> *Comment audrefois* (bis)
> *Che falsais à la Prussienne, etc.*

(Amédée de Beauplan,
La Leçon de valse du petit François, 1834.)

Mais ces procédés semblent plus exceptionnels dans la chanson que chez les auteurs de dialogues populaires, tel Henri Monnier, évoqués ailleurs. Ils se développeront plus tard.

La parole française hors de France

Dans la première partie du XIXe siècle, après la disparition du grand Empire napoléonien, un ensemble où le français est ou devient langue dominante, parfois langue maternelle unique, correspond à peu près à celui où l'on parlait gaulois avant l'invasion romaine. En termes modernes, il comprend la moitié nord de la France, ainsi que sa partie occitane, la Belgique, qui accède à l'indépendance politique, dans sa partie méridionale, la partie occidentale de la Suisse. Indépendamment d'autres langues encore pratiquées après la Révolution malgré le jacobinisme, cette zone pratique soit un unilinguisme français, soit un bilinguisme orienté, entre dialectes généralement dévalorisés sous le nom de « patois » et usage d'ailleurs très variable du français.

Cette situation, avec ses inflexions régionales, ses contacts de langue différents, ses variantes phonétiques et lexicales, présente une réelle unité par rapport aux usages du français hors d'Europe, même lorsqu'il est langue maternelle (essentiellement au bas Canada, qui va se nommer « province du Québec »).

Les frontières ont en l'espèce peu d'importance ; ce sont les délimitations des faits de langue qui comptent. Entre français régional de Flandre française et de Belgique, des zones francoprovençales – Savoie (quel que soit son statut politique) et Suisse romande –, de nombreux traits sont identiques. Les frontières ne redeviennent pertinentes que pour la partie du vocabulaire qui concerne l'organisation des Etats. Le linguiste belge Jacques Pohl parlait de « statalismes ».

En Belgique, par rapport à la réalité des usages qui confronte les parlers flamands, variantes du néerlandais, dans la partie nord du nouveau pays, et le français, ainsi que les dialectes gallo-romans (wall, picard) au sud, les institutions politiques sont hypocrites. La Constitution de 1830 déclare « facultatif » l'emploi des langues ; ce principe conduisit à privilégier le français, seul employé dans les textes de loi.

En fait, la bourgeoisie montante de par la révolution industrielle choisit majoritairement le français, qui s'implante à Bruxelles, en territoire traditionnellement néerlandophone.

De même, l'enseignement primaire avait le choix entre l'une ou l'autre langue « suivant les besoins de la localité », besoins évidemment définis par la classe dominante. Cette situation évolua en faveur de la langue française, aboutissant à la loi de 1850 par laquelle l'enseignement du français devint une règle générale, le flamand et l'allemand étant bornés aux régions où on ne pouvait faire autrement, le français y étant très peu connu. En outre, les quatre universités du pays étaient françaises, quelle que soit la langue maternelle des étudiants.

La perception des différences entre les français régionaux de Belgique et la norme de Paris se marque dès le début du xixᵉ siècle : les mots *flandricisme* puis *belgicisme* sont là pour le signaler.

Bien entendu, la période est marquée dans cette région par un fait majeur : l'indépendance d'un Etat-nation, fruit de la révolte d'une partie de la bourgeoisie francophone contre la maison d'Orange. L'indépendance proclamée en 1830 fut ratifiée l'année suivante par la conférence de Londres. Une tentative de reconquête hollandaise échoua (1832). La Belgique indépendante fut reconnue par les puissances européennes et finalement par la Hollande en

1839. Le roi de cette nouvelle monarchie était Léopold de Saxe-Cobourg.

Dans la partie francophone, au sud d'une ligne est-ouest, la Wallonie et la partie picarde parlaient soit dialecte, soit français et écrivaient surtout un français du Nord plus ou moins marqué de régionalismes. L'élite flamande et son clergé s'étaient relativement francisés au XVIIIe siècle. Après la chute du régime français napoléonien, en 1815, Guillaume de Hollande tenta de développer le néerlandais central de Hollande, assez différent des dialectes flamands, provoquant une résistance propice à l'usage du français, notamment à Bruxelles, et donc en zone flamande. A la frontière géographique romane-germanique, assez stable, se superpose alors un clivage sociologique : les membres des classes supérieures, surtout dans les grandes villes, parlent français, leurs enfants fréquentent des écoles françaises ; les autres se partagent géographiquement entre dialectes flamands et allemand au nord, dialectes wallons ou picards au sud. Dans la partie wallonne du jeune pays, la situation linguistique sera dès lors à peu près la même que dans la France du Nord, avec toutefois une meilleure résistance des dialectes, bénéficiant d'une littérature populaire vivante en un wallon unifié, et l'apparition d'un parler urbain français caractérisé par le contact des deux langues, le bruxellois. Ce dernier devint un usage spécifique, perçu en France erronément comme étant le « français de Belgique », ce dernier étant mieux représenté par l'usage de Liège, de Namur ou de Mons.

Le cadre historique des parlers de Suisse, au début du XIXe siècle, est marqué par la résistance à la centralisation imposée par le Directoire et l'Empire français. Napoléon y renonce en 1803, et un acte « de médiation » redonne au pays sa structure fédérale : les pays « sujets » et les « alliés » du grand Empire napoléonien redeviennent cantons souverains – soit de langue alémanique : Argovie, Thurgovie, Saint-Gall ; de langue italienne : Tessin ; de romanche : Grisons ; et de français : Vaud, et, avec le traité de Vienne, en 1815 : Genève et Neuchâtel. Berne et Fribourg sont bilingues, alémanique-romand. La Constitution fédérative moderne du pays est adoptée en 1848.

A l'époque, un problème aigu est celui du statut du Jura, région qui dépendait de l'évêché de Bâle et fut attribuée à Berne en 1815. Ce problème ne sera résolu qu'en 1978, par la création d'un canton du Jura.

Le français de Suisse, considéré comme très pur par rapport à la norme parisienne à l'époque classique – les écrits de Calvin, de Jean-Jacques Rousseau constituent des repères littéraires majeurs –, coexiste donc de manière relativement stable avec les dialectes alémaniques, eux-mêmes en contact avec l'allemand écrit, avec les parlers italiens et romanches, ces derniers en recul.

La parenté entre les dialectes francoprovençaux, de Lyon à la Savoie et à la Suisse, incite à comparer le cas de l'Helvétie avec celui de la Savoie, qui ne fera partie de la France qu'en 1860 (en même temps que Nice). Mais le royaume de Savoie comprend alors le Piémont et la Sardaigne et connaît la coexistence de trois langues, l'italien étant la plus importante.

Dans l'espace qui deviendra français, cette langue, avec des régionalismes communs avec ceux de Suisse, coexiste avec des dialectes en recul. La Savoie, sous le régime du royaume sarde, était bilingue : français et italien. Les problèmes linguistiques du Val d'Aoste vont se poser après 1860.

Ce sera aussi sous le Second Empire que Nice adoptera majoritairement le français. Sous le régime révolutionnaire – qui crée l'expression « Alpes Maritimes » (devenue nom de département en 1860) – puis sous l'Empire, l'administration avait cherché à imposer le français à l'école. Mais l'italien, à côté du dialecte, est dominant, et l'enseignement, avec des professeurs piémontais peu formés en français, ne peut suffire à orienter les Niçois vers une autre langue. Ce n'est qu'après 1860, avec le développement rapide de la ville, que la langue française s'imposera sur l'italien et sur le dialecte local, qui connaîtra plus tard une renaissance timide.

Au Canada, le français l'a échappé belle, en partie grâce à la démographie, en partie grâce à une résistance farouche. Moins de 60 000 en 1763, les francophones sont 700 000 en 1842. Mais leur langue, à la différence de la religion catholique, n'est ni reconnue ni protégée par le pouvoir anglais. L'Acte d'union de 1841 fait de l'anglais la seule langue officielle des deux colonies : le haut Canada anglophone (Ontario) et le bas Canada en majorité francophone (futur Québec). Cette loi sera abrogée en 1848, six ans après le discours mémorable, en français, de Louis-Hippolyte Lafontaine au Parlement canadien. Dès 1842, Etienne Parent avait soutenu que la soumission politique n'empêcherait pas la survivance d'une identité culturelle « française ».

Le français du Canada est alors en partie coupé de l'usage européen, la scolarisation des francophones étant d'abord très faible. Seule l'Eglise, notamment par les congrégations féminines, dispense une éducation populaire.

Au début du xixe siècle, le maintien du français au bas Canada est une hypothèse optimiste. La langue présente déjà des spécificités « régionales » par rapport au français dit « universel ». En 1807 et 1808, un Anglais, John Lambert, visitant le Canada, y observe avec curiosité l'usage du français. Selon Lambert, moins d'un cinquième de la population du bas Canada connaît et pratique la langue anglaise, et le clergé français, responsable de l'éducation, l'ignore le plus souvent. A son avis, cette situation est délibérée et repose sur le souci de préserver le catholicisme d'influences pernicieuses.

Quant à la nature du français canadien, cet observateur extérieur, qui paraît objectif, notait :

On dit des Habitants [dans le texte anglais : *Habitans*, graphie d'époque] qu'ils ont aussi peu de rusticité dans leur langage que dans leur comportement. La colonie fut à l'origine peuplée par tant de nobles, d'officiers et de soldats ayant quitté l'armée, et de personnes de bonne condition, qu'un langage correct et des manières aisées et libres devaient prévaloir parmi la paysannerie canadienne, beaucoup plus que parmi les ruraux ordinaires des autres pays. Avant la conquête du pays par les Anglais, on dit que les habitants parlaient un français aussi pur et correct que dans la vieille France [opposée à la « Nouvelle »]. Depuis lors, ils ont adopté de nombreux anglicismes, et ont aussi des expressions [*phrases*] archaïques [*antiquated*] [...].

Pour *froid*, ils prononcent *frête*. Pour *ici*, ils prononcent *icite*. Pour *prêt*, ils prononcent *parré* ; à côté de plusieurs autres mots périmés [*obsolete*] dont je ne me souviens plus aujourd'hui. Un autre usage corrompu parmi eux consiste à prononcer la lettre finale de leurs mots, ce qui est contraire à l'habitude du français d'Europe[37].

Ce texte suppose que John Lambert avait du français d'Europe une vue assez abstraite, celle du « pur français » proposé par l'enseignement de cette langue dans les *boarding schools* britanniques. Les quelques faits de langue qu'il cite ne sont parfois pas propres au français du Canada (les prononciations *frete* et *icite*, par exemple, s'entendent encore en français spontané de France aujourd'hui). Il s'agit souvent de simples régionalismes qui proviennent de l'origine des colons français, presque tous – à part des militaires et des religieuses – venus des provinces de l'ouest de la France, Normandie, Aunis, Saintonge ou Poitou.

Toutefois, – double tendance du français québécois –, outre la conservation de traits régionaux de l'ouest de la France éliminés en français central, le voyageur note aussi des phénomènes de contact avec l'anglais, qu'il attribue naturellement aux fréquents rapports entre Français et Anglais qui avaient lieu alors au bas Canada, mais qui lui font se demander si les Canadiens méritent encore la réputation de parler le « français le plus pur » qu'ils ont acquise.

A côté de ce témoignage, un recueil nous permet peut-être d'avoir une idée plus précise du lexique français québécois de l'époque : celui composé en 1810 par Jacques Viger, le futur maire de Montréal (le premier, en 1833), intitulé *Néologie canadienne* et qui ne sera publié que plus tard. Les particularismes ressentis comme tels sont peu nombreux, mais constituent un échantillonnage pertinent : anglicismes assez rares (« Avez-vous nettoyé ma *belt* ? » glosé « mon baudrier » ; *appointer* pour « nommer »), mots amérindiens (*achigan, apichimon,* « bourrelet, morceau d'étoffe » et aussi « grabat » : « ce mot vient du sauvage »), formes familières (*bavasser* : « c'est, je crois, bavarder et balbutier » ; *berdasser,* « s'occuper à des ouvrages de ménage inutiles »), déformations phonétiques (une *avisse* pour « vis » ; *balier* pour « balayer »), originalités sémantiques (*allumer* en emploi absolu pour « allumer sa pipe » et, par extension, pour « se reposer », car le repos sur les lieux de travail correspond à la permission de fumer une bonne pipe, ou encore pour « rendre visite à quelqu'un » : « *si tu passes dans ma paroisse, arrête allumer chez moi* »). On trouve dans cette intéressante liste des régionalismes « européens », tel *bandon,* courant en français de Suisse mais spécialisé au Canada pour « saison où l'on peut laisser les bêtes pacager librement », et même des innovations lexicales attestées plus tard en français de France (*ahurissant,* qui avait pris, non le sens du verbe *ahurir* en France, mais celui de « pénible », et, selon la glose de Viger lui-même, « ennuyant » ; or, l'adjectif *ahurissant* n'est repéré à l'écrit, en France, qu'à la fin du XIXe siècle : il était sans doute régional et parlé auparavant).

L'intérêt pour les particularités de l'usage québécois n'était d'ailleurs pas nouveau. Dès le milieu du XVIIIe siècle, le père Pierre-Philippe Potier avait dressé une liste qui fut publiée plus tard sous le titre : *Façons de parler proverbiales, triviales, figurées, etc. des Canadiens du XVIIIe siècle*[38]. Composée de 1743 à 1758, la liste du père Potier, recensée par Claude Poirier dans le *Trésor de la langue québé-*

coise, permet elle aussi d'attester l'existence de mots bien français avant leur repérage en France même.

Quant à la nature globale de l'usage du français au bas Canada, un témoin perspicace a été Tocqueville, qui passa quelques jours au Canada durant l'été 1831. C'était assez pour noter que les anglophones étaient la « classe dirigeante », tout en percevant, de la part des « classes éclairées » françaises, un sursaut, et pour trouver le style du journal français de Québec *Le Canadien* « commun, mêlé d'anglicismes et de tournures étranges », « ressembl[ant] beaucoup aux journaux publiés dans le canton de Vaud en Suisse ».

Comme il lui arrive souvent, Tocqueville se projette dans l'avenir : « Il y a donc fort à parier que le Bas-Canada finira par devenir un peuple entièrement français. Tout deviendra anglais autour de lui. Ce sera une goutte dans l'océan. J'ai bien peur [...] que l'Amérique du Nord ne soit anglaise[39]. » Diagnostic trop pessimiste, mais grande lucidité quant à la difficulté à forger un Canada véritablement unifié, les deux communautés – rejointes plus tard par beaucoup d'autres – ne pouvant se fondre.

L'analyse du grand historien correspondait à de brèves observations dans une situation paisible. Cette situation ne pouvait que changer avec les mouvements de révolte de 1837 et après eux. La rébellion contre une gestion anglaise irresponsable – le gouverneur Aylmer ayant été rappelé par Londres à cause de sa politique conciliante à l'égard des francophones – fut à la fois le fait du haut Canada anglophone (W. L. Mackenzie) et du bas Canada, où Louis-Joseph Papineau prit la défense des Canadiens français. Lord Durham, envoyé par Londres, décida de l'union des deux colonies (Acte d'union, 1840), ouvrant la voie au régime parlementaire responsable et au fédéralisme. Cette politique aboutit en 1867, avec l'Acte de l'Amérique du Nord britannique. La Confédération du Canada comprend alors quatre provinces, l'une anglophone, l'Ontario ; la deuxième francophone, le Québec ; la troisième partiellement francophone, le Nouveau-Brunswick,

terre des Acadiens, partie séparée de la Nouvelle-Ecosse ;
la quatrième devenue presque entièrement anglophone, la
Nouvelle-Ecosse (New Scotland), sur les terres d'où les
colons français avaient été expulsés, comme on l'a vu en
1755, avec beaucoup de colons du Nouveau-Brunswick,
qui allèrent s'établir en Louisiane alors française (le
« Grand Dérangement »).

Ainsi, au milieu du XIXe siècle, l'Etat canadien étant
encore en gestation, la communauté du bas Canada était
menacée de toutes parts. En 1839, avant de procéder à
l'Acte d'union, Lord Durham avait dévoilé ses intentions :
assimiler à la langue anglaise et à la culture britannique
les populations d'origine française, décidément incapables
de contribuer à la prospérité commune. Il dénonçait les
« haines de race » et la « haine des nationalités » dans le
bas Canada, la mentalité déplorable des Français venant,
selon lui, des institutions détestables de la France, avant
la salutaire victoire des Anglais. Le bilinguisme était décidément un éternel ferment de discorde. Apprendre
l'anglais à tous ces Bas-Canadiens devait être le remède,
ou du moins la cure initiale pour recouvrer une santé
nationale toute britannique, car « la disparité du langage
détermine des malentendus plus néfastes encore que ceux
qu'elle occasionne dans les esprits ».

L'union des deux « provinces » était donc, pour Lord
Durham, à la faveur d'une majorité anglophone (400 000
au haut Canada, 150 000 au bas Canada, face aux 400 000
« Français »), majorité vouée à s'accroître par l'immigration.

En somme, Durham se conduisait un peu, à l'égard de
la langue française et de ses pouvoirs supposés, comme
l'abbé Grégoire face aux « patois », selon un programme
qui fut admirablement appliqué par les jeunes Etats-Unis
d'Amérique à l'égard des idiomes des Amérindiens, qu'il
fut plus expédient d'exterminer, mais qui échoua au
Canada de par la persévérance des « habitants » et des
« classes éclairées » du Québec.

« Outre-mer », les anciens comptoirs et les possessions françaises ont été mis en valeur pendant la Restauration, parallèlement à une action évangélisatrice catholique avec diverses organisations missionnaires. C'est en 1817 que les premiers gouverneurs français sont nommés au Sénégal.

Mais l'action principale de cette époque fut militaire et ouvertement colonialiste. Sous des prétextes futiles et pour des ambitions surtout économiques, l'armée de Charles X débarqua en Algérie. Les villes de la côte furent rapidement occupées et l'accord de 1834 avec l'émir Abd el-Kader, qui conservait l'autorité dans l'intérieur du pays, ne dura pas ; l'émir dut se rendre en 1847, après de durs combats. Un régime complexe de territoires civils francisés et de zones militaires, contrôlées par des « Bureaux arabes », est alors mis en place sur trois « provinces », Alger, Oran, Constantine. Vers 1848, les colons sont déjà plus de 100 000 : ce sont en majorité des Français d'Occitanie, des Italiens (à Bône, notamment), des Espagnols (en Algérois et Oranais). Leur usage du français, dans les milieux populaires urbains, s'en ressentira. C'est l'époque où, par les contacts entre l'armée française et ceux qu'on appelle les « indigènes », qui pratiquent un arabe parlé régional ou des dialectes berbères (notamment en Kabylie), un vocabulaire populaire arabe va passer en français de France.

En ce qui concerne les peuples colonisés, en Algérie comme au Sénégal, ce sont l'armée, l'administration, des missionnaires et des enseignants qui vont implanter un bilinguisme de nature variable, avec des formes de français simplifié pratiquées spontanément, notamment par le recrutement de soldats autochtones dans l'armée française (on parle de « français tiraillou »). Au Sénégal, on dit aussi « petit français » et, chez les colons d'Afrique subsaharienne, « petit nègre ». Au Sénégal, l'évangélisation catholique est active, mais se fait aussi en wolof, langue véhiculaire. Un instituteur, J. Dard, enseigne le français à Saint-Louis de 1816 à 1820, puis en 1832, avant de mou-

rir. Il met au point une méthode dite « de traduction »,
fondée sur sa connaissance du wolof, qu'il décrit. Mais
son œuvre pionnière ne fut pas poursuivie, en partie
parce qu'elle exigeait que les apprenants aient tous la
même langue maternelle, situation rare en Afrique, et surtout de par la mauvaise volonté de l'administration française.

Au contraire, l'école, à partir de 1830, impose l'usage
exclusif du français et tente d'arracher les jeunes à leurs
références culturelles. Cette politique se développera dan-
gereusement sous le Second Empire et la IIIᵉ République.

6.

La force de l'usage

Entre 1848 et 1914, de même qu'à l'époque précédente, la langue française en elle-même change moins que ses mots et que les attitudes à son égard.

Sur le plan phonétique, on n'assiste guère qu'à la fin d'évolutions anciennes. Une d'elles élimine un phonème, ce qui est notable : celle qui rend archaïque, puis étrange, le « *l* mouillé » (dit « palatal ») avait commencé au XVIIIe siècle ; vers 1850-1860, seuls des locuteurs ruraux et des vieillards prononçaient « aiguille » *èguillye* – comme les Italiens font de *-gl* –, et le goût de Littré pour cette prononciation n'y a rien changé.

D'autres modifications concernent les variantes articulatoires d'un même phonème (évolution du *r*, différente selon les régions), la neutralisation de certaines oppositions (*s/z* dans *-isme*, sonorisé sans doute au début du XXe siècle). Plus significative, l'atténuation des oppositions entre *a* antérieur et postérieur, entre *o* fermé et *o* ouvert, qui ne sera conservé que localement et selon la culture scolaire. A côté de ces changements simplificateurs normaux, qui se traduisent par la disparition de traits phonétiques propres aux classes cultivées ou au contraire aux milieux ruraux, l'alphabétisation, comme on a pu commencer à le voir au XVIIIe siècle, exerce une action rétrograde sur la prononciation. Là où on disait *i vient, i buvait* – face à *il irait* –, l'habitude de lecture rétablit *il vient, il buvait*. Les finales simplifiées, du type *peup', nèg'* pour *peuple, nègre,* disparaissent au point de faire « peuple ou vieil aristocrate[1] ». La connotation « populaire » de l'élision du *l* devant consonne pourra être utilisée quand l'aspect « vieil aristocrate » aura entièrement disparu, dans la seconde moitié du siècle (*cf.* « i's'baladait en chantant [...] » ; « i'buvait si peu qu'un soir [...] » (Bruant), où l'apostrophe (*i'*) signale comme une transgression par rapport à une prononciation canonique. La restitution de consonnes écrites mais jadis prononcées comme celles du *s* de *ours*, du *p* de *dompter*, du *x* en *ks*, et non *ss*, dans *Bruxelles*, des doubles lettres dans *Hollande, affamer,* etc. correspond à la fois à une augmentation de la dépense articulatoire, à une complication phonétique et à une tendance à la simplification ramenant l'oral vers l'écrit. Ces évolutions – à part la disparition du « *l* mouillé » et l'affaiblissement des oppositions vocaliques – ne modifient pas le système phonologique ; elles concernent la répartition de variantes d'usage[2].

En syntaxe, on peut noter la décadence de l'imparfait et du plus-que-parfait du subjonctif, dont la troisième personne du singulier d'*avoir* (*qu'il eût*) est le dernier témoin en français parlé. Maintenus jusqu'au xxᵉ siècle dans le discours écrit soutenu – et dans l'oral pompeux –, ces temps du verbe ne seront plus évoqués que pour produire un effet, en général comique. Quant au passé simple, devenu plus rare dans la langue parlée centrale, il s'est parfaitement maintenu dans l'usage écrit et littéraire, notamment par le style narratif du récit qui le rend familier aux enfants, encore au xxiᵉ siècle. L'ensemble de la morphologie du verbe, artificiellement maintenue dans son intégrité par l'enseignement, est peu perturbé, sauf par l'accroissement du nombre de verbes « défectifs » car on n'ose plus conjuguer *bouillir* ou *coudre*.

La syntaxe proprement dite est si peu modifiée dans ses règles fondamentales qu'une grammaire du milieu du xxᵉ siècle pouvait illustrer sans difficulté l'« ordre des mots » par des exemples de Marivaux ou l'« inversion du sujet » par Chateaubriand et Stendhal ou même La

Bruyère, et qu'elle n'opposait une règle disparue à une règle « contemporaine » que par des exemples antérieurs au xviii⁰ siècle[3]. Certes, il s'agit là de constatations très grossières, très générales, faisant abstraction de la répartition et de la vitalité des variantes d'usage.

On peut cependant noter de nombreuses évolutions de détail, comme celle qui conduit à abandonner « aller *à la* Chine » pour « *en* Chine », à éliminer l'article dans « de la France », qui devient « de France ». D'autres faits, anciens, se répandent, tel l'emploi de *on* pour *nous*. Des prépositions cessent peu à peu d'avoir cours après un verbe : *aider à, essayer de* (+ nom), des constructions disparaissent (*servir faire quelque chose* devient *servir à*). L'emploi des prépositions évolue : « *à la* perfection » remplace « *en* perfection ». Mais, dans ces quelques cas et dans d'autres, il s'agit de points particuliers, non d'évolution d'ensemble. En revanche, la syntaxe « populaire », en fait spontanée et parlée, peut différer beaucoup de celle de l'école ; mais il est toujours difficile de distinguer l'évolution du système des variations de connotations sociales[4].

Du côté des usages, un phénomène important et général continue de se manifester et se renforce, parachevant une évolution séculaire devenue consciente vers la fin du xviii⁰ siècle : le recul de la pluralité linguistique.

Les langues non romanes continuent de s'affaiblir, en France comme en Belgique (breton, flamand), ou sont cantonnées dans d'étroites limites (basque). Seul le dialecte alémanique d'Alsace, après 1870, du fait de l'annexion par l'Allemagne, fait momentanément céder le français. Les dialectes romans cèdent plus encore devant la langue centrale : à l'unification culturelle par l'école et le service militaire (d'où une évolution inégale selon les sexes), s'ajoutent le progrès des relations matérielles (chemins de fer), le brassage social et la diffusion de connaissances transmises en français (la presse, surtout). Certes, la résistance ou la renaissance littéraire de certains dialectes – on pense évidemment au félibrige – incitent à nuancer le tableau ; en outre, un mouvement de retour a enrichi le français de nombreux termes dialectaux, buttes témoins de langues en péril ou disparues. Ainsi, la zone picarde-wallonne continue après 1849 à fournir le vocabulaire de la mine (*borinage*, *galibot*, *coron*), avec parfois des extensions de domaine insoupçonnables (*rescapé*). De même, nombre de mots populaires et argotiques proviennent de ces dialectes, au moment même où ils se désagrègent.

Ce transfert est significatif d'une évolution sociale : la dispersion des usages linguistiques dans l'espace (dialectes d'oïl, dialectes occitans et francoprovençaux, langues différentes) est remplacée, sur la totalité du territoire national français, en Belgique, en Suisse, par la différenciation interne des usages d'une langue unifiée en surface. Outre-mer, les situations du français, on va le voir, sont différentes, et incomparables entre elles ou avec le français d'Europe.

Certes, le français, notamment dans les grandes villes, a toujours connu plusieurs normes selon la classe sociale de ses locuteurs, mais jamais comme dans cette seconde moitié du XIXe siècle, avec l'afflux d'une population rurale déracinée dans les centres urbains et la superposition de critères hiérarchiques économiques et financiers aux critères traditionnels de nature héréditaire ou de fonction instituée (clergé, bourgeoisie de robe, etc.). Bien entendu, la différenciation régionale du français subsiste et, là où les patois cèdent, leur place est souvent prise par un français portant, dans la prononciation, le lexique et certains tours de phrases, la marque régionale. Mais, là encore, le mouvement d'unification – par échanges réciproques dans le domaine du vocabulaire, par recul des traits phonétiques opposés à ceux du français central recommandé – s'exerce continûment.

Une description générale étant impossible, on peut simplement rappeler que, selon certaines sources[5], la zone où l'on ne parle plus que le français (avec des usages qui varient à l'oral, selon les régions) s'étend au cours du XIXe siècle. En 1835, les dialectes d'oïl semblent encore vivaces en Picardie, dans l'Est à partir de la Champagne, alors que les patois véritables paraissent le céder en Normandie à un français régional. Toute la zone franco-provençale, de Lyon à la Savoie et à la Suisse, est bilingue ; le breton et l'alsacien sont très vivants, alors que le patois de Bretagne orientale, le gallo, coexiste avec le français. La zone occitane est bilingue dans les villes, où le français ne cesse de gagner, mais nulle part la langue centrale n'a éliminé les dialectes. Trente ans après, dans les années 1860, les départements où une partie notable des communes ignorent le français (jusqu'à 50 %), dans la moitié nord de la France, sont le Nord, la Meuse, la Meurthe-et-Moselle et les Vosges, le Haut-Rhin, les Côtes-du-Nord (Côtes-d'Armor actuelles) et le Morbihan. Dans le Finistère et dans le Bas-Rhin, le français est rare : sauf dans les centres urbains et dans les classes supérieures, on parle soit breton, soit alsacien ; on n'est plus, alors, dans une relation français-dialecte, mais français-langue d'une autre famille (celtique ; germanique). Au sud, qu'il s'agisse du terroir des diverses formes d'occitan, du gascon ou de langues comme le basque, le catalan ou, du groupe italien, le nissart, le corse, l'usage majoritaire n'est pas encore le français. Plus de 50 % des communes, parfois 80 à 90 %, pratiquent l'occitan (ou le corse) dans dix-huit départements entre les Landes, les Alpes-Maritimes et la Corse. En revanche, le français régional semble l'emporter à côté du français de l'école entre Nîmes et Marseille, ou encore en Savoie, avec la présence de dialectes. Partout la phonétique est différente de celle de la partie septentrionale de la France.

Après le rapport de synthèse sur les patois de France élaboré sous l'Empire par les Coquebert de Montbret, aucun effort d'ensemble pour recueillir et étudier le patrimoine linguistique de la France avant les travaux du linguiste suisse Jules Gilliéron. Ce dernier, après une étude sur un parler francoprovençal de Suisse, trouva un collaborateur extraordinaire pour réunir sur le terrain des données dialectales. Seul, en moins de cinq ans, Edmond

Edmont posa 1 400 questions (ce nombre déjà impressionnant atteignit 2 000 en fin d'enquête) dans 639 localités, insistant plus sur les zones périphériques que sur l'Ile-de-France et le Centre. De fait, la dialectologie des zones où le français central normalisé avait donné au fonds dialectal des allures de parler fortement dévalorisé socialement fut la dernière à se développer, en partie faute d'un intérêt régionaliste.

Si l'on excepte une enquête d'amateur, en 1855, et une étude de Nisard[6], c'est à partir de l'étude de Paul Passy sur le patois de Sainte-Jamme (hameau de Feucherolles, dans l'actuel département des Yvelines) qu'on peut parler de dialectologie de la région parisienne, portant sur un parler qui, au dire de l'auteur, présentait avec le parisien et le français d'école des différences n'empêchant pas sa compréhension. Mais il faut noter que Passy, grand phonéticien, était sans doute capable de franchir le seuil de compréhension plus qu'un autre témoin. La relative intercompréhension, écrivait-il, pouvait expliquer que « ce parler [ait] pu se conserver si longtemps, tandis que bien des patois différents ont complètement disparu ». Malgré cet effort admirable d'observation du réel, l'opinion savante était unanime à rejoindre les conclusions de Gaston Paris, selon qui, en 1888, « pour plusieurs de nos parlers provinciaux, pour ceux surtout qui vivaient à l'ombre redoutable de Paris, il est déjà trop tard[7] ».

Une enquête statistique du Second Empire, en 1863, fait état des données suivantes : sur 37 510 communes, 8 381, représentant un quart de la population, sont supposées ne pas parler français. Sur plus de quatre millions d'enfants scolarisés de 7 à 13 ans, près de 450 000, soit 12,5 %, ne parlaient que leur idiome maternel, et un million et demi, connaissant oralement le français, étaient incapables de l'écrire. Quant à la nature qualitative de ce français, elle était pour le moins incertaine. Enfin, dans 24 des 89 départements d'alors, il semble qu'on ne parlait pas français dans plus de la moitié des communes.

Cette enquête déjà éloquente masquait en partie la réalité scolaire, si on se réfère à d'autres sources régionales plus précises, surtout en zone occitane : pas plus de 10 % d'élèves francophones dans les Bouches-du-Rhône ou le Vaucluse, et aussi le Cantal ; un quart des enfants scolarisés dans l'Hérault, un tiers dans la Lozère et en Dordogne ne connaissaient que l'occitan de leur région. En 1864, l'*Etat de l'instruction primaire* déclare que le « patois », employé par tous en Dordogne, semble « aussi indestructible que l'air respiré ».

Ce qui fait que les cours étaient souvent donnés, faute de compréhension, en dialecte ou en langue locale dans plusieurs départements occitans, en Corse, en Alsace, en Flandre française et en Bretagne bretonnante. En 1875, on reconnaît dans une enquête officielle que seul le catalan est en usage dans le Roussillon. De son côté, le Pas-de-Calais, outre le flamand, parle artésien et picard, dialectes d'oïl. Comme l'écrit E. Weber, « la Troisième République découvrait une France où le français demeurait une langue étrangère pour la moitié de ses citoyens[8] ».

Pourtant, les centralisateurs continuaient, à la manière de l'abbé Grégoire, à identifier le français au progrès. Le pédagogue Félix Pécaut, en 1880, écrivait que le basque allait céder à « un ordre supérieur de civilisation », porté par la langue française. Opinion contestée par les intellectuels des régions, tel l'historien marseillais Mazuy, pour qui le français « n'est pour nous qu'une langue imposée par droit de conquête », ce qui évoque les situations des colonisés hors de France. Encore en 1911, le grand ethnographe Arnold van Gennep considérait que, « pour les paysans et les ouvriers [en France], la langue maternelle est le patois, la langue étrangère le français[9] ».

Tout au long de la période 1871-1914, E. Weber relève des témoignages d'érudits locaux, de prêtres, de policiers, de militaires et d'administrateurs, qui se plaignent (en français) des difficultés de communication qu'ils rencontrent : en 1867, le sous-préfet de Saint-Flour ne pouvait, dit-il, parler avec d'autres habitants des communes de son ressort que les maires. A peine nommé, il constatait que, ses administrés ne pouvant parler que patois avec ses subordonnés, qui étaient de la région, ceux-ci « perdaient en peu de temps ce que les écoles leur [avaient] appris ».

Du côté de la Bretagne, un inspecteur de l'enseignement, en 1864, brosse le tableau suivant : dans les communes rurales, tout le monde parle breton, et on ne trouve guère qu'un adulte sur vingt-cinq pour s'exprimer en français avec facilité ; dans les villes, « un dixième de la population adulte ne sait que le français, et une moitié sait le français et le breton. Le reste [donc 40 %] ne sait que le breton[10] ». Au début du xxe siècle, selon un sous-préfet, la moitié de la population ignore le français et a une préférence marquée pour le breton. L'Eglise joue un rôle défensif contre l'introduction du français, au point que le président Combes, en 1902, veut limiter la prédication et le catéchisme en breton pratiqués par le clergé, allant jusqu'à suspendre les traitements des ecclésiastiques salariés de l'Etat qui s'obstineraient à ne pas faire les instructions religieuses en français[11]. Cette intervention gouvernementale, au nom de la laïcité et de l'imposition autoritaire de la langue centrale, a été interprétée par les Bretons comme une agression.

La Bretagne connaît aussi une mutation économique. Les industries artisanales traditionnelles disparaissent, les nouvelles activités, sauf en basse Loire, bénéficient plus au commerce centré sur Paris qu'à l'économie régionale : conserveries, industrie céréalière et beurrière. Quant aux industries d'Etat, elles concernent alors surtout la Marine nationale, avec les arsenaux et poudreries. Au cours du xixe siècle, le surpeuplement, dû à une natalité forte (34 pour mille dans le Finistère en 1881, contre une moyenne française de 23) et le sous-développement économique engendrent soit la misère, soit l'expatriation. Alors que les Irlandais partent pour les Etats-Unis, les Bretons vont chercher du travail vers l'est, et d'abord dans la région nantaise, plus riche. Les femmes se placent comme domestiques dans les grandes villes plus à l'est, notamment à

Paris. En 1911, on estime que 400 000 Bretons vivent hors de leur région.

Créer des échanges massifs entre les Bretons et le reste de la France était l'un des moyens d'affaiblir les traditions et la langue. On connaît le rôle des transports, du commerce et de la conscription, à côté de celui de l'école, dans cette évolution forcée ou suscitée. Une véritable idéologie des chemins de fer apparaît sous la Restauration. Le secrétaire particulier de Guizot estimait par exemple en 1841 qu'« un chemin de fer apprendra[it] en dix ans plus de français aux Bretons que les plus habiles instituteurs primaires[12] ». « Civiliser, franciser », développer, introduire et renforcer la langue française sans avouer qu'on veut détruire l'idiome maternel : prémices d'un discours exactement colonialiste.

Au cours du XIXᵉ siècle, cependant, la politique hostile au breton n'eut guère de résultats que dans les villes. Dans un récit de voyage écrit en 1883, « En Bretagne », Maupassant notait que « souvent pendant une semaine entière, quand on traverse des villages, on ne rencontre pas une seule personne qui sache un mot de français ». Depuis la visite de Flaubert et de Du Camp évoquée plus haut, quarante ans s'étaient pourtant écoulés. Malgré tout, le sentiment de déperdition existe, exemplifié par Renan en 1863 dans ses *Souvenirs d'enfance et de jeunesse*. C'est pourquoi la collecte des richesses culturelles du passé, en breton et en traduction, fut considérable au XIXᵉ siècle. Le *Barzaz Breiz* de Hersart de la Villemarqué, né près de Quimperlé, a beau poser des problèmes d'authenticité, il a révélé à beaucoup la beauté des chants populaires bretons, dans le registre gai ou épique. Au début du XXᵉ siècle, Anatole le Braz (1859-1926) utilise les contes et chansons recueillis auprès d'acteurs de cette culture orale, telle Marc'harid Ar Fulup, rare témoin d'une vaste culture orale.

La Bretagne fut alors un exemple parmi d'autres de ces renaissances culturelles régionales qui, sans arrêter le mouvement de rouleau compresseur de la langue unifiée, entretinrent ou firent renaître un sentiment d'appartenance aux valeurs des langages hérités.

Cette période fut cependant celle de la progression inéluctable du français en milieu rural, après celle des populations urbaines. Tous les observateurs en font état, comme Henri Baudrillart, dans un important ouvrage sur *Les Populations agricoles de la France (1885-1893)*, en Normandie et en Bretagne (vol. I), Maine et Anjou (vol. II) et en zone occitane (vol. III, *Populations du Midi*).

Cette diffusion du français fut progressive et très variable. Déjà, le fait que la population rurale diminuait, de par la croissance des villes et des sites industriels qui absorbaient d'anciens paysans, était défavorable aux parlers locaux et aux langues régionales. Ensuite – et la chose, on l'a vu, était déjà sensible avant 1848 –, l'évolution différait grandement selon les terroirs. La zone des dialectes d'oïl et francoprovençaux était témoin d'une altération des parlers maternels au contact du français, le critère du maintien étant double : la transmission comme langue courante dans le milieu familial commence à céder, la frontière dialecte-français effectif (non pas enseigné) devient floue. Dans l'espace occitan, la conscience forte des deux langues préserve le dialecte d'une altération aussi forte par le français, et la transmission familiale subsiste au moins jusqu'en 1890. Le cas des langues clairement différentes : breton, flamand, alsacien dans la moitié nord, basque, catalan, corse au sud, témoigne d'un bilinguisme plus actif, surtout jusqu'à la guerre de 1914.

Les rapports entre représentants de l'Etat et populations locales sont alors éloquents. Si un officier constate avec soulagement en 1874, en Indre-et-Loire, que tous les gens parlent français, c'est que la chose était récente et cela n'exclut pas la survie du patois tourangeau. Par contraste, trois ans plus tard, un convoi militaire dans les Hautes-Pyrénées doit emmener un interprète ; dans le Périgord, les paysans, mal à l'aise en français, quand ils le connaissent, préfèrent le patois (selon des témoignages rapportés par E. Weber).

De son côté, l'inspection des écoles fournit des anecdotes analogues. En 1880, dans le Lot-et-Garonne, les enfants, dès qu'ils sont sortis de l'école, reviennent au patois ; même à Cannes, l'année suivante, dans un collège secondaire, les élèves « pensent en patois », dit-on.

Ces témoignages ont l'intérêt de suggérer les problèmes psychologiques posés aux enfants scolarisés, en tout cas en terre occitane. Ne pratiquant le français qu'à l'école, ils sont dans la situation d'apprenants d'une langue étrangère, sans l'avoir voulu. Un début de bilinguisme s'instaure, insuffisant du point de vue des enseignants, pénible pour l'élève. Le dialecte étant interdit à l'école, ce bilinguisme imparfait, entre 1870 et 1914, n'est le fait que des enfants et des adolescents. Les adultes, surtout âgés, restent en dehors de l'évolution. La résistance est forte : « L'enfant l'emploie [le français] tant que le maître le surveille, le petit pioupiou en essaie encore à la caserne ; mais, le village réintégré, *diga li qué vingua*[13] ! »

C'est bien l'école et le service militaire, à la fin du XIXe siècle, dans la génération qui allait être décimée en 1914-1918, qui ont causé l'effet de bascule. Les femmes et les gens âgés vivent en patois, sont illettrés, les jeunes sont bilingues, ont appris à écrire le français seul, ont appris à compter, à apprendre en français et commencent à pouvoir changer de langue sans difficulté selon les interlocuteurs. Les *Mémoires* de Jacques Duclos (1968) mentionnent que, l'année de sa mobilisation à Pau, en 1915, il rencontre un jeune Basque qui ne parle pas un mot de français, mais il se dit alors que les circonstances le contraindront à l'apprendre. Le brassage des soldats, en effet, les amena au français, lorsque le dialecte ne servait pas de signe de reconnaissance entre « pays ».

Au début du XXe siècle, il y a donc – très grossièrement – deux France rurales : celle des dialectes d'oïl, où ne résistent que les parlers de régions isolées ; celle de l'occitan et des langues différentes, où le français a plus de mal à s'imposer, malgré l'école. Certaines langues frontalières, soutenues par leur usage hors de France, bénéficièrent d'un sursis : c'est le cas du flamand dans les communes rurales de France au début du XXᵉ siècle.

Ailleurs, les patois sont l'affaire des vieux. Pour les générations montantes, c'est le français, de plus en plus approprié, qui va exprimer la personnalité régionale. La variété des usages va remplacer celle des langues.

MODERNITÉ ET VOCABULAIRES

Du point de vue du lexique, le mouvement d'enrichissement, très sensible dans la seconde moitié du XVIIIᵉ siècle, accéléré pendant et après la Révolution, continu et puissant avec la révolution industrielle et le romantisme, se poursuit après 1848.

Dans une période historique précisément délimitée, l'évolution lexicale n'est guère étudiable qu'en fonction des conditions socioculturelles et des nécessités conceptuelles qui y correspondent. Car les normes objectives, les usages, sélectionnent sévèrement dans les possibilités quant aux formes et aux sens, en même temps qu'elles ajoutent des éléments imprévisibles, notamment par le mécanisme de l'emprunt. Pour rendre compte de cet usage effectif, il faut toujours évoquer le besoin de nommer, réglé par la société. Or, cette période correspond à deux grands mouvements sociohistoriques complémentaires : l'épanouissement du capitalisme industriel et financier, puis colonialiste, articulé sur la mutation et le progrès technico-scientifique, avec tous ses effets sociaux ; et l'apparition de forces cohérentes en lutte contre les développements de ce système : essentiellement, les socialismes. Le lexique reflète cette dialectique : développement du vocabulaire des sciences et des techniques – sociologiquement, les techniques suscitent une explosion lexicale dont bénéficie la diffusion des termes scientifiques, même s'ils sont antérieurs ; enrichissement des vocabulaires idéologiques par le jeu des discours affrontés de la politique.

Les procédés de la création sont sélectionnés et utilisés en fonction de ces tendances. Certains suffixes et préfixes (*-isme, -iste, anti-*) correspondent aux besoins des idéologies affrontées ; la prolifération des éléments grecs ou latins, combinables de manière de plus en plus libre (création d'« hybrides » fustigée par les puristes), correspond aux nécessités de la conceptualisation scientifique ; celle des emprunts, notamment à l'anglais, au caractère international des progrès techniques et de l'évolution des mœurs. De l'époque évoquée date la constitution *ex nihilo* d'un vocabulaire spécifique pour l'aviation, l'automobile, la plupart des sports, les sciences humaines – *socio-logie* avait été créé, on le sait, par Auguste Comte en 1830, mais passe plus tard du statut de théorie personnelle à celui de science en expansion ; *psych[o]-analyse* est emprunté vers 1914 du mot allemand forgé par Freud. En même temps se produit une modification considérable, par enrichissement, de nombreux vocabulaires (la finance et le syndicalisme fourniront deux exemples antithétiques et suggestifs).

Mais les domaines définis thématiquement ne sont pas seuls à évoluer. Le vocabulaire général, apparemment plus stable, subit des réorganisations : évolutions sémantiques, extensions, spécialisations, transferts, selon les règles probablement universelles de la rhétorique inconsciente. Il en est de même pour le renouvellement dû à l'« usure » des mots. Un signifiant nouveau peut jouer un rôle affectif : les oppositions sociales suscitent un vocabulaire agressif-défensif relativement neuf, l'apparition de la publicité commerciale massive incite à associer un signe au produit que l'on veut vendre ; dans chaque cas, certains procédés linguistiques sont préférés : pour la publicité, la valorisation pseudo-scientifique (morphologie gréco-latine ou rhétorique, dont on trouve des exemples déjà chez Balzac : *César Birotteau*) cède lentement la place à la valorisation par l'origine étrangère (l'anglicisme). Plus généralement, on passe de l'universalité du savoir à l'importation récente, garantie de supériorité sociale (*cf.* le vocabulaire « scientiste » du pharmacien rationaliste et pédant Homais dans *Madame Bovary*).

Faute de pouvoir inventorier, dans chaque domaine d'importance pour les sociétés francophones – il ne suffit pas de le faire pour la France –, les mouvements du vocabulaire, on peut rappeler que pendant le Second Empire et la IIIᵉ République jusqu'à la guerre de 1914-1918, dans la Belgique et la Suisse contemporaines, au Canada français, dans l'Empire franco-belge d'Afrique, aux Caraïbes et dans l'océan Indien ou bien en Extrême-Orient, les besoins d'expression et de communication sont très différents.

En Europe, le fait le plus frappant est l'importance sans cesse accrue de la science. La physique, où la branche électromagnétique se développe, la chimie d'après Lavoisier auxquelles s'ajoutent les applications techniques et industrielles, restent essentielles. S'y ajoutent les sciences de la vie, avec les taxinomies botanique et zoologique, dans l'héritage de Linné, la théorie cellulaire, élaborée dans la première moitié du siècle mais qui produit tout un vocabulaire après 1850 (souvent formé en allemand). Un mot ancien, *évolution*, reçoit à cette époque une valeur épistémologique fondamentale et des applications nombreuses. Si le mot *embryologie* apparaît au XVIIIᵉ siècle, le vocabulaire de cette science est formé après 1840, notamment en allemand par Haeckel. Il en va de même pour la paléontologie, dont la terminologie s'élabore en partie en français. Au croisement de la chimie et de la biologie, les découvertes de Pasteur, qui suscitent de nouvelles définitions de termes existants (*virus*) et des créations nouvelles, parfois destinées à devenir très usuelles (*microbe*, qui vieillira au profit de *micro-organisme*, plus savant). Avec l'apparition des sciences de la transmission de la vie (*genetics* est forgé par William Bateson en 1906), ce sont les connaissances scientifiques et les pratiques médicales qui sont infiniment enrichies. Les vocabulaires doivent suivre[14].

Un autre domaine clé est celui des sciences « humaines », avec une « psychologie » (mot du XVIIIe siècle dans un sens compatible avec sa valeur moderne), une « sociologie » (création d'Auguste Comte, on l'a vu), une « ethnologie » et une « ethnographie » (termes de la fin du XVIIIe siècle et du début du XIXe), puis une « anthropologie », toutes avides de mots et d'expressions nouvelles, y compris des emprunts à des langues mal connues (*tabou*, transmis au XVIIIe siècle par Cook).

Quant à la médecine, son caractère de pratique devenue scientifique la voue à une inondation terminologique que l'enseignement et la clinique contraignent les médecins à maîtriser et qui doit en partie figurer dans le vocabulaire des « soignants », comme on dira plus tard, et finalement, avec un énorme filtrage et d'inévitables glissements sémantiques, dans celui des malades, c'est-à-dire, dira le docteur Knock, de tout le monde.

Ainsi, valide en mathématiques ou dans les laboratoires, le clivage entre lexique de tous et « langages de spécialité » est dans d'autres secteurs une vue de l'esprit. La chose est évidente dès que les échanges verbaux concernant un domaine échappent aux seuls spécialistes et touchent un public plus large, ne serait-ce que par la pédagogie.

On le constate, dans la période considérée, quand apparaissent, après les transports à vapeur – chemin de fer et navigation –, d'autres modes de locomotion, la bicyclette, l'automobile et, dans les airs, les « plus lourds que l'air[15] ». Aux mêmes époques, le transport ferroviaire évolue, devient urbain[16], et son lexique se transforme.

La fin du XIXe siècle et le début du XXe voient aussi le développement, en Europe puis en Amérique du Nord, d'un vocabulaire du cinéma[17] particulièrement fécond en américanismes, malgré la création de *cinématographe* par les frères Lumière. D'autres façons d'en parler seront requises lorsque le cinéma, plus tard, deviendra sonore et parlant, ce qui changera son impact langagier.

La trajectoire accomplie par le mot *sport*, qui apparut en français dans le *Journal des haras* en 1828, est à la mesure de l'importance sociale prise par ce concept imprécis dès le départ. Après s'être appliqué à peu près seulement aux courses de chevaux sur le *turf*, ainsi qu'aux « courses aux cochers » qu'évoque déjà Musset (le *steeple-chase*), *sport* s'est différencié, codifié, enrichi, toujours par imitation assez servile des coutumes anglo-saxonnes. L'origine de certains sports britanniques répandus ensuite dans le monde est d'une précision impitoyable : Rugby pour le jeu de ballon qui prit ce nom, Saint-Andrews, en Écosse, pour le *golf*... Repaire farouche d'anglicismes en français – les francisations sont d'abord rares –, le domaine sportif participe de l'exercice, du spectacle, avant de devenir activité économique. Sa pratique est mise en discours par une presse spéciale, dans un contexte où les tirages des principaux quotidiens se sont énormément accrus (un million d'exemplaires et plus). Le sport y prend sa place ; elle est intégrale dans *Le Vélo* (1891), *L'Auto* (1900) et *Le Journal des sports*, où les termes techniques, en général empruntés, voisinent avec ceux qui deviennent connus de tous les francophones. Le tout est mis en œuvre par une rhétorique aux procédés multiples, selon les disciplines, en général dans l'outrance, où l'admiration pour les exploits, l'excitation pour le suspense, l'exaltation des valeurs nationales ou très régionales (les clubs) prennent de plus en plus de place. Entre technicité assumée – écartant les profanes – et épopée claironnée, le discours du sport débouche sur des mythologies populaires et des investissements collectifs qui ont trouvé leur expression langagière, d'abord écrite, puis, grâce à la radio, orale[18].

Cette dramatisation rhétorique de l'exercice physique n'est pas spécifique. A chaque vocabulaire de domaine – la terminologie, qui conceptualise et nomme, n'entraîne pas ce genre de conséquences – correspond une mise en discours plus ou moins repérable. Celle des sports est sociologiquement remarquable, dans le cadre de cette infantilisation collective analysée par Huizinga dans *Homo ludens*.

LA LITTÉRATURE, REFLET DES PAROLES SOCIALES

L'usage linguistique français après 1848 subit une évolution que l'on néglige souvent d'étudier, sans doute parce qu'elle est trop évidente et qu'elle risque de masquer ou de déformer les tendances dont on vient de parler. Cette évolution concerne les jugements linguistiques naïfs et spontanés, souvent inconscients, qu'il ne faut confondre ni avec les prescriptions volontaires et les tentatives d'interventionnisme linguistique (souvent inefficaces), ni avec la conscience métalinguistique élaborée de l'idéologie (le purisme, l'enseignement) ou de la science (la linguistique, la phonétique, les sciences du discours). Dans ce domaine, la littérature constitue un poste d'observation irremplaçable, de par la sensibilité « professionnelle » de l'écrivain, lorsqu'il veut transcrire la société, aux variantes de l'usage. Après les œuvres de Balzac, de George Sand, de Sue, d'Henri Monnier, de Murger, celles de Hugo, notamment *Les Misérables*, de Flaubert, de Maupassant, de Daudet, de Zola, des Goncourt, de Champfleury, de Duranty fourmillent d'observations sur les usages de langage qui constituent un corpus de jugements implicites ou explicites. L'abandon de la rhétorique unifiante du XVIIIe siècle et le souci d'exactitude dans la reproduction du discours d'autrui sont deux caractéristiques majeures du discours littéraire prosaïque au XIXe siècle. Le langage apparaît souvent comme tel dans le discours littéraire de l'époque et commence à perdre son abstraction unitaire, sa fallacieuse transparence. C'est désormais moins la prose idéale de Bossuet dans ses *Oraisons funèbres* que le « langage du paysan à sa charrue, du soldat dans le camp, de l'ouvrier dans l'atelier » qui intéresse l'écrivain, comme le note Louis Petit de Julleville dans ses *Notions générales sur les origines et sur l'histoire de la langue française* de

1883, avant de solliciter, pour les sept volumes de son *Histoire de la langue et de la littérature françaises* (1900), la collaboration du jeune Ferdinand Brunot.

Ce sont les prolongements du romantisme qui manifestent le mieux cet important phénomène social : la prise de conscience bourgeoise de l'altérité dans la parole. La grande œuvre en prose du XIXe siècle se caractérise partiellement comme le lieu fictif où se rassemblent et s'enchaînent les produits d'énonciations socialement distinctes. L'image concrète de ce lieu est d'ailleurs souvent évoquée dans la littérature : la pension, l'auberge, le salon mondain, la diligence… Les procédés du dialogue, du discours rapporté, du discours indirect libre cachent et révèlent le besoin dialectique de l'unité du texte dans la pluralité des discours. Non content de transmuer son propre énoncé en œuvre d'art, le créateur en langage forme son œuvre avec la matière apparemment brute – en fait sélectionnée, transposée, imaginée, simulée, traitée… – de la parole de l'Autre. C'est notamment l'Autre social, au visage obscur et terrible, qui se manifeste : le Peuple aux millions de bouches, aux phrases qui témoignent d'une autre Loi (d'une autre grammaire), aux mots étranges et grotesques faits pour fasciner l'écrivain, qui se veut le maître des signes. Le Hugo des *Contemplations*, on l'a vu, avait proclamé cette prise de pouvoir du « mot roturier ». Celui des *Misérables* l'illustre puissamment.

Les Misérables paraissent en 1862 ; même si les personnages, de Javert à Valjean, y parlent peu ou prou comme Hugo écrit, les faits de langage y sont innombrables – on les supposera bien observés –, et ils sont fréquemment éclairés dans leur genèse. C'est le cas du procédé par analogie dans : « – Toi ! Va à ton affaire ! […] – J'y vas, cria Gavroche[19]. » Il est souvent impossible de savoir si certains traits appartiennent au modèle ou à la réécriture par l'auteur (Gavroche emploie la négation complète, avec *ne*, ce qui serait significatif si la notation était intentionnelle), mais le vocabulaire et les tours prêtés aux divers personnages, par leurs contrastes, permettent d'opposer les usages selon plusieurs axes : sexe (discours des hommes et des femmes de même milieu, par exemple chez les Thénardier), niveau social, âge, etc. Certains passages, volontairement traités comme populaires et teintés d'argot, attestent *a contrario* la rareté de phénomènes développés plus tard en français familier. Ainsi du système interrogatif dans ce dialogue entre deux masques qui préparent un mauvais coup, lors du mariage de Marius et de Cosette (la scène se passe le 16 février 1833) : l'inversion y est généralement faite (*vois-tu…, peux-tu…, d'où vient-elle…*), mais on trouve, impliquant un phénomène d'intonation et après une demande (« Il faut que tu tâches de savoir où est allée cette noce-là »), l'échange suivant : « Où elle va ? – Oui. – Je le sais. – Où va-t-elle donc ? » Ce « où elle va ? », qui paraît nouveau en français écrit, témoigne de l'apparition d'une tendance syntaxique du langage parlé.

Le travail descriptif de Hugo, celui de Balzac, dont il a été question, celui d'Eugène Sue dans *Les Mystères de Paris*, affectent les apparences de l'objectivité, mais la simple constatation des différences et la nature du modèle d'énonciation qui unifie ces discours par le style de l'écrivain constituent déjà un système évaluatif. Ainsi, chez Flaubert, la parole de Homais et, plus encore, celle de Bouvard et de Pécuchet constituent une mise en accusation du phénomène de transfert par lequel les terminologies scientifiques sont « vulgarisées » et intégrées au lexique disponible de couches sociales plus larges, qui maîtrisent mal les contenus de pensée. Le problème de l'emprunt individuel – d'un type d'usage à un autre – fournissant un stock lexical mal intégré et s'opposant aux vocabulaires hérités, plus stables, n'est pas seulement linguistique ; il correspond au mouvement social, à la diffusion des connaissances qui implique une destructuration conceptuelle repérable dans l'« usure », les « déviations », les « contresens » portant sur les signes transférés. Linguistiquement analogue, le phénomène qui produit le discours snob développé au début du xxe siècle implique aussi un transfert déformant, qui n'épargne pas le signifiant.

Des argots, ou l'argot ?

Le surgissement de l'argot, jargon terrible du crime chez Balzac, Sue et Hugo, discours menaçant du peuple chez les Goncourt, et la diffusion rassurante de son lexique dans l'usage petit-bourgeois ou snob (phénomène beaucoup plus tardif) se lisent dans l'histoire de cette période et correspondent, tout comme la vulgarisation des mots de la science, à l'usure de signifiants dont le poids obscur effrayait et à la construction d'une compétence lexicale hybride, très enrichie et sujette à des distorsions sémantiques qui la font sévèrement juger.

Foncièrement, on peut appeler *argot* tout vocabulaire destiné à bloquer la compréhension hors de la communauté qui l'emploie et à se reconnaître entre soi pour les membres de cette communauté. L'argot implique l'exclusion ; *un* argot populaire ou savant exclut donc tous les autres. Il y a en effet un argot par milieu socioprofessionnel. Cependant, l'argot des séminaristes, celui des Grandes Ecoles, celui des comédiens, des ingénieurs, des facteurs ou des instituteurs n'ont pas passionné l'opinion (elle avait tort), et un argot parmi tous fut le mieux perçu, socialement extrême, mieux défendu contre le monde extérieur parce que ses usagers, étant hors la loi, risquaient la prison ou la mort. C'était le « jargon » des malfaiteurs, pratiqué déjà par Villon, celui des « classes dangereuses », comme on disait au XIXe siècle. Baptisé du nom d'un royaume imaginaire où se retrouvent mystérieusement les faux aveugles et estropiés qui vivent de l'argent des autres (les « truands »), l'argot est le jargon des jargons. Il réapparaît au début du XIXe siècle[20], vite évoqué – on l'a dit plus haut – par de grands écrivains, mais c'est dans les années 1860 que le monde extérieur s'intéresse véritablement à lui : le *Dictionnaire de la langue verte* d'Alfred Delvau est publié en 1866. De très nom-

breux ouvrages similaires parurent ensuite[21], tandis que
l'exploitation narrative et littéraire, voire poétique de ce
qu'on appelle dès lors l'« argot » ou la « langue verte »
devient un genre.

On ne se contente plus de typer des personnages par
leur vocabulaire « argotique » – comme le faisaient Hugo
ou Eugène Sue, s'agissant de délinquants –, on intègre ce
type d'usages à des milieux populaires nullement hors la
loi, comme le fait Zola. Dans *Les Sœurs Vatard*, du Huys-
mans naturaliste, les héroïnes, qui sont de jeunes
ouvrières, parlent « peuple » ; ce sont les hommes qui utilisent des expressions argotiques : « Vous êtes d'un rupin.
– On va trimballer sa blonde, mon vieux ; nous irons
lichoter un rigolboche à la place Pinel […]. » Malgré
l'incompréhension relative que l'auteur attendait du lecteur bourgeois, cet « argot », comme celui des frères Goncourt (*Germinie Lacerteux*, *La Fille Elisa*), n'est plus très
« argot ». Un cran de plus dans la mode argotière, figurent les systèmes de transcription de la langue populaire
orale mis au point par Jean Richepin, dans *La Chanson
des gueux*, par Jehan Rictus (*Les Soliloques du pauvre*), par
André Gill ou Aristide Bruant, dont les chansons sont
encore célèbres (notamment celles du recueil *Dans la
rue*). Nous en reparlerons.

L'utilisation poétique ou stylistique de mots d'argot et
d'une grammaire orale populaire (parisienne, en général)
est distincte de l'usage spontané du vocabulaire d'abord
secret qu'on appelle à bon droit « argot ». La frontière
entre certains usages populaires faubouriens et un véritable « argot du milieu » est floue. Le linguiste Lazare Saï-
néan, en 1912, notait que s'il y avait jusqu'au milieu du
XIXe siècle deux usages distincts, l'« argot » et le « bas-
langage », ils se sont « fondus en un idiome unique,
l'argot [il écrit aussi "le vulgaire"] parisien ».

C'était sans doute durcir le trait, mais bien poser le
problème. La fin du langage crypté, à coups de procédés
formels et sémantiques complexes, langage destiné à l'isolement langagier d'un groupe délictueux, est accomplie

lorsque l'« argot » devient une mode, un style, un instrument de revendication sociale ou de lyrisme populaire.
Quand, pendant la guerre « de 14-18 », on étudie un
argot des poilus, un « argot des tranchées », il ne s'agit
évidemment plus de la parole plus ou moins secrète des
« classes dangereuses ». On montre par là le prestige,
auprès de la réunion d'hommes venant de toutes les
régions de France, du langage populaire parisien, facteur
d'unification dans la variation même par l'écart qui
oppose ce faux « argot » au bon usage des bourgeois et de
l'école. Ce poilu est le petit-fils de Gavroche : peuple et
courage.

Ce que l'on constate dans les transpositions des usages,
qu'il s'agisse de l'argot des délinquants ou des parlers
populaires parisiens teintés d'argot, on peut l'observer
chaque fois que, dans une œuvre littéraire, il y a écart
entre l'usage écrit à finalité esthétique de l'écrivain et
d'autres usages qu'il veut refléter.

Registres

La littérature de la seconde moitié du XIXe siècle constitue donc un remarquable champ d'observation pour l'analyse des variantes d'usage du français et pour les attitudes
évaluatives qu'elles suscitent (plutôt positives chez Hugo,
inquiètes chez Sue, dégoûtées mais curieuses chez les
Goncourt). Plus que dans le discours explicite de la norme,
généralement anachronique, c'est là que transparaissent
les réalités sociolinguistiques, évidemment traitées et trans-
posées.

On note que l'apparition d'un modèle d'énonciation
particulier, celui de l'« écrivain », autorise celui-ci à élargir sa palette, à simuler par exemple le discours populaire
ou à absorber des éléments didactiques (Flaubert dans
Salammbô ou dans *Bouvard et Pécuchet*, Jules Verne…),
en bref à affiner et augmenter pour son usage le stock
lexical par tous les procédés acceptables (l'écriture artiste,
les symbolistes…). Le vocabulaire familier, puis franche-

ment « populaire » – emprunté à la classe prolétarienne
ou à son image mythique – apparaît jusqu'en poésie (Verlaine, Richepin, Bruant, Jehan Rictus), continuant l'opération « Bonnet-rouge-au-vieux-dictionnaire » qu'avait lancée
Hugo. Il faut souligner également l'apparition de traits
considérés comme « populaires » dans l'énoncé même de
l'auteur, par le discours indirect libre (par exemple chez
Zola, qui simule volontiers le type d'énonciation du milieu
qu'il dépeint) ou pour enrichir le modèle, ceci jusque dans
le discours poétique (Rimbaud, Verlaine…).

Les écrivains reprennent ces façons de parler débridées
dans leurs correspondances intimes (celle de Flaubert) ou
dans leurs journaux, intimes ou non (entre l'édition expurgée du *Journal* des Goncourt – concernant la période
1851-1896 – et l'intégrale, il y a tout l'espace du tabou
social, alors considérable). Maupassant est une mine de
langage paysan de Normandie et petit-bourgeois de
Paris ; dans le Daudet des *Tartarin* et des *Lettres de mon
moulin*, l'écrivain très parisien note des bribes de provençal et attribue au discours régional « méridional » les
effets de grossissement qui feront le succès des histoires
marseillaises. Quand Flaubert s'intéresse au monde qui
l'entoure, et qu'il n'aime pas, il fait parler les orateurs de
comices agricoles et les hobereaux, les paysans et les prêteurs sur gages, les imbéciles naturels et artificiels (Homais)
réunis dans *Madame Bovary*. Avec *L'Education sentimentale*, c'est, en dérision, la parole politique parisienne… A
la différence des romans sentimentaux et mondains aux
discours fades et convenus (tel Charles de Bernard, qui,
par un profond mystère, a les honneurs, seul de son
temps, du sévère *Dictionnaire* d'Emile Littré).

Et puis il y a, sans rapport entre eux autre qu'un
immense succès – et c'est beaucoup, en sociologie des discours –, la planète Jules Verne et la planète Zola. La première est bourrée de terminologies scientifiques et
techniques, de laïus savants et de gouaille – un titi bien
français joue les Sganarelle aux côtés d'un gentleman britannique : *Le Tour du monde en quatre-vingts jours*. La

seconde – sur le plan qui nous occupe ici – prolonge Balzac dans l'évocation d'une société qui a énormément changé, dans l'inventaire un peu maniaque, étourdissant, de toutes sortes de vocabulaires (les denrées alimentaires, la mode, le commerce, la finance, la mine…) où il faut bien qu'on parle, chacun à sa manière. Beaucoup pensent que le reflet des usages sociaux du français, chez Zola, est artificiel. Disons qu'il ne s'accorde pas toujours avec la puissance du récit lui-même. Il est possible que le langage des mineurs de *Germinal* (1885 : cent mille exemplaires vendus) soit transposé et intégré dans le grand projet stylistique zolien, mais le lecteur d'aujourd'hui sent une musique vocale qu'il a envie de croire véridique quand, dans *L'Assommoir*, la noce de Gervaise, bien arrosée, entraîne quelques prolos dans les salles du Louvre en une cocasse et terrible confrontation entre les trésors de l'art, de la culture, et ceux qui n'y ont droit qu'en apparence, car les musées sont ouverts à tous.

Bien entendu, le « niveau de langue » de l'auteur est distinct de ceux qu'il prête à ses personnages : les deux sont des effets de l'art, mais le second, en apparence libre et varié, se veut contraint par l'observation juste ou erronée, précise ou distraite, neutre ou chargée d'intentions des paroles de l'Autre. L'époque commence à pratiquer le transfert du discours de l'auteur à un narrateur supposé : il s'agit alors, comme dans les romans par lettres du XVIIIᵉ siècle, comme dans tout théâtre « réaliste », de s'approprier la parole de l'autre, en forçant sur la part de spontanéité relâchée qu'il y a dans la parole du plus érudit, du plus intellectuel des auteurs. Dans *Le Journal d'une femme de chambre*, Mirbeau fait s'exprimer au long du roman un personnage assez odieux, haineux, antisémite enragé, gouailleur, vulgaire ; le procédé vient s'ajouter aux dialogues et aux évocations de paroles en style indirect.

Il ne s'agit pas ici de techniques romanesques ou narratives ; seulement d'une ouverture sur l'infinie variété des discours, ouverture sans doute biaisée, déformante, mais, chez les auteurs attentifs à l'oreille sûre – Balzac, Hugo, selon un jugement intuitif –, il arrive qu'on entende véritablement, peut-être mieux que par enregistrement fidèle, grâce au grossissement du trait, la variété psychologique et sociale des manières d'exprimer et de communiquer en langue française.

Oral-écrit : de nouveaux rapports

Un domaine où la pluralité des discours est constitutive est le théâtre. Fort peu, il est vrai, au XVIIᵉ siècle (mais il y a Molière), un peu plus au XVIIIᵉ grâce à Marivaux, à Beaumarchais, et complètement, dans une grande partie – celle qui survit – du spectacle théâtral du XIXᵉ siècle, surtout après le recul du théâtre en vers.

Au théâtre, les personnages, et notamment ceux qui parlent « normalement », en prose, surtout les personnages à vertu comique, sont en effet caractérisés par leur type de discours plus encore que par leur figure, leur vêture, leurs gestes. L'alternance – surtout quand elle est vive, mimant la réalité des échanges verbaux – d'énoncés réassumés par des comédiens, pseudo-locuteurs qui « parlent » un texte d'auteur lorsqu'ils n'improvisent pas, dépeint la rencontre de plusieurs comportements psychologiques et sociaux ; elle est par nature favorable à la peinture, à l'appréciation et à l'utilisation d'usages linguistiques reconnaissables par le spectateur.

Hors du théâtre, et pour des raisons de nature diverse, les rapports entre oral et écrit, observables en français plus que dans les dialectes et langues dominées, sont alors en train de changer. L'écrit imprimé se multipliant, il est lu par des masses plus nombreuses : plusieurs systèmes de diffusion se concurrencent. Le colportage, on l'a noté, disparaît peu à peu, relayé par la poste, qui distribue périodiques et journaux. Ceux-ci, au départ réservés à des lecteurs assez entraînés (le couple bourgeois-journal est un stéréotype littéraire depuis 1830), se diffusent par des contenus adaptés à des publics plus populaires, notamment par les nouvelles techniques d'illustration. Celles-ci suscitent des ouvrages et des hebdomadaires d'un type nouveau, où langage imprimé et images jouent chacun leur partie. On n'en est pas encore à la véritable bande dessinée, mais les histoires en images légendées, avec des talents d'illustrateurs et de rédacteurs (parfois le même) très remarquables, sont un support nouveau et important dans la représentation, qui n'était que livresque et littéraire, de la variation des usages langagiers. Le rôle de Georges Colomb, qui signe Christophe, est bien connu : dans le célèbre *Sapeur Camember*[22] comme dans la Bécassine de Caumery pour le texte et Joseph Pinchon pour un graphisme mémorable (publiée à partir de 1902 dans *La Semaine de Suzette*), le discours en français « fautif » est dépeint à l'intention des enfants, à l'image lointaine des ilotes enivrés pour dégoûter les jeunes Spartiates de l'alcoolisme. Mais à Sparte, apparemment, on ne riait guère, alors que les bourdes de l'excellent Camember et de la naïve Bretonne, de même que la transcription du lourd accent alsacien de Mamizelle Victoire (dans *Camember*), devaient avant tout amuser. Plus marqués par l'usage populaire teinté d'argot, les trois personnages étonnants de Louis Forton (1878-1934), ces *Pieds Nickelés* dont le nom, écrit de manière trompeuse, évoque à tort un métal brillant, alors qu'il s'agit d'un mot dialectal, *niclé*, qui désigne une infirmité évoquée pour justifier la paresse. C'est là, dans un journal pour gamins échappant aux influences des catéchismes, *L'Epatant*, que naît en France ce qui commence à ressembler à une bédé.

L'usage qui est représenté là n'est pas celui de l'école. C'est vrai aussi des recueils de jeux sur le langage, où la forme est utilisée pour produire du sens de manière comique et incongrue : en effet, à côté des almanachs traditionnels remplis d'informations et d'illustrations (ceux de Hachette, entre 1880 et 1900, sont très lus), apparaissent ces recueils de drôleries verbales dont le plus illustre est l'*Almanach Vermot*, qui paraît en 1886, auquel des publications comme *Le Journal amusant* font concurrence.

Cependant, grâce aux évolutions techniques, le dicton latin séculaire *Verba volant, scripta manent* cesse d'être absolument vrai. Le phonographe, grâce à Charles Cros et à Thomas Edison, est mis au point à la fin des années 1870. Qu'enregistre-t-on alors ? La voix humaine sous des formes supposées artistiques : chant ou chanson, déclamation des acteurs et actrices célèbres. Pas encore la parole quotidienne, en partie pour des raisons pratiques ; le matériel est alors encombrant et peu maniable. Les choses changeront avec le magnétophone, imaginé à l'extrême fin du XIXᵉ siècle.

Cependant, la machine à enregistrer va, peu avant la Grande Guerre, faire évoluer les sciences de la parole : en 1911, l'industriel Emile Pathé offre au laboratoire de phonétique de la Sorbonne des enregistreurs. Dès l'année suivante, Ferdinand Brunot et le jeune Charles Bruneau partent en expédition automobile pour une enquête linguistique de terrain dans les Ardennes[23] et en Belgique wallonne. L'idée de Brunot, constituer des *Archives de la parole*, va pouvoir se réaliser au XXᵉ siècle.

VISIONS ET PÉDAGOGIE DU LANGAGE

Dans le même temps où le français, en France, Belgique et Suisse romande, triomphait des autres systèmes linguistiques, s'enrichissait anarchiquement dans son lexique, évoluait peu à peu dans sa phonétique et sa grammaire, et se différenciait régionalement, socialement et professionnellement en usages distincts, les attitudes conscientes à l'égard du phénomène langagier en général se modifiaient profondément. Sans doute, les grammaires normatives n'ont pas disparu après 1848, et les leçons du comparatisme et de la philologie sont lentes à se formuler. On l'a noté pour la période précédente, les effets du bouleversement conceptuel qui rend possible une science du langage et l'étude des langues envisagées « pour elles-mêmes » (Franz Bopp, en 1833) ne se font pas sentir directement en France. Le XIXe siècle français s'adonne à la philologie, conçue comme la « science des produits de l'esprit humain » (Renan).

Le français n'est plus seulement considéré comme un système rationnel parfait dans ses incohérences mêmes grâce à un « bon usage » autoproclamé, mais comme le produit d'une évolution qui le fonde en rationalité et dont les témoins doivent être inventoriés. C'est dans les dialectes et les textes littéraires d'ancien et de moyen français que va être repérée l'épaisseur anthropologique de la langue et imaginée son insertion dans une raison abstraite, éliminant les abus et les erreurs de l'usage vulgaire.

Dans l'explication des faits de langue, deux grands thèmes se développent. L'un relève d'une vision qui se veut scientifique des mots et du langage, mais qui va devenir ce que Bachelard appelait un « obstacle épistémologique » : c'est la métaphore biologique. Celle-ci part d'une réelle avancée scientifique, matérialisée par le texte superbe et fondateur de Claude Bernard, *Introduction à la médecine expérimentale* (1866), et par les progrès foudroyants des sciences de la vie. Stimulée par certains aspects de la linguistique comparative en Allemagne et en Angleterre mais surtout par le développement des idées scientifiques (Pasteur en France, Darwin), la métaphore vitale envahit la réflexion sur le langage. Elle prend des allures respectables lorsqu'elle est utilisée par de vrais linguistes, comme le brillant Arsène Darmesteter, coauteur du meilleur dictionnaire de la langue française de cette époque, le *Dictionnaire général* de Hatzfeld, Darmesteter et Thomas. Encore l'auteur respecté de *La Vie des mots*, qui interprétait métaphoriquement en 1866 leur histoire en termes darwiniens de lutte pour la vie et en termes d'embryologie, de la « cellule » à l'« organisme », corrigeait-il dans son magnifique traité sur la formation et l'histoire des mots du *Dictionnaire général* : « la vie du langage, cette vie *que notre esprit prête* [je souligne] aux groupes de sons que nous appelons des mots ».

Cette métaphore est plus douteuse quand elle entraîne l'idée d'une pathologie ou de maladies du langage, qui vient commodément à la rescousse du purisme[24]. Certains, comme ce Théodore Joran, auteur en 1896 de *Le Péril de la Syntaxe et la Crise de l'Orthographe*, n'hésitent pas à voir dans la presse le « bouillon de culture de tous ces microbes infestant notre langue », « car c'est de la lecture des journaux, estime l'auteur, que se nourrit principalement l'esprit de nos contemporains »[25].

Ainsi, les sciences de la vie et celle qui raconte la vie après sa disparition, la paléontologie, métaphore aimée de Littré quant à la reconstitution des formes anciennes, contaminent fortement, et pour longtemps malgré les mises en garde, la pensée historique sur la langue. Cuvier et Darwin, Claude Bernard et Pasteur, à leur insu, sont mobilisés par la « grammaire » et la « lexicologie » laroussienne.

Ce qui semble être la première « histoire » de la langue française, toute narrative et accrochée à l'histoire générale, celle de Gabriel Henry en 1812, faisait l'économie du discours biologique. Avec Albin de Chevallet, auteur de *Origine et formation de la langue française* (1858), une perspective plus sociologique induit la métaphore de l'« organisme ». Bientôt, Augustin Pellissier peut écrire tout uniment – la métaphore devient une hypothèse voulue scientifique : « Une langue […] présente tous les caractères d'un organisme soumis à la loi de la vie et de la mort[26]. »

De leur côté, ce n'est pas des lois de la biologie, mais de celles de la logique, que se réclament, dans leur exposé du lexique français, Adolphe Hatzfeld dans le *Dictionnaire général* ou l'inspecteur Arsène Chassang dans sa *Nouvelle Grammaire* de 1876. Ce dernier écrit que, si l'on veut sortir, en exposant la grammaire du français, d'« un amas de règles qui ne disent rien à l'esprit et d'exceptions qui ne se comprennent pas », il faut recourir aux « explications » fournies par l'Histoire sous forme d'un « enchaînement logique de causes et d'effets »[27]. Ainsi, souvent par la leçon

allemande, une linguistique appliquée au français se développe vite à la fin du XIXe siècle.

Par ailleurs, après l'initiative « troubadouresque » d'un
Raynouard, accordée à la sensibilité romantique, c'est
l'esprit philologique exalté par Renan et le travail solitaire
des érudits, moines et laïques, chartistes et linguistes, qui
vont animer la redécouverte réelle de l'ancien et du
moyen français.

Mais celle-ci produit des effets contrastés : d'un côté,
romantisme et postromantisme des lyrismes folkloriques
et régionaux : en Occitanie provençale, le félibrige ne
concerne pas seulement la littérature en langue occitane.
C'est un phénomène majeur pour la perception des langues en France, par rapport au français, à l'époque où
elles sont très officiellement mises à mal. L'occitan, à travers le prisme provençal, lyrique et traditionaliste, voire
réactionnaire (Mistral est ami de Maurras), prend une
image forte, qui agit à la fois sur celle des dialectes d'oc
encore vivants et sur l'image globale d'une langue « provençale » digne de respect. Le provençal de Roumanille,
d'Aubanel – parfois traduit par le conteur de la Provence
en français, Paul Arène, très présent dans les manuels de
lecture du XXe siècle – et, naturellement, de Frederi Mistral (le mistral, le « magistral »), qui écrit ses œuvres en
deux langues, est en France une langue étrangère pas
comme les autres, langue littéraire sous-tendue par un
passé glorieux, et aussi par un présent régional divisé
mais vivant. Mistral est aussi l'auteur du grand *Trésor dou
Félibrige*, lexique important de l'occitan provençal (1878).

Les débuts de la scientifisation, sensibles dans la récolte
des faits observables, c'est-à-dire des textes, dans leur description, leur analyse et leur classement, alimentent, selon
un paradoxe courant, l'idéologie (le contraire de la
science) en tentant de justifier par le passé – notamment
le passé féodal, dont témoignent l'ancien et le moyen
français – et par les séquelles de ce passé perpétuées dans
une société rurale menacée (les dialectes) un système linguistique lentement modifié dans ses structures et qui

subit une révolution lexicale – et donc sémantique. C'est proprement d'une réaction qu'il s'agit, mais d'une réaction contre une modernité elle-même consciemment réactionnaire (le Second Empire) et qui véhicule malgré elle les conditions de sa disparition. Le recours au « gothique », commun au romantisme et au comparatisme, l'intérêt pour les dialectes et les folklores qui ont commencé avec le romantisme, débouchent à la fois sur le purisme académique, sur le conservatisme éclairé de Littré, sur la sémiologie d'Auguste Comte et sur la poétique mallarméenne.

Au contraire, les praticiens, et d'abord les créateurs, ou, comme dira Valéry, les « artisans en langage », sont immédiatement écoutés, sinon compris. La révolution romantique avait redonné au signe lexical son statut proprement littéraire, qui est l'autonymie, le renvoi à soi-même en tant que forme, le caractère intraduisible. Ce caractère avait été occulté, au XVIIIᵉ siècle, par l'échange de la fonction poétique et du discours didactique – d'où la disparition quasi totale du poétique au profit du versifié. Seule la prose la plus démonstrative, précisément, pouvait se payer le luxe d'une épaisseur signifiante : Rousseau, Diderot. Après 1848, on peut voir dans le « réalisme », comme dans les écoles poétiques dites Parnasse ou Symbolisme, les suites de la même évolution. Que les romanciers post-balzaciens prennent conscience de la pluralité des usages et enrichissent ainsi la langue écrite, que les symbolistes et tous les poètes travaillent la matière lexicale (créations formelles et fonctionnelles de l'écriture artiste), assouplissent et compliquent la syntaxe à leur usage, le résultat est profondément convergent. Grâce à l'inventivité morphologique et à ses aspects sémantiques ou au transfert entre les types d'usage, des signes inattendus – qu'ils soient ou non inouïs – apparaissent avec leur massiveté, leur opacité signifiante. La méthode la plus discrète, qui affecte de conserver le signe banal ou rare mais lui confère un signifié récupéré dans l'étymologie, celle de Mallarmé, est aussi la plus subversive.

Ce qui est vrai par la volonté créatrice du poète, qui mêle musique et graphisme, l'est aussi dans la spontanéité populaire. Les mots cryptés de l'argot, lorsqu'ils sont proposés à des lecteurs qui les ignoraient – ce qui est l'intention d'un Bruant, d'un Richepin, comme ce le sera pour les argotiers du XXᵉ siècle –, produisent un effet formel, sonore et graphique qui en fait des caillots inquiétants dans le flux des discours.

Tout à fait distinctes des visions spontanées du langage, qui correspondent au ressenti social des situations vécues et sont donc contradictoires et souvent conflictuelles, de nombreuses tentatives sont faites pour maîtriser intellectuellement les phénomènes liés à la langue ou aux langues, aux usages, aux prescriptions. Mais l'action de ces démarches sur le réel du langage ne sera sensible que par des médiations utilitaires – les grammaires, les dictionnaires qui, avec les nouveaux savoirs, devront évoluer – et idéologiques – d'abord la passion historique du romantisme, permettant aux penseurs et aux écrivains de prendre de la distance par rapport au poids écrasant de la tradition immédiatement antérieure, ensuite le désir de changer la langue même, voire d'en inventer une qui soit digne de la création poétique.

A la différence des lentes évolutions du système et du ressenti de la langue, le renouvellement des techniques descriptives qu'on lui applique au XIXᵉ siècle, surtout après 1848, produit assez vite des effets. Littré, en un sens et involontairement, est le vulgarisateur des idées linguistiques de Mallarmé tout autant que de celles d'Auguste Comte, qu'il reflète moins qu'il ne le pense. Le progrès de la technique lexicographique est évident, de Boiste (1802 et éditions successives) à Bescherelle (1846) ou à ses concurrents, d'eux à Littré. Mais il ne s'agit au fond que d'un rattrapage, et le modèle implicite de Samuel Johnson – auteur au XVIIIᵉ siècle du premier dictionnaire de langue moderne, portant sur l'anglaise et construit sur un ensemble de citations référenciées –, le modèle explicite des frères Grimm pour l'allemand, comme l'essor des études romanes (Friedrich Diez) informent le travail de Littré et celui de Frédéric Godefroy (1881) sur l'ancien français. L'un comme l'autre sont plutôt en retrait, techniquement, sur ce qui se fait pour les langues germaniques.

A la fois terme d'une lente évolution méthodologique dans l'artisanat des dictionnaires et œuvre originale impliquant une vision hybride du langage, le *Littré* témoigne par ses faiblesses mêmes – élaboration d'une pseudo-langue sous-jacente à tous les discours, depuis Malherbe jusqu'au XIXe siècle ; compilation brute, chronologique, des textes antérieurs à la langue classique ; plan a-systématique, où critères sémantiques, fréquentiels, formels, conceptuels sont mêlés – d'une contradiction fondamentale. La langue y est vue comme réalisant un ordre rationnel – l'analogie des Anciens –, ce qui justifie une sorte de purisme logicien, et en même temps comme fondée et justifiée par l'Histoire, selon le positivisme sociodynamique de Comte, selon les options implicites de la philologie (Renan dans *L'Avenir de la science*). La rencontre de ces deux ordres aboutit à une conception étrange, qui semble spécifique à la France, de la fonction anthropologique qu'est le langage, conception où l'Histoire a pour mission d'assurer la pérennité d'un ordre rationnel et où la science linguistique doit utiliser les connaissances empiriques, non pour assurer des théories en cours d'élaboration, mais pour justifier une sorte d'éclectisme théorique préformé. Cette situation est plus sensible encore chez Hatzfeld, Darmesteter et Thomas, dont le *Dictionnaire général* paru au tournant du siècle surpasse nettement le *Littré* en rigueur philologique, mais aggrave par sa présentation systématique – progrès en soi – les fictions de l'« ordre historique ».

Le véritable concurrent de Littré, dans le public, n'est pas un dictionnaire de langue, mais une gigantesque compilation qui révèle une visée entièrement différente : le *Grand Dictionnaire universel* qu'organise et signe Pierre Larousse, et qui paraît à partir de 1866. Larousse, pédagogue et polygraphe, éditeur avisé, est le contraire d'un linguiste. Les signifiants l'intéressent peu, leur histoire (alors que le *Littré* a bourgeonné autour d'un dictionnaire étymologique) ne le retient guère ; héritier des encyclopédistes, il souhaite transmettre à un large public une somme de connaissances, par rapport à quoi la langue de transmission n'est qu'un outil. De fait, les lambeaux de discours – citations non référencées, sinon par une signature souvent éclairante – qui illustrent les descriptions du *Grand Dictionnaire universel du XIXᵉ siècle* reflètent beaucoup mieux que chez Littré l'état du français (écrit et didactique ou littéraire, parfois même spontané et oral) dans le milieu du XIXᵉ siècle, et leur choix relève de critères conceptuels. Les sciences, les techniques, la masse des connaissances positives y assènent au lecteur les éléments d'une idéologie libérale et rationaliste, tandis que des milliers d'élocuteurs, masqués ou effacés (et c'est dommage, car Proudhon et Vallès, dit-on, ont compté parmi les collaborateurs), contribuent à la tenue d'un discours à la fois pédagogique et polémique.

Alors que le succès du dictionnaire de Littré dans la bourgeoisie libérale est dû à un semi-quiproquo, portant sur l'image sociale de l'auteur (en fait, Emile s'adressait surtout à ses chers collègues), celui de Larousse reflète l'appétit de connaissances positives des classes montantes, petite bourgeoisie et frange supérieure des classes techniciennes, mais ce succès était fortement limité par l'ampleur matérielle de l'ouvrage et son objet social par son prix élevé.

Larousse, s'inspirant en cela des frères Bescherelle, décidément innovants, inaugurait alors la formule qui fit le succès des dictionnaires publiés sous son nom après sa mort : le *Nouveau Larousse illustré* de Claude Augé, le *Petit Larousse* en un volume (1906), continuation sans rupture du *Dictionnaire complet* de Pierre Larousse lui-même (1869). Dans les grands ouvrages, une structure triple : langue, terminologie par domaine, encyclopédie dans certains cas, formait un ensemble didactique encore exploité au XXIᵉ siècle.

Après Littré, se développe la rage du dictionnaire, non plus pour l'amour de la langue, mais pour une illusion de savoir encyclopédique qui rejaillit sur les mots. En 1900, grâce au *Dictionnaire général*, on s'approche enfin, pour le français, de l'analyse sémantique mise en œuvre en Angleterre et en Allemagne. Après Littré et avant 1900, il y eut l'insipide édition du *Dictionnaire* de l'Académie (1878) avec 2 200 mots « nouveaux » – ils ne l'étaient guère – par rapport à l'édition, elle aussi bien faible mais talentueusement préfacée par Villemain, de 1835. On réédite Bescherelle, surclassé par le *Dictionnaire universel du XIXᵉ siècle* de Pierre Larousse (qu'on vient d'évoquer). Plus encyclopédique et critique que langagier, le *Nouveau Dictionnaire universel* de Maurice Lachâtre (quatre volumes, 1ᵉ éd. 1865-1870), fortement idéologique aussi (l'auteur, proche de la Commune, traducteur de Marx, dut s'exiler).

Reflet de l'intérêt croissant pour l'histoire du lexique français, le grand *Dictionnaire de l'ancienne langue française et de tous ses dialectes* (en fait, les variantes régionales des scriptae), de Frédéric Godefroy (sept volumes, trois de complément pour le français du XVᵉ siècle). Publié de 1880 à 1902, un peu après le Littré et les dix volumes enfin édités du dictionnaire de Lacurne de Sainte-Palaye (annoncé en 1756 !), le Godefroy, critiqué pour sa sémantique déficiente, demeure la source principale pour le lexique du IXᵉ au XVᵉ-XVIᵉ siècle.

Autre domaine devenu important à cette époque, les dictionnaires étymologiques viennent compléter les gammes anciennes de dictionnaires d'épithètes (ils disparaissent alors, intégrés cependant au grand œuvre de Larousse) et de dictionnaires de synonymes, de succès constant en France depuis celui de l'abbé Girard (1718), ainsi qu'un recueil appelé « analogique » par son auteur (Boissière) et qui pratique ce que les Allemands appellent l'« onomasiologie », art de donner des noms aux idées et aux choses.

Ce sera alors, dans l'édition, le début d'une rage de dictionnaires qui s'amplifiera de manière incontrôlée – et parfois impertinente – du XIXᵉ au XXᵉ siècle, et où la langue française a (et aura) une place très variable, sans même parler des dictionnaires bilingues, essentiels à la diffusion des langues hors de leur milieu maternel.

Du côté de la diffusion du français, inséparable, comme on l'a vu, de l'éradication des patois, on continue sous le Second Empire à publier, certes, des grammaires[28] et des dictionnaires, des listes de fautes à éviter, mais aussi on réfléchit à des mesures plus rationnelles. Ainsi, en 1849, Bernard Jullien publie chez Louis Hachette un *Cours supérieur de grammaire* où il propose une démarche progressive en quatre périodes : la première, élémentaire, joint aux règles de la prononciation celles de l'écriture, abordant l'orthographe de la phrase (formes d'accords, morphologie du nom, de l'adjectif et du verbe) et conduisant à la lecture aisée. La deuxième consiste à placer les règles dans un ordre rationnel. La troisième, s'adressant à un public déjà formé, consiste à exposer « philosophiquement » les principes. La quatrième, dite *haute grammaire*, est en fait une rhétorique et une stylistique. Projet hybride, en vérité, peu applicable dans une école et qui mêle pédagogie et grammaire théorique. Mais bel effort pour appuyer les pratiques sur des principes. Un des mérites de Bernard Jullien était notamment, pour son premier stade d'apprentissage de la langue, de fournir une analyse des sons de cette langue et de leur représentation graphique (lettres et combinaisons de lettres : *ou*, *ch*…).

Deux ans avant son coup d'Etat (2 décembre 1852), le député Charles Louis Napoléon Bonaparte avait fait voter la loi Falloux, qui autorisait tout citoyen à ouvrir une école primaire et tout bachelier à diriger une école secondaire. L'enseignement d'Etat avait un concurrent durable, l'école privée, surtout école confessionnelle et cléricale : revanche du clergé catholique et, malgré la formation faible des maîtres (les fameux « frères ignorantins »), diffusion du français accrue en milieu patoisant.

L'enseignement, au Second Empire, marche sur ces deux jambes, école publique (où le catéchisme est obliga-

toire), école libre. Elles continuent de s'associer sous la
IIIe République, après la liquidation sanglante de la Commune et l'« Ordre moral » de Mac-Mahon (1873-1879),
mais la jambe publique se met alors à courir (ou à sau-
ter…) : l'école publique devient laïque – c'est-à-dire
neutre quant à la confession religieuse –, gratuite, obligatoire. De 1881 à 1886, des lois organisent cet enseignement. L'instituteur laïque et républicain va devenir une
figure locale importante, souvent secrétaire de mairie
dans les communes rurales. L'institutrice apparaît, formée
elle aussi dans les Ecoles normales des départements. En
1881 également est organisé un enseignement complet
pour les filles, sans latin. Les instits se trouvent face au
clergé enseignant – et le contact est rude dans certaines
régions. Dès 1865, sous le Second Empire, Victor Duruy
avait créé un enseignement secondaire « spécial », d'où
disparaissaient le latin et le grec ; l'association du latin
seul, ou du latin et du grec, avec une langue vivante, ou
bien de deux langues vivantes sans langues anciennes,
selon les « sections » des lycées et collèges, date de 1902.

Quant à l'enseignement fièrement qualifié de « supérieur », Victor Duruy le dote en 1868 d'une Ecole des
hautes études, qui existe toujours, afin de limiter les effets
pervers du babil universitaire et de verser dans cette institution un peu d'esprit scientifique. Bientôt (1885-1898),
les universités françaises seront réorganisées dans le sens
de la « recherche ». Mais les Grandes Ecoles, qui recrutent
depuis le Premier Empire par de terribles concours, n'ont
cessé de les concurrencer rudement. L'Ecole normale
supérieure, sommet symbolique de réussite intellectuelle,
qui existait depuis 1794 et qui forma, au XIXe siècle et
après, les professeurs « agrégés », sera rattachée en 1903
à l'université de Paris, organe important dans la volonté
de rendre les enfants en possession de la norme du français.

Les grammaires pédagogiques, de leur côté, témoignent
d'une évolution des centres d'intérêt. La *Petite Grammaire*
(1875) de Brachet et Dussouchet se dit « fondée sur l'his-

toire de la langue ». Bientôt paraîtra, hors de la pédagogie scolaire, une *Grammaire historique du français, accompagnée d'exercices et d'un glossaire*, de Dottin et Bonnemain (1893), précédée par l'ouvrage d'Arsène Chassang, *Nouvelle Grammaire française, avec des notions sur l'histoire de la langue*... (1876). La grammaire aspire à une reconnaissance intellectuelle : elle a trouvé la clé pour cette ascension sociale : l'Histoire.

La période 1880-1914 entraîne un important bouleversement dans les rapports entre les Français et leurs langues. Le recul progressif de l'enseignement du latin contribue encore à élargir l'aire d'emploi du français. L'accession de couches sociales nouvelles et celle des femmes à une maîtrise de la langue écrite, et d'abord à l'alphabétisation, sont un indice essentiel de l'élévation générale du niveau des connaissances et des moyens linguistiques qui leur correspondent. Mais ces évolutions sont inséparables d'un renouveau du purisme, qu'elles suscitent.

Incapable d'une vision différenciée des normes sociolinguistiques, la bourgeoisie libérale, inspiratrice du régime, favorise, par une organisation autoritaire et centralisée de la pédagogie, par la fixation de normes graphiques intangibles, d'une grammaire stricte, la transmutation occulte des règles de son propre discours (qui n'est objectivement qu'une variante sociale parmi d'autres) en un absolu normatif. Confronté à la variété des normes locales et sociales, ce durcissement unifiant n'est pas sans danger sur les pouvoirs spontanés de la créativité. Bannissant autant qu'il était possible les traits différentiels des français régionaux et patoisants, imposant jusque dans les échanges oraux les modèles rhétoriques d'une écriture correcte et fade, l'école a souvent contraint les enfants, surtout en milieu rural, à un véritable bilinguisme (les spécialistes préféreront *diglossie*, puisqu'il s'agit de deux variantes hiérarchisées de la même langue[29]), les transformant en immigrés culturels dans leur propre aire linguistique et préparant ainsi, à l'insu de promoteurs bien intentionnés, une hiérarchisation des individus évidemment parallèle aux clivages sociaux. La pression sociale par le langage, l'un des moyens les plus subtils du conservatisme, a sans aucun doute été accentuée par une pratique qui était pourtant destinée à atténuer les inégalités. Les références contraignantes fournies par les manuels (vocabulaires, grammaires, livres de lecture, choix de textes) construisent alors un modèle de langue appauvri, simplifié socialement, compliqué rhétoriquement, et figé. Les conséquences de cette évolution, auprès de quoi les « révolutions » littéraires de l'élite et les progrès scientifiques en matière de langage pèsent d'un poids bien léger, se font fortement sentir aujourd'hui encore.

Pourtant, sous la IIIe République, la linguistique française était en train d'acquérir les méthodes qui la rendraient capable de poser le problème. La phonétique (l'abbé Rousselot, après 1886), la dialectologie (J. Gilliéron et E. Edmont avec l'*Atlas linguistique de la France*, 1900-1910) furent malheureusement lettre morte pour ceux qui définissaient la politique pédagogique. Le pouvoir anachronique, immotivé, heureusement symbolique (mais les symboles agissent fort sur la pratique) de l'Académie française d'alors est relayé par un conservatisme et un autoritarisme linguistiques qui pénètrent les attitudes et les décisions des « responsables ». Cette attitude n'évoluera visiblement que dans les dernières décennies du xxe siècle.

Les « français » d'Europe et du monde

Si, indiscutablement, la langue française progresse en France, qu'en est-il ailleurs ?

A la suite des révolutions de 1848, un phénomène nouveau est apparu, qui veut que les identités européennes ne soient plus seulement nationales, mais aussi régionales. De même qu'en Espagne la Catalogne ne se laisse pas absorber par le castillan, ou qu'en France, sur un mode seulement littéraire malgré ses intentions plus générales, le mouvement des félibres ranime la conscience provençale, la Belgique, après 1850, connaît un regain d'intérêt des intellectuels et des classes moyennes pour le flamand. Au sein du clergé, responsable de l'enseignement, les prêtres de la partie néerlandophone du pays revendiquent l'école dans leur langue, que le haut clergé francophone accepte à l'école primaire mais refuse à l'université. Le prestige du français, qui attire la haute bourgeoisie de toute la Belgique, conduit à des situations où le clivage des langues est social autant et plus que géographique. Si de grands écrivains « flamands » – les plus célèbres étant Verhaeren, né en 1855, et Maeterlinck, né en 1862 – n'écrivent qu'en français, c'est en partie parce que, dans les écoles qu'ils fréquentaient, le flamand était prohibé et que le milieu familial parlait français, réservant le parler flamand aux relations avec les domestiques et le peuple. Cette hiérarchie des usages ne pouvait qu'être pénible aux classes moyennes de Flandres, de plus en plus actives économiquement et qui étaient pénalisées dans leurs activités quand la plupart ignoraient la langue dominante, celle de l'administration, du droit, de la politique, de l'enseignement supérieur. Un sentiment d'injustice et de frustration se développe, qui rendra plus tard difficiles les relations entre les deux communautés.

Cependant, un rééquilibrage entre flamand et français s'opère : en 1889, plaider en flamand et, pour les tribunaux, rendre leurs sentences dans cette langue devient légal ; un texte de 1898 impose la rédaction des lois dans les deux langues, à égalité. Le mouvement flamand sera soutenu par l'occupant allemand pendant la Première Guerre mondiale, ce qui ne pourra que jouer en faveur du français après la victoire des Alliés.

C'est dans cette période aussi que la Belgique, par l'action personnelle du roi Léopold II, rejoint le club fermé des grandes puissances coloniales et va contribuer à l'expansion du français en Afrique. En 1885, le roi se fait attribuer en due propriété un « Etat libre du Congo » qui deviendra en 1908 le Congo belge.

Cependant, face aux revendications flamandes, la partie wallonne du pays – on commence à parler de *Wallonie* en 1844 – se préoccupe à la fois de valoriser le dialecte, mode d'expression d'une identité ancienne, et de protéger le français contre les interférences. Les deux attitudes proviennent de milieux intellectuels et n'entrent pas en conflit. Une renaissance littéraire du wallon, partie de Liège, s'inscrit dans une continuité idéologique par rapport au romantisme français. Le maintien d'un français « pur » vise à affirmer la sécurité linguistique des francophones, ce qui ne doit pas les empêcher d'apprécier le dialecte. Cependant, une action puriste fort répressive s'était déjà manifestée sous l'Empire, due à un professeur français né à Arras, Antoine-Fidèle Poyart, qui fustigeait (anonymement) les « flandricismes, wallonismes et expressions impropres dans le langage français » (1806). Un autre Français, vivant à Anvers, publie en 1857 un recueil où le terme *belgicisme* est assimilé à « faute de français », sans nuance. A l'image des nombreux recueils correctifs qui paraissent alors en France, les publications puristes se sont multipliées en Belgique.

Là comme en France, ces dénonciations de « mauvais usages » ont eu pour effet connexe et paradoxal de décrire, certes pour les critiquer, de nombreux aspects de la variété des usages effectifs, selon les régions et les milieux francophones. De fait, les recueils changeront de signification lorsque la variété sera décrite sans jugement systématiquement négatif. C'est déjà le cas en Belgique lorsque Isidore Dory publie en 1877 un recueil de *Wallonismes* qui, tout en séparant les manières de dire étrangères au français central des autres, ne les condamne pas systématiquement. Mais cette attitude, qui va être celle de linguistes comme Maurice Wilmotte, inaugurant en 1890, dans le cadre des études romanes, un enseignement de philologie, va rendre possible une description du français régional de Belgique. Les *Essais philologiques sur les*

belgicismes de Louis Latour (1895, parus en revue), malgré leur purisme, classent de manière objective ces
manières de dire, ouvrant à une description systématique
des particularités du français de Belgique[30].

A l'époque, la situation linguistique, en Suisse, est sta-
bilisée. On peut cependant signaler un afflux de Suisses
germanophones en terre romande ; mais une partie va
s'assimiler (plus de 23 % de Suisses du canton de Neuchâtel parlent l'alémanique en 1880, au moment du recense-
ment fédéral ; ils sont 13 % en 1910).

Dans l'ensemble, le rapport entre les langues est de
21,5 % pour le français et un peu plus de 71 % pour les
parlers alémaniques (et l'allemand) dans les années 1880.
Cependant, dans des zones limitrophes, une avancée du
français suscite des réactions de défense de la « germa-
nité » – qui peuvent paraître étranges dans une situation
globale très majoritaire. Seule la situation du Jura, ratta-
ché au canton de Berne en 1815, est conflictuelle, du fait
des minorités alémaniques dans des lieux où les écoles
sont françaises (cas extrême : Delémont, au début du
XXe siècle, avec 40 % de germanophones). Mais les tensions, politico-économiques plus que linguistiques, ne
mettent jamais en cause la cohésion du pays, en partie à
cause de la forte personnalité culturelle de certaines villes
bilingues, telle Fribourg.

Quant au français parlé en Suisse, il se généralise au
cours du XIXe siècle en Romandie au détriment des patois
gallo-romans, même dans l'usage oral spontané. La
Constitution fédérale de 1874, qui impose la scolarité
obligatoire et gratuite, avait été précédée par les lois can-
tonales. La résistance patoisante est évidemment restée
plus forte en milieu rural, surtout isolé (certaines vallées
alpines), et elle le fut aussi dans les régions catholiques,
par rapport aux protestantes (exemplairement Genève,
Lausanne, Neuchâtel).

Par rapport à la Belgique ou à la France, le XIXe siècle
fut moins propice au purisme normatif. L'attitude agressive d'un professeur de l'université de Genève, Louis-

Théodore Wuarin, qui publia en 1887, sous le pseudonyme de W. Plud'hun, une petite brochure, *Parlons français !*, donnant à la condamnation des spécificités suisses
une coloration moraliste, resta rare en Suisse romande.
En revanche, les descriptions objectives du français usité
dans la confédération apparaissent tôt. La première, et la
plus remarquable, est le *Glossaire genevois* de Jean Hum-
bert, paru en 1852, bientôt suivi par le *Glossaire vaudois*
de Pierre Callet (1861) ou le *Glossaire fribourgeois* de
L. Grangier (1864). Et c'est en étudiant un patois du
Valais, celui de Vionnaz, que le père de la dialectologie
moderne en milieu francophone, Jules Gilliéron, fit ses
premières armes ; comme c'est par des enquêtes directes
faites à Genève par E. Koschwitz (1892), en pays vaudois
par Paul Passy (1903) que la phonétique descriptive se
manifeste ; et comme le travail de Gustav Wissler sur le
français populaire de Suisse sera en 1909 l'une des premières études scientifiques de « français populaire[31] ».

Au total, deux problématiques apparaissent grâce à la
Suisse. Ce sont la notion de français régional totalement
distincte de celle de patois (ou dialecte) et la dichotomie
entre lexique institutionnel, dépendant des Etats et changeant « à la frontière », opposé aux lexiques régionaux
hérités, qui se moquent du passeport et de la douane. Ces
deux problématiques apparaîtront partout dans la francophonie au cours du xxᵉ siècle, et la négligence de leur perception donnera lieu à de nombreux quiproquos. On peut
expliquer ainsi que le lexique régional ait alors bien
résisté en Suisse, tandis que la koinè française progressait
indubitablement.

Du côté de la Savoie et de Nice, leur intégration à la
France pendant le Second Empire accroît de façon évidente l'expansion du français. En 1858, Napoléon III traite
avec Cavour. Il s'engage à soutenir Victor-Emmanuel Iᵉʳ
dans sa lutte contre l'Autriche, qui occupe le nord de l'Italie, en échange de la cession de la Savoie et de Nice à la
France, légitimée par un vote plébiscitaire. Ceci accélérera
le recul puis la disparition des dialectes savoyards, tandis

qu'à Nice c'est l'italien – alors que le bilinguisme italo-
français se résout au Piémont au détriment du français –
qui va souffrir de la généralisation du français. Celle-ci
coïncide avec l'expansion de la ville et de son rôle international de lieu de séjour.

Quant au Val d'Aoste, resté en dehors de la négociation
franco-italienne et appartenant au royaume de Sardaigne,
bilingue, il est alors le siège inévitable du recul du français. Le rattachement de la Savoie à la France donne au
Val d'Aoste l'occasion d'une italianisation nécessaire, du
point de vue italien. En 1882, tous les actes juridiques se
font en italien, lequel devient la seule langue des écoles
primaires et « moyennes » en 1882-1883 (l'apprentissage
du français est autorisé, mais payant). Des résistances se
manifestent. En 1862, le gouvernement, qui désirait déjà
abolir le français à l'école, avait dû reculer ; il se reprit
vingt ans plus tard. En 1909, une ligue valdotaine est fondée, qui défend le bilinguisme : certains voient dans
l'existence d'une région d'Italie officiellement bilingue un
moyen d'améliorer l'enseignement du français langue
étrangère. Cette position, qui pourrait aboutir à l'autonomie de la région, reçoit le soutien de libéraux italiens
célèbres, tel Benedetto Croce. On fait remarquer que
l'Autriche n'a pas cherché à imposer l'allemand en Vénétie
ni en Lombardie. La question n'est pas tranchée avant la
prise de pouvoir du parti fasciste, après la guerre. Alors,
malgré les protestations, le français sera condamné au Val
d'Aoste.

Outre-Atlantique, menaces sur le français

Au Canada, le fait marquant est le passage des deux
colonies traitées inégalement par le pouvoir de Londres à
une confédération de quatre provinces (1867), puis à un
dominion augmenté vers l'ouest par de nouvelles entités,
Manitoba et British Columbia (Colombie-Britannique)
en 1870 et 1871, puis Saskatchewan et Alberta en 1905.
La conquête de l'Ouest correspondit souvent, comme aux

Etats-Unis, à l'éviction des Amérindiens, et un métis, Louis Riel, organisa deux révoltes contre la politique de la toute-puissante Compagnie de la baie d'Hudson, instrument d'une véritable colonisation interne. Cette période vit l'établissement de francophones au Manitoba, alors que la Colombie-Britannique accueillait des colons anglais et l'Alberta, au début du XXe siècle, nombre d'Ukrainiens, dont beaucoup conservèrent leur langue. Mais tous les nouveaux arrivés étaient tôt ou tard soumis à la prépondérance de l'anglais.

Au Québec, l'usage du français fait alors l'objet de jugements sévères, tant de la part des anglophones que des Canadiens francophones. Mais ceux-ci savent distinguer les divers niveaux d'usage. A une dame anglaise qui réclamait à son professeur de français du *Parisian French*, et non le « patois abominable » du Québec, Emmanuel Blain de Saint-Aubin répliquait que le français parisien ne valait pas mieux que le *cockney* londonien, et que les Canadiens français cultivés parlaient aussi bien que leurs homologues de France. En outre, grâce au système d'éducation du Canada, Saint-Aubin estimait que les gens du peuple avaient un bien meilleur français « que dans les classes correspondantes en France[32] ».

Cependant, nombreux étaient ceux qui, dans les années 1860, craignaient l'étouffement de la langue et de la « nationalité » françaises par le régime de l'Union. Conscients du danger, certains réclamèrent – et obtinrent en 1867 – des garanties sur l'usage du français dans la vie politique canadienne.

Sur le plan de ce qu'on appellera plus tard « qualité de la langue », commence alors la lutte de quelques élites contre l'anglicisation du français, subie par ailleurs dans l'indifférence. On voit apparaître des mises en garde contre les « barbarismes » canadiens, parallèles à celles des puristes en France et en Belgique, mais dont les motivations sont plus sérieuses : préserver la langue française d'une hybridation avec l'anglais, non seulement lexicale, mais dans la construction des phrases. Un exemple caractéristique est celui d'Arthur Buies, journaliste influent, qui regroupa en 1888, sous le titre : *Anglicismes et Canadianismes*, des articles parus en 1865 dans *Le Pays*, journal libéral de Montréal. Il y dénonçait, à côté d'emprunts évidents (*set* pour « assortiment »), les innombrables emplois calqués de l'anglais. A propos de *clairer* (*clear out*, « se débarrasser de... »), il écrit ironiquement : « Je demande de clairer du Canada tous les Ostrogoths, Wisigoths, Anglais et autres barbares qui démolissent notre langue. » Certaines tournures qu'il cite sont de pures traductions : « Ça *prend* un homme capable pour faire telle ou telle chose » (*It takes an able man to do such a thing*) ; ou encore *en devoir* (*in duty*) pour « en service ». Sans hostilité de principe contre les emprunts, ce purisme défensif modéré cherchait à limiter les effets déstructurants du contact forcé et immédiat avec l'anglais ; cependant, il y mêlait la dénonciation d'archaïsmes et de régionalismes qui posent de tout autres problèmes.

La question de la langue, au Canada français, ne peut être dissociée ni de la question politique, ni de la religion. Elle est aussi, assez souvent, un « vécu ». Ainsi, Oscar Dunn, auteur d'un important *Glossaire franco-canadien* (1888), était un journaliste conservateur de père anglophone, Canadien français par sa mère. Un autre journaliste important, Jules-Paul Tardivel, était né dans le Kentucky et avait dû apprendre le français à dix-sept ans en arrivant au Canada. En 1880, il publie une causerie de l'année précédente sous le titre *L'Anglicisme, voilà l'ennemi !*. Mais le sens d'« anglicisme » est ainsi précisé : « Une signification anglaise donnée à un mot français », ce qui permet de distinguer l'emprunt d'une forme nouvelle avec son sens, et la superposition de plusieurs sens pour une même forme, dont l'un, nouveau en français, perturbe l'emploi du mot (exemple, en français contemporain, *supporter* au sens de *to support*, « aider, soutenir »).

Les descriptions polémiques du français alors en usage au Canada, sous les plumes de Buies, Dunn ou Tardivel, ne sont certes pas toujours très rigoureuses, mais elles témoignent d'une grande justesse d'analyse. On aimerait avoir, pour d'autres communautés francophones, et malgré le caractère très engagé du témoignage, l'équivalent des soixante-seize pages denses de « La langue française au Canada », publié en 1901 dans la *Revue canadienne* (XVII). Et les particularités du français québécois donnent lieu à de véritables dictionnaires, tel celui de S. Clapin, paru en 1894.

Ces premiers analystes du français au Canada posaient déjà la problématique sociale de ces parlers, notamment Tardivel, qui distinguait, comme des témoins antérieurs mais de manière plus claire, un usage « sain », celui des populations rurales (estimées plus proches d'un « bon usage » du français que leurs homologues des campagnes françaises), et un usage fautif, très anglicisé, de la part d'une élite politique ou économique peu cultivée. Les critiques fusaient à l'égard des discours politiques et des journaux, voire des textes littéraires, encombrés de calques et de traductions mal digérées. Mais elles étaient sans grand effet.

Il convient de noter qu'à cette époque la population urbaine du Canada augmentait vite (entre 1901 et 1915, elle passait de 40 à 50 %) et que de graves problèmes sociaux accompagnaient le contact des langues (français, anglais, langues de l'immigration), ce contact étant dommageable à l'équilibre interne du français, alors que la langue rurale restait plus stable. L'anglicisation accrue accompagnait l'industrialisation, sous l'égide des grandes compagnies étatsuniennes. Dès la fin du XIXᵉ siècle, on peut parler du Québec comme d'une colonie économique des Etats-Unis, ce qui amène de nombreux francophones urbains, surtout à Montréal, à travailler en anglais, ou du moins dans un français où les terminologies sont entièrement anglicisées.

Les jugements sur l'usage du français ne sont pourtant pas tous négatifs. Ainsi, un avocat lettré, Napoléon Legendre, considérait que les Français du Canada (formule alors significative) avaient non seulement défendu, mais enrichi la langue française. Il requérait une reconnaissance officielle par la France, et, en notant le peu d'importance de certaines variantes par rapport à la norme de France (*greyer* pour *gréer*, *ondains* pour *andains*) ou le caractère peu critiquable de certains archaïsmes et régionalismes français en général critiqués, il faisait l'éloge de *poudrerie*, des chemins enneigés *boulants* (où la neige boule sous le pied des chevaux), *moulineux* (où la neige est comme moulue) et ne voyait aucun inconvénient à parler de *raquettes* « que les grands puristes remplacent par *souliers à neige* », qui est absurde. De même pour le vocabulaire franco-canadien des « sucres », concernant la récolte du sucre d'érable. Avec logique, s'agissant d'échapper à l'anglicisation forcée, il défend *carré* pour *square*, *char* pour *wagon* (sans s'inquiéter de l'influence de l'anglais *car*) et *lisse* ou *lice* pour *rail*, et même, concernant l'enregistrement des bagages sur les chemins de fer, *chéquer*, *chéquage* (de *to check*), son argument consistant à défendre l'emprunt par nécessité (dans le dernier cas, elle provenait de la différence entre les procédures canadiennes et celles d'Europe). Legendre s'étonnait que les dictionnaires de France, si accueillants aux purs anglicismes passés dans l'usage (*rail*, *steamer*, *turf*, *sport*), négligent les canadianismes.

Jugée aujourd'hui trop étroitement puriste, l'attitude des critiques qui combattaient pêle-mêle anglicismes, archaïsmes et régionalismes se justifiait par la réalité de la menace. Ainsi, dans les discussions sur les lois à appliquer dans les nouveaux territoires de l'Ouest, le député conservateur Dalton McCarthy, né en Irlande et vivant en Ontario, militait pour l'anglicisation de tout le pays, luttant à la fois contre l'influence catholique et la culture française. Reprenant les arguments de Lord Durham, il proposa en 1890 des mesures concernant les Territoires du Nord-Ouest, qui furent repoussées, mais qui furent reprises plus tard dans des provinces anglophones. En 1891, les écoles françaises du Manitoba étaient abolies ;

en 1912, c'est en Ontario que D. McCarthy s'attaqua aux écoles catholiques des Franco-Ontariens, qui constituaient alors la minorité française la plus importante du Canada. Ces mesures suscitèrent un violent affrontement.

Une configuration apparaît où, la langue et la culture étant distinctes de la nationalité, un équilibre nouveau sera nécessaire entre la spécificité de l'usage du français (on parlera plus tard, à raison, d'une norme québécoise) et la bonne communication entre cet usage et ceux d'Europe, leur lieu d'origine.

Mais cette problématique mettra des décennies à se dégager. La fondation, en 1902, par l'abbé Stanislas-Alfred Lortie et l'avocat Adjutor Rivard, d'une Société du parler français au Canada, sous l'égide de l'université Laval (près de Québec), lui donnait les moyens objectifs, philologiques, d'y parvenir. Son action se développa, au-delà des études sur la langue et en englobant tous les aspects de l'histoire culturelle, au cours de la première moitié du XXᵉ siècle. Elle était marquée par une forte influence idéologique catholique et conservatrice.

Dans les années 1910, face aux tentatives de certains hommes politiques canadiens pour éradiquer le français, en particulier en Ontario, des réactions se manifestent. Armand Lavergne tente de recourir au gouvernement fédéral pour imposer aux entreprises de service public de s'adresser en français à leurs clients, et non en anglais exclusivement ; devant les procédés dilatoires, il recourt au gouvernement du Québec, et, malgré de vives oppositions, obtient satisfaction en 1911. Avantage mineur, mais symbolique : la loi Lavergne est la première à améliorer la situation du français au Québec.

A la même époque, une forte personnalité se pose en défenseur de la « race française ». L'abbé Lionel Groulx fut le premier universitaire à enseigner l'histoire du Canada, à l'université de Montréal (1915). Hostile à une part de l'influence française, celle du siècle des Lumières, et fervent propagateur du catholicisme, il prenait des distances vis-à-vis d'une partie de la culture française tout en défendant une certaine idée de la France (formule à tous usages), celle qui lui permit d'infléchir la Ligue des droits du français, fondée en 1913 par le père Joseph-Papin Archambault (1880-1966), promoteur d'un nationalisme social. Sous le pseudonyme de Pierre Homier, il fit campagne contre l'anglicisation du français par le commerce et l'industrie, dans l'indifférence des Canadiens français. Grâce à cette campagne, l'indifférence recula quelque peu et l'objectif de cette ligue, « rendre à la langue française [...], particulièrement dans le commerce et l'industrie, la place à laquelle elle a droit », devint plus commun. C'était le début d'une action qui fut légalisée après la Révolution tranquille. On peut s'interroger sur le nom de la publication, *L'Action française*, menée, ainsi que la ligue elle-même, à partir de 1917, par l'abbé Groulx, qui en fit une « ligue d'action française[33] ».

En quelques années, un mouvement très concret pour la refrancisation de l'usage professionnel du français au Québec, clairement exprimé par Homier-Archambault, céda ainsi la place à l'esprit de croisade catholique avec Lionel Groulx, qui pouvait produire en 1914, pour la défense des écoles françaises menacées de l'Ontario, un étonnant pathos où il s'agissait de « constituer l'hostie sainte gardienne de la langue et de la foi sur les petites lèvres françaises[34] ». Cette coloration prise par la défense du français ne jouera pas toujours en faveur des objectifs supposés de ces résistants à l'anglicisation.

Reste à mentionner, quant au sort du français en Amérique du Nord, un recul continu en Louisiane, les populations acadiennes passant au bilinguisme puis à l'anglais. Une langue française isolée, affaiblie, transmise dans des conditions sociales d'infériorité, était pratiquée par des ruraux isolés, sauf dans quelques villes. La renaissance acadienne était pour plus tard. A La Nouvelle-Orléans, le français a pu, pendant une partie du xixe siècle, passer pour aristocratique et lettré – mais lié à l'esclavagisme sudiste. La victoire des Yankees sur le Sud mit fin à cette situation.

Dans le nord des Etats-Unis, la place du français resta plus longtemps notable. Elle venait d'une migration économique, non plus d'une expulsion, comme pour les Acadiens. Entre 1840 et 1900, on estime à 600 000 personnes environ les travailleurs francophones qui cherchent aux Etats-Unis des emplois dans le textile. D'autres Québécois les avaient précédés. Les communautés francophones de Nouvelle-Angleterre, du Maine au Connecticut, sont urbaines, prolétaires, très solidaires, organisées par l'Eglise catholique. Grâce à leur presse, à leurs sociétés religieuses d'entraide, leurs écoles paroissiales bilingues, elles parviennent à conserver l'usage d'un français influencé par le contact avec l'anglais. Ces francophones sont 10 % de la population de la Nouvelle-Angleterre dans les années 1890, et formeront jusqu'au milieu du xxᵉ siècle, aux Etats-Unis, un groupe vieillissant de deux millions et demi de personnes se considérant comme de langue maternelle française.

L'expansion impérialiste du français

Après la conquête de l'Algérie par les troupes françaises et la victoire sur l'émir « rebelle » Abd el-Kader, des colons s'étaient installés, souvent dans des circonstances difficiles. On considère qu'ils étaient déjà plus de 310 000 en 1876, la moitié venant de France méridionale, de Corse et des milieux populaires de grandes villes, l'autre d'Espagne, d'Italie et de Malte, ceux-ci ignorant le français, beaucoup étant illettrés. A ces immigrants, on peut joindre les juifs, auxquels un décret de 1871 conférait la nationalité française. La naturalisation accordée aux enfants d'étrangers immigrés (1889) accéléra la francisation linguistique. En 1900, plus de 40 000 enfants non français et 60 000 français étaient scolarisés en langue française exclusivement. En revanche, les populations musulmanes, malgré la tentative d'écoles « arabes-françaises », étaient très peu touchées par une éducation en français sous le Second Empire.

Apparemment alarmé par la déscolarisation produite par la colonisation en milieu musulman, le gouvernement de Napoléon III s'attacha à restaurer un enseignement musulman, créant 2 000 écoles (1863), mais seulement une poignée pour enseigner à la fois l'arabe et le français, ainsi que des collèges franco-arabes à Alger (1857), Constantine et Oran. Cet effort sera combattu par les colons, qui se mobilisent plus encore contre Jules Ferry lorsqu'il veut, en 1883, appliquer ses principes républicains à l'école algérienne, principes que les musulmans, par ailleurs, répudient.

La IIIᵉ République et Jules Ferry firent un peu mieux, plus de 32 000 enfants musulmans étant scolarisés, en français exclusivement. Les quelque 42 000 écoliers musulmans, en 1916, n'étaient que 5 % des enfants en âge scolaire – ce pourcentage atteindra péniblement 6 % en 1929[35] –, et le passage aux niveaux secondaire et supérieur était dérisoire.

Albert Lanly estime que, malgré les contacts intercommunautaires, 95 % des musulmans algériens ignoraient le français. En 1914, l'« expansion » de cette langue concernait donc surtout les Européens et les juifs dits « assimilés ».

Dans cette période, le langage hybride qui fut en usage dans l'armée, entre cadres francophones et soldats, avait dû se restreindre aux seuls militaires. « En se servant de ce langage, le troupier est persuadé qu'il parle arabe et l'Arabe est persuadé qu'il parle français », écrivait Faidherbe en 1884[36]. C'est pourtant par cet idiome de contact, qui fut nécessaire aux communications internes dans l'armée coloniale d'Algérie, que des emprunts à l'arabe algérien s'intégrèrent à cette époque au français familier (*bled*, *ramdam*, altération de *ramadan*, qui existait déjà en français, *toubib*…) ou bien pour exprimer des réalités algériennes (de la *razzia* au *méchoui*).

Quant aux spécificités du français d'Algérie, elles sont peu nombreuses, sauf sur le plan phonétique et lexical,

grâce à l'école et aux journaux, nombreux au début du
xxe siècle.

Un type de français populaire, cependant, s'est développé en milieu urbain, notamment dans le quartier européen le plus populaire d'Alger, Bab-el-Oued, pour produire
un « français vulgaire » que son descripteur André Lanly
caractérise ainsi : « une syntaxe simplifiée ou fautive
([...] l'emploi du conditionnel après *si*) », « un grand
nombre d'emprunts aux vocabulaires arabe, espagnol, italien, au français populaire et régional et à l'argot métropolitain » ; en outre, « un accent original qui rappelait
ceux du midi de la France mais s'en distinguait par un
débit plus énergique ». A vrai dire, on ne connaît
aujourd'hui cette variante régionale de français populaire
que par une exploitation littéraire et comique sans doute
caricaturale, dont l'exemple le plus connu est la série des
Cagayous créée par l'humoriste Gabriel Robinet. On dési-
gna cet usage par le mot employé depuis 1898 pour désigner un immigré espagnol récent, *pataouète* (qu'on a
rapproché à tort de *Bablouette*, prononciation locale de
Bab-el-Oued à l'écrit). L'exploitation de cet usage savoureux, cependant, relève plus d'un comique de situation
que de l'observation linguistique d'un parler réel.

En Tunisie, sous protectorat de la France (1881 et
1883), on s'est peu préoccupé de scolarisation, sinon pour
les Français (34 600 en 1906) et les Italiens (105 000),
qui possédaient avant cela leurs écoles. Vers 1914, une
partie de la communauté italienne était devenue bilingue,
alors que des musulmans, et surtout des juifs, acquéraient
le français. Cependant, la faible proportion des Européens
fixés dans le pays, autour de 4 %, parmi lesquels les Français augmentaient surtout grâce aux naturalisations, ne
permettait pas l'implantation en profondeur de la langue
française, d'autant que l'enseignement coranique était
plus actif qu'en Algérie.

Si l'Afrique noire décolonisée est devenue dans la
seconde moitié du xxe siècle un bastion essentiel de l'usage
mondial du français, c'est à cause de la colonisation poli-

tique et militaire, mais aussi d'un enseignement confes-
sionnel développé à Saint-Louis (1841) et à Gorée (1843)
à l'intention des enfants chrétiens, puis de l'action de
Faidherbe pour un enseignement laïc (1843). Mais la scolarisation en français ne dépassait pas quelques points de
la côte et ne s'adressait qu'à une petite minorité de Sénégalais. Malgré les bonnes intentions de Faidherbe, auteur
d'un ouvrage sur les langues du pays (*Langues sénéga-
laises*, 1887), le mobile du gouverneur pour enseigner en
français cette minorité était clairement politique : préparer des administrateurs et des cadres pour une armée
utile à la France. Les écoles de langue française, étendues
en 1903 à la nouvelle « Afrique occidentale française »
(AOF), ne scolarisaient en 1912 que 13 500 garçons et
1 700 filles, soit moins de 1 % de la population. Il est vrai
que ces futurs instituteurs, administrateurs, commerçants
allaient jouer un rôle important dans la diffusion ultérieure du français. A des niveaux d'usage très variés, dans
les villes, surtout Saint-Louis et Dakar, l'usage du français
était de plus en plus requis pour les activités d'administration et de gestion, civile et militaire, ainsi que dans le
commerce, où une minorité active de Libanais s'exprimaient en français.

Quant aux territoires groupés en 1910 sous le nom
d'« Afrique équatoriale française », l'introduction du français était toute nouvelle ; elle allait suivre les mêmes processus.

Un autre type de colonisation, sur le plan des langues,
est celui que pratique la Belgique au Congo. Léopold II,
en effet, organise une armée où des officiers souvent
anglophones emploient avec leurs troupes une langue
africaine véhiculaire, lingala et surtout kiswahili – dont
l'équivalent n'existe pas à la même échelle en Afrique
occidentale. Même politique pour l'administration subal-
terne, le français de l'école est réservé à une élite.

En outre, la scolarisation est liée aux missions religieuses. Ainsi, le Congo belge est plus christianisé que les
pays de l'Empire français : 50 000 convertis en 1910 (ils

seront officiellement un million et demi en 1939). On estime par ailleurs que seuls 10 % des enfants scolarisés apprennent le français. Paradoxalement, l'enseignement dans des langues africaines véhiculaires (les enfants possédant en plus une ou plusieurs langues locales) crée plus de frustration que de satisfaction, d'autant que, un régime social ségrégationniste aidant, les Congolais se sentent inférioriés par cette éducation qui les prive du français, de la même manière, pensent-ils, que l'administration belge les confine dans les trains et les magasins. Le français, un français marqué par les mêmes particularités que celui de Belgique, ne semble pas se diffuser beaucoup moins que dans les colonies françaises, mais s'identifie plus nettement à un statut social supérieur, dont la majorité se sent injustement privée.

En 1896, c'est le début de la colonie française de Madagascar, avec les violences de la déposition forcée de la reine Ranavalona III (1897), la « pacification » par les troupes de Gallieni et, plus tard, la dépossession des terres des Malgaches. L'enseignement, qui avait été assuré dès 1820 par des missionnaires anglais, est repris par les missions protestantes de Paris et passe autoritairement au français : aux 200 000 élèves ainsi scolarisés, s'ajoutèrent des écoles laïques, publiques et privées (environ 40 000 élèves en 1905), avec des conflits entre les deux types d'enseignements. A Madagascar comme ailleurs dans l'Empire français, on utilisa les écoles existantes (celles de la London Missionary Society, par exemple) pour former une très petite élite, à côté des écoles formant des cadres subalternes. La qualité du français diffusé par les colons, les commerçants n'était évidemment pas la même que celle de l'école des élites. La pratique du français, en 1914, était plus développée qu'en Afrique subsaharienne, un journal en français étant publié à Madagascar.

L'Asie et l'océan Pacifique, où l'influence anglaise dominait, firent l'objet, sous le Second Empire (Nouvelle-Calédonie ; expéditions en Cochinchine) et la IIIe République (Indochine) d'une mainmise coloniale française. L'Indochine française, entité artificielle – officiellement « Union indochinoise », 1887 –, comprenait les trois régions du Vietnam (Cochinchine[37], Annam, Tonkin), le Cambodge, le Laos (1893). Comme à Madagascar, l'opposition fut toujours vive au statut de colonisé. En matière linguistique, la présence du chinois, surtout écrit, était scolairement dominante : on parla de « déchinoiser » ce qu'on appelait l'Annam (Vietnam central) et le reste du Vietnam. Entre le chinois, avec son écriture spécifique, le vietnamien, langue parlée, et le français, on chercha une voie de passage. Quant à l'écriture, ce fut le système en alphabet latin inventé au XVIIe siècle par les missionnaires qui fut appliqué au vietnamien, le *quôc ngu*.

Les spécialistes estiment que cette transcription du vietnamien donna à la langue un statut plus stable en enrichit la syntaxe et permit de la dégager du sentiment d'infériorité par rapport au chinois qui pesait sur elle.

En 1902, Paul Doumer, le gouverneur général, considérait que la superposition de l'enseignement français à l'enseignement indigène était nécessaire pour l'« élite », « pour ceux qui sont appelés à occuper les emplois publics, à servir sur les chantiers, dans l'industrie et le commerce[38] ». La doctrine de la « superposition » pouvait instaurer un bilinguisme ; encore fallait-il que les lycées français, créés dans quelques villes, soient ouverts aux Vietnamiens, ce qui fut le cas avec Albert Sarraut, gouverneur de 1911 à 1914 et de 1916 à 1919.

La Polynésie française, sous le nom d'Etablissements français d'Océanie, est une création de la IIIe République, instaurée par la cession de son territoire qu'accepta le roi Pomaré V en 1880. Là comme à Madagascar, les missions protestantes de langue anglaise avaient déjà transmis leur pédagogie à des protestants français (1862) ; les missions catholiques suivirent. Cependant, à la fin du XIXe siècle, les colons français étaient concentrés à Papeete (2 600 en 1911), ainsi que les Chinois. Sur cinq archipels, les îles Marquises, les Gambier, les îles de la Société, centre présumé de la dispersion des Polynésiens, les îles Australes et les Tuamotu, l'usage de la langue française a dû se diffuser lentement, et surtout à Tahiti.

Le type de colonisation de la Nouvelle-Calédonie, annexée par la France en 1863, est très différent des autres. Le peuplement européen, en effet, s'est fait par la déportation, à la manière de l'Australie de la fin du xviiie siècle (1788 à Botany Bay). La répression féroce de la Commune de Paris fut cause d'un afflux de déportés politiques – on connaît le cas de Louise Michel –, produisant en 1875 une population européenne de 6 500 personnes, dont 3 500 étaient des déportés et la plupart des autres des fonctionnaires pénitentiaires et des militaires. Quinze ans plus tard, les forçats, relégués et libérés, étaient 10 000, à côté d'un nombre égal de personnes libres, dont une partie notable de commerçants. La population kanak était inférieure à 35 000 personnes ; avec le développement des compagnies minières (Le Nickel, créé en 1884), s'y joignirent quelques milliers de travailleurs d'Asie ou d'Océanie.

La société française et francophone, avec deux journaux en français dès 1875, était peu en contact avec les Kanaks, qui n'abandonnaient pas leur mode de vie traditionnel et ne devaient donc guère se mettre au français.

7.

Dire la guerre (1914-1919)

S'agissant de décrire l'évolution interne des langues, les événements historiques et militaires tels qu'une guerre ne sont pas pertinents ; mais, si l'on considère, ce que nous faisons ici, les rapports entre les humains et leurs langues, le bouleversement social et la catastrophe humaine d'un grand conflit ont toujours des effets massifs.

Le brassage des jeunes hommes de toutes les régions de France était en cours depuis la conscription générale – une quarantaine d'années avant 1914 – mais les circonstances de la mobilisation générale puis des combats et de la vie des tranchées ne pouvaient que créer des liens encore plus forts et des besoins de communication où les différences d'usages, éclatantes, devaient être transcendées. Un mot symbolise cette unité du monde des combattants ; c'est *poilu*. Deux mots opposés divisent alors la France en deux : le *front* et l'*arrière*, avec ses *embusqués*.

Pour l'arrière, en France ou en Belgique, la situation langagière d'avant-guerre se perpétue : dialectes ou langues autres reculant devant le français, qui l'a emporté dans les villes mais a pris des formes nouvelles. C'est le français populaire parisien, à côté du français de l'école, qui sert de modèle national. Au front, il y a le français des officiers et celui des mobilisés cultivés, et le français parlé spontané, dans toutes ses variantes, dont l'une est hiérarchiquement dominante, celle des Parigots délurés, qui va élaborer ce qu'on va appeler l'« argot des poilus », décrit dès 1918 dans *L'Argot de la guerre* d'Albert Dauzat ou dans *Le Poilu tel qu'il se parle* de Gaston Esnault (1919). Le terme *argot* est excessif ; parler du *poilu* comme d'une sorte de langue montre le besoin d'entités dénommées pour chaque usage socialement perçu : Esnault a bien vu qu'il s'agit d'un usage défini par une situation, situation terrible.

Et puis, par rapport aux situations de paix, des changements sociaux s'opèrent : faute d'hommes, l'industrie a recours à des femmes. Certaines quittent la ferme pour l'usine : leur langage doit s'en ressentir. En outre, les innombrables blessés requièrent, au-delà du personnel médical et hospitalier du temps de paix, des aides très nombreuses.

La guerre, ses techniques marquent le vocabulaire français. Les mots qui apparaissent à l'écrit entre 1914 et 1918 l'attestent : la création d'un sens atroce pour un mot innocemment scientifique jusqu'alors : *gaz*, avec son dérivé *gazé*, tandis que la ville belge d'Ypres sert de base pour l'*ypérite*. Parmi les armes et leurs effets, on a *grenadage*, *dynamitage*, *lance-bombes*, *lance-flammes*, *lacrymogène*. Les anglicismes militaires, avec la collaboration des armées britanniques et américaines – et les *Tommies*, les *Sammies*, les *Ricains* –, se multiplient : *tank*, mot codé car il signifie trompeusement « réservoir », *no man's land*. Le mot *tranchée* prend une valeur nouvelle ; on parle de *cagnas*. L'ennemi, outre *Boche*, reçoit des sobriquets nouveaux : *fritz*, *fridolin*. Les effets de l'aviation se font sentir : *antiaérien*, *biplace*, *rase-mottes*, *repérage*… Les procédés d'abréviation et de « siglaison », à la fois populaires et institutionnels, transforment les « aspirants » en *aspis*, les « quartiers généraux » en *QG*, tandis que le lexique stratégique s'enrichit : *contre-offensive*. Les désignations populaires marquent la période : on l'a vu pour *poilu* ; la dérision s'attaque à la mort : le *casse-pipe*, la *riflette* (de l'argot *rif*, « le feu »). Tandis que la coordination entre les armées alliées produit les adjectifs *interallié*, *interarmées*, les attitudes envers le conflit requièrent des désignations nouvelles : *neutralisme*, *défaitisme* s'opposent à *jusqu'au-boutisme* – formation originale. De Russie, après 1917, vient le besoin de nommer le *léninisme*, le *bolchevisme*.

Ces mots nouveaux, évidemment liés à la grande tuerie, donneraient une fausse idée de la réactivité du langage aux situations historiques. C'est aussi l'époque où apparaissent *jazz* et *avant-gardisme*, *dada* et *dadaïsme*, suivis de *surréalisme* (Apollinaire en 1917). Et toutes sortes de mots hétéroclites, de la médecine (*électrocardiogramme*) et de la technique (*essuie-glace*), des injures racistes (*chinetoque*, *crouillat*, qu'on est scandalisé de voir apparaître juste quand les tirailleurs algériens et sénégalais se font tuer pour défendre une patrie imposée), des aliments nouveaux (*cannelloni*, *croque-monsieur*). Les emprunts à l'allemand étaient prévisibles (*Kommandantur*, *ersatz*...).

Quant aux francophones d'Amérique du Nord, et notamment aux Canadiens – on ne parle pas encore de Québécois –, leur entrée dans la guerre ne se fait pas dans l'unanimité. Les Canadiens français, refusant de participer à une opération politique et militaire de l'Empire britannique, sont en majorité opposés à la participation à la guerre, tout en étant de cœur du côté de la France contre l'Allemagne. Mais les plus actifs défenseurs du français contre l'emprise anglaise, notamment en Ontario, se trouvent alors devant un dilemme. Comment en effet plaider pour le bilinguisme et la promotion du français, grande langue internationale elle aussi, sans prendre parti, dans le conflit, aux côtés des Alliés, qui sont ceux de la France ?

En 1916, dans *Les Langues et les nationalités au Canada*, un oblat français établi à Montréal, Jean-Marie Pénard (qui signait sa brochure « un sauvage »), voyait pour le Canada un danger suprême, l'« annexion aux Etats-Unis par absorption », contre lequel existait un seul remède : le « maintien du parler français dans toutes les provinces[1] ». J.-M. Pénard y prônait un bilinguisme (ou plurilinguisme) comparable à ceux de Belgique et de Suisse.

Voici donc les raisons qui poussèrent l'un des plus actifs défenseurs du français en Ontario, Olivar Asselin, à s'enrôler dans l'armée canadienne, à l'étonnement général[2]. Son argument majeur était que, malgré les réticences – qu'il partageait – de ses compatriotes au catholicisme sourcilleux devant les institutions présentes de la France, il fallait impérieusement aider militairement ce pays. Il déclarait : « Le monde ne peut pas se passer de la France », ou encore, ce qui prêtait évidemment à controverse : « Nous, les Français d'Amérique, nous ne resterons Français que par la France. » La position d'Olivar Asselin, soldat canadien dans l'Empire britannique pour défendre la France et le patrimoine d'idées qu'elle représentait, illustre cette ambiguïté qui fait de la province du Québec, entre legs français et appartenance à une nation du Commonwealth menacée dans sa spécificité canadienne par la superpuissance étatsunienne, une communauté à références multiples, unifiée par l'amour d'une langue qui doit être la sienne, et non plus celle d'une origine culturelle européenne, tout en restant « le français ». Position étonnamment moderne, en 1916, on en conviendra. La problématique, illustrée par la présence des troupes « canadiennes » parlant soit la langue des Tommies britanniques, avec un accent proche de celui des « Américains » (Etatsuniens) qu'on appelle en français canadien les « Anglais », soit un français que les soldats français originaires de Normandie comprenaient mieux que d'autres, put correspondre, dans la France en guerre, à un bilinguisme momentané, non seulement dans les états-majors, mais dans les rapports entre troupes et civils.

Après l'armistice, ce fut sur la scène diplomatique internationale que la langue française se trouva confrontée à l'anglais parlé des deux côtés de l'Atlantique. Les Etats-Unis, malgré leur pacifisme de principe – celui du président Wilson –, étaient entrés en guerre le 6 avril 1917, en partie à cause des attaques sous-marines pratiquées par l'Allemagne contre les navires reliant l'Amérique du Nord à la Grande-Bretagne et à la France. Dans les négociations qui aboutirent aux traités signés en 1919 et 1920, remodelant l'Europe, modifiant le Proche-Orient, et en relation avec l'influence mondiale acquise par les Etats-Unis, la langue anglaise prit concrètement le pas sur les autres langues concernées, et même sur le français, langue diplomatique traditionnelle de l'Europe. Si on ajoute le poids, lui aussi mondial, de l'Empire britannique, en majorité ou partiellement anglophone, le français, malgré sa présence en divers continents – Amérique, Afrique et Asie, par les colonies –, était politiquement et diplomatiquement infériorisé.

Par ailleurs, avec le traité de Versailles, il retrouvait ses chances en Alsace, en Belgique, au Luxembourg, et, dans d'autres négociations, en acquérait au Levant, les conservait en Afrique et, de manière toute différente, en Amérique du Nord et dans les « îles ».

Evidemment, l'impact de la guerre sur la population ne se limite pas aux cinq années du conflit. Depuis les pertes énormes par lesquelles Napoléon fit payer à ses armées et à de nombreuses populations civiles – il suffit d'évoquer l'Espagne – sa volonté de conquête et d'empire européen, peu de pays avaient supporté un massacre semblable. Tous les hommes valides de 18 à 48 ans furent mobilisés (près de huit millions), auxquels il faut ajouter 270 000 volontaires (français et étrangers) et plus de 600 000 soldats prélevés sur les colonies. Sur ce chiffre énorme, plus de cinq millions de combattants furent tués ou blessés mortellement ou disparurent. Les paysans et, sans qu'on ait de chiffres précis, les troupes coloniales furent particulièrement touchés, mais 19 % des officiers, représentant les classes moyenne et supérieure, moururent eux aussi au combat. En outre, d'après les services médicaux de l'armée, il y eut plus de trois millions de blessés, survivants précaires, souvent invalides ; 40 000 civils auraient péri, la catastrophe humaine étant surtout militaire, ce qui cessera d'être vrai dans le conflit mondial suivant. Les épidémies, telle la grippe espagnole de 1918-1919, parachèvent le tableau.

D'autres conséquences sont immédiates : effondrement du nombre de mariages, recul important de la natalité à partir de 1915, déséquilibre significatif entre les sexes, les femmes représentant, en 1921, 52,4 % de la population totale de la France. Il y a en France moins de jeunes adultes, plus d'hommes âgés et de femmes, moins d'enfants. Enfin, les destructions dans les régions qui ont subi les combats entraînent alors une accélération des mouvements de population et de l'urbanisation. Il y a plus de prolétaires urbains – et urbaines – dans les usines qui manquent d'hommes, d'où tendance à l'unification des usages des deux sexes.

Ajoutées à la faiblesse chronique de la natalité française, au vieillissement de la population, ces circonstances entraînent une forte immigration d'étrangers – malgré la tuerie, qui affecte surtout les jeunes adultes – (Pologne, Italie, 1919 ; Belgique, 1921) et de « coloniaux » : sur le plan des langues, les conséquences seront très importantes.

Tout cela converge pour renforcer l'unification des deux formes dominantes de français : l'une correspondant au parler spontané de type parisien (qu'on appréhende sous l'étiquette discutable de « français populaire » et dont on décrit, on l'a vu, une forme extrême, dans une représentation un peu forcée : le prétendu « argot » des poilus, d'usage exclusivement masculin) ; l'autre au français écrit de l'école, que seuls les linguistes, à l'époque et sans doute encore aujourd'hui, n'assimilent pas complètement à cette abstraction unique et fictive, sinon mythique, « le » français.

Effet des interventions anglaise, étatsunienne et canadienne dans la guerre, un contact direct et spontané, non plus livresque et scolaire, est également apparu entre plusieurs usages de l'anglais (britannique et nord-américain, essentiellement) et ceux du français, pas tellement au front, les armées n'étant pas mêlées, mais à l'arrière, avec permissionnaires et blessés (et aussi dans les états-majors). Ainsi, des femmes et des enfants d'un village d'Auvergne peuvent échanger en 1917 quelques propos maladroits avec un groupe de soldats permissionnaires des Etats-Unis, puis établir des relations épistolaires[3]. On imagine que le contact entre militaires canadiens francophones, surtout dans les régions de l'ouest de la France, a pu causer des étonnements agréables pour les paysans surpris d'entendre ces « Américains » parler un français proche du leur et éloigné du parisien qui dominait un peu partout.

En outre, la période 1914-1918, sans être la première où des troupes « indigènes » combattaient pour la France, vit cette pratique devenir massive. A partir de 1912, le service militaire obligatoire avait été étendu aux jeunes Algériens. Après les « zouaves », les « spahis » et les « zéphyrs » (tirailleurs légers) du xixe siècle, ce sont les tirailleurs, en nombre impressionnant, on l'a vu, qui combattent en métropole ; d'autres troupes viennent d'Afrique occidentale française (AOF), notamment les tirailleurs sénégalais. Indépendamment des thèmes polémiques de l'exploitation de ces troupes et de la reconnaissance relative et limitée que leur témoigna l'Etat français – pensions, droits matériels modestes, mais refus d'une citoyenneté complète –, ce brassage tragique de populations masculines originaires de communautés différentes eut pour effet de transférer en Europe les contacts de langues qui agissaient depuis plusieurs décennies dans l'Empire français. L'apprentissage du français, sous des formes spontanées, orales, élémentaires faute d'une scolarisation suffisante, s'accélère alors pour des locuteurs d'arabe algérien dialectal, de berbère, de créole antillais ou réunionnais et de nombreuses langues africaines. Les troupes coloniales, pendant la Première Guerre mondiale, étaient bien perçues par la population autochtone de la France ; mais cela n'incitait guère les francophones de langue maternelle à pratiquer leurs langues. Le bilan linguistique, comme dans toute colonisation durable, se fait donc au profit de la langue du colonisateur, même si ce dernier était très minoritaire en nombre.

8.

Autour du français,
langue maternelle ou importée

Avant d'aborder le cadre social du français et des langues qui sont en rapport avec lui au XXᵉ siècle, cet ouvrage, qui veut se centrer sur les êtres humains sollicités par la parole en français, doit s'appuyer, aussi grossièrement que ce soit, sur la démographie.

Si l'on se réfère aux données fournies par les démographes[1], certains des effets de la guerre de 1914-1918 vont se poursuivre dans les périodes suivantes, mais en se modifiant. Ainsi, le nombre d'immigrés vivant en France et venus des diverses parties de l'Empire passe de 1,5 million en 1921 à 2,5 millions en 1936 ; celui des étrangers de 1,5 million à 2 200 000. Les principales communautés concernées sont alors de langues romanes (30 % d'Italiens en 1931 parmi les étrangers, 13 % d'Espagnols) ou slaves (19 % de Polonais, soit 500 000, surtout dans le nord de la France). La majorité des 250 000 Belges sont des Wallons. Les régions de France concernées sont d'abord l'Ile-de-France et, pour la concentration relative, le Sud méditerranéen ; puis viennent le Nord et l'Est industriels, tandis que les Arméniens réfugiés après les massacres de Turquie s'établissent surtout à Marseille et à Lyon. Le reste de la France, en matière de plurilinguisme, n'a à gérer que ses problèmes internes de langues et de dialectes, problèmes qui évoluent, sont masqués, mais ne disparaissent pas.

La période qui suit la guerre de 1940-1945, après un contact forcé de quatre ans entre le français et l'allemand, pour la France et la Belgique, va être celle de la reconstruction et de la croissance. Les chiffres parlent. De 1945 à 1975, en Europe, seules la France et l'Allemagne voient leur population s'accroître de plus de 30 % (de moins de 40 à près de 53 millions d'habitants pour la France). Le taux de mortalité baissant, l'espérance de vie s'accroît, mais inégalement : les habitants du sud de la France (par exemple de l'Aude, de l'Hérault) vivent nettement plus vieux (cinq à six ans, pour les hommes) que ceux du Morbihan ou du Nord. La fécondité baisse de 1965 à 1975, après la reprise de 1946 à 1964 (le « baby-boom ») ; la contraception et la planification des naissances y sont pour quelque chose.

Le résultat est que la population vieillit : de 1946 à 1975, la tranche d'âge de 60 à 70 ans augmente d'environ 35 %, celle de 70 à 80 de 60 %, celle de 80 à 84 ans passant de 400 000 à 790 000 ; les femmes y figurent beaucoup plus que les hommes.

Après 1975, la mortalité continuant à baisser et la natalité baissant encore – bien que l'indice de fécondité soit moins bas qu'en Europe du Sud et du Centre –, la population continue à vieillir, mais plus lentement, les moins de 20 ans passant de 32 % en 1975 à 26 % en 1995 ; les plus de 60 ans de 18,4 % à 20 %.

Pour ce qui est de la répartition de la population active, pour une base 100 en 1954, les agriculteurs sont 42 en 1975, mais les ouvriers passent de 100 à 126. Employés, cadres et professions libérales font plus que doubler[2].

Déjà, avant 1945, les immigrés venus des colonies étaient passés de 3 % de la population en 1911 à 6,2 % en 1936 (2,5 millions), les « étrangers » de 2,8 à 5,3 (2 200 000). Etaient alors concernés l'arabe, les langues africaines, le créole, l'italien, le polonais, l'espagnol, le tchèque, certains immigrés étrangers pouvant être de langue maternelle française : essentiellement des Suisses et des Belges, dont le nombre, d'ailleurs, baisse après 1920.

Après 1945, deux facteurs renforcent l'impact de l'immigration : les besoins de la reconstruction puis de la croissance économique et, après 1960, les péripéties de la décolonisation. Même si les données sont brouillées par la distinction formelle entre étrangers et immigrés, les chiffres des recensements sont éloquents : de 1946 à 1975, le nombre d'Italiens installés en France est stable, celui des Espagnols passe de 300 000 à 500 000 environ, et la vague portugaise est impressionnante, de 22 000 à 750 000. Mais les immigrés les plus nombreux en 1975 sont les Africains de divers pays nouvellement indépendants et les Maghrébins (700 000 Algériens, près de 400 000 Marocains et Tunisiens). L'immigration turque, intense en Allemagne, en Belgique, devient significative en France (plus de 50 000 en 1975). Cette immigration est souvent familiale, la femme suivant le mari : cela va modifier les conditions de bilinguisme et de l'apprentissage de la langue française. Par ailleurs, les immigrés anciens (Italiens, Espagnols, Polonais) et leurs enfants deviennent de plus en plus francophones, sans que les préjugés d'origine disparaissent à leur égard (voir *Les Ritals*, de F. Cavanna).

Après 1975, l'immigration ralentit légèrement. Des communautés « étrangères », par naturalisation et diminution du flux d'immigrants, deviennent moins nombreuses : c'est le cas, entre 1980 et 1990, des Italiens, Espagnols, Polonais. Pour les Africains subsahariens, leur nombre augmente ; quant aux Maghrébins, leur situation est stable. Une nouvelle émigration devient notable : celle des Asiatiques. Le recul relatif de la croissance économique, le chômage conduisent à des politiques de restriction.

Ce cadre général étant évoqué, on peut noter que, autour de la « langue de la République », deux situations très différentes se présentent. Cette distinction est également valable pour la Belgique et la Suisse. La première concerne les relations qu'entretiennent les francophones de France avec des dialectes ou patois, ou bien des langues parlées régionalement ou même perdues, mais présentes dans la mémoire collective et plus ou moins revendiquées. La seconde, les immigrés de langue maternelle différente, leur acquisition du français, la situation familiale ou solitaire dans une collectivité, et pour leur descendance (« deuxième » ou « troisième génération ») leur vécu langagier complexe, souvent bilingue.

Ainsi, le préjugé commun qui voit la France parlant une seule langue et apprenant (assez mal) à l'école une ou deux langues étrangères sera fortement attaqué par la réalité.

DIALECTES ET LANGUES

Malgré les effets destructeurs du brassage des populations et de l'école entre 1870 et 1918, patois et dialectes étaient encore vivants, en France, au milieu du xxᵉ siècle[3]. Pourtant, de 1918 à 1950, plus encore ensuite, le français submerge les autres langues et dialectes traditionnels, et les patrimoines régionaux sont très consciemment assassinés. Au xxiᵉ siècle, seules les langues différentes du français central, qu'elles soient ou non romanes (occitan, catalan, corse), résistent, tandis que les « patois » d'oïl et « francoprovençaux » ont presque disparu. Mais tout idiome qui fut vivant à côté du français connaît une valorisation nouvelle : les francophones, même unilingues, au nom de leur région s'y intéressent comme à un patrimoine dont les restes – essentiellement des mots, des expressions, des variantes phonétiques – méritent d'être intégrés au « français régional », et d'être décrits, rappelés, mis en dictionnaires.

Ces changements de pratiques, puis d'attitudes langagières sont fonction des régions, non des classements des linguistes. Sociologiquement, la différence de perception entre le dialecte gallo-roman de Bretagne, le gallo, et le

breton, langue celtique, est atténuée par l'identité régionale ; les dialectes d'oïl de Franche-Comté, voisins de
ceux de Savoie, ne sont pas sentis comme appartenant à
un « francoprovençal » parlé aussi en Suisse romande,
mais comme comtois ou savoyards. Malgré son caractère
unique et mystérieux, la langue basque pose (en France,
la situation en Espagne étant tout autre) des problèmes
analogues à ceux du gascon en Béarn.

C'est pourtant des identités définies par la linguistique
qu'il faut partir, si l'on veut éviter les confusions.

DIALECTES D'OÏL ET « FRANCOPROVENÇAL »

Outre ceux qui ont donné naissance au français d'Ile-
de-France et de l'Orléanais – auxquels on peut joindre, au
sud, le tourangeau, le berrichon cher à George Sand, le
bourbonnais –, il s'agit, au nord, du picard, apparenté au
normand ; à l'est, du champenois, du bourguignon et du
morvandiau, distincts du franc-comtois ; à l'ouest, du normand, du gallo de Bretagne, de l'angevin, du poitevin et
du saintongeais. Dans chaque cas, on parlait jadis de
« patois » au pluriel, et la linguistique, de « dialectes » ou
de « parlers » au pluriel. Aujourd'hui, on préfère le singulier, qui permet d'accéder au statut de « langue ». En 1982
est fondée une association, Défense et promotion des
langues d'oïl (DPLO), mais le maintien éventuel ou la
renaissance des parlers en question demeurent très problématiques. Une enquête faite en 1986 trouvait à Amiens
46 % de « locuteurs déclarés » du picard, mais tout dépend
de ce que ce nom recouvre. Par ailleurs, tandis que l'écart
entre les parlers locaux et le français central normalisé est
surtout important pour le lexique, les révolutions techniques de l'agriculture et l'urbanisation partielle autour
des villes ont eu pour effet de détruire la palette lexicale
de ces cultures en matière de pratiques agricoles, d'habi-
tat, de flore et de faune, toujours plus riche et différenciée qu'en français standard.

Des tentatives ont bien eu lieu pour entretenir la tradition par l'enseignement. Le Conseil national des langues et cultures régionales, réuni en 1986, n'a pas obtenu de grands résultats : des épreuves facultatives dans les concours d'entrée aux Ecoles normales, sept universités présentant un enseignement (le picard à Amiens et Lille, le normand à Caen et Rouen, le gallo à Rennes, le lorrain à Nancy, le poitevin-saintongeais à Poitiers).

Cependant, le patrimoine culturel régional n'est pas abandonné, par exemple en Picardie, avec des réunions, des publications et des émissions patoisantes, en Champagne (*Lou Champaignat* ; *Terres ardennaises),* en Lorraine, en Franche-Comté, en Bresse (Radio Bresse a des émissions patoisantes), en Nivernais, en Bourgogne, dans le Morvan (la revue *Teurlées*), en Poitou (revues, études folkloriques ; mais France 3 et *Ouest-France* ont supprimé leurs chroniques en poitevin-saintongeais), en Normandie, où les publications sont assez nombreuses et l'intérêt pour la « langue normande » paraît vif[4].

La situation du gallo, le dialecte roman de Bretagne orientale, qui présente des traits communs avec le poitevin, est un peu différente, car il bénéficie de l'impact de la Charte culturelle de Bretagne (1978), qui recommande sa promotion à côté de celle du breton. La littérature « gallèse » s'est développée au XIXe siècle, la production actuelle est variée et il existe une option de gallo au baccalauréat.

Mais l'intérêt du public attaché à sa région, le travail des philologues et ethnologues locaux, celui des associations, s'ils ne s'adressent pas à un passé révolu, ne peuvent cacher la réalité des usages. Presque partout les dialectes d'oïl ont disparu avec les derniers locuteurs. Il n'y a plus de transmission familiale, facteur essentiel de survie. En outre, les initiatives en faveur de ces dialectes (qu'on les baptise « langues » n'y change rien) sont privées et locales, sauf dans l'enseignement. Les grands médias, en particulier, restent totalement inactifs.

Mal dénommé, le domaine « francoprovençal » présente la même situation que les dialectes d'oïl. Ce territoire, qui part de la région lyonnaise et s'étend en triangle vers l'est, a été identifié au XIXe siècle par le linguiste italien Graziadio Ascoli. On y parlait, en France, le bressan, le savoyard ; en Suisse, le fribourgeois, le valaisan ; en Italie, le valdotain (Val d'Aoste), à côté du français. Distinct des dialectes d'oïl par des traits linguistiques plus anciens, conservés, par rapport à la « langue d'oïl », cet ensemble ne ressemble pas, malgré son nom, à l'occitan, provençal ou non. Très fragmenté, le « francoprovençal » est perçu comme un ensemble de dialectes ou de patois analogues à ceux d'« oïl », notamment en France de patois savoyards. Le francoprovençal s'écrit depuis le XIIIe siècle ; sa graphie présente des irrégularités par rapport au français[5]. Cet ensemble de parlers est bien étudié, notamment à l'Université catholique de Lyon (institut Pierre-Gardette), à Grenoble III, au Centre d'études francoprovençales d'Aoste, en Italie. Ces dialectes ne sont plus transmis par les familles ; selon Gaston Tuaillon, il restait en 1988 environ 60 000 locuteurs sur six millions d'habitants (surtout localisés en Savoie, en Bresse, dans les cantons suisses du Valais et de Fribourg et dans le Val d'Aoste).

L'OCCITAN

Depuis le Moyen Age, l'histoire de l'occitan en France est celle d'une langue très brillante qui s'est inexorablement fragmentée, dont l'usage a reculé devant la pression du français, mais dont les différentes formes ont mieux résisté, avec une prise de conscience littéraire forte pour le provençal dans la seconde moitié du XIXe siècle (le félibrige) et une identification régionale active au XXe siècle.

Depuis l'apparition de ces nouvelles attitudes, une division plus régionale que linguistique sépare culturellement en deux l'Occitanie et l'écriture de ses dialectes. D'un côté, la tradition de Mistral, qui récuse le nom d'*occitan* et accepte *langue d'oc*, mais reste attaché à *provençal* et à la transcription mise au point par Joseph Roumanille et Frédéric Mistral pour le provençal rhodanien. De l'autre, la graphie unifiée, inspirée des textes médiévaux, définie par les félibres du Languedoc et codifiée par Louis Alibert (mort en 1959). Un accord entre « provençalistes » et « occitanistes » a été accepté par le félibrige provençal (Aix-en-Provence) et par l'Institut d'études occitanes fondé en 1945 à Toulouse.

Plus que les institutions et les publications, c'est la pratique des variantes de la langue d'oc qui importe. Malgré les difficultés d'interprétation que soulèvent les enquêtes, on estimait à environ deux millions (sur quinze) les locuteurs d'occitan en 1999. En 1920, Jules Ronjat les évaluait à plus de dix millions : le recul fut donc énorme. En Languedoc, 34 % des témoins interrogés déclaraient comprendre la langue, mais seulement 9 % parfaitement ; 19 % affirmaient la parler, mais seulement 7 % « bien ». Que connaissaient réellement de la « langue occitane » celles et ceux qui reconnaissaient ne la comprendre ou ne la pratiquer que mal ? En Aquitaine, les résultats de l'enquête étaient comparables. Dans les deux cas, ils étaient supérieurs dans les départements ruraux, les plus faibles étant obtenus dans l'agglomération bordelaise (comprendre : 11 % ; parler : 3 %). La transmission familiale ayant, croit-on, quasiment cessé, la grande majorité des locuteurs seraient des gens âgés, les jeunes pratiquant l'occitan surtout avec eux.

Ainsi, malgré des résistances et un certain militantisme, la désaffection continue de se marquer ; là comme ailleurs, surtout après la Première Guerre mondiale, un français régional spontané se substitue à la pratique normale du dialecte. Quant aux résistances, elles sont culturellement et symboliquement significatives, mais quantitativement limitées. Les livres publiés en occitan sont pourtant nombreux et la littérature plus florissante qu'à l'époque de Mistral, avec de nombreux auteurs nés au xxe siècle[6], mais leur tirage reste faible et seuls quelques-uns sont traduits en français. Les périodiques, cependant, sont nombreux, revues littéraires et culturelles ou pédagogiques. Des radios locales ou associatives ont des émissions en occitan, en général hebdomadaires (seule Radio País, au Béarn, émet majoritairement en gascon). Quant aux télévisions, seules France 3 Provence-Côte d'Azur et France 3 Sud avaient, à la fin du xxᵉ siècle, des programmes en langue régionale, à raison de quelques dizaines d'heures par an. La télévision sur Internet pourra faire bouger les choses.

Enfin, l'école primaire bilingue – avec l'occitan comme langue d'enseignement – ne concernait en 2001-2002 que 2 000 élèves (deux fois plus qu'en 1996), auxquels il faut ajouter 3 000 enfants bénéficiant de trois à six heures de provençal dans les Bouches-du-Rhône, et environ 1 800 élèves dans les écoles associatives bilingues appelées *Calandretas*, qui existent depuis 1998 et peuvent être comparées aux écoles *Diwan* pour le breton[7]. Dans le second degré, l'occitan peut faire l'objet d'un enseignement de langue vivante ou en option facultative pour 17 000 élèves environ (1999-2000), mais l'épreuve d'occitan du baccalauréat, un an avant, n'avait attiré que 2 350 élèves. Enfin, les universités d'Aix-Marseille I, Toulouse, Montpellier III délivrent des diplômes dans les études supérieures (licences, masters).

Si le mouvement d'intérêt pour l'occitan est réel, il n'est pas, quantitativement, à la mesure de la perte des pratiques spontanées, continue depuis que les dialectes et patois, normaux et vivants partout au milieu du xixᵉ siècle et jusqu'en 1914 – à côté du français, dans les villes –, ont cessé de faire l'objet, même en milieu rural, d'une transmission familiale après 1918.

Dans les enquêtes de la Révolution et de l'Empire, tout parler qui n'était pas le français officiel était considéré comme « patois ». Pour l'opinion, c'était encore le cas au xixᵉ siècle, mais après 1945 on réserve plutôt l'étiquette « patois » aux dialectes gallo-romans d'oïl et au franco-provençal. La chose est moins nette pour les variétés de

l'occitan et on reconnaît de plus en plus le statut de
« langue », du fait de leur légitimité régionale, à des
idiomes parlés hors de France, par exemple en Espagne
(catalan et basque), ou appartenant à une famille linguistique reconnue. C'est le cas du breton, langue celte,
du « dialecte » alsacien, qui est de l'alémanique, du germanique parlé aussi en Suisse, ou encore de la langue
corse, issue de dialectes de l'italien. En Alsace, on parle
de « dialecte », pas de patois ; il en va de même pour le
flamand, variante du néerlandais parlée en Belgique et
en France, et du francique ou *Platt* pour les dialectes
germaniques de Lorraine.

DIALECTES GERMANIQUES DE FRANCE

Plusieurs de ces dialectes et langues sont transfronta-
liers et concernent la Belgique (le flamand), l'Allemagne
dialectale (francique, alémanique), et la Suisse (alémanique). Si l'on retient le facteur politique et administratif,
on doit noter que l'Alsace et la Lorraine furent allemandes
de 1870 à 1918 et de 1940 à 1945, ce qui a influé sur
leur histoire linguistique.

Les dialectes alsaciens, après la guerre de 1914-1918,
ont coexisté à l'oral avec le français, qui s'était maintenu
après 1870 comme langue de l'élite (y compris allemande)
et était redevenu langue de l'école. A l'écrit, à côté du
français, l'allemand existait dans la presse alsacienne,
pour le culte religieux et, partiellement, à l'école. Les
dialectes donnèrent lieu à une littérature régionale très
vivante. Après l'annexion de 1940, seul l'allemand était
officiel ; le français interdit, le dialecte toléré ; mais le
français était pratiqué à l'oral en signe protestataire, et la
littérature en français circulait. Après 1945, la situation
confronte le français et l'allemand à l'écrit et à l'école, le
français et le dialecte à l'oral. Avant 1960, l'alsacien, avec
ses variantes, demeure l'une des langues régionales les
mieux conservées de France. Des données chiffrées et des

sondages permettent de suivre un peu mieux son évolution que celle des autres langues régionales de la France. Alors qu'entre 1930 et les années 1960 (et malgré la germanisation forcée de 1940-1945) la connaissance du dialecte restait stable (autour de 85 % de connaissance déclarée), la régression commence ensuite. Elle est plus marquée pour les femmes que pour les hommes (en 1998, 44 % des femmes déclarent parler couramment le dialecte, contre 57 % des hommes), ce qui doit entraîner une baisse de la transmission dans la famille. De fait – et c'est le point crucial pour l'avenir –, seuls 22 % des jeunes de 18 à 24 ans disent parler habituellement l'alsacien, contre près de 80 % pour les plus de 65 ans. Un sondage scolaire auprès des maîtres, portant sur les élèves, donne une compétence de 14 % pour les 6-11 ans, de seulement 6,5 % pour les 3-6 ans.

La transmission du dialecte aux jeunes enfants étant de moins en moins assurée, ses aptitudes dans la communication ont tendance à se restreindre. Ce qu'on appelle l'« alternance des codes » (on passe, dans une même situation, du dialecte au français ou l'inverse, souvent sans en avoir nettement conscience), et qui donnait lieu à des mélanges pittoresques, tend à se raréfier. De la même manière, les domaines autrefois réservés au dialecte – personnel, affectif, familial, intime – à côté du français – réservé à la sphère sociale, intellectuelle, etc. – passent de plus en plus au français. Ce qui était spontanément vécu en dialecte peut l'être en français, selon un processus observé également ailleurs (en Allemagne et en Italie, par exemple).

Reste à rappeler la place singulière de l'enseignement de l'allemand en Alsace. Tandis qu'aucun enseignement de l'allemand n'était prévu de la Libération à 1952 et qu'une tentative d'enseignement facultatif, en milieu dialectophone, échoua, pour des raisons de psychologie sociale, en 1972, quelques classes expérimentales ont réintroduit l'allemand ; la mesure sera généralisée et étendue dans les années 1980, au nom de la culture régionale et des échanges économiques et culturels avec l'Allemagne voisine. Dans les années 1990, on peut fréquenter une école bilingue en français et en allemand, mais la demande, pour l'école primaire, est inférieure à 5 %. De manière caractéristique, ce sont les zones où le dialecte est encore le plus vivant qui sont le plus réservées pour cet apprentissage bilingue. Une explication partielle des réticences alsaciennes vis-à-vis de l'allemand réside dans l'ambiguïté, qu'explique l'Histoire, des relations entre alsacien et allemand, tandis que le français est senti comme langue de la nation, pouvant néanmoins être approprié dans le respect de la culture régionale.

Sur le plan culturel, cependant, on a pu parler, vers 1970, d'une « renaissance alsacienne », diverses attitudes contestataires, écologiques ou communautaires s'exprimant en dialecte ; le théâtre et les chansons en alsacien se multiplient, tandis que les médias locaux (y compris la télévision nationale « régionalisée ») accordent une place, rendue affectivement positive, au dialecte[8].

LE FRANCIQUE

Au nord de l'Alsace, une autre zone dialectale germanique empiète sur le territoire de la France, de la frontière sarroise à celle du Luxembourg. La Moselle connaît deux variétés de francique, le rhénan au sud – proche de l'alémanique alsacien – et, au nord-ouest, le francique mosellan, l'intercompréhension entre les deux familles de parlers étant faible, pour des raisons phonétiques essentiellement, tandis que la frontière romano-germanique n'a pas bougé depuis l'an mil et la Lotharingie.

Le francique mosellan, en 1962, était encore parlé par 360 000 locuteurs ; en 1999, il n'y en avait plus que 78 000. Il se nomme *Platt*[9] (*Plattdeitsch*) en dialecte, du côté allemand comme français ; en français, on dit « le Platt », « le dialecte » et, récemment, « le francique », ou

« langue francique », en dialecte *fränkisch* (*Sprooch*).
Alors que les locuteurs les plus âgés de cette région française parlent couramment le dialecte et peuvent, tout
comme les Alsaciens, l'alterner avec le français, selon les
situations et les thèmes, les jeunes l'ont en général perdu[10].
Comme en Alsace, le recul de l'allemand standard écrit
comme langue commune accompagne celui du dialecte :
le dernier numéro bilingue français-allemand du *Républicain lorrain* a paru en 1988. Mais l'enseignement de l'allemand à l'école, supprimé en 1945 – comme en Alsace –,
connaît un développement dans l'enseignement secondaire en tant que langue étrangère, et minoritairement
dans le primaire, à Bitche, Forbach, Sarreguemines (huit
heures hebdomadaires d'allemand et une matière enseignée en allemand).

On doit cependant signaler un mouvement associatif
en faveur du dialecte, soutenu par l'Institut des langues
et cultures régionales de Lorraine[11]. Le cas du francique
luxembourgeois, l'une des trois langues officielles du
Grand-Duché avec l'allemand et le français, est, de ce
fait, particulier.

LE FLAMAND

Le long de la frontière belgo-française, à l'extrême nord
de la France, une autre ligne de partage entre langues
romane et germanique sépare, d'est en ouest, la Belgique
wallonne de la flamande – qui préfère se dire néerlandophone. Elle empiète sur la région de Dunkerque et de
Bailleul. A la fin du XIXe siècle, le grand-père d'André
Malraux, armateur à Dunkerque, parlait flamand.

Aujourd'hui, les locuteurs de flamand en France sont
de moins en moins nombreux sur un territoire qui s'est
réduit. Les estimations sont très imprécises (de toute
façon inférieures à 100 000, peut-être 30 000), en majorité avec une connaissance passive, seuls les plus âgés
parlant spontanément le dialecte. Une discrète renais-

sance s'est produite après 1948, par des actions communes partant de Belgique, mais l'enseignement du flamand de France à l'école (1982) fut un échec ; c'est le néerlandais normalisé (des Pays-Bas) qui fait l'objet d'un enseignement à un autre niveau.

Le recul objectif du dialecte en France – comme du Platt ou francique mosellan et même de l'alsacien – est ainsi redoublé, sur le plan symbolique et de l'appartenance régionale, par le recours à des langues perçues comme nationales, en l'espèce l'allemand et le néerlandais, qui ouvrent une communication avec de plus larges espaces politico-économiques symboliques de l'Union européenne, ce qui compte beaucoup, notamment à Strasbourg, « capitale française de l'Europe ».

LE CELTE DE FRANCE : *BREZHONEG*

Il a plusieurs fois été question de la langue bretonne, *brezhoneg* dans cette langue, dans cet ouvrage. La variation dialectale de la langue correspond à quatre familles de parlers : léonais au nord-ouest (Finistère-Nord), cornouaillais au sud-ouest, trégorrois au nord-est (Côtes-d'Armor), vannetais au sud-est (Morbihan). Certains linguistes, à cause de l'accent tonique placé sur l'avant-dernière syllabe, regroupent Kerne (Cornouaille), Leon et Treger (KLT). L'intercompréhension, du fait de la variation phonétique notamment, est imparfaite. La recherche d'une norme unique pour la langue bretonne a abouti à un néobreton épuré dans son lexique et qui peut s'éloigner par sa prononciation des formes locales, ce qui entraîne pour les locuteurs spontanés âgés des réticences (et des moqueries). Les problèmes créés par les formes dialectales sont redoublés par l'existence de trois graphies, l'une d'elles « complètement unifiée » (*peurunvan*) utilisée dans l'enseignement, mais critiquée. Ainsi, on écrivait selon la prononciation *Breiz* pour « Bretagne » dans les trois dialectes occidentaux, et *Breih* en vannetais, l'orthographe unifiée étant *Breizh*. Cette nouvelle graphie unifiée a été proposée en 1975.

Au fil du temps, la frontière linguistique entre breton et dialectes romans (gallo) n'a cessé d'être repoussée vers l'ouest ; elle est aujourd'hui diffuse, mais l'unité de la Bretagne « bretonnante », par rapport à l'ensemble de la région, est clairement ressentie.

La pratique du breton, qui demeurait très majoritaire au XIXᵉ siècle et au début du XXᵉ siècle (jusqu'à la guerre), était encore importante jusqu'en 1945. A cette époque, dans une commune rurale, Saint-Méen, « tous les enfants scolarisés avaient le breton comme langue maternelle : six ans plus tard, ce n'est plus le cas que de 1 sur 10^{12} ». On est frappé par la rapidité extrême de ce recul : il ne peut correspondre qu'à l'arrêt de la transmission familiale de la langue.

De fait, du million de locuteurs estimés en 1950, seuls 240 000 subsisteraient en 1997 (plus 370 000 personnes ayant une compréhension correcte du breton mais ne le parlant pas[13]). En outre, et comme dans d'autres régions, les locuteurs sont pour les deux tiers des plus de 60 ans, et la moitié seulement se servent fréquemment de la langue.

Ce tableau sociologique est le même pour le breton que pour la plupart des « langues de France » : on parle le breton, quand on le parle, plutôt hors de la maison qu'à la maison, seulement en milieu rural, très rarement au travail.

Le contraste entre ce naufrage des pratiques et l'estime portée à la langue, qui a cessé d'être méjugée, est total. Les écoles Diwan, apparues en 1977, qui pratiquent un enseignement par immersion en breton normalisé, progressent, mais leur effectif est d'environ 7 000, tandis que 25 000 autres élèves ont un enseignement beaucoup plus léger du breton. On estime par ailleurs à une dizaine de milliers les apprenants adultes de breton. Ces chiffres, de même que les activités de l'enseignement supérieur à Brest, Rennes et Lorient, ou encore les quinze heures hebdomadaires de radio de France Bleue Breizh Izel et l'heure et demie de télévision de France 3, ne sont évidemment pas à la même échelle que ceux, négatifs et massifs, de la pratique spontanée de la langue. On a fait la même remarque pour l'occitan, on la fera pour le catalan et le basque en France.

La perception politique du breton, cependant, en Bretagne et dans le reste de la France, a été soutenue par l'existence d'une littérature bretonne moderne, dont les revues *Al Liamm* (Roparz Hemon, Ronan Huon, Per Denez) et *Brud Nevez* (la « Nouvelle Renommée »), Per Jakez Hélias et son œuvre bilingue, la renommée du *Cheval d'orgueil* ayant atteint la France entière, et par la popularité de chanteurs, tels Erik Marchand, Yann Fañch Kemener ou Denez Prigent, qui transmettent et renouvellent l'héritage musical et vocal.

Le catalan et le basque

Au xxᵉ siècle, le catalan de France a mieux résisté que d'autres langues régionales au mouvement de recul progressif. De 1993 à 1997, cependant, sa compréhension aurait reculé de 63 à 55 % et sa pratique active de 49 à 34 %, diminution inquiétante mais en partie explicable par une situation plus euphorique en 1993, suscitant des réponses optimistes. En outre, cette compétence linguistique décroît selon l'âge : plus de 55 % après 45 ans, seulement 16 % des 18-24 ans[14]. Dans l'enquête de 1993, 36 % des interrogés déclarent écouter des émissions de radio en catalan, 50 % des émissions de télévision, et cette écoute vient d'Espagne.

Quant aux pratiques scolaires, en 1998-1999, près de 20 % des élèves suivaient un enseignement de catalan en primaire, mais seulement 6 % dans le secondaire. Quant à l'enseignement bilingue français-catalan, pourtant requis selon l'enquête par près de 38 % des parents, il n'est dispensé qu'à un insignifiant 1 % de cette population scolaire[15].

Comme dans d'autres régions, la pratique effective ne semble pas à la mesure du désir. Un autre paradoxe réside dans le contraste entre la politique de la France et celle de la *Generalitat* de Catalogne, rétablie en 1932 par la République espagnole, supprimée par Franco, à nouveau rétablie par la Constitution espagnole de 1978. Héritier de la *Renaixença* du XIXe siècle, le « modernisme » catalan (1890-1910) fut suivi par le *Noucentismo* et l'« avant-gardisme » (après 1920). Le premier de ces mouvements fut responsable, grâce à Pompeu Fabra, de la normalisation de la langue, facilitant sa diffusion. Après la répression franquiste, qui prit la forme d'un assassinat culturel massif, la renaissance catalane, souvent poursuivie dans l'exil, devint politique et économique. De très nombreux écrivains, à côté d'activités musicales et picturales de notoriété mondiale, participent à ce mouvement. Dans les médias, sur quatre quotidiens publiés à Barcelone, l'un est rédigé en catalan, de nombreux hebdomadaires paraissent dans cette langue. Deux chaînes publiques de télévision et trois privées émettent en catalan, l'une, TV3, est reçue en Roussillon. La production éditoriale en catalan atteint 8 000 titres environ par an.

Le contraste est total avec la France, tant dans la presse régionale, qui accorde au catalan une place minime, que dans les radios et les chaînes de télévision françaises. France 3 ne diffuse que quelques minutes par jour, mais les Perpignanais peuvent voir une quarantaine d'heures quotidiennes de télévision en catalan, en provenance des chaînes d'Espagne.

En Roussillon comme ailleurs, l'action effective pour la langue régionale est un fait associatif ou individuel, mais la littérature catalane du Roussillon doit recourir aux éditeurs barcelonais. Sans la présence proche d'une volonté catalane en Espagne, cette langue régionale de la France pourrait bien n'y être rapidement qu'un souvenir.

A l'extrémité occidentale de la chaîne des Pyrénées, dans l'ouest des Pyrénées-Atlantiques, on parle, outre le français, le basque.

Du côté du basque (*euskara*) attesté depuis deux mille ans par des inscriptions portant des noms propres – mais les phrases analysables et les listes de mots sont plus tardives (XIIᵉ siècle, pour les secondes) – à la variation classique (au XVIᵉ siècle), on peut distinguer quatre dialectes basques littéraires : le labourdin, le souletin au nord, le guipuzcoan et le biscayen. Un basque unifié élaboré en Espagne de 1960 à 1980 a été ajouté pour permettre une expression commune à l'école, par écrit et dans les médias. Mais la variation dialectale reste forte à l'oral spontané.

L'action sur la langue dépend de l'Académie de la langue basque, institution royale en Espagne – comme la *Real Academia* de la langue castillane – et association de loi 1901 en France.

Aujourd'hui langue officielle de la Communauté autonome du Pays basque espagnol, le basque n'a aucun statut en France, non plus que le catalan. C'est pourtant la langue maternelle, encore transmise dans les familles (situation devenue exceptionnelle pour les langues minoritaires de la France), de 60 000 Français, 15 000 autres la comprenant. Ce chiffre, obtenu par enquête en 1996, correspond à un quart de la population du Pays basque et à 1/10ᵉ du total des locuteurs (9/10ᵉ se trouvant en Espagne).

Mais l'indifférence ou l'hostilité des autorités françaises, là comme en Catalogne et malgré de belles déclarations d'intention, conduisent à une répartition des emplois entre basque et français – presque tous ceux qui parlent basque sont bilingues – défavorable au premier, car l'euskara est plus ou moins cantonné au registre affectif et aux emplois codifiés des chants, des cérémonies, des évocations du passé.

Si l'enseignement du basque a progressé, 80 % des enfants scolarisés du Pays basque français ne reçoivent aucune formation dans cette langue. L'école primaire publique et privée (catholique) donne aux 20 % restants deux ou trois heures hebdomadaires de langue euskara. Comme en Bretagne et en Occitanie, ce sont les associations (*Seaska*) qui procurent une scolarité bilingue, où l'on enseigne aussi en basque. Les élèves sont environ 1 800[16].

Pour l'enseignement secondaire et supérieur, il s'agit de cours de langue et de civilisation basques à Bayonne et, pour la recherche, à l'université de Bordeaux 3. Mais il n'est pas question en France, comme on le fait en Espagne, d'enseigner des disciplines scientifiques en basque, les manuels nécessaires existant pourtant depuis plusieurs décennies.

D'une manière générale, le basque est en France une langue à l'abandon, victime comme les autres de la généralisation du français et d'une centralisation qui résiste aux régionalisations, mais pourtant encore vivante, surtout en Espagne voisine et dans quelques colonies basques hors d'Europe.

UNE LANGUE INSULAIRE : LE CORSE

Par son insularité, le corse est à considérer à part. Au XXᵉ siècle, sa vitalité est plus grande que celle de tout idiome maternel autre que le français sur le territoire métropolitain. Une enquête de 1995 fait état de 64 % d'habitants de l'île qui le parlent, 81 % disant le comprendre. Mais une autre enquête en milieu scolaire, auprès d'élèves de seconde, en 1997-1998, donne les résultats suivants : 34 % des élèves ont répondu qu'ils parlaient corse avec leurs grands-parents et leurs parents, 22 % avec leurs amis. Les mêmes élèves disaient que, dans leur famille, les grands-parents (63 %), les parents (60 %), mais beaucoup moins les frères et sœurs (13 %) parlaient la langue. Sur les 79 % qui avaient étudié le corse, seulement 16,5 % continuaient cette discipline. L'année suivante, les études de corse étaient évaluées à 45 % en 6e et en 5e, puis baissaient en pourcentage, remontant en 1re du fait de l'épreuve de corse prévue au baccalauréat, que passaient 20 % des élèves scolarisés (très partiellement) dans cette langue[17].

On lit à travers ces chiffres, avec moins de force qu'ailleurs, le recul de la langue maternelle traditionnelle et la difficulté de remplacer la transmission familiale spontanée par une décision culturelle ou scolaire.

Ce recul – sans doute plus lent – ou bien cette résistance – moins énergique – à l'envahissement du français a probablement des causes générales, déjà constatées pour toutes les langues et dialectes régionaux, mais aussi des raisons spécifiques, d'ailleurs controversées.

Tout d'abord, depuis un peu plus d'un siècle, le rapport de complémentarité entre corse et italien standard a été progressivement remplacé par un rapport différent, plus conflictuel, avec le français. Le corse, à partir du Second Empire, avait été coupé de l'italien écrit, remplacé par le français. Deux mouvements linguistiques complémentaires ont occupé les périodes suivantes, de 1870 à 1914 et de 1914 à la seconde moitié du xxe siècle : d'une part, la diffusion du français par l'école et aussi par l'émigration des Corses vers la France continentale et vers l'Empire français ; d'autre part, un mouvement culturel qui conduit à une langue corse écrite, autonome par rapport à l'italien. Ce dernier phénomène est compliqué par un renoncement, celui d'un effort vers une langue corse normalisée et unifiée (comme l'ont réalisé, par exemple, le basque ou le breton). Des linguistes corses ont voulu valoriser cette solution au nom d'une dialectique des parlers vivants, alors que la normalisation artificielle serait une « ossification[18] ».

Cette absence d'unification, en effet respectueuse du ressenti affectif de chaque variante locale, dans une société où les liens familiaux sont restés bien plus forts qu'en France continentale, a de redoutables inconvénients pour l'école, l'édition et, déjà, pour l'écriture.

Celle-ci a subi des influences contradictoires : influence du français, volonté d'autonomie par rapport aux graphies italiennes – on en voit les effets sur les panneaux indicateurs des routes corses, où la graphie substituée à l'italienne paraît instable –, influence de prononciations locales. Un manuel pratique d'orthographe s'efforce de résoudre certains problèmes[19].

DES LANGUES IMPORTÉES : L'ARABE, LE BERBÈRE

Un mouvement profond s'est produit en France, quant aux usages langagiers, durant le XXe siècle. Tandis que les langues et les dialectes hérités, maternels et familiaux, formateurs des psychologies sociales de nombreuses régions, reculaient ou disparaissaient, absorbés par un français imposé par l'Histoire, d'autres langues, venues d'Europe ou d'ailleurs, étaient apportées par des immigrants et, en général, des étrangers non francophones.

Cet apport entraîne des effets tout différents de ceux de la variété linguistique héritée. Il porte sur des langues aux statuts très variables, depuis les idiomes fixés, anciens, littéraires, comme le castillan ou le portugais, jusqu'à des parlers sans écriture ou encore divisés en dialectes. Il entraîne des formes différentes de bilinguisme, selon les conditions familiales ou socioprofessionnelles. Il conduit à une conservation partielle ou à un abandon progressif de ces langues par les descendants des immigrés. Il peut colorer certains usages du français véhiculaire, donner lieu à des discours bilingues par fractions, influer sur les mentalités, même lorsque la langue est abandonnée au profit du français.

La plus importante des langues introduites en France par des travailleurs immigrés est l'arabe, dans sa variété maghrébine, et surtout l'arabe algérien.

On estime que, sur quatre millions et quelques d'immigrés en 1990, les Maghrébins comptent pour plus de 1 200 000, dont 572 000 pour les Algériens (12,7 % étant

français[20]). Sur ces immigrés, par le « droit du sol » tout
enfant né en France d'au moins un parent lui-même né en
France est français de naissance. La langue parlée dans
une famille d'émigrés maghrébins varie : presque toujours
l'arabe tunisien, plus proche de l'arabe standard oriental
(Machrek), pour les Tunisiens, souvent un dialecte berbère et l'arabe algérien ou marocain s'agissant des Algériens et des Marocains. C'est donc soit une langue, soit
deux, avec, pour les plus scolarisés, une connaissance de
l'arabe écrit standard et parlé de l'Est (on peut lire un
journal égyptien, écouter Al Djazira) et des éléments de
français, voire une bonne connaissance parlée et écrite.

Depuis la politique de regroupement familial (1981),
les habitudes de langage ont dû évoluer. L'immigré
maghrébin illettré, vivant seul, en foyer, envoyant le peu
d'argent qu'il gagne au pays, ne devant communiquer en
français qu'avec ses supérieurs professionnels et, selon ses
aptitudes et ses envies, avec d'autres prolétaires non
maghrébins, n'a guère de raisons de changer de code ou,
du moins, de perdre sa langue maternelle. En revanche, le
couple établi en France, qu'il soit arabophone ou berbérophone, même s'il ne souhaite pas devenir français,
sachant que la langue du pays d'immigration est nécessaire pour y bien survivre, consacrera une partie de son
temps, sinon à apprendre du français, du moins à le pratiquer tant bien que mal, au travail, dans les relations
avec des voisins, et surtout, peut-être, avec ses enfants.
De toute façon, ceux-ci, scolarisés en français, rapportent
la langue à la maison, comme cela s'était passé pour les
Bretons, les Occitans, etc.

Selon Salem Chaker[21], les premiers immigrants maghrébins en Europe parlaient, non pas l'arabe, mais le berbère,
tamazight dans la langue, l'idiome autochtone du
Maghreb, en partie supplanté par l'arabe et qui couvre
encore aujourd'hui une zone immense allant du Maroc
au Niger et au Mali, en passant par la Kabylie et les
Aurès. En effet, ils venaient de Kabylie au début du
xxe siècle, puis du Sous. On estime leur nombre total, en

France, à un million et demi, pour deux tiers algériens, pour un tiers marocains. Cependant, la répartition des langues, arabe et berbère, est rendue difficile à décrire par un taux de bilinguisme élevé, et aussi par une plus grande accoutumance au français de ces locuteurs de parlers berbères, dont une majorité sont devenus de nationalité française.

L'épanouissement d'une culture berbère traditionnelle, bridée en Algérie par une politique défavorable à cette minorité, et moderne dans les milieux berbères de France, surtout à Paris, a par exemple fait de cette ville un centre pour la chanson kabyle. Sur le plan de la recherche, après la disparition des chaires de berbère à Rabat (Institut des hautes études marocaines) en 1956 et à l'université d'Alger en 1962, de nombreuses thèses de doctorat portant sur la langue et la culture berbères ont été soutenues en France. L'épreuve orale (facultative) de berbère au baccalauréat français (30 à 40 candidats en 1979) attire après 1992 plus de mille étudiants. En 1995, est créée une épreuve écrite portant sur trois dialectes : kabyle (algérien), *tarifit* (Rif marocain), *tachelhit* (*chleuh*).

Cependant, sur le plan sociologique, les situations de bilinguisme ou de trilinguisme incluant le français, en France, sont analogues dans les deux communautés maghrébines, arabophone et berbérophone. Les problèmes de transmission familiale et ceux que crée le contact des langues aboutissent à autant de situations personnelles que familiales et sociales. Ainsi, la contribution des uns et des autres à l'élaboration des nouvelles formes de français est essentielle. De plus, il semble que, pour des raisons politiques et religieuses – l'influence des intégristes étant très organisée et habile –, les adolescents et jeunes adultes préfèrent plus souvent recourir à l'arabe et au berbère qu'au français pour communiquer entre eux.

ANCIENS IMMIGRÉS : LE PORTUGAIS,
L'ITALIEN, L'ESPAGNOL, LE POLONAIS

Après les Maghrébins, en 1990, les plus forts contingents d'immigrés étaient des locuteurs des trois autres langues romanes : le portugais (plus de 600 000), l'italien (523 000), les locuteurs de langues parlées en Espagne, castillan et catalan en tête, ces deux groupes étant formés de nationalisés français à plus de la moitié. Appartenant à des cultures plus proches, plus scolarisés, arrivés depuis plus longtemps pour les Italiens, de nombreux hispanophones étant, après la guerre civile, réfugiés politiques (y compris « concentrés » dans des camps), ces groupes socioculturels ont acquis un bilinguisme équilibré et leur pratique du français est, pour les plus anciens, identique à celle des autres Français. Pour les immigrés plus récents, surtout portugais, demeure souvent un problème d'acquisition. Quant aux Italiens, en augmentation depuis un siècle jusqu'à la fin des années 1960, la plupart étaient issus des régions à très fort chômage, Mezzogiorno en tête ; aussi parlaient-ils autant et plus que l'italien officiel les dialectes du Sud (sicilien, calabrais…), ou encore le sarde.

Le groupe d'immigrés le plus important, après ceux-ci, appartient au domaine slave. Ce sont les Polonais, venus en France surtout dans les années 1920 (ils sont plus de 500 000 en 1931, et ce chiffre n'est inférieur qu'à celui des immigrés italiens) et jusqu'au milieu du siècle, essentiellement dans les régions minières du nord et de l'est de la France. Ils étaient donc en contact, dans la première moitié du xxe siècle, sinon avec les dialectes picard ou lorrain – en péril en milieu urbain et industriel –, du moins avec le français régional de Picardie et de Lorraine (en négligeant le germanique lorrain, le Platt, pratiqué dans les districts miniers de la frontière sarroise).

Le sentiment national, en général très vif, de la population d'origine polonaise fait que sa langue slave a été volontairement maintenue à côté du français, et parfois réacquise. Un indice de profonde assimilation est qu'en 1990 près de 70 % des immigrés venus de Pologne étaient citoyens français, taux le plus élevé de toute l'immigration, avant les Italiens (57 %) et les Espagnols (54 %).

AFRICAINS, TURCS

Parmi les derniers arrivants des vagues migratoires vers la France, après la quasi-fin de l'immigration turque, les Africains, victimes des conditions économiques et des troubles politiques, cherchent à gagner l'Europe : ils sont 45 % des nouveaux immigrés en 1995, 250 000 personnes en 1990. En majorité, ces arrivants sont jeunes, souvent en situation irrégulière, ils souffrent de conditions d'accueil déplorables, ne trouvent pas de travail légal correctement rémunéré. En outre, ils sont souvent analphabètes.

Les « Blacks » d'immigration plus ancienne sont dans une situation plus proche de celle de la majorité des Maghrébins, et moins dramatique. Les uns comme les autres parlent souvent plusieurs langues africaines, certains, partiellement scolarisés en français, possédant l'une des variantes de ce français d'Afrique qui ne diffère que superficiellement des variantes du français de France. Enfin, des musulmans (Sénégal, Mali) ont une certaine connaissance de l'arabe.

Dans les groupes les plus importants de l'immigration en France, reste à mentionner les locuteurs du turc anatolien, très présents en Allemagne et en Belgique, encore peu nombreux en France avant 1975 (quelques milliers en 1968, 50 000 en 1975). Par la possibilité de regroupement familial, et aussi pour des motifs politiques, leur effectif dépasse 100 000 en 1982, 150 000 en 1990[22].

LE CRÉOLE FRANÇAIS

La France, à la fois parmi ses ressortissants d'outre-mer, Guadeloupéens, Martiniquais, Guyanais, Réunionnais, et parmi des nationaux de l'île Maurice, des Seychelles, d'Haïti, etc., abrite des personnes qui parlent un créole « français ». Ceux de nationalité française, scolarisés en français, connaissent parfaitement cette langue et la pratiquent, concurremment à leur langue maternelle et familiale. Mais, par exemple en Haïti, on estime que seuls 10 % de la population parlent et écrivent le français. Or, le nombre d'Haïtiens établis en France pour des raisons politiques aurait triplé dans les années 1990 (ils étaient déjà et sont nombreux en francophonie québécoise, notamment à Montréal). Les Mauriciens francophones sont beaucoup plus nombreux, relativement, l'île étant trilingue : créole, français, anglais. Pour les Français des Caraïbes et de l'océan Indien, c'est plutôt le français « régional » de ces îles qui est confronté aux variétés du français de France.

On peut remarquer au passage que les créoles « français » présentent un lien historique entre ces deux variétés, car leur matériel lexical est souvent issu de variétés anciennes, régionales, orales du français, disparues en France. La réintroduction du créole en France dans les milieux antillais ou réunionnais cache le retour de formes venues des anciens parlers de l'ouest de la France, parfois préservées aussi en français québécois ou acadien.

Parmi les communautés linguistiques établies en France autrement que par le jeu de l'économie coloniale, postcoloniale et par celui des besoins de l'industrie, figurent les Arméniens, les Roms (Tsiganes) et les locuteurs juifs ashkénazes de yiddish, porteurs d'autres bilinguismes. Leurs caractères socioculturels n'ont aucun rapport entre eux, ni avec les langues évoquées précédemment. Les statuts sociaux sont tous différents les uns des autres et de ceux des vagues majoritairement prolétaires dont il vient d'être question.

L'ARMÉNIEN

La présence de communautés arméniennes importantes en France, on le sait, vient d'un drame historique, d'un crime – qu'il s'agisse ou non d'un génocide – qui s'est produit en Turquie, en 1894 et 1895 puis en 1915 et 1916. Les historiens parlent de près de deux millions de morts ou disparus. Les survivants s'expatrièrent, beaucoup d'entre eux s'établissant en France, les communautés de Marseille – point d'arrivée des navires –, Valence, Lyon et de la région parisienne (Alfortville) étant les plus importantes. La place des Arméniens dans la vie culturelle française est reconnue (avec des noms célèbres : Charles Aznavour, Robert Guédiguian...) et la langue arménienne est l'une des composantes de la nouvelle variété linguistique de la France.

En France, la population d'origine arménienne, parfaitement assimilée en français, représente environ 400 000 personnes, dont la moitié peut-être peuvent comprendre et lire l'arménien dans sa variété occidentale, celle qui était parlée en Turquie avant les massacres et qui s'était séparée au Moyen Age d'une forme orientale qui fut réformée et normalisée dans l'Arménie soviétique. Elle semble avoir le désir de se réapproprier sa langue et sa culture, surtout à partir des années 1970. Un quotidien ancien, *Haratch*, continue à paraître et édite aussi des livres ; trois stations de radio bilingues émettent en arménien, une vie associative active permet un enseignement de la langue. Mais, là comme ailleurs – on pense au breton, à l'occitan, au catalan de France –, le volontarisme ne peut se substituer à la transmission familiale, qui n'a guère survécu à la première génération d'immigrés.

LES LANGUES DES TSIGANES

Depuis le XVe siècle, on appelle en français les *bohêmes*, puis les *bohémiens*, non seulement les habitants de cette région d'Europe centrale, mais aussi les populations nomades, aux coutumes et aux vêtements particuliers, à la langue différente, à la musique très remarquable, qu'on croyait originaires de ces régions. Le mot *bohémien* était en concurrence avec *Tsigane* ou *Tzigane*, fixé au XIXe siècle mais qui reprend une tradition du XVe siècle (*cigain*), avec des formes variables. L'allemand dit et écrit *Zigeuner*, le hongrois *Czigany*. On appelait aussi *Egyptiens*, en français, ces populations à cause d'une colonie qu'elles avaient fondée en Grèce, dans la région appelée la « Petite Egypte » ; cette appellation a disparu en français au XIXe siècle, remplacée par une altération de *Egypciano* en castillan, à savoir *gitano*, réempruntée par le français. L'anglais *gypsy* a la même origine. Enfin, la seule désignation qui fait appel à la langue de ces peuples est aussi la plus péjorative : *romanichel*, apparu en français au début du XIXe siècle et qui vient de l'adjectif *romano*, « humain », de *rom*, « l'homme » – aussi « le mari » –, et du nom *tschel*, « le peuple ». Ce « peuple des hommes » tirait son nom, sans rapport avec le latin *romanus*, d'une langue indienne ancienne.

Les Roms, en effet, sont partis du nord-ouest de l'Inde vers l'an 1 000, gagnant l'Europe orientale (Russie), centrale et balkanique au XIIIe-XIVe siècle, puis la France (XVe siècle), l'Espagne, la Grande-Bretagne. Leur langue initiale, le *romani*, a pu conserver l'essentiel de sa structure phonologique et morphologique, mais sa syntaxe s'est modifiée et son vocabulaire transformé selon les contacts avec les langues des pays gagnés par les « gens du voyage ».

Certaines populations « tsiganes » parlent en France des formes diverses de *romani*, en général entretenues par la transmission familiale. Ce sont essentiellement le *lovara*, le *kalderash* (dialectes des populations venues de Russie en France vers 1900, puis de Serbie depuis 1970, de Roumanie dans les années 1990), le *tchurara* (différencié en France selon que les populations qui le parlent sont, à Marseille, en contact avec des Roms gitans et, à Lille, avec des manouches).

A ce point, il est nécessaire de préciser que les Tsiganes parlent aussi une série de dialectes où le fonds romani a été pénétré par une autre langue. Les linguistes les regroupent sous le nom de *sintó* (pluriel *sinté*) ; ils sont parlés, avec le fonds dialectal italien, sous deux formes distinctes dans le Piémont et les Abruzzes. En France, un *sintó* germanisé est bien connu, c'est le *manush*, mot emprunté d'abord par l'argot, sous la forme francisée *manouche*. Le manush, en France, est parlé en Alsace, mais aussi en Auvergne et dans les Pyrénées.

Les sinté, en général, se sont enrichis par des calques et des emprunts aux langues des pays traversés – outre les racines intégrées par la langue romani elle-même –, russe, serbe, hongrois, français.

Ajoutant la confusion à une très réelle complexité, le vocabulaire français courant a tendance à confondre Tsiganes, Roms, manouches et même gitans, alors qu'aucun de ces noms ne désigne l'ensemble des groupes humains concernés. Or, les gitans, surtout connus par leur présence culturelle – musicale, chorégraphique – en Andalousie, ne parlent ni un dialecte rom, ni un sintó, mais ce qu'on appelle un *caló* ou *kaló* (pluriel *kalé*), c'est-à-dire une langue entièrement étrangère au rom, plus ou moins transformée en un usage particulier (on peut dire un argot). Les populations ethniquement roms d'Espagne ayant subi sous Charles Quint l'interdiction de parler leur langue, elles se sont approprié soit le castillan, soit le catalan. Celles du sud de la France ont adopté un kaló de l'occitan provençal.

Cependant, le sentiment vif de parler une langue spécifique à la communauté, nettement distincte du français de tout le monde, crée une relative indifférence au fait qu'il s'agit de l'un ou l'autre des dialectes du romani, d'un sintó comme le manouche ou d'une autre langue (romane, en France), ce qui fait que, pour bien des gitans de France, l'espagnol ou le catalan font office de dialectes tsiganes[23].

On voit bien alors que le sentiment linguistique d'appartenance résiste à l'abandon de la langue originelle, le romani, pourtant parlé sous plusieurs formes par d'autres communautés « tsiganes » de France. Mais il faut remarquer que les différences de langues, si elles n'entraînent pas de rupture sociologique, rendent impossible la communication et renforcent l'usage de la langue du pays d'accueil, en l'espèce le français. Les intéressés préfèrent alors dire, non pas qu'ils parlent une langue – le romani –, mais qu'ils parlent *à la manière de* leurs frères[24].

On estime le nombre de ces « Tsiganes » de France de 300 000 à 400 000. Ils sont tous bilingues ou trilingues et, en outre, la plupart ont deux registres de français, l'un étant senti comme spécifique. Cependant, comme la plupart des langues minoritaires, le romani a connu au XXᵉ siècle un essor littéraire (1920-1940 en URSS). Puis est venu le temps des persécutions, mortelles dans le Grand Reich nazi. Une renaissance a eu lieu dans les années 1970, dans les Balkans surtout, en Yougoslavie (Rajko Djuric) et en Hongrie.

Une « Union romani » s'emploie à normaliser les dialectes et variantes de la langue, qui n'est enseignée, en France, qu'à l'Institut national des langues et civilisations orientales (Inalco). Le sintó des manouches est, lui aussi, étudié (voir les travaux de Joseph Valet).

Le sort de ces langues, en France, dépendra de la volonté des « gens du voyage » de conserver leur usage par la transmission familiale et les échanges intracommunautaires. Il est certain que la scolarisation en français des jeunes les écarte d'une conscience vécue de la culture tsigane, qui souffre aussi de sa diversité et de sa mobilité, malgré ses lettres de noblesse culturelles, notamment

musicales (le nom de Jean-Baptiste Reinhardt, dit Django,
vient à l'esprit de tous les Français).

LE YIDDISH

Alors que le romani initial, cousin de l'hindi ou du
pendjabi, a disparu, l'hébreu de la Bible est conservé
comme idiome écrit et liturgique dans les communautés
juives et a servi de base à l'élaboration de l'hébreu
moderne, dont la vitalité comme langue nationale de
l'Etat d'Israël constitue une rare exception et un succès
complet. Cependant, dans l'histoire des contacts de langues vécus par les communautés juives, le cas du yiddish
est spécifique. En effet, alors que le « judéo-français »
attribué au rabbi médiéval Rashi est de l'ancien français
avec quelques emprunts, que le judéo-espagnol, et surtout
le judéo-arabe séfarade, correspondent à un bilinguisme
culturel intense au Moyen Age et préservent donc l'identité de chaque langue, le yiddish des juifs ashkénazes est
formé de parlers germaniques intimement pénétrés d'éléments hébreux et araméens. Une variante occidentale,
apparue en Allemagne, en Bohême et en Italie du Nord,
recula par assimilation aux formes du haut allemand au
XIXᵉ siècle. La variante orientale, apparue au XVIIᵉ siècle,
résista mieux ; elle était parlée en 1939 par au moins dix
millions de personnes en Pologne, dans les Pays baltes, en
Roumanie et en Hongrie, en France, en Italie et en Angleterre, ainsi qu'aux Etats-Unis et en Amérique latine, ou
encore en Palestine.

Le génocide perpétré par les nazis et accompagné par le
régime mussolinien ou celui de Vichy en France, l'assimilation linguistique de communautés juives et le retour à
l'hébreu en Israël, tout contribua au recul de la langue
yiddish. Ceci, malgré une brillante littérature apparue
dans les dernières décennies du XIXᵉ siècle et un mouvement culturel intense – enseignement, édition –
entre 1918 et 1940 en Europe (Pologne, URSS) et aux

Etats-Unis. En France, les deux variétés de yiddish étaient représentées : l'occidental, pratiqué en Lorraine et en Alsace, qui date d'un millénaire (autant que la langue française) ; l'oriental, apporté par l'immigration juive de Russie, Pologne et Roumanie à partir des années 1880, qui a mieux résisté.

Cependant, à la fin du XXᵉ siècle, les locuteurs actifs de yiddish ne doivent plus être, en France, que quelques milliers (à Strasbourg et Nancy, Paris et Lille) et on estime à 50 000 ceux qui peuvent le comprendre et le lire.

Comme pour d'autres langues minoritaires, à côté des fonctions de communication, souvent entretenues par des milieux religieux ultra-orthodoxes, apparaît pour cette langue une fonction identitaire qui suscite une vie associative[25]. En revanche, l'édition en yiddish, encore assez vivante après 1945, paraît très réduite depuis 1990. Mais le matériel didactique, dictionnaires, manuels, et l'enseignement universitaire, à Paris, Marseille, Mulhouse, entretiennent l'intérêt pour la langue, pendant que son usage spontané tend à disparaître. Situation malheureusement courante pour de nombreux idiomes minoritaires, en France et ailleurs.

VIETNAMIENS, CAMBODGIENS, THAÏLANDAIS

Parmi les immigrants récents, figurent ceux venus du continent asiatique et parlant une langue asiatique. A part les Vietnamiens, ils étaient peu nombreux avant les années 1960-1970. De 1982 à 1990, ils sont passés de plus de 200 000 à près de 320 000, représentant des cultures et des langues variées, chinois « mandarin » et cantonais, vietnamien, cambodgien, thaï, langues de l'Inde et du Pakistan, indonésien, persan... (on a déjà mentionné le turc).

Indépendamment de la nature très différente de leurs langues, les immigrés d'Extrême-Orient, très organisés, plutôt commerçants et artisans qu'ouvriers de l'industrie, conserve leur langue maternelle, parfois même dans la vie professionnelle (restauration, artisans taxis). Ils vivent dans les plus grandes villes, notamment dans l'agglomération parisienne ; leurs enfants scolarisés sont remarquablement aptes à acquérir un bilinguisme oral et écrit accompli.

Grâce à cet apport, le nombre de langues habituellement pratiquées en France a beaucoup augmenté, en même temps que la pratique du français s'est accrue.

En dehors des langues d'immigration massive et prolétarienne, et de celles de communautés spécifiques, la France, comme tout pays, connaît enfin des apports linguistiques et culturels très variés, souvent peu perçus, certains ayant une réelle importance sur le plan intellectuel ou artistique.

On peut, sur ce plan, négliger les contacts de langue dus au tourisme, épisodiques et superficiels. La situation opposée est représentée par la jeunesse qui pratique les séjours linguistiques, rapides ou prolongés, relevant de la pédagogie, mais multiplie les occasions de communiquer spontanément en plusieurs langues, ou encore par l'installation, soit pérenne, à des fins économiques, soit pour des vacances régulières, de nombreux étrangers (Britanniques, citoyens des Pays-Bas, etc.). Cette situation entraîne des occasions de bilinguisme d'un type nouveau, et qui devient inéluctable quand l'étranger pratique une activité économique supposant une clientèle francophone : l'apprentissage du français – à l'étranger ou en France – ne peut qu'en bénéficier, ainsi que celui des langues en France.

LE FRANÇAIS DE BELGIQUE

La situation des langues dans les pays partiellement francophones d'Europe présente des ressemblances avec celle de la France, mais aussi des spécificités nombreuses. Le français, dans sa zone d'usage, y progresse au détriment des dialectes ; ceux-ci, reculant en proportion, marquent l'usage du français nouvellement répandu de traits régionaux ; tout comme dans l'Hexagone. Mais au plan national, belge ou suisse, la question la plus importante est la définition des rapports entre les langues en présence, et, en profondeur, l'image du français par rapport à celui d'un usage normalisé de France.

En Belgique[26], à la problématique commune du français s'ajoute un certain purisme, moins raide que celui qui a eu cours en France mais nourri par une définition de la norme faisant traditionnellement référence au français bourgeois de l'Ile-de-France.

Entre 1918 et 1940, l'évolution principale a été le recul du français par rapport au flamand dans la partie nord du pays. La population néerlandophone est majoritaire ; les institutions mises en place dans les années 1930 en tiennent compte. Le contenu des recensements concernant les langues devient alors un instrument politique : si moins de 30 % des recensés sur un territoire donné pratiquent une langue, celle-ci disparaît officiellement, au nom d'un unilinguisme territorial qui s'applique à tous les milieux à tous les niveaux culturels. Ainsi, en 1930, l'université de l'Etat belge à Gand est symboliquement et concrètement flamandisée.

Ce système ne tient pas compte de l'utilisation, minoritaire mais socialement élitaire, du français en Flandre, par exemple dans la haute bourgeoisie d'Anvers et de Gand, dans les entreprises et les conseils d'administration. Jusqu'à la guerre de 1940, le français occupe encore en Flandre, par rapport à un usage populaire généralisé des parlers flamands, une situation contestée, avec, par exemple, des journaux francophones.

La littérature de Belgique constitue un témoin de cette évolution : à partir des années 1920, l'écrivain de naissance flamande et d'expression française (Maeterlinck, Verhaeren, Ghelderode) cesse d'être la règle. De même, la définition d'une norme pour les parlers flamands, soit au profit d'une langue commune à la Belgique du Nord et aux Pays-Bas (on passe de « flamand » à « néerlandais » et à « néerlandophone »), soit d'une norme belge adaptée (on distingue le flamand du néerlandais). En outre, avec l'extension des registres d'usage des parlers flamands, remplaçant le français, celui-ci fournit aux premiers de nombreux emprunts.

Une exception essentielle à ce recul du français en terre flamande est fournie par Bruxelles. La loi de 1932 qui organise le bilinguisme belge sur une base territoriale unilingue définit pour la capitale une zone aujourd'hui très largement dépassée par l'urbanisation. Pour cette zone centrale, de 1910 à 1930, les francophones unilingues passent de 27,5 à 37,5 %, les Flamands unilingues de 23 à 13,5 %. En même temps, l'usage du français bruxellois se rapproche de la norme générale, bien qu'il demeure spécifique et marqué par le bilinguisme. Cependant, en 2000, on estime que 85 à 90 % des Bruxellois sont francophones.

Dans la seconde moitié du XXe siècle, la question linguistique, politisée d'abord par les partis flamands, s'est envenimée, notamment à propos de la périphérie de Bruxelles (où des communes sont devenues bilingues alors qu'elles étaient néerlandophones) et dans des zones situées sur la frontière des langues : le cas des Fourons est devenu célèbre.

Derrière les questions politiques et culturelles, les tensions s'alimentent des évolutions économiques, les investissements internationaux ayant tendance à favoriser le nord du pays, tandis que la Wallonie doit renouveler son économie, à la manière de la Lorraine française.

Dans bien des cas, les institutions étant moins enclines qu'en France à la « veille linguistique », l'anglais peut faire figure de solution, dans les affaires surtout, au problème du choix de la langue entre néerlandais et français. Et le statut international de Bruxelles, siège d'une Union européenne où l'anglais tend à envahir la communication, joint au désir de donner à l'Europe une image moderne et mondialisée, joue en faveur de cette diffusion de l'anglais, alors que Liège, Namur ou Mons et leurs régions sont relativement à l'abri de ces tendances.

S'agissant de la variété linguistique, il faut rappeler qu'une troisième pratique existe en Belgique, au nord-est de Liège, l'allemand. Cette langue était parlée dans des cantons belges depuis l'indépendance (l'« Ancienne Belgique », Alt-Belgien), puis dans ceux qui furent annexés en 1920 selon les décisions du traité de Versailles (Eupen, Saint-Vith, la « Nouvelle Belgique », Neu-Belgien). Un certain nombre de communes de cette région, devenues administrativement francophones en 1930, attestent le recul de l'allemand. Cette langue continue d'être utilisée en « Nouvelle Belgique », à côté des dialectes germaniques locaux et malgré une politique d'enseignement favorable au français.

Cependant, en 1973 et en 1984, des réformes ont amené la reconnaissance d'une communauté germanophone de Belgique d'environ 70 000 personnes, qui utilisent les dialectes germaniques, l'allemand standard et possèdent souvent des connaissances de français.

Les dialectes gallo-romans de Belgique, wallon en tête, mais aussi lorrain (gaumais), picard, ont été au XXe siècle marginalisés par rapport au français, mais ont mieux résisté que ceux de France, surtout le wallon, connu à tout âge, même en milieu urbain socialement élevé, au milieu du XXe siècle. Plus tard, cela ne reste vrai qu'en milieu rural, et là comme ailleurs les registres d'usages du dialecte se restreignent, avec le passage au français rendu inévitable par l'école. Un trait original est l'assimilation en dialecte wallon, et non en français, des immigrés, qu'ils soient flamands ou bien italiens et espagnols, selon un clivage nettement social : le français, langue de bourgeois, le wallon, de prolétaires et de ruraux.

Cependant, un mouvement d'intérêt pour les parlers régionaux (officiellement, « langues régionales endogènes »), parallèlement à celui qui s'exprime en France, se manifeste en Belgique. Il s'appuie sur l'identité régionale, sur une littérature wallonne riche et sur une dialectologie très vivante, notamment à Liège, avec les travaux de Maurice Piron, Léon Warnant, Louis Remacle, précédés par Jean Haust, dont le plan d'enquête wallonne, préparé dès 1920, s'est achevé en 1959.

Quant à la nature du français parlé en Belgique, caricaturé à plaisir – et assez imbécilement, il faut le dire – par certains Français (« alley', sais-tu,... une fois »), on doit lui restituer sa complexité, avec des traits phonétiques (*huit* prononcé *ouit'*), syntactiques mais surtout lexicaux et sémantiques (*savoir* employé là où on dit *pouvoir* en France), sentis comme « belges » hors de Belgique mais en fait variables selon les contextes. Si français régional il y a, en Belgique, il faut parler de français régionaux, les uns – comme le parler de Bruxelles[27] – marqués par les effets de contact avec les parlers germaniques de Flandres, les autres par les archaïsmes (qui marquent tous les français régionaux) et par les effets dialectaux venant du wallon, du picard, du lorrain.

On peut noter que certains « belgicismes » n'en sont pas vraiment, puisqu'ils sont employés en français hors de Belgique (exemples : *septante*, *nonante*, aussi courants en Suisse), que ceux qui correspondent à une terminologie officielle, politique ou administrative sont par là même légitimés (*bourgmestre* et *échevin* ne sont nullement des belgicismes) et qu'enfin, depuis les années 1980, les dictionnaires de langue française publiés en France se sont ouverts à des sélections (toujours discutables, mais sans cesse révisées) de belgicismes dès lors considérés comme partie intégrante d'un vocabulaire français général (incluant d'ailleurs aussi, plus récemment, des régionalismes de France).

Les spécificités des usages du français en Belgique semblent d'ailleurs changeantes. Des mots et des expressions apparaissent, mais d'autres sont menacés par l'unification tendancielle du français d'Europe (J.-M. Klinkenberg signale le cas de *friture*, au sens « boutique où l'on vend des frites », remplaçant souvent *friterie* ; mais un cas isolé ne représente par forcément une tendance. Le *filet améri-*

cain résiste vaillamment au *steak tartare* de France). Dans certains cas, le français de Belgique manifeste plus de logique que celui qui a cours en France : outre *septante* et *nonante*, que des Français veulent promouvoir, la féminisation des titres et noms de métiers semble moins hésitante en Belgique – et, bien sûr, au Québec – qu'en France, ce qui indiquerait, pour les usages belges du français, plus de souplesse par rapport aux évolutions (même tendance en Suisse).

Quant à la connaissance de ces usages, elle a longtemps été tributaire des descriptions différentielles par rapport à un français théorique (identifié à l'usage bourgeois parisien), plus ou moins puristes et parfois très fines. C'est surtout à partir des années 1960 que des linguistes belges tels Maurice Piron ou Jacques Poh[28] ont étudié en détail ce type de « français régional ». Ces études spécifiques ne doivent pas faire négliger la grande importance de la philologie et de la linguistique belges dans les études de français en général. Pour le public francophone d'Europe et au-delà, *Le Bon Usage* de Maurice Grevisse, apparu en 1936, continué après la mort de son concepteur par André Goosse (en 1986), n'a pas d'équivalent.

Quant au vécu de la langue, un sentiment d'insécurité, voire d'infériorité linguistique, a longtemps habité les francophones de Belgique, comme ceux du Québec, suscitant une variété de purisme centrée sur des comparaisons douteuses. Celles-ci confrontent un français local dont on dénonce les défauts – il s'agit en réalité d'exemples d'usage – et un français de référence identifié abusivement au français de France. En littérature, la reconnaissance par la France a longtemps été surévaluée avant que les jugements extrêmement autorisés de la critique – et ceux des lecteurs – de Belgique ne soient enfin pris en compte au moins autant que ceux de France. Tout autrement, l'importance majeure de l'école belge dans l'histoire mondiale de la bande dessinée peut servir à corriger les images injustement négatives d'usages du français aussi légitimes que tout usage collectif régional ou national peut l'être, s'agissant d'une langue à la fois maternelle et officielle.

LE FRANÇAIS DE SUISSE

Le propre de la Suisse, c'est le plurilinguisme. Pour une population passée de 4 700 000 à 7 millions entre 1950 et 1996, 19,2 % étaient de langue maternelle française. Cependant, la majorité des Suisses partagent leur compétence linguistique entre l'allemand standard, langue écrite, et les dialectes alémaniques, très vivants, comme langue de communication, parfois aussi écrite. Les italophones du Tessin ont également deux pratiques, l'une dialectale, l'autre en italien normalisé. Enfin, les locuteurs du romanche, dans le canton des Grisons, sont en recul par rapport aux germanophones, mais leur idiome, qui fait partie des langues romanes, est protégé par la Constitution.

La Suisse connaît quatre langues « nationales », l'allemand, le français, l'italien et, depuis 1938, le romanche ; les trois premières sont langues « officielles » et chaque Suisse peut les employer quand il s'adresse aux autorités fédérales, qui doivent lui répondre dans cette même langue. Toute institution officielle suisse doit donc en principe être trilingue. Cependant, au niveau des cantons, qui sont des Etats souverains, le particularisme langagier est la règle, certains cantons étant cependant officiellement bilingues (par exemple, Neuchâtel).

Il n'y a pas de parallélisme entre les cantons alémaniques et francophones. Dans les premiers, la majorité des habitants (près de 75 % de la Confédération) utilisent l'allemand standard comme langue écrite, mais aussi des dialectes alémaniques distincts (bâlois, bernois, zurichois, etc.) comme langue parlée familiale. En outre, en milieu urbain cultivé, la connaissance du français, en tant que langue étrangère, n'est pas rare. Du côté romand, les dialectes (francoprovençaux) ont subi le même sort que leurs

homologues de France, et le français, à des traits phonétiques et lexicaux près, d'ailleurs fortement ressentis, est
proche du français normalisé centré sur l'Ile-de-France. Tout
comme en France, les dialectes, en disparaissant, ont
légué au français des spécificités locales.

L'usage de ce français de Suisse reste assez stable. Si la
progression du nombre de francophones dans la Confédération, qui est de 38 % entre 1950 et 1990, est proche de
celle de la population globale, son pourcentage, durant la
même période, a baissé puis remonté : 20,3 % en 1950,
18 % en 1970, 19,2 % en 1990. Une des raisons de cette
baisse relative est la nature de l'immigration, y compris
en Suisse romande, où l'italien, l'espagnol et le portugais
dominent.

La limite entre langues romanes et germaniques étant
restée, elle aussi, stable, les cadres institutionnels ont évolué. Concernant le français, le fait saillant est la création
d'un canton francophone, le 23e de la Confédération, dit
« République et Canton du Jura », à partir de trois districts
du canton bilingue de Berne. Ce dernier conserve trois districts francophones du Jura sud et un district bilingue
(Bienne/Biel), où le pourcentage de francophones diminue
fortement, ce qui incite la Constitution du canton de Berne,
en 1993, à protéger ses intérêts minoritaires.

De même, un texte constitutionnel fédéral de 1996 renforce la protection de l'italien et du romanche par rapport
à l'allemand.

La problématique du français de Suisse est analogue,
sur certains points, à celle du français de Belgique. Les
jugements sur l'usage du français ont d'abord tendu, de
1918 aux années 1960, vers un purisme restrictif. Celui-
ci est illustré par les chroniqueurs de langage, par
exemple dans *La Gazette de Lausanne* ou à Radio Lausanne, qui requièrent la norme figée de Littré et critiquent
le laxisme des Français et de leurs dictionnaires. Ils ont en
commun l'obsession du germanisme, traqué comme l'est
l'anglicisme au Québec, mais parfois évoqué à tort. Certains chroniqueurs versent dans une xénophobie extrême.

Pierre Knecht[29] cite en contraste un témoin plus libéral, plus objectif, Edouard Vittoz, dont le discours était plus cohérent avec les réflexions sur le français des meilleurs linguistes suisses, disciples du Genevois Ferdinand de Saussure, tels Charles Bailly et Henri Frei, auteur célébré ici même pour sa remarquable *Grammaire des fautes*. L'attitude de description objective prise par ces linguistes est aussi celle qui préside aux recherches d'une richesse exceptionnelle sur le français de Suisse.

Un ouvrage d'une qualité extrême dans le domaine encore négligé des variétés régionales du français est le *Dictionnaire historique du parler neuchâtelois et suisse romand* de William Pierrehumbert, paru de 1921 à 1926 après vingt années de préparation et d'enquêtes. A la même époque, le *Glossaire des patois de la Suisse romande*, vaste entreprise dont la publication commence en 1924, contient la description d'un « langage provincial, intermédiaire entre le patois et le français correct » (*Glossaire*, vol. I, Introduction). Comme on voit, le ton est encore, sinon puriste, du moins respectueux de la norme générale, mais fournit une moisson d'observations sur le français local, outre ses données dialectologiques. La synthèse descriptive attendue pour le français de Suisse romande a paru en 1997 : le *Dictionnaire suisse romand*, rédigé par André Thibault, sous la direction de Pierre Knecht (Genève, éditions Zoé).

Pour autant, les jugements de valeur négatifs sur la qualité de ces parlers, mêlant langage familier jugé incorrect et faits régionaux ou sentis comme tels, perdurent[30]. Mais la situation est complexe, car, pour ceux qui maîtrisent le registre spontané local et un registre plus châtié, le « vaudoisisme » et tout romandisme sont des objets précieux et plaisants à sauvegarder, alors que, pour ceux qui se sentent mal jugés dans leurs façons de s'exprimer et ne peuvent changer d'usage, les mêmes particularismes sont mal perçus.

En tout cas, le français de Suisse, comme tout usage géographique, évolue : des mots spécifiques tombent dans l'oubli au profit du français central – phénomène observé aussi en Belgique –, mais d'autres apparaissent, soit par morphologie régulière (*deviser*, « faire un devis » ; *grader*, « monter en grade »), soit par changement sémantique (*gentiment*, « doucement »), soit enfin par emprunt ou calque, surtout à l'allemand, parfois à l'italien (même si la forme est non italienne, comme l'*autogoal*, « but marqué contre son propre camp »). Les calques qui traduisent l'allemand sont souvent institutionnels, certains facilités par le fait que le terme allemand était pris au français : le *Schulpatrouilleur*, « écolier(e) qui règle et surveille la circulation près de l'école », devient en français un ou une *patrouilleur scolaire*.

AU CANADA, AVANT 1960

Immédiatement après la Première Guerre mondiale, les défenseurs du français, au Québec et ailleurs, s'appuient sur la victoire de 1918 pour signaler la vocation mondiale de cette langue. On peut citer l'argumentation de Léon Lorrain, qui était en 1919 secrétaire général de la Banque canadienne[31], en faveur du français langue du commerce.

En général, le français doit alors se défendre contre les jugements négatifs que portent sur lui des anglophones canadiens, qui parlent de *French Canadian Patois* et même de *Beastly Horrible French* (un certain député Morphy). Tandis que certains soulignent la qualité de ce français, d'autres s'inquiètent des progrès de son « anglicisation », mot ambigu qui dénonce à la fois l'usage de l'anglais (surtout dans les villes et par les moyens puissants de la publicité commerciale ou par ceux de la technique importée des Etats-Unis) et la pénétration des anglicismes dans l'usage du français.

Le sport, les loisirs, le tourisme sont alors mis en accusation avec tout le mode de vie à l'anglo-saxonne, par exemple dans un rapport de l'Association catholique de la jeunesse canadienne française en 1922, ou bien, deux ans plus tard, par Fulgence Charpentier, journaliste et diplomate en vue, qui dénonce dans *L'Action française* en 1924 l'« engouement d'un certain public pour la langue anglaise » et une anglomanie, véritable « ennemi dans la place ». Il y transpose la germanophobie de Barrès (« les barbares s'imposeront peu à peu à nos âmes à cause des basses nécessités de la vie… ») en xénophobie anti-« anglaise ». Derrière le problème des langues, c'est en fait l'idéologie conservatrice entretenue par l'Eglise qui se mêle à la dénonciation des méfaits de l'anglicisation, reflet culturel de l'évolution générale de la société avec l'urbanisation et l'industrialisation.

Tous les historiens reconnaissent qu'alors l'influence du clergé catholique dans la province du Québec est exceptionnellement forte. L'enseignement reste sous sa coupe ; les mesures sociales envisagées par le gouvernement et votées en 1921 sont combattues par la hiérarchie catholique. Une théorie de l'isolement, voire de l'ignorance revendiquée au nom de la tradition, se développe dans les milieux religieux. Mais la lutte réactionnaire du clergé québécois fut impuissante sur plusieurs points : dans sa résistance contre le vote des femmes et, en général, leur rôle en politique, et surtout peut-être dans son plaidoyer pour la vie rurale. En effet, si, en 1901, les villes de la province abritaient 36 % de la population, en 1931, ce sont presque 60 %. Dans l'industrie, c'est l'exploitation forestière pour la production du papier et l'extraction minière qui dominent, provoquant des déplacements de population. Ces déplacements résultent aussi de la faiblesse économique du Québec face au développement des industries de transformation dans le nord-est des Etats-Unis, où de nombreux Québécois vont s'expatrier pour travailler dans le textile et former des communautés francophones aujourd'hui à peu près dissoutes dans le contexte anglo-américain. Conservant précairement leur langue, subissant les effets de contact, ces familles québécoises de Nouvelle-Angleterre furent un des facteurs d'anglicisation du français québécois à cette époque.

Sur le plan des langues, l'éternelle question controversée est celle du bilinguisme, qui est l'un des indices des positions politiques, entre fédéralisme accepté (ou revendiqué) et autonomie québécoise, en attendant l'idée d'indépendance. D'un autre côté, le désir d'évolution et celui de prendre place parmi les acteurs de la vie économique du Canada incitent certains à plaider en faveur de l'anglais par un bilinguisme individuel accru (Athanase David, en 1934) ou, rarement (les thèses d'Adélard Desjardins exposées dans une brochure de 1934 ou 1935, vite brocardées), à abandonner un français jugé médiocre et qui coûte trop cher à la communauté. A l'opposé, contre la doctrine officielle du bilinguisme facteur de « bonne entente » canadienne (exprimée, par exemple, par Henri Bourassa dans une adresse en anglais à des visiteurs ontariens en 1925), certains se dressent sans compromis. Paul Bouchard, dans *La Nation* du 24 septembre 1936, estime que l'« engouement pour le bilinguisme », de la part des Québécois, correspond à un « leurre d'égalité », tandis que Victor Barbeau, dans *L'Action nationale* en 1937, juge que « le bilinguisme [...] corrode, [...] dissout » ses contemporains, car il ne ménage au français qu'une place inférieure.

Pour l'immense majorité des Québécois, le problème est donc de concilier l'idéologie officielle du bilinguisme, tout en la critiquant, et la défense d'un usage du français par ailleurs mis en cause quant à sa qualité. De ce point de vue, apparaît dans les années 1910 une attitude nouvelle : ne plus juger uniquement en fonction d'une norme française et de l'absence d'anglicismes spécifiques ; accepter l'idée d'une langue adaptée à la vie québécoise mais insistant sur l'origine régionale française. C'est la position d'Adjutor Rivard en 1915, dans le *Bulletin du parler français au Canada* (fondé en 1902), qui conduit à juger l'usage rural supérieur à celui des gens cultivés des villes. Une répartition des traits spécifiques de l'usage canadien en résulte, les uns acceptés, et même revendiqués, traduisant l'héritage de terroir des premiers colons – on parlera

des québécismes « de bon aloi » –, les autres critiqués,
condamnés comme stigmates d'une contamination anglo-
saxonne. Malgré le caractère idéologique de cette répartition, elle permet la recherche d'une norme spécifique et
l'apparition d'une définition du parler canadien français
comme parler régional plutôt que comme patois, français
corrompu ou dialecte[32].

Cette attitude est en rupture avec une tradition d'auto-
dépréciation entretenue par les mauvaises opinions venues
de l'extérieur : des Canadiens anglophones, mais aussi,
moins grossièrement, des Etats-Uniens et enfin des francophones de France, pour qui, encore au xxe siècle, « il
n'est bon bec que de Paris » et dont la méconnaissance
vis-à-vis du français parlé en Amérique du Nord est grande.
Un excellent témoin de l'irritation québécoise à l'égard de
ces préjugés est Claude-Henri Grignon, auteur de *Pamphlets* sous le pseudonyme de Valdombre, de 1936 à 1943,
et qui était aussi sévère pour l'intelligentsia québécoise
que pour les censeurs de l'usage québécois.

Indirectement, plusieurs écrivains, à cette époque, ont
su intégrer les spécificités de l'usage québécois tout en
critiquant la société et ceux que Jean-Charles Harvey
appelait les *Demi-Civilisés* (roman, 1934). Les premiers
ferments de la « révolution tranquille » se trouvent là, à la
fois dans la critique de la société et de son idéologie
conservatrice, et dans une reconnaissance de la spécificité
culturelle et langagière du Québec et du reste du Canada
francophone. Ainsi, la littérature « canadienne-française »
cesse d'être vue comme un chapitre régional de la littérature française, surtout dans les années 1940, pour devenir
une littérature de langue française différente de celles
d'Europe. L'expression « parler joual », c'est-à-dire prononcer *choual* ou *joual* pour *cheval*, apparaît dans les *Pamphlets* de Valdombre en 1939 ; après 1960, le « parler joual »
sera revendiqué.

Pour l'heure, avant les années 1940, on se préoccupe
d'une norme « correcte » en critiquant la prononciation
québécoise, en proposant dans les écoles des équivalents

français aux anglicismes sportifs, sans résultat. Mais il y a un fossé entre les puristes et les attitudes spontanées ; la langue orale ne peut évoluer sur commande : un usage oral accepté s'installe et toute correction s'alignant sur la norme française paraît tout simplement artificielle et ridicule.

D'ailleurs, les listes correctives de vocabulaire se font plus rares. Après le *Dictionnaire de bon langage* d'Emile Blanchard, publié à Paris en 1919 (réédité jusqu'en 1949), le plus influent fut le *Glossaire du parler français au Canada*, préfacé en 1930 par Adjutor Rivard et Louis-Philippe Geoffrion, et qui dépasse les intentions correctives pour décrire l'usage, même oral, des premières décennies du xxe siècle.

Cependant, si le purisme correctif continue de s'exprimer, mais de manière plus souple – par exemple avec l'ouvrage de Victor Barbeau *Le Ramage de mon pays* (1939), enrichi sous le titre *Le Français du Canada* en 1963, ou encore *Les Etrangers dans la cité*, de Léon Lorrain, traqueur d'anglicismes réels ou supposés –, les livres et les journaux s'ouvrent de plus en plus aux québécismes, consciemment ou non. Et, surtout, des transcriptions de l'usage oral, beaucoup plus marqué, apparaissent à côté de la parole des feuilletons radiophoniques très populaires à partir des années 1930[33], de chroniques dans la presse ou du journal satirique *Le Goglu* (Montréal, de 1929 à 1933). Chansons et sketches contribuent aussi à ce témoignage de l'usage spontané (un cas célèbre : La Bolduc, alias Mary Travers, dans les années 1930).

Quant à la transcription écrite de cet oral, Claude Poirier note une tendance à noter à la française certains anglicismes : *peanut* devient *pinotte*, ce qui lui confère une familiarité graphique que d'autres langues obtiennent, par exemple l'espagnol (*futbol*), mais que le français contemporain, à la différence de l'usage classique (*boulingrin* pour *bowling green*), ignore, sauf dans des tentatives personnelles ou « argotiques ».

Québec, 1960-1980 : une révolution

On la dit « tranquille » ; elle ne le fut pas toujours, mais n'importe. Superficiellement, de nombreux symptômes l'annonçaient, on l'a vu ; littérairement, le besoin d'une vérité sociale et langagière commence à s'exprimer. Profondément, c'est la société québécoise qui bouge. Alors que l'urbanisation et l'industrialisation mêlent les populations, que l'immigration augmente les contacts du français avec d'autres langues que l'anglais : italien, grec, langues d'Europe centrale, d'Asie, créole haïtien..., la cassure sociale traditionnelle entre ruraux (les « habitants ») illettrés ou prolétaires urbains peu scolarisés et une petite élite instruite commence à se combler par l'apparition d'une classe moyenne et par la scolarisation générale. La fin de la domination culturelle et idéologique par un clergé catholique traditionaliste, qui impose à l'école une hiérarchie où la religion et sa morale l'emportent sur l'apprentissage de la langue et la connaissance scientifique, et qui s'exerçait sur la presse et l'opinion, va changer les références.

Parallèlement, l'action du gouvernement québécois devient déterminante sur l'ensemble de la population de la province. Entre 1960 et 1980, les collèges d'enseignement général et professionnel (Cegep) se multiplient, les universités se développent. L'appareil d'Etat cesse d'être celui d'une région à l'intérieur d'un pouvoir fédéral : une véritable administration prend en charge les affaires sociales et l'éducation. La politique de la langue occupe une place centrale dans cette évolution. Elle ne peut agir que dans la mesure où apparaît et se renforce une classe sociale scolarisée, laïque et consciente de la spécificité québécoise par la langue et la lecture. Celle-ci, sans renier ses origines, tout au contraire, est nord-américaine – ce qui entraîne une forte influence de l'anglais –, mais appropriée sous une forme spécifiquement québécoise, non pas canadienne, ce qui aura des conséquences politiques visibles.

Sur le plan du statut des langues du Canada, géré par le gouvernement fédéral, celui-ci devient soucieux de la protection des minorités, et le Québec commence à prendre l'initiative. D'abord par des actions spontanées, comme l'enseignement exclusivement français donné aux enfants des immigrés italiens à Saint-Léonard en 1969. Les réactions, parfois violentes, à cette mesure conduisirent le Québec à voter une « loi 63 » plus favorable aux intérêts anglophones, puisqu'elle laissait le choix de la langue d'enseignement aux intéressés. Des immigrés pouvaient préférer l'anglais, car ils considéraient le Québec comme une étape vers la recherche d'un travail aux Etats-Unis ou en Ontario. En 1974, Robert Bourassa rectifie le tir en réservant l'école en anglais aux enfants pouvant démontrer leur connaissance de l'anglais par un test. Cette mesure figurait dans la loi 22 proclamant le français langue officielle, indispensable aux candidats des administrations et favorisée dans le secteur privé. La même année, le mandat de l'Office de la langue française créé en 1961 est élargi : commence alors une véritable politique des terminologies, envahies par l'anglicisme.

Un stade plus significatif est atteint en 1977, après la victoire du Parti québécois de René Lévesque, avec la loi 101, dite « Charte de la langue française ». Cette loi étend l'usage du français, en droit, à toutes les activités, publiques et privées, au Québec ; elle impose le français dans la publicité et développe les programmes de francisation, les étendant à toute entreprise employant cinquante personnes et plus.

Des résistances s'exprimèrent alors au nom des libertés individuelles et il y eut des aménagements à certaines dispositions, les gouvernements libéraux tendant à protéger le bilinguisme (lois de 1992 et 1993), le gouvernement péquiste (de PQ, le Parti québécois) accentuant la protection de la langue française (1997).

A côté des dispositions légales, l'action de l'Office de la langue française a porté sur la « qualité de la langue », concept difficile à définir, sauf dans des domaines précis telles la terminologie ou la traduction, domaines où le Québec fait figure de pionnier dans le monde francophone, et parfois de modèle.

Avec le développement de la vie universitaire et, dans un premier temps, la participation de linguistes et de critiques littéraires européens ou étatsuniens spécialistes du français, sans négliger l'apport de la principale université anglophone du Québec, McGill, les études scientifiques sur la langue, la littérature et les traditions québécoises se sont multipliées. Des linguistes comme Jean-Denis Gendron, responsable d'une remarquable enquête sur les pratiques de langage du Québec, des spécialistes des parlers ruraux régionaux, comme Gaston Dulong, Gaston Bergeron, des sociolinguistes de l'« aménagement » (pour éviter « planification ») linguistique, tel Jean-Claude Corbeil, des phonéticiens, des pédagogues ont acquis une reconnaissance dans toute la francophonie et au-delà.

Quant aux descriptions du lexique, objet essentiel pour toute définition d'une norme québécoise, elles se sont multipliées, cherchant à remédier par des remarques critiques à une insécurité linguistique qui demeure sensible. Un recueil comme *Les Anglicismes au Québec, répertoire classifié*, par Gilles Colpron, est souvent réédité depuis sa sortie en 1971 ; il en va de même du *Multidictionnaire des difficultés de la langue française* de Marie-Eva de Villers, qui fait figure de référence québécoise dans les années 1990 et 2000 grâce au point de vue descriptif, non plus puriste, qui est le sien. Dans une optique philologique et historique, Claude Poirier a publié un important *Dictionnaire historique du français québécois* (Québec, Presses de l'Université de Laval, 1998), recueil de quelque 650 monographies détaillées provenant du fonds très important du *Trésor de la langue française au Québec*.

Mais ni l'état des études sur les usages du français, ni même la politique efficace d'aménagement linguistique ne peuvent rendre compte d'une réalité en général décrite de l'extérieur comme un tout. Une phonétique très spécifique, mêlant traits archaïques – ouverture de voyelles, longueur et diphtongaison – et influences, d'ailleurs discutées, de l'anglais, notamment à Montréal, un lexique largement original par rapport au français contemporain d'Europe, des sémantismes et des façons de s'exprimer très différents de ceux du français d'Europe, autant de caractères capables de susciter à l'extérieur des images trop simples.

La réalité est plus complexe. En l'absence de véritables dialectes, le français d'Amérique du Nord est soumis à des variations locales (ce qui est normal étant donné la dimension de la zone considérée), mais aussi sociales. Collectivement, l'usage de Montréal et de sa région, coupé des variantes rurales, au contact de l'anglais et des langues d'immigration plus que tout autre, s'oppose à celui de Québec et de sa région, à celui de Sherbrooke et des cantons de l'Est, à tous les parlers ruraux, à l'usage du lac Saint-Jean, qui joue un rôle symbolique comparable à celui des pays de Loire pour le français de France. C'est sur le québécois montréalais, sous sa forme orale et populaire, qu'est fondé le parler identitaire, et rendu provocateur, adopté par des chansonniers et des dialoguistes à l'oral, par des écrivains en transcription écrite sous le nom générique de _joual_.

Le « joual » fut un moment clé de la prise de conscience québécoise plutôt qu'une variété observable de parler. Il fait partie du « ressenti » sinon de l'imaginaire linguistique plus que de l'« observable », tout autant que le « langage des banlieues » l'est en France. Le joual fut surtout une tentative pour inscrire l'oral spontané en littérature – comme on l'avait fait en France vers la fin du XIXe siècle avec le parisien populaire et l'« argot », autre image au-delà des réalités. Mais cette démarche prenait au Québec un autre sens : il ne s'agissait pas tant de s'affranchir d'une norme sociale et scolaire que de l'image contraignante du modèle extraquébécois, et en général « parisien », de la langue française dans son « bon usage ».

C'était, à la manière de la prise de conscience du français face au latin au XVIe siècle[34], la reconnaissance d'un parler populaire vrai, national, face à une langue quasi coloniale venue d'ailleurs. Dans les années 1960 et 1970, à l'idée d'une littérature franco-québécoise « nationale », apparue dans le débat, s'ajoute celle que le français, fondamentalement, reste une langue « apprise dans les livres », n'est pas la langue de la vie.

Cependant, dans la parole vraie, identitaire, certains écrivains ont, pour des raisons politiques et esthétiques à la fois, sélectionné un usage populaire urbain très anglicisé de Montréal, usage reflétant une situation précaire et inférioris ée face à l'anglais, due à une faiblesse économique péniblement supportée. Le joual, en grande partie réel et observable, mais rendu spécialement visible par les écrivains, était à la fois démonstratif et revendicatif, provocateur et expérimental. Le français de la littérature québécoise antérieure étant jugé fictif, on voulait dévoiler des vérités, quitte à les outrer en concentrant leurs effets, le tout dans une démarche proprement littéraire, apparentée à celle des écrivains français en révolte contre une norme écrite jugée artificielle ; en quoi les Gérald Godin, Jacques Renaud, Michel Tremblay (auteur d'une pièce célèbre, *Les Belles-Sœurs*) se plaçaient dans le même sillage qu'une partie de la littérature de France.

Le joual, servi par des talents variés et évidents, ne fut bientôt plus une manière d'écrire le parler vrai du prolétaire québécois de la grande ville, mais la parole déclarative d'une véritable idéologie, objet de féroces controverses.

Des critiques, comme Jean Marcel (*Le Joual de Troie*, 1973), y virent un danger, d'autres une mode artificielle, l'écrivain Jacques Godbout une « maladie infantile du nationalisme », tandis que le poète Gaston Miron soulignait qu'il ne s'agissait pas pour l'écrivain d'opposer les « dialectes québécois » entre eux, mais la « langue québécoise » à l'anglais. Il n'empêche : l'épisode du joual a libéré la langue écrite socialement valorisée du roman et du théâtre, et a conduit à une expression spécifique de la personnalité multiple du peuple québécois : en témoignent la littérature de Réjean Ducharme ou de Victor-Lévy Beaulieu, qui célèbrent le joual en joual, en affirmant qu'« y reste pus qu'à s'crisser du français comme y reste pus qu'à s'crisser de l'anglais parce que cé ces deux maudites langues [qui] nous ont fourré aussi ben l'une que l'autre » (Beaulieu). La forme de la transcription de l'oral a ici les mêmes caractères hétéroclites que dans les équivalents en français de France ; mais le fond est le signe d'un désarroi, car il est évident pour l'observateur de sang-froid qu'un Québécois ne peut se « crisser » de l'anglais que par le français, et que le joual revendiqué est bel et bien un usage du français, un usage parmi d'autres du français québécois.

La crise du joual étant dépassée, dans les années 1980 et 1990, la parole québécoise, tout en évitant l'excès sur le plan idéologique, pouvait intégrer l'oral et ses variations sur le plan esthétique. On pourrait dire que le « québécois », dans la forêt des usages du français menacé en Amérique du Nord, s'est dégagé en tant que « langue », avec ses normes qui se cherchent et ses usages qui s'observent, avec ses réglages et son rapport avec d'autres formes historiques d'usage du français, comparable au rapport existant entre l'anglais étatsunien et britannique, le portugais brésilien et celui du Portugal, etc.

LE FRANÇAIS AU CANADA, AUJOURD'HUI

La situation des langues au Canada, en 1996, selon l'Annuaire du Canada pour 1997, se présentait ainsi : 6,5 millions de personnes, sur une population totale de près de 29 millions, déclarent avoir le français pour langue maternelle, soit 23,5 %. 5 800 000 vivent au Québec, à côté de 600 000 anglophones, 245 000 au

Nouveau-Brunswick, ces Acadiens formant 33 % de la population de la province. En outre, près de 5 % des habitants de l'Ontario se déclarent francophones, et 12 % disent pouvoir s'exprimer en français (mais 3 % seulement le parlent chez eux). Dans tout le Canada, les bilingues anglais-français seraient 26 %, et 59 % des anglophones du Québec peuvent parler français[35]. Hors Québec, le Nouveau-Brunswick et l'Ontario offrent aux francophones une éducation complète en français ; ainsi, une université francophone importante se trouve à Moncton (Nouveau-Brunswick) et l'université York, à Toronto, est bilingue.

La situation du bilinguisme canadien, cependant, est moins simple qu'il n'y paraissait il y a une quarantaine d'années, quand Richard Joy publiait *Languages in Conflict* (1967 puis 1972). On pouvait alors présenter le Canada comme quasi unilingue en anglais, sauf au Québec, province presque entièrement francophone, en exceptant cependant du tout-anglais une zone proche du Québec, au Nouveau-Brunswick à l'est, en Ontario à l'ouest. En effet, avant 1969, le bilinguisme fédéral jouait surtout au Québec, au bénéfice de la minorité anglophone, et faiblement ailleurs, pour les minorités francophones. Seuls les réseaux de l'Eglise catholique – comme dans le nord-est des Etats-Unis – maintenaient en vie les communautés parlant français hors du Québec. Outre les nombreuses associations locales, des organismes « canadiens français » apparurent : le Conseil de la vie française en Amérique, CVFA, en 1937, l'Acelf, Association canadienne d'éducation en langue française, en 1947. Jusqu'à 1960, le Québec était entièrement solidaire de ces initiatives, mais la montée d'un nationalisme québécois, la laïcisation et la réforme de son enseignement, l'évolution de l'Eglise après le concile Vatican II, le jeu politique du gouvernement fédéral, désireux de limiter l'influence de la « province » du Québec – pour les non-Canadiens, il faut rappeler qu'une « province » canadienne est un Etat, avec sa politique intérieure –, ont profondément modifié l'équilibre linguistique et culturel du pays. Cette évolution passa en 1969 par une loi (fédérale) sur les langues officielles qui permit au « fédéral » de charger le secrétariat d'Etat (qui va être transformé en « ministère du Patrimoine canadien ») d'une mission égalitaire : promouvoir les communautés minoritaires, anglophones au Québec, francophones dans les autres provinces. On créa en 1976 une Fédération des francophones hors Québec, qui publia des études importantes sur les minorités ; Radio Canada multiplia les émissions en français hors du Québec ; on subventionna l'enseignement en français ; les associations communautaires en furent revigorées. A l'école bilingue succéda l'« école d'immersion », diversement interprétée comme pouvant être « au service de la population de langue anglaise » mais, au moins dans l'Ouest canadien, ayant « pour effet de valoriser davantage la connaissance du français auprès des populations anglophones »[36].

Nouveau tournant après 1982 avec la Charte canadienne des droits et libertés qui permit (après un long procès en Alberta) d'attribuer la gestion scolaire à des conseils francophones, système qui s'appliquait déjà au Nouveau-Brunswick et fut généralisé au cours des années 1990, avec des réticences, notamment en Ontario. Cependant, la nouvelle loi sur les langues officielles de 1988, en « fédéralisant » la politique des langues et donc de l'enseignement, rendait l'école en français très sensible aux sévères coupes budgétaires qui eurent lieu ensuite. La faible application de la Charte fut critiquée et les associations durent recourir à l'entreprise privée et à l'autofinancement.

L'état d'esprit général de la francophonie canadienne s'est amélioré et élargi, mais les réalités quotidiennes sont difficiles et très différentes d'une communauté, d'une région à l'autre. Si la langue unit ces populations, ainsi que des éléments culturels communs, les modes de vie diffèrent et les spécificités de la Province-Etat ou d'un ensemble de provinces (Acadie, Prairie...) sont essentielles dans un Canada immense et très divers.

Sauf au Québec, la francophonie canadienne paraît en régression, voire en survie. La résistance à l'anglicisation s'exprime au Nouveau-Brunswick où, en 1996, 245 000 personnes ont le français comme langue maternelle, et 225 000 l'utilisent en famille. Cette province a établi en 1963 l'université (francophone) de Moncton, et fondé le premier centre scolaire communautaire en 1978 à Fredericton : le bilinguisme effectif était mis en lois.

Dans le reste de ce qu'on appelle l'Acadie des Provinces maritimes, Nouvelle-Ecosse et Ile-du-Prince-Edouard, la moitié de ces Acadiens de langue maternelle française parlent anglais à la maison (ce qui ne veut pas dire qu'ils et elles ne peuvent plus s'exprimer en français). La communauté est dispersée et le français langue d'usage représente moins de 2,5 % d'une population qui dépasse à peine le million d'habitants pour les deux provinces.

En Ontario, province la plus peuplée de la fédération (1 753 000 habitants en 1996), les francophones de langue maternelle sont près de 5 %, mais ceux qui parlent français chez eux 3 %, ce qui marque une absorption de près de 40 % d'entre eux par le milieu anglophone. Cependant, cette francophonie native demeure la première hors Québec. Les Franco-Ontariens sont plus nombreux à l'est de la province, autour d'Ottawa. Les régions d'Ottawa et de Sudbury, avec leurs universités bilingues, notamment l'université Laurentienne, ont dynamisé le mouvement culturel parallèlement à l'évolution québécoise. Cependant, malgré les évolutions en matière scolaire et à la différence du Nouveau-Brunswick, l'Ontario, avec sa large majorité anglophone, demeure hostile à un bilinguisme fonctionnel actif.

La langue française n'est pas absente du reste du Canada, mais, extrêmement minoritaire, souvent dispersée, elle doit se battre pour survivre. Dans les trois provinces de ce qu'on nomme « les Prairies », Manitoba, Saskatchewan et Alberta, c'est la première qui a le plus grand nombre de francophones de langue maternelle (50 000 personnes sur une population de 1 113 000), dont moins de la moitié pratiquaient quotidiennement la langue en 1996. En Alberta, sur près de 60 000 francophones de naissance, 20 000 seulement pratiquent la langue quotidiennement et en famille. Quant à la communauté « fransaskoise » (francophones de la Saskatchewan), elle est dispersée en plusieurs régions rurales et dans les villes et tend à se restreindre d'année en année (20 000 personnes de langue maternelle française, seulement 6 300 de langue d'usage, en 1996). Les effectifs francophones de Colombie-Britannique sont plus importants dans l'absolu (60 000 de langue maternelle française) mais non pas proportionnellement (1,6 % des 3 724 000 habitants). Comme ailleurs au Canada, la renaissance d'un sentiment communautaire franco-colombien et de son organisation fait contraste avec le passage à l'anglais des deux tiers des francophones de naissance. Quant aux territoires du Grand Nord, où la présence des francophones est liée historiquement au commerce des fourrures et aux missionnaires catholiques oblats, elle ne représente pas plus de 2 000 personnes par territoire. Ce qui n'empêche pas les activités communautaires, quelques publications, des émissions de radio, des écoles, par exemple à Whitehorse, au Yukon, pour 1 235 Franco-Yukonnais déclarés. A Terre-Neuve, enfin, la communauté s'est réduite à quelques centaines de personnes, établies à Saint-Jean, capitale de Terre-Neuve, et au Labrador.

Même dans ses composantes les plus faibles quantitativement, la francophonie canadienne, élément historique important de la formation nationale, représente un dynamisme remarquable, surtout depuis une quarantaine d'années, alors même que, hors du Québec et, dans une large mesure, de l'Acadie du Nouveau-Brunswick, les personnes de langue maternelle française ont tendance à passer à l'anglais.

LE FRANÇAIS AUX ETATS-UNIS

Le français en Amérique du Nord, hors du Canada, est un phénomène second, venu de l'exil des Québécois, et ne représente pas le reste de la présence française dans cet immense territoire qui fut nommé « Louisiane » en hommage au roi de France, puis abandonné à l'espace politique anglo-saxon.

Devenue en 1812 le dix-huitième des « Etats unis », la Louisiane abritait au XIXe siècle des expulsés du Canada français, en anglais les *cajuns*, marginalisés après la guerre de Sécession. En 1921, la nouvelle Constitution de l'Etat interdit le français à l'école[37], tandis que le milieu rural, conservateur des traditions locales, s'ouvre à un brassage toujours favorable à l'anglais ; à cela s'ajoute l'industrialisation grâce au pétrole, ce qui fait que Baton Rouge ou Des Moines n'ont plus rien de français que leurs noms. Cependant, les francophones de l'Etat de Louisiane, regroupés à Lafayette et dans sa région (52 % de francophones déclarés en 1970), firent bloc, acquérant même une certaine notoriété culturelle aux Etats-Unis par leur musique. Malgré l'immersion dans la vie économique en anglais, sur les 900 000 Louisianais d'ascendance française, 500 000 se considéraient comme francophones en 1986, 550 000 en 1993 (tous bilingues, très probablement). Ce maintien (ou cette légère remontée) est dû à la résistance identitaire d'une société très soudée, et à l'action politique en faveur de la minorité « cadienne » (le mot français pour l'anglais *cajun*) qui commence en 1968 avec la création par James Domengeaux d'une agence d'Etat, le Council for the Development of French in Louisiana (Codofil). Le principe du bilinguisme légal pour l'Etat n'avait pas eu de conséquences pratiques, mais, en 1984, l'obligation scolaire d'une deuxième langue, sans précision, pour les élèves de 9 à 14 ans bénéficia au français, choisi à 90 %. Néanmoins, un problème de norme s'est immédiatement posé quant à ces leçons de français, où les maîtres furent souvent des coopérants venus de pays francophones à références d'usage différentes, Québec, France, Belgique. Alors que le « standard » du français québécois était le plus proche de la pratique spontanée des familles cadiennes, elles manifestaient une préférence pour l'usage européen, la différence étant pour elles un gage de norme et de qualité. On entendit des mères de famille, assistant avec une avidité curieuse à la leçon de français donnée par un jeune Québécois, dire : « Ça doit pas être du ben bon français ; j'ai tout compris ! », réflexion remarquable, pour le sociolinguiste, sur le chapitre de l'insécurité linguistique. Le problème de la norme, chez les francophones de Louisiane, est complexe car les élèves aujourd'hui scolarisés le sont dans plusieurs usages du français, selon les maîtres, et doivent continuer à communiquer avec leurs parents qui, eux, furent scolarisés en anglais. Leur français est donc exclusivement oral, fortement local. Une norme intermédiaire, inspirée de l'usage scolaire québécois – et non d'une norme prétendue internationale, c'est-à-dire plus ou moins européenne –, paraît la plus souhaitable.

Cependant, les Cadiens de Louisiane n'ont plus honte d'être francophones, bien au contraire. Le français louisianais se défend d'être un objet de folklore et revendique sa personnalité, un peu à la manière des langues différentes de l'anglais (la plus visible est évidemment l'espagnol) qu'on parle aux Etats-Unis.

La situation des francophones de Nouvelle-Angleterre est différente, et plus précaire encore. Ceux qu'on appelle les « Francos » (pour Franco-Américains), venus du Canada pour travailler en Nouvelle-Angleterre, ont formé des communautés, les « Petits Canadas », où certains ont pu conserver leur langue maternelle tout en devenant bilingues par nécessité. Des sociétés, associations, cercles, « commissions culturelles » ont entretenu des liens entre francophones, mais, déjà en 1979, la moitié du million et demi de personnes d'origine québécoise et de langue maternelle et paternelle française avaient perdu cette langue au profit de l'anglais, en passant par un bilinguisme de transition. Quant à la nature des parlers français subsistants, ils sont plus anglicisés que la norme québécoise qui était la leur à l'origine et ils ont contribué à faire refluer dans les familles demeurées au Québec certains usages hybrides. La situation des Francos subit les effets du rouleau compresseur de l'anglais aux Etats-Unis, instrument du « melting pot » auquel ne résiste, au XXIe siècle, que la langue espagnole d'Amérique. Pour ceux et celles qui veulent conserver l'usage du français, le recours est dans l'étude de cette langue comme langue étrangère. Or, l'apprentissage du français aux Etats-Unis se fait traditionnellement selon la norme parisienne plus ou moins bien maîtrisée, et ce français-là, qui communique mal avec les restes de français local, est aussi peu adapté à la situation qu'en Louisiane.

9.

Le français en partage

Il existe un point commun entre le français du Canada et celui qui est parlé dans les îles auprès d'un créole ; il est le fruit historique de l'exploration et la colonisation du continent américain par la France, à côté d'autres grandes nations d'Europe. Mais une différence profonde distingue la situation sociale du Canada et celle de la Louisiane et des Caraïbes : c'est l'esclavage des Africains et l'ignoble trafic d'êtres humains qui le rend possible, la « traite ».

Pour ce qui est des populations, le mot *créole* a pris plusieurs valeurs selon les lieux : à la Réunion et aux Seychelles, le créole est celui ou celle qui est né dans l'île, sans acception de couleur de peau ; ailleurs, on n'admet pas la même désignation pour les Blancs et les Noirs : aux Antilles, le mot ne qualifie que les Blancs nés sur place (la « belle créole » Joséphine de Beauharnais ne saurait être noire ni mulâtre), à Maurice, seulement les Noirs et les métis sont des créoles, jamais les Blancs. A la Martinique, le nombre de ces esclaves dépasse celui des Blancs en 1680, mais de l'autre côté de l'Afrique, à Bourbon (la Réunion), il y a alors plus de créoles blancs que d'esclaves de couleur : ces derniers seront majoritaires à partir des années 1720.

Pour ce qui est des parlers, vers la fin du XVIIIe siècle, on parle de *patois créole* pour désigner un parler local jugé inférieur : le mot s'applique à toutes les colonies à plantations et à main-d'œuvre déportée d'Afrique. Qu'ils aient comme origine une adaptation par simplification de la langue des maîtres ou la réinvention d'un idiome dans des conditions difficiles, les créoles ont en tout cas ceci de particulier que, à la différence des sabirs et pidgins, ils sont devenus des langues maternelles transmises de parents à enfants, et appris comme toute langue naturelle[1]. La disparition de l'esclavage n'a pas transformé ces langues, aujourd'hui définies par leurs relations avec une autre langue, par exemple le français ou, aux Seychelles, l'anglais. Le passage du français à l'anglais comme langue officielle dans cet archipel, non plus que l'absence de français à Trinidad, n'ont eu d'effet majeur, semble-t-il, sur l'usage d'un créole français. En revanche, ils en ont certainement eu un sur les relations – fonctionnelles et symboliques – entre langues, selon que le créole est ou non « langue officielle » (c'est le cas en Haïti depuis 1987, aux Seychelles en 1976).

Tous les créoles français sont pratiqués à côté d'une langue européenne, le français ou l'anglais. La « diglossie » (bilinguisme hiérarchisé) créole-français est active dans la zone caraïbe (les Antilles) et dans les îles des Mascareignes (Réunion, Maurice, etc.), partiellement en Guyane. Politiquement, deux types de situations créent des rapports différents : d'une part, des départements français d'outre-mer (Guadeloupe, Martinique, Guyane, Réunion) ; de l'autre, des pays indépendants qui valorisent la langue commune et la rendent parfois officielle (Haïti). Là où un parler créole est pratiqué par la majorité, la connaissance du français est très variable. Haïti compte plus de huit millions d'habitants ; la population, en majorité rurale, n'est scolarisée qu'à 15 ou 20 %, la misère et les crises politiques, la corruption et la violence ont causé une émigration intense vers les Etats-Unis, ce qui renforce la présence de l'anglais, même si la colonie haïtienne de Montréal stimule le français. Une élite scolarisée connaît et parfois pratique le français, mais on estime que cela ne concerne pas plus de 10 % de la population. L'action culturelle française et la présence du français à la radio demeurent importantes. Malgré une présence écrite et imprimée du créole, la répartition fondamentale créole = oral, français = écrit se maintient.

Dans la même zone, les départements français d'outre-mer, Guadeloupe, Martinique et Guyane, comptent environ un million d'habitants, tous ou presque bilingues. En Martinique, par la scolarisation et l'administration, le français est très pratiqué et il y a peu de locuteurs du créole qui soient unilingues ; en outre, le créole et le français se pénètrent réciproquement et, si le français seul a cours à l'école, la littérature en français intègre des éléments créoles et reflète des formes intermédiaires plus importantes qu'ailleurs. L'enseignement se fait exclusivement en français, par la volonté majoritaire de la population, mais le créole possède maintenant dictionnaire et grammaire. Cependant, dans les deux îles et leurs dépendances, le statut du créole demeure incertain : les formes de littérature orale disparaissent, les écrivains qui créent en créole doivent traduire leurs œuvres en français, tel Raphaël Confiant. La chanson et la bande dessinée créoles résistent mieux et, grâce à l'immigration en France, créole et français créolisé sont représentés dans les grandes villes de la métropole. Complémentairement, les « métros » (métropolitains) vivant aux Antilles, ignorant souvent le créole, tendent à franciser les échanges.

Le cas de la Guyane est nettement distinct. C'est un territoire polyglotte, où on parle, outre le français, enseigné à l'école, un créole proche de ceux des Petites Antilles (50 000 personnes environ, sur une population de 170 000) et qui conserve une présence écrite (en littérature et en bande dessinée), ainsi qu'une existence radiophonique et télévisuelle. L'originalité guyanaise réside dans les langues amérindiennes pratiquées par quelques milliers, parfois seulement quelques centaines de locuteurs. En outre, existent plusieurs créoles de base anglaise (*businenge*) nés au Surinam voisin, certains parlés par les descendants des esclaves marrons enfuis des plantations de ce pays. Enfin, des langues comme le *hmong* (parlé au Laos, en Thaïlande, en Chine du Sud), le portugais brésilien et le chinois (mandarin) sont aussi représentées par des immigrés.

A Maurice, 1 200 000 habitants parlent créole, français et anglais (langue officielle, peu parlée mais renforcée par l'immigration d'Indiens, qui se sont mis pour la plupart au créole mauricien). L'école se fait en anglais et aussi en français, les médias s'exprimant plutôt en français mais l'administration en anglais. Le bilinguisme franco-anglais occupe la sphère de la communication sociale et internationale ; le créole (français) étant non seulement la langue de la famille, mais celle de la personnalité mauricienne. Si le créole jouit à l'île Maurice comme aux Seychelles d'un statut symbolique particulier, dans la mesure où les nouveaux immigrés ont perdu en majorité leur langue et pratiquent le créole faute d'avoir pu apprendre le français ou l'anglais, il tend à être de nouveau inférorisé par rapport aux deux langues européennes, tout en restant positivement identitaire. Les relations entre langues, là comme ailleurs, ont suscité l'existence d'un français régional mauricien, influencé par les créolismes et les anglicismes.

Aux Seychelles, non seulement le créole est langue officielle, à côté de l'anglais et du français (parfois compris, mais de moins en moins parlé), mais a été introduit en 1982 dans l'enseignement élémentaire. C'est la langue véhiculaire, comme partout dans les pays créolophones, mais aussi une langue identitaire, présentant des caractères de présence écrite et d'expression de la vie moderne qui la font sortir du ghetto des représentations inférorisées.

Les 800 000 habitants de la Réunion, département français et, comme tel, officiellement et scolairement francophone, parlent deux formes distinctes de créole. L'une est phonétiquement moins différente du français que l'autre ; elle est parlée dans les régions sans plantations sucrières, peuplées de Blancs pauvres, et se considère comme une variété supérieure à l'autre parler, celui des anciens esclaves noirs et des travailleurs indiens. Les deux variantes, avec l'imaginaire qu'elles véhiculent, sont difficiles à normaliser. En outre, la reconnaissance des créoles réunionnais et de la culture locale est souvent assimilée à des menées autonomistes, voire indépendantistes, par l'administration française.

Plusieurs régions du monde, Maghreb, Afrique de l'Ouest, Madagascar, îles de l'Océanie, Proche et Extrême-Orient, ont connu ou connaissent un usage collectif du français dû à la colonisation du XIXᵉ siècle. Le français y est parlé et écrit par des proportions variables de la population, de diverses façons, à côté d'une ou de plusieurs langues maternelles auxquelles s'ajoute souvent une langue véhiculaire, dans des frontières héritées de politiques européennes colonisatrices, définissant aujourd'hui – sauf les exceptions de l'océan Pacifique – des Etats souverains.

Les situations des langues et leurs relations y sont très différentes selon l'histoire et selon les politiques. Les problèmes linguistiques que posent ces régions sont entièrement différents de ceux qu'on observe là où le français est langue maternelle (la France ou le Québec, par exemple) ou bien est associé à un créole. La notion politisée de « francophonie » brouille ces différences fondamentales, auxquelles il faut joindre celle qui existe entre les pays où s'est exercé un pouvoir colonial français ou belge et ceux où le français représente une option culturelle parmi d'autres : le « français langue étrangère » l'est tout autant, étranger, pour les Algériens ou les Maliens que pour les Roumains ou les Allemands, mais pas du tout dans le même contexte, car le bilinguisme, dans le premier cas, est inhérent au fonctionnement de l'économie nationale, même lorsque la politique et l'administration, comme en Algérie, veulent échapper au français.

MAGHREB

En Algérie, précisément, on a vu les difficultés d'une scolarisation en français qui n'a fait qu'effleurer la population musulmane. En 1914, seuls 5 % des enfants algériens fréquentaient les « écoles auxiliaires » mises en place à la fin du XIXe siècle ; en 1929, ils ne sont que 6 %, confiés à des moniteurs autochtones. L'élite musulmane confie ses enfants, pour l'équivalent supposé du secondaire et du supérieur, aux universités du Caire, de Tunis ou de Fès. La scolarisation à la française des musulmans est meilleure en 1937 : plus de 100 000 enfants, c'est-à-dire 10 % (car la population a augmenté). La langue française se répand pourtant, mais hors du circuit de l'enseignement, par l'artisanat, le commerce, l'émigration vers la France, le service militaire et l'administration.

Entre la fin de la Première Guerre et les années 40, après que le petit-fils d'Abd el-Kader eut parlé d'indépendance à la Société des nations dès 1919 et que, en 1924, Messali Hadj eut fondé en France L'Etoile nord-africaine, association communiste pour l'indépendance, puis en 1937 le Parti populaire algérien, le rapport quantitatif des populations musulmane et d'origine européenne, en même temps, se modifie en faveur des premières : en 1948, 7,7 millions de musulmans et 922 000 non-musulmans. Ces derniers détiennent le pouvoir politique et, sur ce plan, la situation est bloquée. Parallèlement, une éducation islamique s'est organisée dans des médersas alternativement tolérées et interdites par les autorités françaises (40 000 élèves en 1954). Cet enseignement traditionaliste et religieux, en arabe dialectal, va opposer ces musulmans des couches populaires à la bourgeoisie scolarisée en français.

Quant aux Européens d'origine espagnole (Algérois, Oranais) et italienne (Constantinois), leur assimilation au français s'est faite dans la période précédente. On a vu qu'en était résulté, à Alger, un français algérien populaire, le « pataouète », qui a vieilli après 1920 mais servait de référence, et a pu fournir l'origine des parlers franco-algériens populaires et constituer le premier niveau d'une hiérarchie allant jusqu'à un français très proche de celui de la métropole entretenu par le va-et-vient entre France et Algérie, et pratiqué par les écrivains « algérianistes » (mot de Robert Randau) puis par ceux d'écoles littéraires plus récentes, avec Gabriel Audisio, Albert Camus, Emmanuel Roblès[2]... Cet usage était surtout celui d'Alger et de l'Algérois. Les parlers majoritaires des Européens d'Algérie relevaient du « français pied-noir », et présentaient des traits phonétiques et syntaxiques venus des langues méditerranéennes et aussi de l'arabe (pour la phonétique) ainsi qu'un vocabulaire empruntant aux mêmes sources (arabe, catalan et castillan, italien standard et dialectes, français régional du midi de la France à substrat occitan). Ces usages, même les plus populaires, sont tous du français et ne tendaient pas à la créolisation. Il convient en outre de distinguer leurs pratiques effectives dans l'Algérie française de leurs représentations plus ou moins comiques.

Du côté des locuteurs algériens musulmans, les parlers vont d'un arabe dialectal (ou un parler berbère) francisé jusqu'à un français régional parfois plus proche du français standard que celui des pieds-noirs, tel celui des intellectuels de langue maternelle arabe ou berbère, en passant par des formes de français arabisé. Ils vont aussi d'un usage maladroit exclusivement oral jusqu'à un écrit de qualité littéraire, comme l'attestent de nombreuses publications entre 1920 et 1950, époque où s'expriment les grands écrivains maghrébins en français.

La période qui va des révoltes de 1945 et de leur répression (Sétif, Guelma) à la guerre (1954), puis à l'indépendance (1962), n'a pas seulement tout changé en Algérie, mais a eu d'immenses conséquences tant dans le reste du Maghreb qu'en France.

Manifestant la profondeur de l'ancrage des langues dans toute société, l'Histoire, ses violences et ses révolutions n'ont pas suffi pour bouleverser la situation, par exemple en éliminant le français de l'Algérie indépendante. Mais les rapports entre les langues ont beaucoup évolué. Dans les années 1960 et 1970, le pouvoir algérien souhaitait retourner une situation où l'arabe normalisé de type égyptien était très peu présent et le français l'était trop, du point de vue des traditionalistes musulmans (l'aspect religieux est essentiel) formés en Tunisie ou en Egypte. Cependant, les cadres techniques et une élite culturelle avaient une formation moderne incluant la maîtrise du français. Les partisans de l'arabisation ont dominé en matière scolaire, administrative et culturelle, avec une tendance islamiste marquée, tandis que la technique et l'économie, stimulées par le pouvoir politique et qui pénètrent obligatoirement l'armée comme la vie civile, sont réglées (par les ministères) et gérées par des francophones bilingues, les uns comme les autres parlant l'arabe algérien ou le berbère, formes orales peu normalisées et en outre remplies d'emprunts au français. Seule une élite arabophone maîtrise l'arabe de type égyptien ou, *a fortiori*, l'arabe du Coran, que l'école ne transmet que par mémorisation et récitation.

L'équilibre précaire entre deux tendances affrontées a varié selon les époques : en 1980, les étudiants qui n'étaient plus formés en français constatent qu'ils n'ont pas de débouchés dans la vie économique. Selon la Constitution algérienne de 1989, l'arabe est la seule langue officielle et nationale du pays ; des directives scolaires de 1972 faisaient du français une « langue étrangère ». Simplification fictive, ne tenant compte ni de la « diglossie » (bilinguisme hiérarchisé) de l'arabe, écrit, normalisé et de l'arabe dialectal oral, local, telle qu'elle est pratiquée sans difficulté en Egypte ou en Syrie, ni du statut réel du français, indispensable pour le moment à la vie économique du pays.

Des Algériens, étudiants ou cadres, ont souvent dénoncé l'hypocrisie du pouvoir, qui fait de la politique des langues un instrument pour des effets politiques et religieux et échoue sur le plan pédagogique (du point de vue des modernistes et des démocrates). Certains ont dénoncé l'« aliénation arabisante » qui conduit, par exemple, à considérer les locuteurs de parlers berbères comme les alliés objectifs du Français ex-colonisateur.

La pression des traditionalistes n'a pu éviter que l'enseignement du français soit avancé de la 4e à la 2e année du primaire ; mais ils ont obtenu une diminution des horaires du français sur l'ensemble de la scolarité. Parallèlement, la marginalisation de l'*amazigh* (berbère) diminue, cette langue étant enseignée à partir de la 4e année du primaire en Kabylie, les partisans de l'arabisation poussant vers une transcription en caractères arabes et non plus en lettres latines (françaises…). Mais toute mesure est provisoire et toute tendance précaire, selon la victoire politique des uns ou des autres.

Le fossé entre la doctrine gouvernementale, qui relègue le français à un rôle mineur, et les pratiques effectives est très profond. Car les médias en français sont lus (la presse) et écoutés (la radio, la télévision) dans des proportions mal connues : en effet, il faut du français pour obtenir un travail dans le secteur tertiaire et l'écrit public est souvent bilingue ; car les rapports de l'Algérie avec les 800 000 Algériens de France, sans compter les Français « beurs » et les visites de ceux-ci en Algérie, suscitent des échanges francisés et la coopération française est relancée malgré les crises ; les investissements des groupes commerciaux français en Algérie se développent.

Reste que, éliminé de domaines administratifs entiers, de la justice (la charia s'exprime en arabe), de la religion, le français, qui n'est plus langue d'enseignement et faiblement langue étrangère enseignée, ne réapparaît que dans le supérieur, en concurrence avec l'arabe et l'anglais. En revanche, la presse algérienne était dans les années 1990 en majorité écrite en français (880 000 exemplaires quotidiens contre 300 000 en arabe en 1992) et la situation ne semble pas fortement modifiée. Enfin, la télévision en arabe majoritaire est fortement concurrencée par les chaînes étrangères reçues par satellite et antenne parabolique.

Il est très difficile d'estimer la proportion d'Algériens capables de parler et/ou de comprendre le français, même à un niveau élémentaire[3]. Le nombre de « francophones » algériens n'est pas le même, selon qu'on accepte ou non sous cette étiquette ceux qui, analphabètes, peuvent communiquer dans un français marginal, approximatif, marqué par l'arabe dialectal sur tous les plans, phonétique, syntactique et lexical. Dans bien des cas, il s'agit d'un français pénétré d'arabismes, incertain, praticable seulement dans certaines situations de communication et pour certains types de sémantismes, et dont la forme est très instable selon les individus. Il y a donc des français locaux maghrébins, dont un « français parlé algérien » peu différent de ceux du Maroc et de Tunisie, mais cependant distinct et variable. Ce français est rempli de mots et de locutions pris à l'arabe dialectal, d'anglicismes différents de ceux de France (le gardien de but, au foot, ne sera pas dit *goal*, mais *keeper*, le *bizness* est un commerçant, etc.), d'un peu d'italien et d'espagnol (l'omniprésent *trabendo*, variété de « magouille » consistant en commerce illicite et engendrant des *trabendistes*) ; de même qu'en Afrique subsaharienne la dérivation et la composition sont plus libres qu'en français de l'école, mais selon les procédés de la morphologie française. Enfin, les plus scolarisés et cultivés maîtrisent un français régional peu marqué, ou un français standard apte à l'emploi journalistique et littéraire le plus élaboré, comme le prouve la littérature maghrébine d'expression française.

Une autre situation est le passage de l'arabe dialectal oral à un usage spontané du français, qui engendre un phénomène courant et normal aussi chez les arabophones de France, le changement de langue en cours de phrase, selon des règles complexes, difficiles à décrire et qui relèvent de facteurs psychologiques, conversationnels, ainsi que des contenus évoqués. Un mot français employé en arabe par nécessité (disons, en France, *Sécurité sociale* ou *Assedic*) va déclencher une phrase en français ; un mot arabe employé en français (*imam* ou *hidjab*) aura l'effet inverse.

TUNISIE, MAROC, MAURITANIE

Sur le plan linguistique, la situation au Maroc et en Tunisie est assez voisine. Il y a cependant plus de parlers berbères au Maroc, beaucoup moins en Tunisie, où les variantes d'arabe dialectal parlé sont plus proches de l'arabe standard, rendant l'apprentissage de ce dernier plus efficace. En outre, en Tunisie, les effets de la télévision donnent à l'italien une place particulière parmi les langues étrangères.

Les différences avec l'Algérie sont plus évidentes sur le plan historique, la francisation étant moins poussée dans les protectorats, malgré les écoles en français fréquentées aussi par la communauté juive en Tunisie. Le processus de décolonisation, bien que violent au Maroc, n'a pas correspondu à un long conflit armé, comme en Algérie, et il fut pacifique en Tunisie, beaucoup grâce aux personnalités d'Habib Bourguiba et de Pierre Mendès France, ce qui donne aux relations avec la France une tonalité différente, moins conflictuelle.

Cependant, la pression des islamistes, contenus par un régime autoritaire et répressif en Tunisie, par un attachement à la royauté chérifienne au Maroc, est très forte, poussant notamment à l'arabisation et à un respect jaloux des valeurs islamiques.

En Tunisie, pour simplifier, l'unilinguisme arabophone est la règle pour les classes populaires, qui n'ont pas été francisées sous le protectorat. Le bilinguisme ou le trilinguisme, en revanche (arabe, français, italien, par exemple), est fréquent dans les milieux éduqués.

Si la connaissance d'un français oral imparfaitement maîtrisé est au départ inférieure à celle qui existe en Algérie, la scolarisation, plus efficace et plus importante, est tournée vers la maîtrise bilingue. A côté de l'arabe, le français est introduit dès la 3e année de manière significative (9 heures hebdomadaires) comme langue étrangère ; en 7e année, il devient langue d'enseignement à égalité avec l'arabe. Dans les années terminales du secondaire, le français l'emporte même. En outre, d'après de nombreux commentaires, la qualité de l'enseignement est très supérieure à celle qui souffre d'un recours excessif à la mémoire et à la reproduction, s'agissant de l'arabe, en Algérie. Enfin, le passage de l'arabe dialectal spontané à une langue standard écrite paraît plus facile en Tunisie que dans le reste du Maghreb.

Les médias tunisiens se partagent entre arabe majoritaire, français et italien ; la télévision italienne, transmise par la Sicile toute proche, est très regardée, les paraboles donnent accès à des chaînes francophones, mais les chaînes en arabe récemment développées (Al Jazirah, Al Arabiya) sont, semble-t-il, plus populaires qu'en Algérie. De même qu'en Algérie, les relations avec les Tunisiens travaillant en France entretiennent un bilinguisme actif avec le français. Enfin, encore plus qu'au Maroc, un tourisme international intense stimule les relations de langage en français, en italien, beaucoup moins en allemand ou en anglais.

L'évaluation du nombre de francophones est aussi délicate qu'en Algérie, et on estime que la moitié de la population, surtout les ruraux, est unilingue de l'arabe, 30 % environ pouvant maîtriser un français oral imparfait et 20 % le français standard oral et écrit ; ces derniers peuvent avoir un usage familial bilingue.

Au Maroc, le protectorat français, comme en Tunisie, chercha, non à établir de nouvelles institutions pour obtenir une francisation, mais à superposer aux structures traditionnelles, monarchiques et, au sud du pays, semi-féodales, des organisations nouvelles. Ainsi, on respecta les écoles coraniques et collèges musulmans, ainsi que l'université de la Karayouine de Fès, y ajoutant une école franco-arabe ou franco-berbère pour les musulmans (seulement 32 000 enfants marocains sur un million en 1945) et, pour les Européens, des écoles primaires à la française, certaines étant gérées par l'Alliance israélite (17 500 élèves en 1945) – active aussi en Tunisie –, ainsi qu'un enseignement secondaire à la française.

Quant à la pratique des langues, on peut noter que les parlers arabes du Maroc sont proches de ceux de l'Ouest algérien, et que les parlers berbères sont très pratiqués, notamment au sud du pays. Cependant, le pourcentage de locuteurs de plus de 15 ans analphabètes, en général ignorant le français, était plus important au Maroc (72 %) qu'en Algérie ou en Tunisie. Les types de français pratiqués par les Marocains scolarisés allaient du niveau élémentaire (environ 13 %) à une bonne connaissance parlée et écrite (15 %), sans parler des intellectuels, journalistes, juristes et des écrivains, dont certains sont célèbres (Tahar ben Jelloun) et dont l'usage du français est le même que celui de leurs homologues d'Europe, avec des « régionalismes » assumés.

La politique d'arabisation est voisine de celles du reste du Maghreb et, pour le nombre d'heures consacrées au français, à partir de la 3e année du primaire, intermédiaire entre le régime algérien, plus restrictif, et le tunisien, plus généreux.

Comme en Algérie, la presse en français est active. Les quatre principaux quotidiens atteignaient en 1996 un tirage de 95 000 exemplaires environ, contre 110 000 pour les journaux en arabe. La radio est multilingue, arabe, français, espagnol, et la télévision plus diversifiée qu'en Algérie, les deux principales chaînes marocaines émettant non seulement en arabe et en français, mais aussi en berbère (depuis 1994).

La présence du français est importante dans la classe supérieure et les relations économiques et techniques entre la France et le Maroc l'entretiennent. Comme en Tunisie, les lycées français assurent un enseignement secondaire dans cette langue, avec des cours d'arabe standard. Enfin, le tourisme et les relations familiales avec les Marocains de France et leurs descendants jouent un rôle non négligeable.

Quant à la « qualité » du français, les francophones âgés assurent qu'elle a baissé – tout comme en Tunisie – mais cette opinion, qui évoque celles des Français sur leur école, repose sur des cas particuliers réels sans intégrer les considérations sociohistoriques qui rendent compte des difficultés, notamment la démocratisation de l'enseignement.

En Mauritanie, vaste pays d'environ trois millions d'habitants qui reconnaît plusieurs langues nationales, outre la langue officielle, l'arabe, le français n'a pas de statut officiel mais est enseigné soit à partir de la 3ᵉ année de l'école avec des horaires restreints, soit, dans une « filière bilingue » qui concerne 7 % des élèves, à partir de la 2ᵉ année et avec des horaires plus importants que partout ailleurs au Maghreb, mais cet enseignement est marginalisé par le pouvoir.

FRANCOPHONES DU PROCHE-ORIENT

De tous les pays du Proche-Orient où l'Histoire a donné à la France une importance culturelle et politique particulière, seul le Liban peut être considéré comme partiellement et collectivement francophone. Héritier d'un trilinguisme antique, araméen, grec et latin, le pays a été islamisé et arabisé à partir du VIIᵉ siècle, ce qui aboutit à l'élimination de la langue grecque. Il a fait partie de l'Empire ottoman de la fin du XIIIᵉ siècle à 1860, sans autres effets linguistiques que des emprunts de l'arabe libanais au turc (mais cette période fut celle de la disparition de l'araméen, au XVIIIᵉ siècle). Puis ce fut, après un « Mont-Liban » autonome en 1920, le Mandat français et, en 1943, l'indépendance.

Les contacts du Liban avec l'italien et le français remontent au XVIᵉ siècle, par l'action des religieux maronites qui réimportèrent le latin ; l'anglais fut enseigné plus tard, avec l'essor du système scolaire religieux qui bénéficia avant tout à la langue française.

A la fin du XXᵉ siècle, sur trois millions de Libanais, on estime à 800 000 les personnes scolarisées possédant, outre l'usage parlé de l'arabe local et l'usage écrit de

l'arabe normalisé, une ou deux langues, surtout le français, puis l'anglais, qui sont plus que des langues étrangères dans les milieux bourgeois, car elles sont transmises
par la famille et entretenues par l'école.

Selon une enquête de 1996[4], 44 % des Libanais interrogés affirment parler le français et 22 % l'anglais (pour
Beyrouth, ce sont 54 % et plus de 50 %, ce qui manifeste
les progrès de l'anglais en milieu urbain). Dans les
années 1960 et 1970, ces chiffres étaient plus modestes,
de 20 à 33 % pour le français. Cela correspond aux progrès de la scolarisation et du multilinguisme, et à l'action
de l'école privée confessionnelle (55 % des enfants, plus
que l'école publique gratuite). Cette proportion se renverse à l'université, où le secteur privé francophone et
anglophone (19,5 et 15 % des étudiants) est dépassé par
l'Université libanaise gratuite (49 %).

Plusieurs facteurs jouent en défaveur de la francophonie au Liban : l'émigration des classes supérieures chrétiennes qui pratiquent leur bilinguisme en France, aux
Etats-Unis, etc., et, parmi les musulmans la progression
démographique des chiites, en général anti-Occidentaux
et partisans de l'unilinguisme arabe. La presse et l'édition en français sont actives au Liban, et la littérature
compte des créateurs reconnus, tels Andrée Chedid,
Amin Maalouf et, parmi les poètes, Salah Stétié, Vénus
Khoury-Ghata. Toutefois, le français, langue en partie
identitaire, au moins pour la bourgeoisie chrétienne, est
souvent considéré comme moins adapté au monde moderne
que l'anglais. L'enquête de 1996 montre que 61 % des francophones déclarés donnent l'anglais comme plus utile à
l'avenir du pays.

Par ailleurs, alors que la norme de l'anglais est souple,
entre anglais des affaires et anglo-américain des médias,
celle du français est, au Liban, particulièrement exigeante. Les pratiques normales d'un « français régional »
libanais sont critiquées comme des fautes, avec une rigueur apparentée à celle des Belges au début du XXe siècle.
L'usage du français par les autres arabophones, notam-

ment maghrébins, est jugé sans aucune indulgence. Le paradoxe de l'existence de deux langues « semi-maternelles »,
l'une, l'arabe, supposant deux usages au moins, l'autre
définie avec rigueur, le français – l'anglais étant moins
intégré à la spécificité culturelle libanaise, mais se répandant pour son utilité –, joint à l'appétit polyglotte, donne
au rapport libanais avec le langage une richesse très spécifique.

L'évocation nostalgique d'autres milieux francophones
dans ce qu'on appelle en Europe le Proche-Orient conduit
à mentionner des situations très différentes. En Egypte,
certes, le français fut important dans les communautés
qu'on appelait les « ex-Ottomans », au début du XXe siècle,
Grecs, Italiens, Arméniens…, et dans l'élite égyptienne,
surtout copte, que ce soit au Caire ou à Alexandrie. La
révolution nassérienne de 1956 chassa ce milieu cosmopolite ou le réduisit, sinon au silence, du moins à une
seule langue nationale, l'arabe. Il reste tout de même de
cette époque des écoles, un lycée français, auxquels
s'ajoutent aujourd'hui des « filières » francophones universitaires. Les francophones égyptiens sont en général en
haut de l'échelle culturelle, juristes, journalistes, politiques, comme la famille Boutros-Ghali, dont un membre
a dirigé récemment l'institution francophone.

On peut aussi évoquer les francophones chrétiens de
Syrie ou de Palestine, héritiers d'une présence disparue,
et ceux qui, par éducation en français, furent ou sont formés dans des pays comme l'Iran ou la Turquie. Mais
l'élite francophone iranienne – le dernier shah parlait et
écrivait parfaitement le français et plusieurs écrivains et
critiques iraniens écrivaient en français – a été chassée
ou exterminée par la révolution islamiste de Khomeiny.
Quant aux francophones de Turquie, turcs ou arméniens,
ils sont isolés.

Un autre pays plurilingue de la région, où une minorité
de la population a le français pour langue maternelle –
beaucoup sont venus d'Algérie –, est Israël. Mais l'hébraï-
sation de la jeunesse tend à y faire reculer les langues

d'origine, à l'exception de l'arabe (et aussi du russe), et l'enseignement des langues étrangères donne la priorité à l'anglais.

L'AFRIQUE DÉCOLONISÉE ET MADAGASCAR

La colonisation du XIXe et de la première moitié du XXe siècle a implanté durablement (semble-t-il), mais inégalement, la langue française dans les Etats aujourd'hui décolonisés d'Afrique subsaharienne.

On a vu plus haut comment la France et la Belgique, différemment, avaient abordé la gestion des colonies destinées à les enrichir et à leur apporter un prestige mondial. Ce qui supposait une politique portant sur la communication humaine et donc sur le principal levier de la pratique des langues, l'école. Avant cela, il y eut le souci européen et chrétien d'évangélisation, avec une dimension linguistique héritée des Ecritures : pour « enseigner toutes les nations », il faut maîtriser « les langues ». Le cardinal Lavigerie définissait un programme en ce sens, dès 1872, en prescrivant que « l'étude de la langue tienne le premier rang dans toutes les préoccupations des missionnaires ». Il ordonnait l'usage, même entre missionnaires, de la langue de chaque « tribu » où ils se trouvaient, ainsi que la mise en dictionnaires des informations recueillies auprès des indigènes. De fait, les premières tentatives pour décrire les langues africaines furent souvent le fait de ces missionnaires. Au début du XXe siècle, la tendance était d'ajouter à la catéchisation en langue maternelle une leçon de français, mais cette directive n'était pas toujours suivie, en tout cas dans les missions peu importantes. La langue de propagande religieuse était le plus souvent, non la langue maternelle locale (elles sont trop nombreuses), mais une langue africaine véhiculaire connue dans le périmètre de la mission. Telle était la situation en AEF et au Congo belge, où on comptait, en 1950, 4,5 millions de catholiques sur 12 millions d'habitants. Dans les régions islamisées, la christianisation était beaucoup moins efficace. Dans les colonies françaises d'Afrique, les examens élémentaires adaptés et l'enseignement par des « moniteurs » recrutés par concours (1937) formaient les enfants au français parlé et écrit ; au Congo belge, cette formation chrétienne était bilingue. Les effets s'en feront sentir après les indépendances ; ainsi, les cadres supérieurs de Centrafrique, dans les années 1980, sortaient en majorité des séminaires ; au Congo, un grand leader politique était l'abbé Fulbert Youlou. Quant aux missions protestantes, elles scolarisaient surtout dans les langues africaines.

La politique scolaire et linguistique de la République française en Afrique, on l'a vu à propos de la période précédente (avant 1914), visait à l'assimilation par une exclusivité scolaire du français et le refus déraisonnable d'un enseignement des langues africaines. L'existence juridique des Africains passait par leur capacité à s'exprimer en français et les déclarations des gouverneurs généraux étaient claires : le français devait devenir la seule langue véhiculaire de l'Ouest africain. Des exceptions, cependant, en faveur de l'arabe dans les régions islamisées de l'AOF.

Cette volonté, calquée sur celle de l'école française ennemie des dialectes dans la métropole, aurait requis des moyens énormes. La réalité sociale de l'Afrique n'eut rien à voir, sur le plan scolaire, avec celle de la Bretagne ou du Languedoc. En 1936, en AOF, seuls 4 % des enfants étaient scolarisés ; 96 % échappaient donc totalement aux constructions pédagogiques conçues à Paris. Celles-ci formaient une pyramide allant des écoles de village à une école primaire supérieure préparant l'entrée à l'institution suprême, l'école William-Ponty (Ecole normale de Saint-Louis du Sénégal), d'où sortirent de futurs chefs d'Etat, à côté de ceux qui, comme L. S. Senghor, étudièrent dans des écoles secondaires conçues pour les Européens et les Africains christianisés.

Pour la base, écoles de village et même écoles régionales, la plupart des témoignages soulignent la mauvaise qualité de l'enseignement, faute de maîtres qualifiés et de débouchés stimulants pour les élèves, promis, sauf exception, à des tâches serviles et subalternes. En fait, le système échouait à la base, sauf à définir une norme élitiste pour quelques-uns.

Dans ces conditions, les nécessités d'une communication orale immédiate – commerce, administration, surtout armée – entre Français et Africains colonisés, le plus souvent illettrés, suscitèrent des formes adaptées, appelées en France de manière raciste « petit nègre », ou, sur place et de façon plus fonctionnelle, « français tirailleur (ou *tiraillou*) ». Ce français simplifié, évoqué par les écrivains tant de France que d'Afrique (Amadou Hampâté Bâ, dans *L'Etrange Destin de Wangrin*, par exemple), était surtout parlé dans les troupes « indigènes » de l'AOF, nommées, de par leur origine historique, « tirailleurs sénégalais ». Il a été précisément décrit, avec sa réduction morphologique du verbe (*moi parti(r)*, *moi y a parti*), son économie de désignation, un nom pouvant être modulé, réduisant le nombre de mots à maîtriser (*pas vite* pour « lentement »), son ordre des mots unique, etc.

A ce demi-français des illettrés s'ajoute le français plus complet, mais incertain, des scolarisés de toute nature, français écrit souvent pénétré de stéréotypes mémorisés. Il n'y a évidemment pas de cloison entre ce français appris en tant que langue étrangère revêtue du prestige de l'écriture et un français de lettré, apte à l'expression littéraire et à une expression à la fois parfaitement « française » et profondément africaine (exprimer « l'âme noire avec le style nègre en français », écrivait Senghor). C'est d'ailleurs un Antillais, René Maran, qui signe le premier « roman nègre » (sous-titre) se passant en AEF, *Batouala* (prix Goncourt en 1921), suivi par des écrivains africains comme Ousmane Socé (*Karim*, 1935) ou Birago Diop (*Les Contes d'Amadou Koumba*, 1947). Puis viendra la poésie de l'« Orphée noir » (Sartre) qui s'épanouira grâce à Senghor et aux grands Antillais, aux Malgaches, ouvrant la

porte à deux concepts clés pour la seconde partie du
xxe siècle : négritude, francophonie.

En Afrique française, qui va devenir un ensemble
d'Etats indépendants, la première révolution, à la fin de
la Seconde Guerre mondiale, fut le second départ de la
scolarisation, pour aboutir à des taux d'alphabétisation
auparavant inconnus. Pour fixer les idées, un demi-siècle
après la guerre (1995), ce taux, en exceptant Madagascar, va de 12 % au Niger à 72 % au Zaïre ; entre les
deux, le Burkina (17,4 %), le Mali (27), le Tchad (30),
la Guinée, le Burundi et le Bénin (33), la Côte-d'Ivoire
(près de 37 %), le Sénégal (38), le Togo (44), la Centrafrique (53 %), le Congo (70).

Ces chiffres fournis par le Haut Conseil de la francophonie sont officiels et théoriques, et il conviendrait très
probablement de les revoir à la baisse, étant donné les
difficultés de l'école africaine. D'ailleurs, les résultats au
baccalauréat, selon *Afrique-Education*, furent en 1994 très
faibles par rapport à l'Europe, et en baisse par rapport à
l'année précédente (13,5 % en Côte-d'Ivoire, 28,7 % en
Guinée). On manifestera le même scepticisme quant aux
chiffres de 14 millions de réellement francophones et plus
de 31 millions « virtuellement », qui paraissent relever du
délire d'interprétation des chantres de la francophonie.
De toute façon, ces chiffres construisent une réalité
imprécise et fictive, ne tenant aucun compte du qualitatif.
Or, toute évaluation des aptitudes linguistiques fondée
sur l'école est tributaire du fonctionnement réel de cette
institution, et tous les observateurs, y compris des responsables supérieurs africains, admettent que la crise est profonde. Le niveau des connaissances, y compris celles qui
concernent les langues africaines véhiculaires, n'est connu
que ponctuellement.

Le contraste entre le niveau de l'enseignement et les
fonctions assignées au français est total, car les textes officiels et administratifs, une partie des décisions de justice
aussi requièrent la langue française. Pour la presse, tout
dépend des régimes politiques ; pour peu qu'ils se démo-

cratisent – au début des années 1990 dans plusieurs Etats –,
les besoins de textes imprimés en français suscitent de
nombreux titres, mais l'économie en crise a engendré des
faillites, au Bénin, au Zaïre, en Côte-d'Ivoire, et les tirages
sont faibles. La presse francophone importée (de France,
de Belgique) joue un rôle notable, mais seulement auprès
des élites intellectuelles (par exemple, *Jeune Afrique*,
Afrique-Asie, *Femmes d'Afrique*). N'exigeant pas la maîtrise
de l'écriture, la radio, économiquement accessible et
mobile grâce au transistor, est très écoutée. Le pourcentage des programmes en français en 1985 est très
variable, de 90 à 100 % au Gabon ou 85 % en Côte-
d'Ivoire à 21 % au Rwanda, en passant par des taux
moyens de 40 à 60 % (Bénin, Burkina, Congo, Mali,
Niger). Radio France internationale (RFI) n'est écoutée
que par les Africains les plus scolarisés, de par la nature
des émissions et celle de la langue employée, assez éloignée de l'usage africain moyen, ce qui d'ailleurs sert son
prestige et la rend très influente. La télévision, qui se
développe depuis les années 1980, est encore réservée à
une minorité (moins de 4 millions de récepteurs pour
140 millions de personnes susceptibles de recevoir les
émissions).

Dans l'édition comme dans la plupart des médias, et
même dans la chanson, l'utilisation des langues africaines,
même nationales, est limitée, malgré les recommandations de personnalités politiques et culturelles. Le milieu
familial transmettant parfois deux langues (celle du père
et celle de la mère), il arrive que l'enfant acquière une
langue véhiculaire parlée par des locuteurs plus nombreux ou, de manière moins exceptionnelle depuis les
années 1990, un usage du français. L'urbanisation est
favorable à l'extension des grandes langues et peut provo-
quer le recul des langues locales. Ainsi, on a noté, au Burkina, qu'à leur arrivée à Ouagadougou des jeunes
ajoutaient à leur langue de village, quand ils n'apparte-
naient pas au groupe Mossi, la langue de ce groupe (le
mooré) et un usage local du français. L'école n'est alors

pas seulement le lieu d'apprentissage du français et de l'écriture, mais celui du passage d'un français informel à une variété partiellement normalisée.

Le mouvement général des langues, en Afrique « francophone », est donc la réduction, à terme, du nombre impressionnant d'idiomes locaux et le développement de langues de plus grande extension, seules pensées, avec le français, comme de vraies « langues », tandis que les langues « du village » deviennent, dans le ressenti des Africains, des « patois ». La langue véhiculaire supérieure, dans ce schéma, est le français, pour une raison pratique : le français est nécessaire pour obtenir un travail bien rémunéré dans les secteurs secondaire et surtout tertiaire.

Par ailleurs, en contexte urbain, apparaissent des variétés de français qui s'éloignent fortement du français normalisé, tel le *nouchi*, un argot d'Abidjan, où abondent les mots *dioula* et *baoulé* (la *go* pour « la fille ») et les usages cryptés. Un continuum apparaît entre de simples particularités lexicales du français en Afrique noire[5] et des usages interférents, à lexique et syntaxe modifiés[6]. Aussi bien, la désignation « français d'Afrique » a été vivement critiquée par un linguiste africain, Kossi Afeli.

Ce qu'on appelle des normes « endogènes », spécifiques à un Etat, à une nation ou à une région géographique culturellement homogène, apparaît, mais pour les atteindre il faut évaluer ce qui a des chances d'être accepté symboliquement par l'institution, scolaire et politique. Or, celle-ci se révèle réticente devant les éléments spécifiques du français effectivement employé en Afrique tel qu'il est décrit par les linguistes. Aussi, tant que la scolarisation (réelle et efficace) ne s'étendra pas, les formes simplifiées, partielles, déviantes de français n'auront qu'une alternative : les langues africaines ou l'alternance entre codes, forme de parler dévalorisée qui se retrouve dans les chansons, mais qui fut également souvent pratiquée par des personnes de haut statut social dans les conférences nationales des années 1990. Les formes jugées inférieures de français influencent alors la parole moyenne en français, souvent par crainte d'employer la norme extérieure, dite le « gros français », indice de prétention et de soumission postcoloniale au parler d'ailleurs.

Aucune conclusion raisonnable sur l'avenir des usages langagiers d'Afrique n'est possible. On peut simplement souligner le contraste entre le rôle national et international du français dans les anciennes colonies et son fonctionnement réel, quantitatif et qualitatif. L'avenir du français en Afrique dépend essentiellement de l'école, et donc des crédits qui lui sont alloués, crédits toujours insuffisants sans une aide massive en argent et en personnel. Or, l'assistance technique de la France, derrière les discours généreux de la politique et de la francophonie officielles, est tombée de 7 000 coopérants à 1 800 entre les années 1990 et 2005[7]. En outre, si l'école continue à se désintéresser des langues africaines, et notamment d'une langue véhiculaire ou majoritaire pouvant incarner la parole d'un pays – tels le *sango* en Centrafrique, le *wolof* au Sénégal –, langues qui devraient être enseignées à côté du français, selon des formules différentes de celles qui sont pratiquées en Tunisie et au Maroc, la qualité du français langue véhiculaire ne sera jamais atteinte. C'est l'équilibre du plurilinguisme africain – fait incontournable – qui est en cause, et non celui de la langue française seule.

On peut ajouter qu'une certaine africanisation des normes du français – qui n'ont pas à être unifiées au-delà de ce qui est nécessaire pour l'intercompréhension – sera inévitable pour la parole sociale, sans renoncer à un niveau de discours proche d'une norme internationale grâce auquel la francophonie pèse son poids dans le monde et à l'ONU. La langue française doit énormément aux Africains qui la parlent et l'écrivent ; il serait juste que la communauté francophone les soutienne dans un projet culturel majeur.

La situation linguistique de Madagascar, protectorat puis colonie française en 1895-1896, avec sa langue nationale unique – malgré d'importantes variantes locales –, est tout autre que celle de l'Afrique. L'histoire des conflits précédant l'indépendance, entre 1946 et la promesse d'un Etat malgache par le général de Gaulle en 1958, apparente la décolonisation malgache à une lutte nationaliste accompagnée d'une répression féroce, qui explique en partie la suite des événements. Le français, bénéficiant d'une tradition scolaire due aux missionnaires protestants, s'y était bien implanté pendant la période coloniale. Il continua d'être employé dans l'éducation jusqu'à la révolution d'inspiration marxiste du président Ratsiraka. L'économie malgache connut de graves difficultés et, à l'éviction du français de l'enseignement primaire et secondaire, s'ajouta l'exil des élites francophones. Les effets d'une « malgachisation » mal préparée furent catastrophiques et le français dut être réintroduit, avec l'aide de la coopération française et la présence de trente Alliances françaises.

Parmi les îles proches de Madagascar, la Grande Comore, Mohéli et Anjouan, indépendantes depuis 1975, ont conservé une francophonie locale, de même que Mayotte, demeurée française. Les francophones seraient à Mayotte 40 %, tous ou presque bilingues avec le mahorais.

En Océanie

Plusieurs îles et archipels d'Océanie ont reçu de l'Histoire un héritage linguistique en français, du fait de la colonisation.

La Nouvelle-Calédonie, dont on a évoqué l'histoire au XIXe siècle, est devenue en 1946 territoire d'outre-mer français. Le français y est demeuré la langue véhiculaire, après avoir supplanté l'anglais et le pidgin anglo-mélanésien. A la population kanak (environ 44 % des 197 000 habitants) et aux Français (34 %) se sont ajoutées de nombreuses communautés d'immigrés, les derniers en date (11 % de la population) venant de Tahiti et de Wallis et Futuna.

Le français, lorsqu'il n'est pas langue maternelle, est langue seconde et véhiculaire. Les indépendantistes mélanésiens, qui ont obtenu par les accords de 1998 une promesse d'indépendance, attribuent au français une fonction de langue internationale. L'ensemble de la population, étant donné le grand nombre de langues maternelles parlées localement et le peu d'importance d'un créole, le *tayo*, requiert une langue véhiculaire.

Des vingt-huit langues mélanésiennes de l'archipel, la plupart ont quelques centaines de locuteurs, la plus parlée, le *drehu* d'une des îles Loyauté (Lifou), ayant 17 000 locuteurs. Les locuteurs sont en général bi- ou trilingues. Il s'agit de langues orales, notées par écrit d'abord par les missionnaires protestants à la fin du xixe siècle et bien étudiées par les linguistes au xxe siècle. Après 1992, plusieurs langues sont entrées dans l'enseignement secondaire et ce mouvement devrait s'amplifier avec l'indépendance prévue, en touchant l'école primaire. Mais le choix de quelques langues plus pratiquées peut être fatal pour les plus faibles, déjà menacées ou disparues dans l'évolution sociale du pays, avec l'installation à Nouméa de locuteurs qui passent à une langue véhiculaire.

Cette multiplicité favorise les usages du français soit sous la forme officielle, surtout écrite, de l'administration, soit sous diverses variantes d'un « français calédonien » aux traits de prononciation spécifiques (système vocalique simplifié, consonnes relâchées, prosodie influencée par les langues kanaks…), mais à la syntaxe peu affectée. C'est, comme toujours, le lexique qui entraîne les particularités les plus visibles, formelles et sémantiques[8].

Au nord-est de la Nouvelle-Calédonie, le Vanuatu fut, sous le nom de Nouvelles-Hébrides, un condominium franco-britannique de 1906 à 1980, date de l'indépendance. On y parle anglais et français (langues officielles), une centaine de langues mélanésiennes et un pidgin anglo-mélanésien, le *bichelamar*, pouvant faire office de langue véhiculaire (il est devenu langue nationale de l'archipel). La vie officielle est bilingue, les rapports entre l'anglais et le français étant parfois difficiles ; on n'estime pas à plus de 5 % les vrais francophones avec un usage proche de celui de Nouvelle-Calédonie. La vie sociale est au moins trilingue, et le bichelamar, compris à peu près par tous, est aussi la langue de travail au Parlement.

Environ 70 % des 210 000 habitants de la Polynésie française, territoire français d'outre-mer, parlent une langue maorie, appartenant à la branche orientale des langues polynésiennes. De ces langues, certaines ont peu de locuteurs (celle des îles Gambier, le mangarévien, n'est employée que par un millier de personnes), d'autres sont divisées en dialectes (ceux des îles Marquises et ceux des Tuamotu, pour moins de 15 000 locuteurs). La principale, le tahitien, idiome maternel de 150 000 personnes dans les îles de la Société, notamment à Papeete, sert de langue véhiculaire dans toute la région. Elle est écrite depuis le XIXe siècle, et aujourd'hui bien étudiée, la première description, grammaire et dictionnaire, datant de 1887 ; des grammaires, dictionnaires et manuels nouveaux ont paru dans les années 1990 et 2000, et un enseignement du tahitien a été introduit dans les écoles... Toutes les langues maories sont, à côté du français, langues officielles.

Le français est la langue des Européens et des « demis » (métis formant 14 % de la population) ; elle est parlée par de nombreux Polynésiens, en particulier à Papeete. L'apprentissage du français à l'école s'est généralisé après 1945 pour les enfants de 6 à 14 ans et, depuis 1989, à partir de 3 ans, ce qui a créé un bilinguisme familial très fréquent. Une langue chinoise, le *hakka*, sans statut, est parlée par une forte communauté chinoise.

Le français oral des bilingues est dit « métissé » ; c'est un usage local, caractérisé par sa phonétique (*r* roulé, voyelles fermées, prosodie influencée par le tahitien) et, là comme ailleurs, avec un lexique spécifique (emprunts au tahitien, outre ceux qui sont passés en français général, comme *vahiné*). Cet usage « régional » du français présente aussi des tournures syntaxiques hors norme (omis-

sion de *de* dans *robe soie*, par exemple). Entre ce français
local et la norme européenne, la répartition est sociale. La
seconde est maîtrisée par l'élite, mais celle-ci peut aussi
pratiquer la norme « inférieure » selon les situations de
communication. Les bilingues polynésien-français ne parlent que la variété régionale dite « métisse ».

Les langues parlées aux îles Wallis et Futuna, bien
connues et décrites, sont polynésiennes ; leurs locuteurs
sont le plus souvent capables de s'exprimer en français.
L'enseignement en langue maternelle ne fait que commencer ; son développement serait facilité par l'existence
d'une langue homogène dans chacune des deux îles, et
ces deux langues (le wallisien et le futunien) sont parlées
en outre en Nouvelle-Calédonie.

FRANCOPHONIES ASIATIQUES

En Asie, le français a eu sa place coloniale dans
l'ancienne Indochine, c'est-à-dire au Vietnam, au Laos et
au Cambodge. Depuis 1917, l'enseignement dit « franco-
indigène » prévoyait deux années d'enseignement en vietnamien, suivies d'une année bilingue puis de classes en
français, avec une sélection très sévère où un élève sur
dix était retenu à chaque niveau. Les écoles publiques,
dans les années 1930, employaient 500 professeurs français et 12 000 vietnamiens ; en outre, un important enseignement catholique scolarisait 20 % des élèves dans le
primaire. Enfin, un enseignement de type français prépa-
rait les cadres à Hanoi et à Saigon ; 30 % des élèves de
ces lycées étaient vietnamiens. Si les Français sont peu
nombreux en Indochine coloniale (30 000 en 1935 sur
une population de 12 millions), on estime alors à plus de
900 000 le nombre des Vietnamiens bilingues. Ces données sont valables, semble-t-il, jusqu'en 1950.

En 1945, les négociations pour une indépendance avec
Hô Chi Minh échouent, malgré les efforts de Jean Sain-
teny ; entrés dans la clandestinité, les nationalistes orga-

nisent leur armée et la guerre d'Indochine commence. Neuf ans plus tard, la lourde défaite française de Diên Biên Phu oblige la France à signer les accords de Genève et à quitter le pays. Hô Chi Minh s'établit à Hanoi ; le leader catholique Ngô Dinh Diêm, qui avait proclamé une république du Sud-Vietnam, refuse la réunification avec le régime communiste. D'abord soutenu par les Etats-Unis, il sera abandonné en 1963, puis renversé et assassiné. Devant l'instabilité du Sud et dans la politique anticommuniste mondiale de la guerre froide, les Etats-Unis bombardent le Nord et, en 1965, les troupes américaines déclenchent une seconde guerre, plus destructrice et meurtrière encore que la première. Mais la résistance du Nord est stupéfiante, et, après quatre ans d'« apocalypse », les Etats-Unis, où l'opinion publique se mobilise contre cette guerre, doivent renoncer. En 1975, les troupes du Viêtcong prennent Saigon, qui devient Hô Chi Minh-Ville, et instaurent un régime communiste très dur. A la même époque, les « Khmers rouges », organisés au Cambodge dans des maquis, prennent la capitale, Phnom Penh, et pratiquent un régime de terrorisme généralisé et génocidaire.

Dans ce terrible enchaînement de violences, le problème des langues et le déclin massif de la francophonie paraissent presque futiles. Mais le retour à la paix et à une stabilité permet de poser à nouveau les questions culturelles et linguistiques à partir des années 1980.

Le recul du français par la vietnamisation, progressive au Sud, radicale au Nord, avait été décidé à partir de l'indépendance (1950). Au Sud, l'enseignement secondaire et supérieur en français avait continué jusqu'en 1956, année où l'enseignement « franco-indigène » fut éliminé, mais non celui de type français dispensé par les établissements catholiques. En 1965, le Sud vietnamien était occupé par les troupes des Etats-Unis, ce qui répandit l'usage de l'anglo-américain. Des collèges à l'anglo-saxonne se développèrent, ainsi qu'au Laos, avec enseignement en langue lao et deux langues étrangères, anglais et français.

Au Cambodge, sous Norodom Sihanouk, l'enseignement se fit progressivement en khmer, de 1967 à 1974. Avec les Khmers rouges (1975), ce n'est plus le français qui est éliminé, c'est toute la culture qui disparaît dans le massacre et la déportation des populations.

En revanche, après l'échec et le retrait des Etats-Unis (1969) et la réunification par la force (1975), le français, encore parlé par de nombreux Vietnamiens âgés, reprend lentement une place de première langue étrangère, cet enseignement étant obligatoire à partir de la 6e. Vers 1995, l'Alliance française s'est suffisamment réimplantée à Hanoi et à Hô Chi Minh-Ville pour inscrire 3 000 élèves, tandis que des classes bilingues se développent grâce à l'Aupelf. Des manuels de français sont imprimés, des revues bilingues apparaissent, la formation de professeurs de français reprend. Dans l'enseignement supérieur et la recherche, qui sont actifs, l'anglais et le français occupent une place notable. Au Cambodge, l'Alliance française de Phnom Penh accueille, en 1994, 4 000 élèves. Mais, à l'évidence, le français, dans les trois pays de la péninsule, n'est plus qu'une langue étrangère parmi d'autres, concurrencée non seulement par l'anglais, mais, de nouveau, par le chinois.

10

Le français change

Au cours du xxe siècle, les évolutions sensibles du français parlé font contraste avec sa stabilité orthographique –
dont on peut penser qu'elle relève de la paralysie.
L'impression d'instabilité vient sans doute autant de la
précision accrue des descriptions que de la variété perçue
des situations de parole, avec la généralisation du français
aux dépens des dialectes, en France, en Belgique et en
Suisse, et avec les nouvelles formes techniques de communication orale, privée (téléphone) ou publique (radio
puis télévision).

Les phonéticiens et phonologues apportent une moisson
impressionnante de faits évolutifs. Ainsi, dans la première
moitié du xxe siècle, les longueurs vocaliques deviennent
beaucoup moins nettes dans les centres urbains, notamment à Paris. Paul Passy, en 1917, signalait que les jeunes
tendaient à réduire les différences de durée des voyelles,
n'opposant plus *bout* et *boue*, *mettre* et *maître*... L'opposition des deux *a*, traditionnelle, s'affaiblit aussi, sauf dans
le discours populaire parisien qui fait de *Montparnasse*
Montpèrnasse, et à l'opposé dit *la gor* pour *la gare*. Mais
cette prononciation « parigote » disparaîtra après 1950.
Les deux *o*, ouvert et fermé, tendent à se confondre ou à

interférer ; le nombre de locuteurs, souvent d'origine occitane, qui « ouvrent » le *o* de *rose*, de *dôme* ou d'*atome* ne
cesse de croître et leur prononciation est de moins en
moins sentie comme anormale. Les oppositions *-an/ -in* et
-an/ -on sont moins nettes, mais résistent, alors qu'on distingue de moins en moins, à l'oreille, *brun* de *brin*. La distinction entre les sons notés *gn* et *ni* se brouille : *panier* se
dit de plus en plus *pagner* et *se manier*, réécrit en langue
populaire, devient *se magner*.

Un phénomène très sensible est le recul du *r* dit « roulé »
(*r* apical, prononcé avec la pointe de la langue), qui était
encore de règle dans la déclamation et la chanson au
début du XXᵉ siècle et dont le domaine géographique –
presque toute la France rurale roulait ses *r* – se réduit,
ainsi que sa possibilité sociale. Un chef de parti comme
Jacques Duclos, une grande romancière telle que Colette
produisent au milieu du XXᵉ siècle de somptueux *r* que
leurs homologues d'après 2000 éviteraient sans doute.
Mais ce *r* roulé demeure la règle dans plusieurs régions,
surtout en milieu rural, par exemple en Bourgogne, ou en
Occitanie toulousaine.

Dans la tendance au relâchement des articulations, la
prononciation s'éloigne de la graphie. Or, celle-ci, avec
une orthographe unifiée, normalisée et stable, produit de
plus en plus une image mentale des mots. Résultat :
quand la majorité prononce « socializm' » et « Izraël »,
la même majorité, persuadée de produire une sifflante
sourde (*s*), critique ceux qui s'adonnent à cette facilité.
Mais la prononciation populaire début XXᵉ siècle, les
« socialisses » pour *socialistes*, a disparu.

Des questions très spécifiques, qui mettent en œuvre les
différences entre graphie et parole, sont fortement perçues : le *h* dit à tort « aspiré » est plus ou moins respecté ;
mais certaines transgressions sont des symptômes d'inculture ou des effets comiques (*lé zarico', dé zomar…*) ; dans
d'autres cas, l'hésitation est tolérée. D'une manière générale, les liaisons manifestant la connaissance de l'ortho-

graphe dans la phrase, les erreurs trop voyantes (« vingt zeuros ») sont sujettes à de vives critiques.

Quant aux « accents d'intensité » ou « d'emphase » (sur *dis-* dans *indiscutable*, par exemple), ils sont fonction du type de discours. Celui des hommes politiques, sur ce plan, mérite l'attention : F. Carton donne les pourcentages suivants de ce type d'accents pour des interventions télévisées à la fin du XXe siècle[1] : Chirac, 11,8 % ; Giscard, 5,3 % ; Marchais, 12,5 % ; Mitterrand, 14,6 %.

Mais la prosodie des grands discours évolue : on tend vers la simplicité – qui peut se nommer aussi monotonie et platitude. Le « ton » des parleurs de la radio et de la télévision n'a plus rien à voir en 2007 avec celui de 1930, qu'on ressuscite avec amusement. Les discours lyriques et verbalement théâtraux d'André Malraux produisirent en leur temps des effets intenses : les auditeurs se crurent transportés un siècle en arrière, et seule l'écoute d'enregistrements de Mounet-Sully aurait pu les détromper. Aux phonéticiens d'analyser en quoi cette rhétorique verbale surannée prenait en compte la prononciation moyenne cultivée de son époque[2].

Du côté des voyelles, entre le milieu du XXe siècle et le XXIe, la distinction entre le *a* de *patte* et celui de *pâte* continue de s'affaiblir, ainsi que celle qui existe encore entre *é* et *è* ou *ê*. La confusion règne pour les *o* ouvert et fermé. Les voyelles nasales (*an, on, un*) sont instables. Une très grande variation est celle du *e* dit « muet » (ou « caduc ») qui ne l'est pas toujours, même quand il n'est pas noté par l'écriture (« l'Arqu*eu* de triomphe », un « compact*eu* disque »), et c'est un facteur rythmique qui règle ses apparitions. Certains *e* sont fixés dans la prononciation « soignée » (« appart*eu*ment »), d'autres non (« renseig*n'm*ent » ou « renseign*eu*ment »). D'une manière générale, le *e* muet de la moitié nord de la France, de la Belgique et de la Suisse est prononcé dans la France du Sud par tous les locuteurs qui ont (pour ceux du Nord) l'« accent du Midi » : « Bonn*eu* Mère » (et même « Mèr*eu* »), « *leu* Tour d*eu* Franc(*eu*) » à Marseille. Ce phénomène

largement régional n'a rien à voir avec le *e* (*eu*) qui correspond à une voyelle de pause, ajouté après une consonne
finale et devenu un tic critiqué (« bonjour*eu* »…).

Côté consonnes, ce qu'on appelle en phonétique la pala-
talisation peut affecter l'oral spontané : *je te*… devient *cht'*;
je sais, *chè* (*chsè* est théorique) ; *mathématiques* donne
-t'chique. Cette tendance est systématique dans l'usage des
Français d'Algérie, sur place et en France après le conflit
algérien, dit « français pied-noir » (ou dans ses représentations). La confusion entre *-ni-* et *-gn-*, déjà notée, produit des effets sur l'écriture : après *manier – magner*, c'est
la double graphie pour la *niaque* ou *gnaque*, avec le même
sens. Quant au *-ng* final, suscité par l'abondance d'emprunts
à l'anglais, il est réalisé populairement par des sons plus
familiers, mais *campinge* a presque disparu, malgré le
standinge de San Antonio, et *campigne* sonne peu cultivé.

On note de plus en plus les effets de l'image mentale
graphique sur l'oral, dans les consonnes doubles, dans
l'apparition de consonnes que la prononciation cultivée
traditionnelle avait éliminées : *domp'ter*, les *mœurss*, normal, alors que… *alorss'* est considéré populaire ou régional ; *au grand dam'*, devenu la seule prononciation, même
sur une station de radio supposée bien parlante ; sans
parler de la « *gente* féminine », qui fait disparaître le nom
féminin *la gent* au profit d'un virtuel *la gente*. *Août*, mono-
vocalique (= *ou*), disparaît, remplacé par *out'* ou par *a-
out'*. On entend *radi* et *cassiss* (rarement *cassi*), mais alternativement *ani* et *aniss*. Le *cou* pour *coût* est devenu *cout'*,
l'*anana* plutôt *ananass*, entre 1967 et 1990.

Quant aux phénomènes de discours – ce qu'on appelle
la « chaîne parlée » –, leur variabilité est extrême. Les
enchaînements, le rythme, les « réductions » (« *t'*écoutes ? »,
« *t' t'*à l'heure », « *ch*ais pas », où *je* et *s'* sautent, « *t'*sais »…),
les liaisons, de l'hypercorrection au cuir plaisant (*moi
z'aussi* devient *moi saucisse*) et à la « liaison avec ou sans
enchaînement » des hommes politiques (le « Il est*t'* hes-
sentiel » de Chirac), ne cessent d'évoluer. Visiblement, le
système accentuel est en pleine évolution. Toute théorie

générale de l'accent et de l'intonation en français, même en français de France, semble impossible, ou bien ne débouche que sur une norme fictive.

LA FORME DES MOTS

Du côté de la morphologie et de la syntaxe, on peut noter, pour le substantif et l'adjectif, que, les féminins et les pluriels étant de moins en moins marqués à l'oral (le *s* du pluriel n'est pas plus prononcé que le *e* final), ce sont les articles qui deviennent pertinents. Lorsqu'on prononçait : « les enfants *z'*aiment *t'*avoir des jouets », la liaison de « enfant*s* » et de « aimen*t* » fournissait deux marques ; ne reste aujourd'hui que *les* (*lez'*) opposé à *l'*.

La morphologie du nom a été elle-même sérieusement affectée, s'agissant des substantifs désignant des personnes, quant au genre. On sait que le masculin et le féminin des noms, arbitraires lorsqu'il s'agit d'objets inanimés et d'abstractions, redeviennent motivés, très incomplètement s'agissant d'animaux (d'où les contorsions langagières : *une éléphante* est rare et spécifique pour désigner un éléphant femelle, *une girafe mâle* partage le féminin avec la femelle, et *un crapaud* n'est nullement le mâle de la grenouille…), et plus généralement s'agissant d'êtres humains, encore qu'*une sentinelle* est souvent un homme et *un mannequin* une femme. Mais le problème devient socialement brûlant lorsqu'on s'aperçoit au xxᵉ siècle que les noms désignant des métiers, des rôles et des fonctions sociales ne sont pas toujours dociles à l'expression d'un genre qui soit adéquat au sexe. La morphologie du français n'est pas toujours accueillante aux évolutions sociales, qui donnent aux femmes un accès à des activités désignées traditionnellement par des masculins. Aussi, à côté des formes commodément « variables en genre », *infirmière*, *institutrice*, *directrice*, certaines, nouvelles, sont mal reçues pour des raisons futiles : *une plombière* n'est pas plus incongrue, malgré le nom de l'entremets, qu'*une cuisinière*, forme ancienne et acceptée malgré *la cuisinière à gaz* ; les mots « une *entraîneuse* d'équipe sportive » sont rendus délicats par l'existence préalable d'un autre sens pour *entraîneuse*... Une valse de formes nouvelles, certaines, comme *poétesse*, étant rejetées par les intéressées mêmes pour d'obscures raisons euphoniques. L'article y va quand la morphologie du nom renâcle : *une chef, une prof*. Mais *la docteure* et *la professeure*, chères au français québécois, qui font mine de féminiser le mot graphiquement – à l'oral, rien ne se passe que dans l'article –, sont haïes des usagers respectueux des règles du féminin. L'analogie requise disparaît : une chant*euse*, une demand*eresse* (en droit), une act*rice*, qui devrait entraîner aut*rice* mais le fait peu ; et enfin, par volonté de féminisation à tout prix, une analogie relevant de la « grammaire des fautes » : une aut*eure* et, on l'a vu, une doct*eure*.

Les puristes académistes (en France), derrière leur secré-taire perpétuel[3], estimant que la physiologie *du* détenteur de ce titre prestigieux n'importait pas, ont décrété que les noms de fonctions étaient des « neutres » – par une émou-vante résurgence de la grammaire latine, peut-être – et, donc, qu'il ne s'agissait pas de promouvoir des formes féminines choquantes, puisque neuves et parfois coupables d'évidents barbarismes.

Si le débat fut vif, le résultat dans l'usage est contrasté, avec un français « avancé » au Québec, en Belgique et en Suisse – où des contestataires s'expriment – et un français plus hésitant en France. Là, des *chirurgiennes* refusent de l'être et se veulent *chirurgiens*, mais des *soldates* et des *officières* semblent supporter leurs noms. *La maire* (malgré l'homonymie) et *la ministre* sont plus heureuses de l'être..., mais bien des féministes réclament pour elles une désignation masculine, par souci d'égalité.

Cependant, la classe de mots qui pose le plus de pro-blèmes et peut donc présenter le plus de variations dans le temps est celle des verbes, surtout lorsque leur conju-gaison est irrégulière. Passant à l'évolution des temps des verbes, on constate qu'elle est différente à l'écrit et à l'oral. Si le passé simple s'est raréfié lorsqu'on parle, il se porte assez bien dans l'écrit narratif. Cependant, des formes du genre : « ce fut une belle soirée » ou bien « que fîtes-vous donc ? » ne s'emploient plus de manière neutre. La remarque est généralisable : on dit et on écrit aisément : « des gens qui le connurent », mais « nous le connûmes, vous le connûtes » ne sont plus naturels. « On l'apprit hier » est normal, mais « nous l'apprîmes hier » sera en général remplacé par « nous l'avons appris ».

Quant au fameux recul du subjonctif, il n'est réel qu'à l'imparfait et au plus-que-parfait, où les formes continuent de faire partie de l'arsenal des effets stylistiques évocateurs d'un passé solennel, et donc comiques dans un discours moderne et naturel. Les échanges de modes – conditionnel au lieu de l'indicatif après *si*, senti comme très fautif – et de temps – subjonctif présent au lieu du passé après un passé (« je voulais qu'il vienne » au lieu de « qu'il vînt ») – sont fréquents, le second fort bien supporté.

D'une manière générale, les difficultés des conjugaisons irrégulières, malgré la consommation massive de manuels, malgré les conjugateurs automatiques intégrés aux logiciels et aux cédéroms, produisent des résultats variés : formes fautives, ou replis stratégiques vers des verbes en *-er* – tous les verbes nouveaux sont de ce type – ou vers des périphrases[4]. Seuls les verbes les plus fréquents résistent à cette désaffection : *être*, *avoir* et *faire* en tête (et encore, *il eut*, *il fit* et surtout *nous fîmes*, *nous eûmes*, *que nous eussions*, etc., n'ont pas le vent en poupe).

L'emploi des auxiliaires *être* et *avoir*, quant à lui, est sujet à maintes hésitations (*elle a* ou *elle est* descendue ?). Cependant, il semble que certaines fautes jugées populaires soient beaucoup moins fréquentes (« il s'*a* trompé, il *a* tombé de son lit »). Parmi les fautes les plus dénoncées – et donc probablement les plus courantes –, on peut aussi noter l'absence d'accord du participe passé, surtout avec *avoir* et dans le cours de la phrase (mais aussi à la fin : « les erreurs qu'il a *fait* » s'entend même dans des paroles politiques ou médiatiques, d'ailleurs vite dénoncées par des auditeurs à l'oreille fine).

Du côté de la formation des mots nouveaux, si tout le monde est conscient de l'abondance des adjectifs en -*able* ou des adverbes en -*ment*, dont la production est à peu près libre, les locuteurs du français sont probablement sensibles à la fréquence nouvelle de mots en *anti*-, en *super*- ou *hyper*-, en *télé*-, à la facilité de former des mots en -*ien* et en -*isme*, ces derniers souvent combinés avec *anti*- et dont on peut affubler à peu près tous les noms propres en politique. On peut aussi constater que des éléments à l'origine populaires ne le sont plus, tel le suffixe -*ard*, en général péjoratif. Un renforcement de la finale -*o* en -*os* (*s* prononcé), senti comme « jeune », s'adjoint à des adjectifs eux-mêmes familiers (*débilos*) ou, par un procédé inattendu, à un verbe conjugué (*ça craint* produit *c'est craignos*, isolé et rapidement vieilli).

Outre les procédés traditionnels, le xxᵉ siècle amplifie la production de formes abrégées, surtout par apocope (chute de la finale). Le procédé s'est beaucoup développé avec la Première Guerre mondiale, mais il était déjà usuel et parfois redoublé dans les expressions composées (*caf'conc'*, *Vél'd'hiv'*, plus tard *surgé* pour « surveillant général », fonction disparue). Les résultats de ces abréviations sont de trois types : des monosyllabes coupés sur une consonne (*la perm*, *les profs*…) ; des dissyllabes analogues (*l'instit*) ou terminés par une voyelle (*l'insti*, *le kiné*, en concurrence avec *kinési*, trisyllabe) ; des mots d'au moins deux syllabes, la dernière étant la voyelle *o* (*proprio* sur *propri/étaire*, *mécano* sur *mécan/icien*, *Montparno* sur *Montparn/asse*, *dico* sur *dic/tion/naire*). L'abrègement concerne aussi des formes en discours, des formules : *à tout à l'heure* devient *à tout'* ; *à plus tard*, non pas *à plu*, ambigu, mais *à plus'*. Le redoublement d'une première syllabe ouverte est assez fréquent : sur *crasseux*, outre les suffixations *cra-do*, *cra-dingue*, on a ainsi *cracra* ; *communiste* donne *coco*.

L'aphérèse est moins fréquente que l'apocope et fut d'abord propre à des usages très populaires : *cipal* pour *garde municipal* à la fin du XIXᵉ siècle. Il a été repris, après une période moins créative, à la fin du XXᵉ siècle (*blèm'* ou *blème* pour *problème*).

L'apocope en *o-* est usuelle depuis le milieu du XIXᵉ siècle (*photo*, *métro*, *porno*) et des mots longs sont coupés sur quelque voyelle que ce soit pour produire deux ou trois syllabes (*cinéma*, puis *ciné*). La production de formes d'une ou de deux syllabes est universelle dans la langue orale, notamment dans les vocabulaires technique et professionnel, où les mots ont tendance à être de plus en plus longs, et même s'ils le sont peu. Les *rediffusions* sont des *rediffs* ; à l'hôpital, la *perfusion* est une *perf*. Les mesures *postopératoires* sont *postop'*. Les coupes sur consonne, non morphologiques, ne sont pas rares : *beauf* pour *beau-frère* est lexicalisé et produit des dérivés : la *beaufferie* est apparentée au *machisme* (sur l'emprunt à l'espagnol *macho*, prononcé *tch-*). La *deux-chevaux*, pendant son règne, était souvent une *deuch'*. La liste s'enrichit tous les jours.

Un procédé s'est développé, celui des « mots-valises », qui consiste à opérer des coupes syllabiques indifférentes au sens pour produire un simili-composé plus bref : *héliporté* et non *hélicoporté*, *handisport* pour « sport pour les handicapés ». Des séries de pseudo-préfixes apparaissent ainsi, totalement inanalysables, à la manière des mots anglo-américains du type *cheeseburger*, sur *cheese* et *hamburger* (« hamburger au fromage »), lequel vient du nom de la ville de *Hamburg* (Hambourg), mais où figure le mot *ham*, « jambon », d'où une pseudo-composition qui servit de matrice à de nombreux *X-burgers*. Plus important par ses effets que les emprunts lexicaux, cet emprunt d'un procédé de formation qu'on ne peut dire « morphologique » affecte le système de la productivité lexicale du français. Dès 1929, Henri Frei notait cet « abandon du morphème » dans les abréviations, comme dans *sana* pour *sanat/orium*, *collabo* pour *collabor/ateur*, *accu* pour *accu-*

mul/ateur, *transfo* pour *transform/ateur*[5]... Il s'agit donc
d'une loi sous-jacente qui conduit à opérer une coupe
selon des critères rythmiques évacuant les règles de respect de l'étymologie et indifférente à la sémantique.

Apparentés à l'abréviation, mais par recours à la lettre
ou à la syllabe initiales d'un mot et portant sur un syntagme nominal parfois complexe, le « sigle » et l'« acro-
nyme ». Leur invasion est notable, surtout après la guerre
de 1940-1945. Ils désignent soit des institutions, des partis, des entreprises, des pays (l'Union des Républiques
socialistes soviétiques, en français parlé l'*uèrèsess* ou l'*urss*
– courant de 1920 à 1960), soit des réalités désignées par
une expression complexe (habitation à loyer modéré, sans
domicile fixe, syndrome immunodéficitaire [ou (d')immu-
nodéficience] acquis, *sida*, jamais épelé, vite écrit sans
points : S.I.D.A. n'a duré que quelques années).

Le domaine du nom propre étant, par nature, rapidement évolutif, les sigles et acronymes y sont innombrables
et créent une obscurité voulue, levée seulement par les
initiés : en cela, ils s'apparentent au véritable argot et font
le désespoir des étrangers, même connaissant bien le
français, face au moindre texte de journal. La floraison
incontrôlée de sigles et d'acronymes anglais dans le discours informatique en français en fait parfois un pidgin
unifié par une phonétique française déformante par rapport à la source.

LA FORME DES PHRASES

On peut admettre, avec la plupart des historiens de la
langue, que la syntaxe du français change peu dans la
centaine d'années qui vient de s'écouler. Mais cela
concerne la langue écrite normalisée – celle de l'école,
plus ou moins –, et notamment, pour des raisons de
conservation et de diffusion des écrits, la langue imprimée, dont le sous-ensemble le mieux perçu et longtemps
le plus étudié est constitué par les usages littéraires.

Quant aux usages oraux, qui, dans cette période, peuvent enfin être enregistrés, transcrits, étudiés, la difficulté est que l'on n'a guère de point de comparaison avec ceux du passé, à l'exception du reflet toujours déformé de ces usages dans la prose littéraire. Il est donc possible, d'ailleurs depuis peu de temps, d'étudier sérieusement la syntaxe du français parlé – lui-même sujet à la variation –, mais non d'en faire l'histoire sur aucune autre période du quasi-millénaire de « langue française » que la plus contemporaine.

Pour les usages écrits socialisés, on remarquera que les descriptions des grammaires du XXᵉ siècle peuvent « citer côte à côte La Fontaine et Mauriac, considérant donc plus ou moins ces quatre siècles comme un ensemble cohérent[6] ».

On peut évidemment noter, quant à la langue écrite, des faits syntactiques nouveaux – ou qui semblent l'être. Ainsi, à la fin du XIXᵉ siècle et jusqu'à la période qui nous occupe, de nombreux faits de détail ont été répertoriés. A travers la forêt des pseudo-descriptions puristes et vengeresses qui sélectionnent tout ce qui, de leur point de vue, menace ou détruit le « bon français », on a du mal à trouver des descriptions neutres. Celles-ci, d'ailleurs, portent d'abord sur les usages jusqu'alors négligés, appelés « populaires » (Henri Bauche) ou repérés par l'idéologie dominante comme des « fautes ».

Certains accords sont, du moins à l'oral, transférés de la forme au sens. Violemment critiquée, la tournure : « *un* espèce d'*idiot* » fait de « espèce de » un adjectif antéposé et accorde l'article avec le substantif complément (« *une* espèce d'*idiote* »). Interprété comme une faute grossière de genre sur « espèce », cet usage très courant est corrigé à l'écrit. De même, si le pronom *on* vaut pour un féminin pluriel, la plupart des francophones acceptera (« accepteront », dans ce cas, est fréquent : voir ci-dessous) : « Alors, on est contentes ? » plutôt que « content ». Les hésitations sur l'accord au singulier ou au pluriel avec un collectif sont comparables. Si « la majorité » et « la minorité »

entraînent normalement le singulier, « la plupart » ou
« quatre-vingts pour cent sont satisfaits » semble plus normal que « est satisfait ».

La syntaxe de l'interrogation et celle de la négation
évoluent plus vite après 1920 : la forme sans inversion –
tu viens ? – envahit l'usage parlé en France, alors que
viens-tu ? demeure usuel au Québec. *Tu viens quand ?*
semblait plus incorrect (d'après les jugements exprimés)
avant 1950 qu'après et, en 2000 et quelque, *t'es où ?* est
devenu la parole magique au téléphone portable, qui
donne à la localisation, de par son nomadisme, une
importance majeure. L'interrogation par *est-ce que ?*, de
relâchée, est devenue très correcte.

Quant à la négation avec *ne*, elle devient une sorte de
marque de l'usage écrit et de la correction élégante, disparaissant tant à l'oral spontané que dans la transcription
littéraire de cet oral. Mais rien n'est simple, et le *ne* peut
fort bien résister régionalement ou dans des usages individuels.

Cent observations de ce type peuvent être faites, dont
se dégagent des tendances complémentaires, sinon contradictoires. Ainsi, la nominalisation qui progresse depuis la
fin du XIXe siècle aux dépens des verbes n'empêche pas la
multiplication des adjectifs qui remplacent des compléments de noms, diminuant le rôle de ces derniers.
« Défense d'entrer » remplace « Il est défendu » ou « On
vous défend… » ; « Merci de me répondre », généralisé
dans les entreprises, fait d'un nom un véritable impératif, tandis que des substantifs employés comme épithètes
(*terrine maison*) enrichissent la catégorie de l'adjectif.
Cette tendance apparue vers 1830 ne cessa de se développer au XXe siècle, donnant des noms composés
(*timbre-poste*, *cité-jardin*, 1919), puis des formations
libres (*l'opération portes ouvertes*). Une autre avancée de
l'adjectif, sous sa forme traditionnelle, est son emploi en
lieu et place du complément de nom. Ainsi, « du climat »
devient « climatique », le sport crée *tennistique* et *foot-
ballistique*, montrant par là que la tendance à l'économie

par l'abréviation n'est pas universelle. Relevons le remplacement de *il* impersonnel par *ce* (*il est agréable de...* devient *c'est agréable*), régi par les différents registres du discours. Parlant de registres, on note que certaines constructions deviennent typiques d'un registre d'emploi, telles, pour le langage officiel et administratif, les tournures impersonnelles qui fleurissent dans les imprimés et les journaux : *il lui a été dit...* ; *il m'a été répondu...* ; *il en sera reparlé demain.*

NOUVEAUTÉS DU LEXIQUE

Envisager l'évolution des mots d'une langue suppose une masse énorme d'observations. Avant l'époque des grands inventaires automatisés, on en était réduit à des données très partielles et intuitives : il s'agissait bien plutôt d'évolutions ressenties que constatées. On observait bien l'apparition de mots et d'expressions nouveaux à l'écrit, mais à peine l'évolution des significations, et presque pas celle de l'impact social des mots.

Grâce à la révolution informatique, on dispose néanmoins aujourd'hui de bases de données exploitables statistiquement. La base Frantext – c'est son nom – a ainsi été alimentée par le dépouillement intégral de près de 3 000 textes imprimés entre 1600 et 1960, en majorité considérés comme littéraires et repérables d'après les auteurs, les genres supposés et la date de publication, dans le cadre des travaux du laboratoire du CNRS consacré au *Trésor de la langue française*. Dans les années 70, les premières études statistiques sur le vocabulaire français sont apparues[7].

Les résultats de ces analyses confirment souvent des intuitions et ne vont pas à l'encontre des observations faites à partir de dictionnaires évolutifs. Ainsi de l'« inflation lexicale » du XIXe siècle, et qui s'accélère encore au XXe siècle, observée plus correctement après la stabilisation de l'orthographe (en effet, avant le XIXe siècle, le

grand nombre des variantes multipliait les formes faisant l'objet des calculs) ; ou encore de la progression de
certains suffixes : -isme, -iste, -ique ou -tion, du recul
sensible de -eur, -eux ou -esse, ou de la place accrue des
noms substantifs par rapport aux verbes[8].

L'étude de la néologie effective est également délicate
si l'on s'en tient aux dictionnaires et à leur complémenta-
tion par une nuée de publications (petits dictionnaires
thématiques, revues, telle la *Banque des mots*, description
des usages familiers, spéciaux, relevés effectués au CNRS
ou par la lexicographie…).

En termes globaux, on peut noter que, dans la période
qui suit la guerre de 1914-1918 et va jusqu'à nous, les
locuteurs du français, moins contraints par la norme
imposée, tendent à compléter les séries de termes qui ont
été léguées par le passé en y ajoutant les vocables de fabrication nouvelle, selon une attitude qui était jugée relâchée et fautive au XIXe siècle. Au XXe siècle, la contrainte
normative est plus souple et varie plus, semble-t-il, selon
les milieux. Cette créativité utilise davantage les suffixes
que les préfixes, malgré la prolifération de composés en
anti- ou en *super-*, de composés « savants » en *bio-* ou en
télé-. On relève également, assez banalement, que les
abréviations se multiplient dans le langage ordinaire, surtout à l'oral, en partie reflétées à l'écrit et intégrées aux
dictionnaires[9].

Prise au hasard, la tranche 1981-1990 de la nomencla-
ture du *Petit Robert* de A à G[10] montre vingt occurrences
du préfixe négatif *dé-* (exemples : *déligitimer, déprogram-
mation, déréglementer* et *-ation, dérégulation, désendette-
ment, désinhiber*), sept de *anti-*, cinq de *auto-* (deux
préfixes, en fait). Du côté des suffixes, dominent *-isme* et
-iste, les verbes en *-er* et *-iser* (et les noms en *-ation, -isa-
tion*), les adjectifs et noms en *-eur, -euse*, qui surclassent
-eux, -euse (exemple : *footeux*), *-el, -elle, -ier, -ière, -ien,
-ienne*. Les substantifs « déverbaux » reprennent sans suffixe le radical d'un verbe (*la déglingue*, sur *déglinguer*),
procédé en expansion depuis le milieu du XXe siècle, après

le succès de *la bouffe, la baise,* etc. Les sigles et abréviations nouveaux sont nombreux, souvent empruntés (exemples : ABS, ASCII, CD, CD-Rom – *cédérom* est préférable –, DAT, EAO). Phénomène social très ressenti, mais oublié des dictionnaires jusqu'en 1980 environ, les mots obtenus par le « verlan », dont il va être question plus loin (ici : *feuj,* précédé de peu [1978] par *keuf* et *keum,* et suivi [1984] par *teuf,* « fête »).

L'emprunt est un phénomène essentiel dans le développement de tout lexique, mots, sens et expressions : il peut être visible ou caché (le calque, traduction mot à mot). Là aussi, les statistiques comme l'observation des dictionnaires et des lexiques confirment l'intuition. L'anglais – surtout l'anglais étatsunien depuis le milieu du xxe siècle – fournit les gros bataillons ; viennent ensuite, continuant une tradition séculaire, l'italien, devant l'allemand et l'espagnol ; apparaissent des emprunts mieux diffusés à des langues asiatiques, en premier lieu le japonais. Mais le nombre des mots nouveaux entrés dans le dictionnaire général n'est pas très représentatif : les italianismes concernent des domaines spéciaux, les japonismes aussi ; seuls les américanismes peuvent être à la fois courants (*brushing, camping-car, charter, chips, cutter, design* et *designer, fax* et *faxer, e-mail, gay…,* dans l'échantillon A-G de la seconde moitié du xxe siècle). Ils sont souvent inconscients (*biodégradable, automation, coloriser, cortisone, décoder, ergonomie…*). On reviendra sur la question très sensible de l'anglicisme, « évolution ressentie ». Tous ces mots apparaissent après 1950 ; d'autres, plus anciens, sont encore plus usuels. En outre, aux emprunts clairement faits à la langue anglaise, s'ajoutent tous ceux qui affectent une forme non anglaise mais ont été diffusés aux Etats-Unis (dans la suite de l'alphabet, on trouve *macho, marina*). Ces « anglicismes » – le terme englobant les américanismes – couvrent de nombreux domaines, de la vie quotidienne à la science, à la technique en passant par les activités musicales et corporelles (*dance, hiphop…*) des « jeunes générations » qui, bien sûr, cesseront d'être jeunes sans cesser de parler. En revanche, dans l'optique de la désignation, certains domaines se sont ouverts considérablement à l'internationalisation : la cuisine, la musique empruntent à l'italien, à l'espagnol, mais aussi à l'arabe (*raï*, *falafel*, *taboulé*), au japonais (*sushi*, *sashimi*...). On est là sur le terrain incertain du « xénisme », mot pris à une autre langue dans un discours tenu en français, d'abord par souci d'exotisme. Le passage au statut d'« emprunt ressenti », connu d'une proportion variable de francophones, puis à celui d'« emprunt intégré », dont le caractère originel est oublié, est sociologiquement très complexe, et doit s'évaluer en fonction de l'usage du type de français concerné, usage territorial, social, professionnel, etc. On peut alors décrire le cheminement sémiotique allant du corps étranger au mot usuel, ou « comment l'inacceptable est accepté[11] » – affaire psychosociale, qui relève des évolutions ressenties.

LES ÉVOLUTIONS RESSENTIES

Sur ce plan, les vraies nouveautés du XXe siècle sont que l'on prend conscience des deux plans distincts, indépendamment des jugements sociaux, que constituent les usages oraux et l'écrit, et qu'on a les moyens d'un savoir plus « scientifique » à leur propos. Quant aux jugements qui attribuent des classes d'usages à des classes de locuteurs et de locutrices, ils sont anciens, mais s'organisent à l'époque où l'on parle d'usages considérés comme une part de la langue distincte de son image globale traditionnelle, écrite, observée, surveillée, enseignée.

Du point de vue de la linguistique descriptive, il s'agit de caractériser un ensemble d'usages ; du point de vue du ressenti, de juger en réunissant plus ou moins arbitrairement un ensemble de discours, surtout écrits, souvent littéraires, et en y sélectionnant ce qu'on approuve et ce qu'on désapprouve.

Par rapport à l'attitude dite « scientifique », celle des linguistes, qui apparaît au XIXe siècle, la perspective du jugement, de l'estimation intuitive, bénéficie d'une audience beaucoup plus large, formée de tous ceux qui cherchent des solutions simples à leurs perplexités. Les nouveaux censeurs, depuis le milieu du XIXe siècle, justifient leurs jugements tranchés par le sentiment d'un danger pressant. André Thérive donne à l'un de ses livres ce titre : *Le Français, langue morte ?* (1923), et ce n'est pas pour promouvoir un nouveau français. Il aura de nombreux émules, dans cette chronique d'une mort annoncée, et jusqu'au XXIe siècle. La cause de cette situation tragique ? C'est le « massacre de la langue française », contre lequel se dresse André Moufflet (1930[12]). Le remède : une action « impérative » : *Ne dites pas... mais dites, Ecrivez... n'écrivez pas*, ce qu'adjure Etienne Le Gal (en 1928) alors que A. Fontaine, en 1922, priait *Pour qu'on sache le français*, avant que Maurice Rat ne demande tout simplement : *Parlez français* (1940), impliquant que ce qu'il condamne n'est tout simplement pas dans la langue. Ce genre de censeurs normatifs est largement représenté en tous temps, mais particulièrement entre 1920 et 1970.

Cette tendance prescriptive et critique a des cibles variées : le discours relâché du « peuple », la « prétention » et les « fausses élégances » des bourgeois – pour ne pas dire des nouveaux riches –, les jargons des scientifiques et des techniciens, la « langue » (en fait, une rhétorique) emberlificotée de l'administration, les « vulgarismes » de la presse et de la publicité. Elle mêle oral et écrit, langue et registres, usages et styles, lois profondes et règles arbitraires ; elle ne sait pas distinguer la variation, confond les écarts individuels et les tendances collectives.

En tout cela, les puristes héritent des attitudes intuitives d'un Remy de Gourmont, au nom de valeurs esthétiques, et des valeurs plus traditionnelles d'un Abel Hermant (Lancelot), sans en avoir le talent. Ils trouvent une forte opposition du côté des observateurs à la recherche d'une rationalité dans le désordre des discours : la tribu des

« linguistes » et grammairiens authentiques commence à donner de la voix. Ces voix, s'agissant du français, ne sont pas seulement françaises ; souvent suisses, du côté de chez Ferdinand de Saussure : Charles Bally, Henri Frei, A. François, mais aussi allemandes (Adolf Tobler, Karl Vossler, Eugen Lerch, Leo Spitzer, et là aussi des Suisses : Karl Jaberg, Jakob Jud, tenants « des mots et des choses »), ou bien danoises (Kristian Sandfeld, Andreas Blinkenberg), suédoises, néerlandaises. Ces savants étudient le français dans tous ses états ; d'autres, on l'a vu, se sont attaqués aux dialectes gallo-romans, en Suisse (Jules Gilliéron) et en Belgique avant la France. Deux linguistes-psychologues, Jacques Damourette et Edouard Pichon, s'attaquent en 1911 à ce qui va devenir la plus vaste grammaire du français réel et (alors) vivant, ouvrage de diffusion confidentielle de par ses dimensions immodérées et sa terminologie rationnelle mais imperméable au profane.

Plus gênants pour les puristes, le savoir du grand historien de la langue française Ferdinand Brunot, ou bien la description par Henri Bauche – que les linguistes de l'Université s'empressent de qualifier de travail d'amateur – d'une forme du français baptisée « langage populaire » et qui est de l'usage parlé spontané, non bourgeois, caractérisé par un lieu, Paris et sa région.

Le travail d'Henri Bauche fournit un matériel précieux, bien observé, aux théoriciens, et notamment à Henri Frei, disciple de Charles Bally, qui lance en 1929 le pavé de sa *Grammaire des fautes* dans la mare du purisme et de l'académisme[13]. Frei dégageait, pour le français spontané du XXᵉ siècle, une série de besoins fondamentaux : celui d'« assimilation » poussant à l'analogie et au conformisme, compensé par un besoin de « différenciation » pour redonner au langage une clarté perdue par la norme figée. Sur le terrain de l'« économie », deux besoins encore, celui de la « brièveté » (conduisant au figement, à l'ellipse...) et celui d'« invariabilité », agissant sur la sémantique et la syntaxe. Enfin, un besoin d'« expressivité » justifiait le recours à de nouvelles figures de sens, à des procédés syntaxiques et à des emprunts.

Dans cette perspective, celle d'une finalité empirique de la langue incarnée par des besoins psychologiques collectifs, la « faute » est moins un manquement à la norme sociale qu'un outil servant, à des fins expressives, d'économie, de clarté, « à prévenir ou à réparer les déficits du langage correct[14] » ou à remédier aux dysfonctions du français écrit fixé par la norme. Retournement insupportable pour les amoureux traditionalistes du « beau langage », car la tendance dominante était alors de prescrire et de proscrire, par crainte panique d'une crise majeure.

Dans cette nouvelle querelle des Anciens et des Modernes, les premiers, inlassablement, dénoncent des « fautes » que les locuteurs ne cessent de faire. Il ne faut pas dire *s'en rappeler*, mais *se rappeler quelque chose* et *s'en souvenir*, ni *partir à*, mais *partir pour*, ni *malgré que...*, bien qu'on le trouve chez Anatole France (par exemple), ni *avoir très faim* ou *monter en bicyclette*, etc. On ne sait plus, disent-ils, manier les subjonctifs, ni les relatifs. Le fameux *dont* faisait couler des flots d'encre et de bile (*l'homme que j'ai vu* entraîne *l'homme que j'ai peur*, plus tard et par réaction ironique à la norme, *l'homme que j'ai peur de*), tandis que l'on entend *l'homme dont sa mère est malade*.

Eu égard à l'immense quantité de faits syntaxiques et lexicaux brassés par une langue, la liste des irritations puristes n'est pas très longue. Celle de leurs effets sur l'usage réel est plus brève encore. Si des emplois prétendus « populaires », comme *le copain à Jean*, *aller au coiffeur*, *je l'ai vu sur le journal*, *en vélo* (il faudrait dire à), ont peut-être reculé ou sont marqués comme décidément incorrects, c'est plus à des jugements sociaux de la classe dominante et à la dérision qu'on le doit qu'aux puristes et à leurs relais, grammaires et dictionnaires. D'ailleurs, les usages réels sont aussi variés pour ces constructions critiquées que pour les autres. Ma grand-mère, occitane mais purement francophone, apprenant vers 1950 que j'allais à Rome, me dit : « Tu iras au pape, petit ? » Mes parents trouvèrent cela charmant, mais je n'allai – pardon, je ne fus – ni « au pape », ni « voir le pape », faute d'avoir « sollicité une audience », mots que mon excellente et intelligente grand-mère ne pratiquait pas.

Les jugements négatifs, surtout avant 1940, redeviennent donc sociaux, mettant en cause la vulgarité du petit-bourgeois ou la paresse du jeune homme bien mis qui dit avec l'accent traînant imité du « Parigot » : « Tu t'rends compte ? » Quand on ne dénonce pas la vulgarité, c'est la prétention, plus encore que l'ignorance. On ne vise ni la langue, fictivement définie comme correcte et immobile, ni même un usage, mais un discours personnel, et, à travers lui, la personne qui parle ou écrit. Ainsi, les purs puristes, tel René Georgin, adoraient, à l'instar des Académiciens s'acharnant contre Corneille et *Le Cid*, s'en prendre aux grands écrivains. Démarche d'ailleurs étrange dans la mesure où elle manifeste qu'on ne juge en aucune manière la langue française, alors même qu'on la dit en crise, malade, massacrée, moribonde ou déjà morte, hypothèse qui écarte l'idée même d'un purisme thérapeutique.

Cette attitude puriste, florissante dans la première moitié du siècle, semble en recul après 1950. Les positions moyennes, à l'instar du *Bon Usage* du Belge Maurice Grevisse (1re édition, 1936), et en général celles des linguistes soucieux d'établir une norme pour un usage national (en Belgique, en Suisse, plus tard au Québec), l'emportent sur les censeurs. Un reflet médiatique (il concerne la presse écrite) de cette évolution est celui que donnent les chroniques de langage, qui passent du purisme sourcilleux d'un Abel Hermant à une observation, certes normative mais plus fine et plus tolérante, du grammairien Robert Le Bidois (*Le Monde*), et à la perspective sociologique, souvent antipuriste, d'un Jacques Cellard dans le même journal. Un précurseur de cette tendance fut le grand linguiste Marcel Cohen, dans le journal communiste *L'Humanité*. Cette évolution mène des années 1920-1930 aux années 1990, époque où l'on voit disparaître, en France, les chroniques de bon usage.

Informé par les reflets innombrables de réalités confuses, celles de l'expression et de la communication dans des sociétés en profond remaniement, le ressenti des langues et de leur usage est difficile à appréhender sérieusement, et varie en tout cas beaucoup selon les situations.

Il est juste de noter que la situation linguistique de la Belgique, avec le contact périlleux de deux langues et l'insécurité linguistique des deux côtés (par rapport à la norme hollandaise pour les Flamands, à la norme parisienne pour les Wallons), avait engendré pour le français une forme de purisme différente de celle de la France : dirigée contre les « belgicismes » avec plus de tolérance quant à la variété, à condition de ne pas mettre en danger une norme pas encore figée. La situation analogue du Canada français, et notamment du Québec, produit aussi un purisme différent de l'archaïsme conservateur qui domina en France jusqu'au troisième tiers du xxe siècle.

Depuis, les contacts créés par l'école (enseignement des langues « étrangères ») et par les flux médiatiques (chanson, etc.) créent autant d'expériences nouvelles, de pratiques langagières et d'images des langues, avec des jugements de valeur positifs ou négatifs. Dans le cas de l'immigration, un usage du français (ou de l'anglais, de l'allemand) approprié, plus intime, mieux maîtrisé par rapport à celui des parents et grands-parents, peut être accompagné d'une perte relative de la langue d'origine. Ces situations sont le plus souvent inconfortables, et la réappropriation des idiomes passe souvent par une modification de leur usage. L'existence d'un « français des cités », sous la bannière symbolique du verlan, est en partie due à de telles situations, bien différentes de celles qui, par le passé, ont créé ce qu'on appelle obstinément l'« argot », réalité disparue.

L'ARGOT, DES RÉALITÉS PLURIELLES AU MYTHE SINGULIER

Depuis le procès des Coquillards au XVe siècle, le *Jargon de l'argot réformé* d'Olivier Chéreau en 1628, le bandit Cartouche roué en Grève en 1721, ou le procès retentissant qui se tint en 1800 autour des « Chauffeurs » d'Orgères (Eure-et-Loir) – ils brûlaient les pieds et les jambes de leurs victimes pour obtenir l'aveu d'un magot –, l'idée même que transmet le terme « argot » s'est considérablement brouillée. Comme on l'a vu, l'argot est entré en littérature (Balzac, Hugo, Paul Féval, Eugène Sue), et même en linguistique (les *Etudes sur l'argot et sur les idiomes analogues parlés en Europe et en Asie* du philologue Francisque Michel de 1856). On parle désormais d'argot pour tout usage lexical d'une communauté particulière : écoles – surtout les « grandes écoles » –, armées, professions, séminaires religieux… Désormais, il y a deux « argots » : celui que tout usager du français croit connaître, la « langue verte », l'argot « du milieu », celui des bagnes et des prisons ; et les usages spéciaux, les jargons professionnels, tel celui des typographes. Ces derniers « argots » n'acquièrent pas une image sociale forte : c'est l'« argot » des « classes dangereuses », confondu significativement aux « basses classes », qui constitue, dans la tête des francophones, le vrai « argot ».

D'où une confusion fréquente entre l'usage spontané oral des grandes villes – en premier lieu celui de Paris, dégagé et étudié à partir du tournant du XXe siècle – et l'« argot ». Confusion entretenue par le passage constant, à partir du moment où l'usage des malfaiteurs est diffusé (vers le milieu du XIXe siècle), de mots, de sens et d'expressions qui entrent dans l'usage courant.

En 1928, Henri Bauche, le premier descripteur systématique du « français tel qu'on le parle dans le peuple de Paris », peut encore défendre une distinction entre le langage populaire et les argots de métiers, de corporations, de milieux et même de familles, donnant pour exemples ceux des élèves des lycées ou de l'armée. La marine, le théâtre, les ouvriers « dans chaque corps de métier », les bouchers, les gens d'Eglise ont alors chacun leur argot. L'idée d'« argot », dans cette perspective, se confond avec celle de vocabulaire propre à un ensemble de personnes formant groupe.

Cependant, poursuit Henri Bauche, « l'argot des malfaiteurs, l'argot des prisons entre pour une part importante dans la formation du langage populaire ». Et il inclut dans le dictionnaire qui complète son étude les « termes d'argot USUEL », à l'exclusion des autres. Sans noter que si un mot, un sens, une expression sont « usuels », qu'ils soient populaires ou non, ils cessent par là même d'être de l'argot. Ambiguïté fondamentale.

A cette époque, les recueils énumérant des mots présentés sous l'étiquette « argot » ou « langue verte » sont déjà nombreux, depuis *Les Excentricités du langage* de Lorédan Larchey, témoin curieux de la vie secrète de Paris (Paris, E. Dentu, 1862) ou le *Dictionnaire de la langue verte* d'Alfred Delvau jusqu'au recueil signé par Bruant, en 1901, *L'Argot au xxᵉ siècle. Dictionnaire français-argot,* qui serait en réalité l'œuvre d'un certain Léon de Bercy, dit Blédor. Le *Dictionnaire français-argot et argot-français* de Georges Delesalle, en 1896, préfacé par Jean Richepin, avait déjà employé cette formule trompeuse et habilement valorisante – pour ne pas dire « publicitaire » – consistant à établir une équivalence entre ce vocabulaire marginal et la langue où il se manifestait, le français. Ce qui confère à l'argot un statut mythique qui le fera percevoir et ressentir fortement, après une littérature très vivante où se mêlent langue spontanée orale des villes et usages spéciaux du « milieu » avec d'autres vocabulaires marginaux et parfois des procédés formels portant sur les mots usuels. L'amalgame n'a plus aucun objectif de secret ni de reconnaissance, mais celui d'assumer une forme de parler marginale, hors institutions[15].

Les réalités observées, elles, sont confuses et mêlées, et toujours trop particulières. Certains estiment que, dès le milieu du XIXᵉ siècle, l'argot, jusqu'alors absolument détaché du « bas langage », est venu grossir le « vulgaire parisien » en se mêlant à lui. D'autres considèrent que le « codage » des formes ou la dissimulation du sens avaient en effet une fonction de secret (« cryptique ») jusqu'à Vidocq (les Mémoires publiés de ce bandit datent de 1828), mais que, se multipliant et se divulguant ensuite, ces procédés sont devenus surtout des jeux de langage.

Après 1920, ce que l'on continue à nommer « argot », usage qui correspond à une réalité sociale en rétraction – celle que le docteur Lacassagne, médecin des prisons lyonnaises, met en dictionnaire en 1948 et qui décrit le jargon effectif des casseurs et des prostituées de l'époque –, va s'identifier à un répertoire littéraire, diffusé par le roman, le cinéma, la chanson, et qui se mêle à la perception d'une diversité pittoresque de la parole des villes et des faubourgs. C'est lorsque les malfaiteurs de tout genre se mettent à parler « comme tout le monde », passant au français spontané oral au milieu du XXᵉ siècle, que le roman policier se met à l'argot. Grâce à Jacques Prévert, qui en eut l'idée, et à Marcel Duhamel, qui la réalisa, la fameuse « Série noire » apparut en 1945. L'originalité linguistique fut, avant de publier des textes d'argotiers français évoquant le monde de la grande délinquance (comme le fameux *Touchez pas au grisbi* d'Albert Simonin, 1953), de se servir de ce vocabulaire fortement marqué pour traduire les romans noirs venus des Etats-Unis, écrits en général dans un anglais plus conventionnel avec des éléments d'un *slang* observé ou inventé[16]. Cela souligne le caractère ludique et stylistique de l'« argot » français, plus que le reflet d'une réalité sociale. Ce caractère ira en s'accentuant jusqu'aux romanciers plus récents, Jean-Patrick Manchette, Jean-Claude Izzo, dont le vocabulaire est de moins en moins « argotique », de plus en plus « oral spontané », ou Fred Vargas, dont les textes, à la manière de la « grande littérature », évoquent divers usages, sans du tout privilégier feu l'« argot ».

Chez certains écrivains, l'argot n'est qu'une citation, un instrument de style, ses mots, ses expressions ayant été absorbés par des usages plus généraux ou dans une oralité qui peut jouer un rôle intime dans l'écriture. Les contresens ont ainsi abondé, certains se hâtant de saluer dans *Voyage au bout de la nuit* de Céline, puis dans *Mort à crédit*, non pas une révolution esthétique et expressive de la prose littéraire française, mais une habile utilisation d'un français faubourien de Paris par l'écrivain. Ce qui mettait le docteur Louis-Ferdinand Destouches en une légitime fureur.

Chez certains, comme Alphonse Boudard, l'argot est présenté comme une pseudo-langue étrangère quasi pédagogiquement expliquée, définie, située dans le temps (« un mot d'argot tombé dans l'oubli... C'était les fortifs, les lafs... », *Cinoche*). A tel point qu'il est l'auteur, avec Luc Etienne, de la savoureuse *Méthode à Mimile*, parodie des volumes d'initiation aux langues étrangères de la *Méthode Assimil*. Attitude toute différente avec un autre auteur, celui-là majeur, qui eut comme Boudard une expérience carcérale : Jean Genet. Chez lui, styliste raffiné et baroque, le mot d'argot – ou l'expression – est un bijou serti dans une prose héritière des plus grands écrivains du passé, et un jeu sur des équivoques signifiantes (*faire les pages*, ramené de l'usage argotique où *page* signifie « lit » à une rêverie de séduction homosexuelle de jeunes hommes).

Enfin, les virtuoses du calembour, de l'à-peu-près, peuvent être séduits par les possibilités supplémentaires qu'apporte au lexique français le fond argotique. Le plus inventif fut sans aucun doute Frédéric Dard, alias San Antonio, qui fait en sorte de ne plus écrire, croit-on, le français, mais le san antonio, manifestant avec virtuosité le règne de la « rime » (en prose) sur la « raison ». L'argot, qu'il utilise parfois, ne lui est pas même nécessaire.

Ainsi, l'usage lexical perdu d'un milieu délictueux, quand il n'est pas passé dans la langue la plus courante (*abasourdir, camelot, dupe, pègre, polisson* en firent partie) ou bien familière (les exemples sont innombrables), est devenu un matériel particulier pour l'écriture littéraire, la traduction, le dialogue de films, la chanson au moment même où il disparaissait de la spontanéité orale.

L'argot, réalité fictive et symbolique, continue à susciter un intérêt intense. Les publications montrent qu'un « dictionnaire d'argot », au XXIe siècle, a plus de chances de succès qu'un recueil consacré au français oral, familier, populaire, ordinaire, non conventionnel, ou tout autre adjectif de ce genre[17]. Cet intérêt est renouvelé aujourd'hui par celui porté pour les langages, qui changent, disparaissent, se renouvellent, des multitudes de sous-groupes qui forment la société générale.

De ce point de vue, s'il y a une terminologie pour chaque science, chaque technique, chaque savoir professionnel, on dira qu'il y a des argots seulement si une communauté suscite un discours particulier. Une terminologie de la médecine et un argot des médecins et des soignants, une terminologie de l'automobile et un argot de garagistes ou de pilotes de Formule 1 (différents). Selon le type d'activité et les rapports entre oral et écrit, les argots peuvent ou non apparaître. On ne connaît guère d'argot des philosophes, à côté des terminologies philosophiques, mais les argots sportifs, à côté des terminologies des sports, sont facilement observables.

Du point de vue thématique, lorsqu'on se réfère à « l'argot » ou même « aux argots », c'est en général de transgression des tabous, de contestation, de révolte contre l'autorité et la norme bourgeoise, et contre celle de l'école, qu'il s'agit. L'argot peut alors se faire le symbole d'une « langue autre » proche de ces codes à manipulations formelles qui n'ont eu que des effets limités et transitoires sur la perception du français, tel le *largonji*, qui procède en renvoyant la consonne initiale d'un mot à la fin, en y ajoutant une voyelle et en la remplaçant par un *l* : *jargon* produit *largonji*. Chez Vidocq, *borgne* fait *lorgnebé*, abrégé en *lorgne*. A la fin du XIXe siècle, les *Boches* (lui-même mot d'argot) sont des *Lochebés*, *en douce* devient *en loucedé*, etc. Sans voyelle finale, *fou* donne *louf*, plaisamment suffixé en *loufoque*. Le dictionnaire du largonji ne présente qu'une initiale, le *l*. Une variante, avec *-em* à la fin du mot, fait de *boucher* un *louchébem* (d'après la prononciation du *ché* de *boucher*). Ce code des bouchers, fait pour égarer le client et communiquer entre professionnels sans être compris, était encore vivant à Paris à la fin du xxe siècle[18].

Un autre code formel, à la mode dans la première moitié du xxe siècle, a disparu plus tôt : c'est le *javanais*, qui introduit dans le corps du mot une syllabe *-av-* : *beau* devient *baveau* ; *grosse, gravosse* (aimé de San Antonio) ; *non, navon*. Le nom, qui n'a rien à voir avec l'île de Java, peut provenir de la forme codée de *je*, pour *oui*, à savoir *jave*. Ce code, pratiqué dans les films en argot des années 1930, a donné lieu à des jeux vocaux (Arletty s'y illustra) et a survécu dans une chanson comme *La Javanaise*, de Serge Gainsbourg.

Enfin, les permutations peuvent prendre la forme d'une inversion. L'anglais connaît un *backslang* procédant par lettres (*look* devient *kool*, *tobacco occabot*, exemples donnés par Guiraud), alors que le français renverse les syllabes. Le procédé était rare avant le milieu du xxe siècle. Pierre Guiraud dans son *Argot*, en 1956, signale *Lontou* pour *Toulon* en 1842 au bagne, et, alors contemporains, *balpeau* pour *peau* (de) *balle*, *dreauper* (prononcé « *-père* ») pour *perdreau*, « policier » (dans des polars). Le verlan, *Verlen*, par inversion graphique de *l'enver(s)*, chez A. Le Breton en 1953, ou *vers l'en*, chez Gaston Esnault, plus puriste, allait devenir plus tard un procédé majeur, plus symbolique encore que ne le furent en leur temps javanais et largonji.

VERLAN, *CÉFRAN* ET *TÉCIS*

Si le procédé du verlan, qui renverse les syllabes, est ancien (Louis-Jean Calvet signale un *Bonbour* pour *Bour-*

bon en 1585), il était assez rare pour qu'Auguste Le Breton ait cru l'avoir créé avec quelques autres malfrats en
1940-1941. Jean Monod, dans un article de la revue *Les
Temps modernes*, disait en avoir observé l'usage dans les
prisons[19]. Mais la formule ne fut révélée au grand public
que par une chanson de Renaud, *Laisse béton* (arrangement graphique du verlan de *tomber*), puis par un
film, *Les Ripoux*, de *pourri*, à propos de flics malhonnêtes, curieusement affublé d'un pluriel évoquant l'orthographe scolaire (*ripoux* comme *poux, genoux, cailloux*,
plutôt que *ripous*), comme pour mieux afficher l'intention de s'intégrer au français écrit conventionnel. Dans les
années 1970 et 1980, les mots ainsi transformés se multiplient ; ils finissent par faire l'objet de recueils, puis par
entrer, pour quelques-uns, dans les dictionnaires généraux, ce qui traduit leur diffusion hors du milieu d'origine. Les procédés du verlan ne sont pas toujours
simples : si le *métro* devient bien *tromé*, syllabe pour syllabe, *flic* est traité en *flikeu*, renversé en *keufli*, abrégé en
keuf, ou encore *arabe* en *(a)rabeu*, d'où *beur(a)* et *femme*
(*fam'*) en *meufa* puis *meuf*. Ainsi, les consonnes sont
conservées, mais les voyelles de départ parfois transfor-
mées. Au-delà de deux syllabes, l'ordre est variable : 1-2-
3 donne 3-2-1, 2-3-1 ou encore 3-1-2 (*léancu* correspond
à *enculé*).

Cet aspect de la créativité lexicale, produisant un
sous-vocabulaire comme le faisaient tous les codes argotiques précédents, n'est plus ni un usage de délinquants
(comme l'argot), ni un usage de groupe prédéfini (un
argot d'école, de métier, d'atelier...), mais s'insère dans
un emploi collectif du français qu'on ne peut caractériser
que par la sociologie.

Si ce qu'on nomme « verlan », et qui désigne souvent
un ensemble de faits étrangers à ce vocabulaire mais qui
lui sont associés, est devenu un emblème, c'est évidemment à cause de la nouveauté de la situation sociale qui
en fournit les usagers. D'ailleurs, on désigne les mêmes
particularités par des étiquettes tout aussi erronées, « lan-

gage des jeunes » alors que seuls certains jeunes l'utilisent, « langage des banlieues », cette notion de banlieue devant être précisée, plus récemment « langage des cités » par un sens nouveau donné à ce mot, souvent remplacé par « quartier » dans l'usage des intéressés.

Malgré le caractère argotique, cryptique et de marqueur social du procédé qu'est le verlan, tout oppose cet usage à ce qu'était l'« argot » vers 1900 ou 1930. C'est un langage de génération, avec des caractères propres à la parole adolescente, c'est un langage marqué par l'origine géographique des locuteurs enfants ou descendants d'immigrés en majorité maghrébins, africains de l'Ouest, antillais, mêlés à de jeunes Français d'origine modeste et de descendants d'immigrés européens prolétaires (on a désigné positivement cette pluralité d'origine par le slogan d'abord sportif de « blacks – blancs – beurs ») ; c'est un usage propre à un milieu spécifique, les « cités » dans les banlieues des grandes villes – ce qui le subdivise en sous-groupes géographiques : les jeunes des banlieues parisiennes ne parlent pas comme ceux de Marseille, de Strasbourg ou même de Lille, de Lyon, etc. C'est, encore en apposition à l'« argot » entendu au sens le plus courant, un usage qui possède sa phonétique propre, absolument étrangère à l'accent parigot d'antan, et, sinon sa syntaxe – c'est celle de la langue populaire urbaine, avec ses variantes mais avec des influences dues à différents usages bilingues, français d'Afrique du Nord, influencé par l'italien ou l'espagnol, français des Caraïbes, influencé par le créole, français d'Afrique subsaharienne, etc. –, du moins une rhétorique spécifique, utilisée esthétiquement par le rap. Le vocabulaire est donc loin d'être seul en cause et ce type d'usage du français, associé à ce qu'on appelle faute de mieux la « culture des banlieues » (repérée par la dénomination « hip-hop », avec le rap, les tags et graffes, toutes pratiques issues des Etats-Unis), fait l'objet d'une perception courante assez fictive conduisant vers une série de mythes qu'entraînent les réputations de danger entretenues par des événements violents, nom-

breux mais très minoritaires, et par les intéressés eux-
mêmes.

On peut aussi reconnaître dans ces usages composites
et codés des anglicismes nord-américains, des obscénités,
des « insultes rituelles », des emprunts au français argotique et aux langues de l'immigration, arabe, créole, langues africaines, tous éléments auxquels il faut ajouter un
« accent », une phonétique très reconnaissable, sur fond
de prononciation régionale (parisienne, lilloise, de l'Ouest,
d'Aquitaine, provençale, marseillaise…), selon l'implantation des cités.

Ce langage est interprété comme un signe d'appartenance identitaire, le caractère inversé du verlan symboli-
sant le retournement de la norme à l'intérieur d'une
culture spécifique, dont tous les repères sont empruntés
aux Etats-Unis et notamment à la Californie et aux milieux
« afro-américains », comme il est correct de dire. De même
qu'un habillement codifié, ce « langage » est un usage
social. Usage du français de France (car on n'observe
rien de tel en Belgique ou au Québec), non pas un pidgin, un créole ou un slang. Il relèverait d'une culture
particulière, qu'on désigne, pour simplifier, sous l'étiquette du hip-hop, plus récente que le verlan mais qui
tend à l'absorber. Un effet de cette culture et de ce « langage », de nature quasi littéraire ou poétique, est le rap ;
un autre les « vannes », plaisanteries, insultes, moqueries, obscénités (emblématique : « nique ta mère ! »,
abrégé en « ta mère ! »), plus ou moins calquées de ce
que les linguistes appellent les (*dirty*) *dozens* à propos
des ghettos noirs des Etats-Unis, avec l'idée de séries, de
litanies. Les échanges de vannes sont un exercice langagier d'affrontement, parfois appelé la « tchatche ».

Le contexte dans lequel ces usages se sont développés,
fait des loisirs forcés dus au chômage, d'un sentiment
d'abandon, sous-tendu par des relations économiques
délictueuses (le deal, la fauche et la revente… ; on parle
d'« économie souterraine »), est aussi particulier que
l'était celui des macs, des putes et des casseurs argotiers

de la première moitié du xxᵉ siècle. Mais il est plus visible. L'image du « milieu » de l'argot, qui était caché, était fantasmée ; celle du verlan et de ses usagers est déformée. Les deux sont, au moins dans l'opinion française, hypertrophiés par la fabrique de mythes que constituent les médias. Mais les médias ont changé : en 1920, la « langue verte » n'était représentée que par la littérature, très peu par la presse, rarement par le cinéma (le célèbre film *Fric-Frac*). Dans les années 2000, la presse et la télévision affichent à la fois les réalités du langage et ses images.

Un point commun, cependant : l'extraction de mots et d'expressions de leur usage initial et leur passage dans le français oral familier, auprès de jeunes tout à fait étrangers au monde des « cités », qui empruntent mots et expressions à ces « *técis* », ou parfois d'adultes qui ne veulent pas être dépassés par leurs enfants, selon un processus assez superficiel : il en va comme d'une langue étrangère dont on retient vingt mots.

Mais, comme le fut et l'est encore l'« argot » en tant qu'usage reconstruit et à demi mythique de la langue française, le « verlan » est actif dans l'ensemble de l'opinion française (laissant indifférents les autres francophones).

Le « franglais »

Toutes les histoires et les descriptions de la langue française soulignent, aux xixᵉ et xxᵉ siècles et ensuite, le flux grossissant de mots, d'expressions pris par le français à l'anglais. Les jugements induits par ce phénomène sont très variables.

Les premiers emprunts à l'anglais sont médiévaux (exemples : le mot *nord*, le nom des *Normands*), mais ce contingent resta faible malgré les contacts étroits entre les deux langues. C'est à partir du xviiᵉ siècle et du xviiiᵉ siècle que l'intérêt porté aux institutions parlementaires et à des découvertes scientifiques a fait passer de nombreux mots et des concepts à travers la Manche, parfois d'origine latine. Sur un autre plan, au début du XIXe siècle, Stendhal truffe son journal de mots anglais (et italiens). Puis, on l'a vu, des domaines techniques entiers seront au XIXe siècle tributaires des désignations britanniques, lesquelles touchent aussi les modes de vie : la tranche de bœuf n'avait nul besoin de devenir, en français, *beefsteak*, puis *steak* ; mais la consommation de grillades était peu pratiquée en France. C'est en Grande-Bretagne que se codifient à peu près toutes les activités physiques dénommées *sports*, d'après l'ancien français *desport* : en s'acclimatant, ces mots anglais sont adaptés phonétiquement : *football*, *rugby* changent de sens, mais s'écrivent à l'anglaise. La refrancisation de ces vocabulaires est fonction de leur popularité : en « *foute* », le *goal* peut devenir *gardien*, mais en « golf », tout se dit en anglais prononcé à la française, du « *grine* » au « *beurdi* » (*green*, *birdie*).

La fin du XIXe siècle et le début du XXe sont marqués par l'apparition d'une autre source pour l'anglicisme : les États-Unis d'Amérique. La prépondérance de ce pays dans la vie économique, scientifique, technique, dans tous ses aspects, l'expression en anglais d'activités menées par des chercheurs du monde entier, la domination sur le plan militaire, financier, médiatique, sur la partie du monde qui n'était pas contrôlée par l'URSS ou la Chine durant toute la guerre froide, en fit la source d'expression la plus influente du monde. En outre, l'usage international d'une forme volontairement appauvrie de l'anglo-américain (le *basic English*, puis le *globish*), la présence, outre les mots anglo-saxons d'origine germanique, de très nombreuses formations latino-grecques et – pour le français – de formes empruntées au latin existant aussi en français, mais en un sens différent, tels *initier*, *supporter*…, produisent dans la langue cible des perturbations, à côté d'un enrichissement. En Europe, pour ce qui est des langues romanes, on estime que le français et l'italien sont les plus touchés, l'espagnol l'étant deux fois moins, le portugais et le roumain moins encore[20].

Pour passer du matériel observé[21] à ce qui est ressenti, aux images sociales, il faut tenir compte de l'identification de l'anglicisme par l'usager. L'emprunt graphique direct est généralement reconnu ; il l'est moins lorsqu'il est traité à l'oral (exemple : *rail*) ; moins encore s'il est réécrit et francisé. Le calque ne l'est guère : *souris* d'ordinateur est senti comme une gentille métaphore française, non comme un calque de *mouse*. De très nombreuses expressions venues de l'anglais sont reçues comme françaises (exemples : les *chaises musicales, jeter le bébé avec l'eau du bain*). Des emprunts passés par l'anglais sont attribués à la langue d'origine (exemples : *catamaran, marina*), mais d'autres sont considérés comme étatsuniens (exemple : *ketchup*). Quand le mot anglais ou américain est d'origine latine, une sérieuse confusion sémantique peut se créer, sans être perçue comme anglicisme par les usagers (*réaliser, supporter*, engendré par *supporter*, nom masculin, *initier*, etc., dénoncés par « ceux qui savent »). Dans l'usage scientifique comme dans la langue courante, de nombreux anglicismes objectifs, soit anciens (*club, rail, sport, bar*), soit nécessaires dans une terminologie (le *spin* de l'électron), sont peu perçus et ne sont pas critiqués.

C'est admettre que la guerre contre l'anglicisation du lexique français ne concerne qu'une partie des anglicismes réels. A la limite, le caractère d'anglicisme, et même d'emprunt ou de calque, n'est pas clair. Un concept récent et important en biologie, appelé en français « cellule souche », est-il un anglicisme, du fait que cette expression n'apparaît qu'après l'expression anglaise créée aux Etats-Unis et qu'elle traduit : *stem cell* ? Il faudrait pour trancher distinguer le phénomène conceptuel et terminologique dans une spécialité (la biologie, en l'occurrence) du phénomène d'échange entre deux langues. La réponse, dans tous les cas, est assez arbitraire.

Le mythe du « franglais » diffusé par Etiemble (*Parlez-vous franglais ?*), qui hésita entre ce terme qui exprime l'hybridité et « babélien », rappelle celui du « langage françoys italianizé » mis en scène au XVIᵉ siècle par Henri

Estienne. Dans l'un et l'autre cas, c'est la fabrique de phrases peu vraisemblables artificiellement bourrées d'emprunts ou d'incongruités faciles à repérer et à dénoncer qui le nourrit. Pour autant, l'anglicisation ressentie du français repose sur des faits réels. Du point de vue d'Etiemble, d'ailleurs, la situation s'est aggravée, depuis le « babélien ». Mais la mesure du réel langagier est plus qu'incertaine : le pourcentage d'anglicismes et d'américanismes dans un dictionnaire général du français ne rend pas compte des influences discrètes, ni des flots terminologiques. Il semble se situer autour de 6 % du vocabulaire total, ce qui est à la fois énorme – et ce taux augmente – et modeste – il suffit de l'apprécier par rapport à l'arrivée du vocabulaire normand, français et latin en anglais après le XIIIᵉ siècle.

Mais tout change si on répertorie les mots venus de la langue anglaise, non dans les listes de dictionnaires, mais dans des textes, tenant alors compte de la fréquence réelle, du poids sur la langue productrice de discours. Alors, l'influence « anglaise » n'est plus que de 0,6 % – dix fois moins qu'en nombre de mots différents – avec pour corpus un journal comme *Le Monde*[22]. D'autres auteurs ont montré que le taux d'anglicismes dans les dictionnaires français avait diminué entre 1960 et 1980 par rapport aux vingt années précédentes[23]. D'autres études[24] confirment l'impression générale : le discours catastrophiste des Cassandre sur ce thème repose sur des impressions, des irritations et des accumulations de remarques ponctuelles soigneusement mises en scène.

L'influence de l'anglais sur le français ne se limite pas aux terminologies et aux vocabulaires courants, mais atteint le rapport écrit-oral (les lettres *oo*, même dans des mots d'origine grecque comme *noos*, sont souvent lues « ou », le prénom *Peter* est prononcé *piteur* même si l'intéressé est allemand, etc.) et même la syntaxe (la « positive attitude »). Ainsi, des verbes changent de régime, d'après la souplesse d'emploi des équivalents anglais. « Jouer l'adversaire », « jouer un instrument » (et non pas « contre », « du ») sont calqués sur *to play*.

Les effets de ces réelles perturbations sont diversement appréciés. Pour certains[25], l'anglicisation du vocabulaire empêche le français de créer ses mots nouveaux. Pour d'autres, moins angoissés, l'envahissement par l'anglais est fonction des domaines et des types d'usagers et n'est jamais apprécié globalement. Les « élites » seraient-elles coupables d'un « grand délaissement[26] » ? Ce genre de généralités – les élites contre la langue, le peuple qui la défend – repose bien sur des observations objectives, mais très partielles et abusivement généralisées. Tout comme celles qui dénoncent l'enseignement privilégié de l'anglais première langue étrangère en francophonie, ou bien quand on constate que l'anglais est dans « les sciences » – non pas dans telle science – quasiment la seule langue où les « résultats primaires » de la recherche sont publiés[27]. Il est incontestable aussi que les pays francophones sont envahis de mauvais anglais publicitaire, que l'hôtellerie, l'aviation et d'autres services considèrent l'anglais comme nécessaire, où qu'on soit dans le monde, tout en le massacrant assez souvent.

Certes, la forte présence de l'anglais dans certains usages est une réalité, mais, pour en parler, les raisonnements de certains tournent au triomphe de l'idéologie – en général nationaliste – sur la raison. Derrière « l'anglais », ce sont parfois quelques thèmes fortement ressentis qui transparaissent : la domination insupportable des Etats-Unis, la paresse et la complaisance des médias, la faiblesse et la passivité des classes dominantes francophones, notamment en finance, économie, technologie, la démission des élites et celle de l'école, coupable de tous les maux : dégradation du français, perte de l'orthographe, illettrisme croissant…

D'autres langues que le français souffrent de ces jugements hâtifs et intéressés ; d'autres pays francophones que la France, mais de manière moins criante. La raison en est probablement que la situation linguistique de la France alimente les fictions : l'unilinguisme majoritaire et rêvé s'y rebiffe contre le multilinguisme réel, mais faiblement représenté ; la politique de l'inutile et les institutions symboliques additionnent les pavés des bonnes intentions ; le nationalisme partout à l'œuvre y est très peu corrigé. Le ressenti et donc la volonté de réagir y sont plus étrangers qu'ailleurs aux réalités observables.

en revanche que le français a plusieurs actualisations, plusieurs facettes, plusieurs réalisations, c'est adopter, à côté du concept de « langue » et soumis à lui, celui d'« usage », sans négliger qu'aussi bien défini soit-il, un usage du français (local, temporel, social, dans une situation, pour remplir un besoin, etc.) est encore une abstraction, qu'on ne peut qu'induire de l'observable, qui est fait de paroles et d'écrits, de « discours » émis par des individus, reçus (pas forcément) par d'autres.

Entre la multiplicité des discours, plus grande infiniment que celle des individus, et l'unicité de la langue, la remontée est lente et périlleuse. Aussi bien ne peut-on éviter une idée longtemps négligée, longtemps masquée, et ce n'est pas celle de l'oralité, mais bien de la *variation*.

Une langue n'existe que dans la variation, qui produit la variété de ses usages ; ces usages par leur variété interne et même le discours individuel selon les situations, l'humeur, le temps qu'il fait…

Concernant l'oralité, la langue orale, plusieurs grandes situations se manifestent, et considérer le français contemporain oral comme une entité à opposer à une autre, pour inventer une langue autre, c'est aller un peu vite.

Le grand médiéviste Paul Zumthor distinguait « trois types d'oralité », correspondant à trois « situations de culture » : l'un, primaire, privé de tout contact avec l'écriture, « qui se rencontre seulement dans des sociétés dépourvues de tout système de symbolisation graphique, soit dans des groupes sociaux isolés et analphabètes » ; un autre qu'il appelle « mixte », qui procède de l'existence d'une culture écrite mais où « l'influence de l'écrit demeure externe, partielle et retardée » ; et enfin un troisième type, l'oralité *seconde*, fruit d'une culture lettrée, quand l'oralité « se recompose à partir de l'écriture au sein d'un milieu où celle-ci tend à exténuer les valeurs de la voix dans l'usage et dans l'imaginaire »[4].

Il est clair que le français oral du xxᵉ siècle ne peut appartenir qu'au troisième type distingué par Paul Zumthor ; que seuls les analphabètes ayant acquis un usage du français dans une culture purement orale – des pay-sans africains devant y recourir, ou les esclaves des plan-tations du XVIIIe siècle élaborant un créole – sont témoins de l'oralité première et pure.

Tout manifeste, dans cette affaire, la « mixité » et la « secondarité » du français parlé contemporain. Inverse-ment, la représentation d'usages et de discours oraux dans l'écriture a engendré, surtout à partir du milieu du XIXe siècle (mais plus rarement à toutes époques), une écriture mixte du français, sous la forme plusieurs fois évoquée dans ce livre de transcriptions littéraires de l'oral « populaire ».

Car on a beaucoup glosé et écrit, non sans raison, sur le français « populaire », sans jamais pouvoir définir cet adjectif chargé d'affects. Lorsque Henri Bauche, en 1920, décrit ce qu'il nomme « langage populaire », c'est « du français tel qu'on le *parle* dans le peuple de Paris » et de nul autre qu'il s'agit. Un usage social et local, et temporel (moderne, actuel) de la langue française « parlée » ? De fait, c'est bien l'aspect parlé de ce « français populaire » qui l'intéressait, différent de celui du « langage correct » et de celui du « langage familier ».

Près de septante années après, une linguiste déjà nom-mée, Françoise Gadet, cherche à désigner ce qui, étant très différent du français « soutenu », « recherché », « litté-raire », « normé », ne serait pour autant « pas non plus (ou pas seulement) le français oral ou parlé, puisqu'il peut s'écrire ». Et elle propose « français ordinaire[5] ». Toute l'analyse est fondée sur la description de la parole sponta-née en français, dont s'occupent de plus en plus les lin-guistes.

Cependant, si l'idée d'un français « oral » nettement dis-tinct n'est pas plus claire que celle d'un français « popu-laire » – mais à coup sûr différente –, celle d'un français « ordinaire » ou « commun » ou « banal », dont on ne voit pas à quoi elle pourrait s'opposer (« extraordinaire », « exceptionnel », « rare » ?), ne paraît pas plus nette, ni plus opératoire.

Quant à la dichotomie écrit-parlé, dont on vient de voir combien elle était ambiguë et sans doute trompeuse, au moins est-elle observable, et l'on peut aisément montrer à quel point les lois de la formation du discours à l'écrit sont distinctes de celles de l'oral, qui dans sa temporalité linéaire non corrigeable produit de nombreux phénomènes parasitaires dans l'organisation sémantique, phonétique ou syntaxique de l'énoncé qu'il faudrait envisager comme des faits fonctionnels instables, mais structurants[6]. La grammaire de l'oral ne peut être celle de l'écrit ; mais c'est l'écrit, historiquement, qui a été le matériel et le moyen de toute « grammatisation » des langues à écriture.

Un écart s'est creusé entre le repérage grammatical qui fonctionne à l'oral et celui qu'on peut décrire en se référant à l'écrit. Dans « lézanfan », écrit *les enfants*, il suffit de constater que la marque du pluriel, par rapport à « lanfan », *l'enfant*, n'est pas la même à l'oral qu'à l'écrit, où deux *s* ajoutés au nom et à l'article *le* (transformé en *l'*), l'un muet (celui de *enfants*), l'autre sonore doublement par la voyelle *é* et le son *z*, compliquent sans nécessité l'opposition *l*, *léz* (ou celle qu'on peut redoubler : « l – lé ; anfan – zanfan »). Partout, le système graphique trahit et complique celui des sons ; tout cela, cent fois décrit et expliqué. Tandis que les sons du français évoluent, varient d'un lieu à l'autre et que la norme d'un seul bon usage est simplement impensable, les lettres latines déviées de leur office antique forment un système qu'on ne parvient à modifier qu'à grand-peine, et où la variété évidente des modes du parler normaux (les *e* dits « muets » sans doute pour ennuyer les locuteurs du sud de la France, les *b* et *v* assourdis en *p* et *f* en Alsace) substitue un modèle unique, par rapport auquel tout écart est une faute.

Cependant, quand les linguistes ont reconnu l'absurdité du figement orthographique, que se passe-t-il ? Des « tolérances » admises par l'école et qui ne sont guère appliquées ; des mini-réformettes proposées et jamais suivies. En un mot, rien.

Cela dit, qu'observe-t-on, en ce terrible XXᵉ siècle – enfin mort, lui aussi, sans que rien d'essentiel change – et au début du troisième millénaire ?

Que le français parlé et le français écrit continuent de plus belle à se parler et à s'écrire, mais aussi que, de plus en plus, ils se mêlent, interfèrent, échangent leurs pouvoirs, se déversent l'un en l'autre. Ce qui rend nécessaire une distinction entre production de son par la voix et pour l'ouïe, et « oralité » ; entre geste de la main qui mime un tracé appris, du doigt qui frappe la touche, et « écriture ». D'un côté, deux « canaux » sensoriels de communication très distincts ; de l'autre, deux productions rendues possibles par cette aptitude anthropologique, le langage. Cela, encore compliqué par le « langage des signes » qui permet aux sourds de converser et qui ressemble linguistiquement à de l'oral, tout en étant transmis par le canal visuel, comme une écriture.

PAROLES RAPPORTÉES

Un exemple séculaire de ce va-et-vient, le théâtre ; un autre, où intervient un supplément sonore présent dans toute parole, mais qui la transcende, la musique vocale.

Du côté du théâtre, après la Première Guerre mondiale, la production est très centralisée autour de Paris et d'une bourgeoisie « moyenne ». La comédie domine, où il est aisé de caractériser les personnages par un type de discours. Dans une pièce de Tristan Bernard, *My love… mon amour !* (1922), tandis que les uns emploient un usage supposé neutre (il ne l'est plus pour nous) et les autres un langage vaguement argotique, un vieux serviteur tient un discours dont la naïveté populaire peut évoquer une origine rurale : « J'vais tout de même y dire que vous êtes là, puisque je vous cause et, quand je cause, je sais plus c'qui faut causer ou pas causer. ». L'écrivain conserve ici une graphie convenue, transcrivant toutefois ailleurs dans la pièce « milieu » en *miyeu*, ce qui doit guider l'oralisation du comédien[7].

La variété des usages sert de ressort comique lorsque le français argotisé est confronté au langage petit-bourgeois. Là est l'origine du succès de *Fric-Frac* (1936) dont fut tiré un film où Arletty et Michel Simon étourdissaient de leur lexique, et de leur accent parigot, un Fernandel bien convenable et ahuri.

Mais les pièces à succès jouaient sur des registres plus discrets. Ce qui n'empêchait pas De Flers et Caillavet, dans *Les Vignes du Seigneur* (1923), de moduler habilement les paroles sociales et de tirer parti d'un autre type de variété dans le parler, en exploitant la représentation du discours de l'ivrogne sentimental. Le théâtre bourgeois ou esthétique de l'époque s'efforce de dépasser la classe sociale à laquelle il se destine, soit avec modération et esprit, par exemple chez Sacha Guitry, soit dans la recherche rhétorique qui transmue en discours poétique un parler rural archaïsant, ou l'insolence du milliardaire de *Partage de midi* (Claudel).

S'agissant d'oralité, on peut saluer à cette époque l'agonie bavarde du théâtre en vers, que des comédiens déclament avec une emphase démodée. Une histoire de la déclamation reste à faire.

Au sujet de la représentation des variétés du français au théâtre, on ne peut oublier Marcel Pagnol, qui, dans *Topaze* (1926), accompagne linguistiquement le parcours d'un petit professeur timoré vers les milieux politiques riches et malhonnêtes, ni, bien sûr, les comédies marseillaises *Marius* (1929) et *Fanny* (1931), qui transforment les réalités observées du discours populaire régional en images symboliques durables (alors qu'on ne parle plus du tout à Marseille, au xxie siècle, comme dans ces pièces).

Ces reflets de la parole sociale, dans l'autre théâtre, celui des poètes et des plus grands écrivains, laissent place soit aux raffinements de l'usage littéraire (Giraudoux), soit à l'ébullition poétique inaugurée par Apollinaire (*Les Mamelles de Tirésias*), Cocteau (*Les Mariés de la Tour Eiffel*) et le surréalisme.

Après 1945, un profond renouvellement de l'écriture théâtrale se manifeste. La reproduction allusive ou grossière des variations du discours est abandonnée au théâtre de boulevard, qui perd la plupart de ses charmes. C'est la critique sociale et politique qui l'emporte, avec Camus et Sartre, et surtout c'est la mise en scène, à travers les discours particuliers, de la force du verbe – au sens mallarméen – et de la dérision du langage ordinaire. Mais le théâtre au-delà des langues naturelles, parlant « un langage concret » (Antonin Artaud), est bien obligé, sauf à devenir mimodrame, d'emprunter à la parole héritée. Il s'agit donc de la subvertir, en mettant sur la scène la machine de guerre (« la poésie est une salve contre l'habitude », Pichette).

Henri Pichette, Georges Schéhadé, Jacques Audiberti, Jean Tardieu, Jean Genet, Eugène Ionesco, Jean Vauthier, Samuel Beckett, Valère Novarina, sont tous des écrivains producteurs de parole, qui puisent dans le réservoir des nombreux usages du français leur matériel verbal, débarrassés du souci d'homogénéité qu'on trouvait dans le théâtre hautain de Montherlant ou dans le ton moyen d'Anouilh.

Car l'expression, la poésie, le symbole, la vérité peuvent naître de tout type d'usage. On a loué ou vilipendé le passage des *Epiphanies* où Henri Pichette transforme en verbes tous les mots qu'il rameute (ça commence avec *je t'aime*, dans l'évidence, continue avec *je te vertige*, se répand en « [je] t'hirondelle te reptile t'anémone te pouliche te cigale te nageoire […] » et même « te chaise te table te lucarne »). Travail sur le lexique, mais, malgré Hugo, même plus de « paix à la syntaxe ». Et, dans le torrent poétique, le vrai parler : « Dis, monsieur, c'est vrai qu'ils vont venir les clowns ? »

Les créateurs suivent la trace d'Artaud, dans *Le Théâtre et son double* : « faire servir le langage à exprimer ce qu'il n'exprime pas d'habitude, […] s'en servir d'une façon nouvelle, exceptionnelle et inaccoutumée [...] ». Or, créer un langage nouveau au théâtre, c'est travailler la voix, non seulement dans les énoncés supposés signifiants, en épuisant leur signifiance, mais dans le cri, le soupir, le vagissement et le silence même. Le sommet de l'agression du sens dans la production vocale irrépressible, on le trouve chez Beckett, qui parvient à mimer en logorrhée le vide agité d'une pensée en train de crever (le monologue de Lucky dans *En attendant Godot*), qui donne l'écho du magnétophone pour abolir le temps du langage (*La Dernière Bande*). Le vertige de la voix qui ne parvient pas à se taire, à finir (*Fin de partie*), la construction rigoureuse des débris de parole sont au-delà de toute langue. Chez Beckett, ils se réalisent en anglais, en français, non pas indifféremment, mais avec autant de puissance. Beckett est un maître du français ordinaire, du français lettré, pédant ou incolore. Il épuise la langue pour tuer le langage, sans faire cesser la comédie de la parole. La neutralisation des langues et de Babel en français, c'est l'affaire d'Ionesco, qui dévoile ses batteries en créant une sorte de méthode Assimil « français courant-français ordinaire » dans *La Leçon*.

Le réalisme social des parlers, des usages parlés, est abandonné chez tous ceux qui subvertissent la parole dans leur écriture, au théâtre et plus encore dans la prose à lire silencieusement. Restent les jeux sur le lexique (Jean Tardieu : *Un mot pour un autre*), la poétique du baroque utilisant tous les registres (Jacques Audiberti), l'invention de mini-langues nouvelles, comme dans *Génousie* de René de Obaldia. Cependant, qu'il s'agisse de théâtre ou non (chez Beckett, Genet, Pichette, Audiberti..., dans le roman ou le poème), les modulations du français contemporain sont moins prégnantes que le combat du langage contre lui-même, du son contre le sens, de la voix contre le silence, et de l'écriture contre le « vide papier que sa blancheur défend » (Mallarmé).

Du côté du roman, si l'on fait abstraction des goûts et des jugements de valeur pour ne se placer que sur le plan

de l'observation et du « rendu » exact des oralités rappor-
tées, on peut ne retenir, à titre exemplaire, que trois grands
témoins de l'écoute des « parlures » : Proust, de toute
autre manière Céline et, dans l'humour de la théorie appliquée, Queneau. Le dernier nommé approfondit la tradition dans une transcription plus fidèle de l'oral ; les deux
premiers ne s'attaquent pas plus à la vieille orthographe
que ne le faisait Flaubert. Les pseudo-graphismes de l'oralité
deviennent une spécialité : celle des « argotiers » comme
Le Breton ou Boudard.

Indépendamment d'une évolution stylistique bien connue
et étudiée, l'écriture romanesque ne cesse de s'intéresser à
la parole : face à la subversion syntaxique et rythmique de
Céline, servie par un vocabulaire qui va du populaire au
raffiné, d'autres subversions se manifestent, par exemple
avec Nathalie Sarraute et ses « tropismes » de langage
(*Tropismes*, 1938). Les signes partiels de l'oralité – de
nombreuses oralités – s'introduisent de plus en plus dans
le projet littéraire, avec le style indirect libre d'Aragon,
avec le mélange de formes appartenant à des usages
incompatibles chez Queneau quand il court d'un imparfait du subjonctif à une expression populaire, du vocabulaire médiéval à la parole contemporaine (*Les Fleurs
bleues*).

Au-delà de la caractérisation des personnages par leurs
manières de dire – admirablement déployée par Proust,
décidément grand « sociolinguiste » –, ce sont des structures de l'énonciation orale qui pénètrent le texte. « Le
problème présent et, me semble-t-il, peu remarqué, de la
forme est celui d'un langage parlé, atteignant cependant à
la qualité du style », répondait Malraux en 1934 à une
question sur les problèmes de formes qui occupent le plus
les écrivains français[8]. L'effet du *Voyage au bout de la nuit*,
paru en 1932, y était pour quelque chose.

Quant à Queneau, si ses transcriptions présumées
« phonétiques » sont plus abouties que celles de ses prédécesseurs, Bruant ou Richepin, on peut penser qu'elles instaurent non pas un néofrançais d'essence orale et

spontanée, mais une néographie consciente de ne pouvoir être acceptée socialement. Autrement dit, et comme avec Céline, assez loin du peuple, pour ces *happy few* inventés par Stendhal – ou plutôt tirés de Shakespeare – et qui sont la plaie délicieuse de la littérature française.

Paradoxe, donc, que ces déclarations à Georges Charbonnier, où l'auteur de *Si tu t'imagines...* et de *Zazie dans le métro* dit qu'il a « envie d'écrire dans la langue [...] de tout le monde », qu'il n'a pas « envie d'écrire en latin ». Or, rien n'est plus éloigné de la langue de tout le monde que celle, élaborée, qui a produit *Les Fleurs bleues* ou *Le Vol d'Icare...* Aussi bien Queneau revendiquait-il l'appellation de « néofrançais » précisément pour se démarquer de toute idée de « notation phonographique du langage parlé », comme il l'explicitait dans un entretien radiophonique avec Georges Charbonnier en 1962. Ce n'est pas une parole que Queneau veut transcrire, c'est une langue, c'est le tout d'une structure qui incarne pour nous le langage. D'où le fait que l'affaire de l'orthographe ne soit pas essentielle, d'une part, et qu'il y ait également, dans ce « néofrançais » comme dans la langue « écrite » ou « classique », des « valeurs de style ».

En effet, il est facile de distinguer les nombreuses modalités de l'oral comme celles de l'écrit, certaines applicables aux deux formes. Il existe un usage spontané, destiné à l'expression et à la communication sans souci supplémentaire, ni de correction (par rapport à une norme prédéfinie), ni d'élégance ou de style : le bavardage, les échanges quotidiens, familiaux, intimes ou socialisés, pour l'oral ; les lettres, messages, griffonnages, aujourd'hui les courriels, les blogs, pour l'écrit. Les échanges suivis, les conversations peuvent relever, à l'oral, d'un modèle plus élaboré, défini par une esthétique d'époque. Mais existe aussi un oral préparé, exposé à un auditoire, qui se rapproche souvent de l'écrit apprêté pour une diffusion (orale : théâtre, dialogues de films, textes de chansons, etc. ; écrite, par l'imprimerie ou l'Internet). Enfin, si l'écrit est matériellement normé – par la typographie, mais aussi la mise en pages, le contact avec l'image, etc. –, il sert de matériau au journal, au magazine, à la publicité visuelle, et sa validation sociale maximale peut s'appeler « littérature ».

Le texte littéraire, le livre, éminemment écrit, a un équivalent oral, linguistiquement organisé par des rhétoriques : cela va des prédications aux discours politiques, de l'efficacité dans l'action au projet esthétique. Certains discours, et même des interviews ou entretiens et chroniques radiophoniques, voire un texte très écrit destiné à être proféré (*Télévision*, de Jacques Lacan, d'ailleurs accompagné de sous-titres écrits lors de sa diffusion), sont aussi des textes éditables et édités, qu'ils soient ou non catalogués comme « littéraires ».

Ainsi, au fil du xxᵉ siècle, la distinction oral-écrit se sera-t-elle brouillée, et la communication sociale, parlée comme écrite, aura-elle été radicalement modifiée par les nouvelles techniques.

Dans un ouvrage intitulé de manière significative *Français écrit français parlé*[9], le linguiste Aurélien Sauvageot, spécialiste du hongrois et du français langue étrangère, remarquait que si la langue parlée, au début du xxᵉ siècle, ne faisait pas concurrence à l'écrit, il n'en était plus de même au moment où il s'exprimait, au début des années 1960. Il notait qu'« à la communication par la presse, les livres, [s'était ajoutée] celle par le téléphone, la radiodiffusion », et examinait les conséquences de cette situation, notamment la « transposition de l'écrit en parlé ».

En effet, la technicisation du français d'Europe et du Canada, à partir du début du xxᵉ siècle, s'inscrit dans la problématique de l'oral et de l'écrit et de leurs besoins communs. Historiquement, deux stades sont à distinguer : celui de l'enregistrement et de la radio, qui crée des situations langagières nouvelles dans la première moitié du siècle, accompagné, au début des années 1930, par l'apparition d'un cinéma qui parle ; puis, des années 1960 à nos jours, l'invasion télévisuelle, qui est aussi

« télé-auditive », et enfin la contre-attaque massive de l'écriture avec l'informatique et la « Toile ».

PAROLES GELÉES, ÉCRITURES DÉGELÉES :
RADIOPHONIE, DISQUE, CHANSON

A partir du début du XXᵉ siècle, si l'adage latin *verba volant* ne cesse d'être vrai, on peut commencer à dire *verba manent*.

Trois techniques sont presque contemporaines : l'enregistrement, la transmission sans fil, le cinéma. Ce dernier restera muet jusqu'en 1928 ; mais, comme il s'inspire, après les balbutiements initiaux, du théâtre ou de la narration romanesque, il a besoin des mots : son discours sera donc écrit, rompu, élémentaire. Les intertitres naïfs, entourés de gracieuses accolades, font aujourd'hui sourire. N'empêche : outre qu'ils orientaient la compréhension du spectateur dans ce flot d'images mouvantes, instants de repos pour l'œil, ils constituaient une phase nouvelle dans le mariage hasardeux de l'image et du langage. A la même époque cette combinaison de signes, où un texte écrit fixe l'ambiguïté sémantique de l'image, faisait son apparition dans le journal quotidien aux Etats-Unis, dans les publications enfantines en Europe : la bande dessinée – d'abord histoire en images légendée, avant les « bulles » d'écriture – est la jumelle du cinéma commenté, dans l'organisation narrative.

Plus importante socialement, dans le premier tiers du XXᵉ siècle, que l'enregistrement sonore – il prendra sa revanche plus tard, surtout avec le son musical – est la transmission à distance d'une parole sans visage. Ce fait technique prend en charge deux modes de communication différents : d'une part le dialogue privé, la conversation ; de l'autre la parole, la musique ou les deux (le chant, la chanson) allant d'un émetteur unique à une masse d'auditeurs qui ne sont plus réunis comme au théâtre ou au caf'conc', mais « chacun chez soi », et qui sont – pour l'instant – privés de tout droit de réponse.

La diffusion par les ondes hertziennes apparaît au début du xxᵉ siècle (en Europe, Marconi émet du nord de la France vers l'Angleterre et invente un sens nouveau pour le mot italien *antenna*, *antenne* en français). Grâce aux progrès techniques que les forces armées accélèrent en temps de guerre, la « diffusion » préfixée par *radio*, la « téléphonie sans fil » ou TSF, devient au début des années 1920 un phénomène social. En France, en 1922, une entreprise privée, Radiola, propose des « émissions » régulières. Au milieu de la décennie, la radiophonie est devenue une passion pour certains, une habitude, déjà, pour beaucoup. Indice de ce phénomène, un quotidien très populaire, *Le Petit Journal*, consacre une page de son supplément hebdomadaire, pendant quelques semaines, à la radiophonie, en octobre et novembre 1926. On y constate que les auditeurs, les « sansfilistes », sont rivés aux écouteurs des postes à galène – qui seront légion jusqu'à la guerre de 1940 – mais que se développent les postes à lampes et amplificateurs qui permettent l'écoute collective.

« — Allô Allô ! Ici poste de Clichy de la Compagnie française de radiophonie : notre émission va commencer... C'est par ces mots bien connus des auditeurs de TSF que le mondial et sympathique Radiolo[10] ouvre, si j'ose dire, son microphone sur les innombrables casques et haut-parleurs qui l'attendent tous les soirs avec impatience », écrit Robert Landier dans *Le Petit Journal illustré* du 7 novembre 1926. Déjà, un « journal parlé » est diffusé tous les soirs de 18 heures à 19 heures depuis le poste de la tour Eiffel, selon une formule qui est celle des journaux imprimés d'avant la guerre, « heureusement adaptée à la TSF ».

L'évidence d'un transfert à l'oral immédiatement diffusé du journalisme écrit distribué plus lentement et incomplètement est frappante ; l'élaboration de ce programme est d'ailleurs « une *rédaction* d'un nouveau genre ». En effet, les contenus langagiers de la jeune TSF, outre ce « journal parlé », sont des conférences, des cours de langue, des cours de Sorbonne, toutes productions de parole sans spontanéité excessive.

A la fin des années 1920, plusieurs innovations se produisent. L'enregistrement sonore va fournir au cinéma une technique pour devenir « parlant » – le lecteur mécanique cède la place à l'électromagnétique –, et pour enrichir les programmes radiophoniques par l'emploi de disques. Le disque conserve et reproduit avant tout de la musique, mais, dans la musique, il y a la chanson. Réapparaît alors un autre usage que celui du convenable journal parlé, du solennel cours du Collège de France – qui figure dans la description citée, en 1926 – en continuité « populaire » avec la chanson d'avant 1914.

ÇA CHANTE...

Bientôt, disques, radio, cinéma vont évincer le chanteur de rues, qu'on évoque avec un attendrissement nostalgique, et concurrencent le caf' conc' et le music-hall.

La nature de ce qui est chanté, également, va changer. La chanson « réaliste », avec ses interprètes féminins, continue une tradition : Marie Dubas (*Mon légionnaire*), Fréhel accèdent à une qualité humaine qui va trouver son apogée avec une jeune chanteuse de rues devenue une vedette par la grâce de sa présence vocale, servie par le disque et la radio : Edith Piaf. Entre 1918 et 1940, les traditions populaires de la romance et de la fantaisie burlesque se portent bien : Mayol, Georgius (« Le lycée Papa..., le lycée Papillon »), Dranem, Milton (« Bouboule », qui chantait « J'ai ma combine ») réjouissent les auditeurs des années 1920 et 1930.

La tradition critique du Lapin à Gill, la chanson de chansonnier qu'illustre Dominique Bonnaud et ses *Chansons rosses*, va conserver son pouvoir avec Robert Rocca et après lui. A la mutation technique des années 20 et 30 correspond une mutation esthétique. Joséphine Baker chante en 1931 : « J'ai deux amours, mon pays et Paris » ; Maurice Chevalier incarne le titi parisien et son langage ; Jean Nohain écrit pour Mireille des poésies faussement naïves (*Couchés dans le foin*, 1931 ; *Le Petit Chemin*, 1934). La romance sentimentale, tout comme la chanson comique, se modernise avec Jean Sablon ; elle prend des accents régionaux reconnaissables, avec, au sommet de la célébrité, le ténorino corse Tino Rossi ou le comique marseillais Fernandel. Cette époque étant plongée dans l'angoisse historique, la chanson comique peut annoncer les catastrophes : le groupe « swing » de Ray Ventura crée en 1936 le prémonitoire « Tout va très bien, madame la marquise ». En effet, dans la France d'alors, « à part ça, tout va très bien ». Ça, c'était la montée du nazisme, la menace de guerre.

Un phénomène nouveau : la chanson recourt de moins en moins à l'évocation des usages parlés populaires : c'est plutôt le registre familier plaisant, qui n'est plus situé précisément à Paname, même chez le parigot professionnel que fut Maurice Chevalier. En revanche, un esprit poétique simple et authentique s'exprime par la chanson : son premier grand témoin est le « Fou chantant », expression où la « folie » signale un dépassement du banal et de la parole quotidienne. Charles Trenet masque derrière un optimisme bondissant (*Y a d'la joie*, créé par Chevalier en 1937) un art habile et spontané où la variété des usages, du familier au lyrique, évoque des obsessions tragiques, en dérision du vieillissement, de l'échec, de la mort.

Cette irruption du poétique dans le populaire se développera dans la seconde moitié du xxᵉ siècle, à la fois grâce aux auteurs de textes servis par des interprètes d'exception (certains, Yves Montand, Gilbert Bécaud, Charles Aznavour, au sommet de la célébrité) et par les auteurs-compositeurs dont la personnalité vocale éclatante est immédiatement perçue, avant que leur langage poétique ne s'impose. Georges Brassens, Jacques Brel, Léo Ferré, Jean Ferrat en font partie. Les textes sont pour eux essen-

tiels, la poésie écrite, de Villon à Aragon, peut leur servir
de tremplin, et ils expriment la variété du français, Brel
dans la belgitude, Brassens en un usage à la fois populaire
et raffiné avec un vocabulaire parfois cru, toujours recherché (ses archaïsmes évoquant parfois une parole rurale),
Ferré dans l'invective et la tendresse (*Jolie môme*). La
poésie des écrivains reconnus et la chanson populaire se
mêlent : des voix multipliées par la technique chantent
des textes à tirages (alors) discrets : les poèmes et chansons de Jacques Prévert, Boris Vian, Raymond Queneau
(*Si tu t'imagines*...), Sartre (*Dans la rue des Blancs-
Manteaux*...), et aussi d'Aragon, d'Eluard, d'Apollinaire –
que met en musique, côté « classique », Francis Poulenc.

Ce retour de l'esthétique littéraire dans la parole chantée est servi, et de plus en plus, par les techniques. La
radio en consomme des quantités impressionnantes :
12 500 chansons, dont 52,4 % en français, pour France
Inter en 1968 ; les tirages des disques – qui changent rapidement de nature, du « 78 tours » (minute) au 45 tours et
au 33, avant la révolution du compact – s'envolent, et ces
diffusions massives révolutionnent la consommation par
rapport aux concerts de tous genres – même dans
d'énormes salles ou des stades – et font de ces paroles
chantées l'objet d'une industrie et d'un commerce
intenses. De même, en passant du cinéma (depuis 1928)
à la télévision, dans les années 1960, la chanson enten-
due et vue devient un élément majeur du *show-business*
mondial et national.

Hors de France et en français, un domaine créatif de la
chanson est le Québec, à partir de Félix Leclerc et surtout
avec Gilles Vigneault, poète des grands espaces, de l'hiver
et d'un peuple de pionniers, puis Robert Charlebois, évocateur d'un monde urbain influencé par les Etats-Unis et
l'anglo-américain, qu'il est le premier à rendre en français.

La chanson, en toutes langues (dans les pays francophones, outre le français, l'anglais, le portugais brésilien
[bossa nova] ou européen [fado], l'italien, l'espagnol,

l'arabe, le berbère, des langues africaines…, l'anglais se taillant une part démesurée), est un événement complexe, lié d'abord à l'oralité, mais aussi à la présence de corps en action. Le contenu auditif, sélectionné par la radio et les disques, est lui-même complexe, les éléments musicaux pouvant dévorer l'élément langagier. Aussi bien, rares sont les textes de chansons qui conservent leur pouvoir poétique une fois privés de leurs musiques et surtout de leurs interprètes.

Enfin, surtout à partir des années 1980, il semble que la parole chantée parcoure le même chemin que le théâtre et la littérature : ce n'est plus seulement l'évocation des paroles quotidiennes qui la requiert, mais aussi la contestation du langage ordinaire : Serge Gainsbourg, Jacques Dutronc, Barbara, Jacques Higelin, Brigitte Fontaine… ont inauguré une veine poétique-critique par des manipulations langagières et vocales tendant souvent à la dérision ou à la critique contestataire.

La parole au bout du fil : téléphone

On imagine mal, au XXIᵉ siècle, l'effet produit par ce phénomène : parler dans un appareil inhumain et recevoir la voix d'absents. La fascination dépassa l'étonnement admiratif pour toute nouveauté technique. Le mot *telephone*, créé en anglais par Edison, l'avait été avant lui en français, puis en allemand, pour désigner des appareils de laboratoire sans lendemain. Avec cet autre appareil, le monde de la conversation fut bouleversé, l'écrit privé (lettres, billets, poulets…) et professionnel (notes de service…) recula. Les intérieurs – d'abord ceux des riches, dans les villes – recelèrent un instrument dont la forme évolua vite, mais dont la fonction durable modifia bien des habitudes. Le signal d'appel, choquant, angoissant, le déclic du décrochage, les voix sorties de rien, celle du correspondant annoncée par des voix médiatrices : « On vous parle de… », « Je vous passe la communication », « Ne quittez pas » ; cette oralité troubla. Ce fut le règne inquiétant et poétique des « demoiselles du téléphone », « vierges vigilantes », « Anges gardiens dans les ténèbres vertigineuses », « Toutes-Puissantes par qui les absents surgissent à notre côté », « Danaïdes de l'invisible », « ironiques Furies », « servantes toujours irritées du mystère », « ombrageuses prêtresses de l'Invisible » évoquées par Proust.

De même que l'écriture peut être le message d'un ailleurs, jusqu'à l'outre-tombe, la voix téléphonée est une présence refusée. L'oralité même, conservée par l'enregistrement, transmise par le téléphone (ou la radio, dans un autre type de communication), met dans la banalité du moindre babil le tragique de la séparation.

Mais le téléphone n'est plus signe d'aisance. Sa démocratisation massive, à la fin du xxᵉ siècle, accompagne une nouvelle mutation technique : celle du « portable » (en français de France), du « cellulaire » (en français du Canada). Sans effet majeur sur la parole, le portable plonge l'échange téléphonique dans une banalité plus irrémédiable encore. Etant le plus souvent proférée publiquement, la parole ne satisfait, outre des contenus spatiotemporels (« T'es où ? Chuis dans l'bus, j'arrive dans un quart d'heure… »), que la fonction de contact dite « phatique » par les doctes (« Allô ? », « C'est toi ? », « C'est moi », « Ça va ? », etc.). On a suffisamment ironisé sur le portable comme mode envahissante, suscitant des gestes, des attitudes, des nuisances nouvelles. Finalement, au-delà des ridicules, le téléphone ambulant finit par redonner à l'individu seul dans la foule des relations verbales avec ses chers absents et la faculté précieuse de paraître parler tout seul sans passer pour dérangé. Ce tabou social ébranlé suffirait pour donner à cette invention un pouvoir thérapeutique estimable. Enfin, la banalité de la plupart des échanges que le portable permet contribue à affaiblir les pouvoirs de l'oralité par rapport à ceux de l'écriture.

LA PAROLE MÉDIATISÉE

Les relations entre oralité et radio sont trompeuses. Pour l'auditeur, qui s'attache à des voix sans visages, c'est de la pure parole, qu'il entend et parfois qu'il écoute. Au théâtre, au cinéma, même en sachant que tout y est écrit et appris, rien ou très peu improvisé – sauf dans la commedia dell'arte –, l'illusion se crée que ce sont les comédiens qui parlent, et non qu'un texte – de l'écrit – se parle. A la radio, en revanche, beaucoup d'auditeurs ignorent ou oublient que la plupart des énoncés parlés sont lus. Il n'en va pas, cependant, des chroniqueurs, des énonciateurs de journaux « parlés », des animateurs comme des comédiens et des chanteurs : leur parole n'est que rarement spontanée, mais c'est eux qui l'ont créée, en écrivant puis en lisant leurs textes. L'improvisation intégrale serait d'ailleurs difficile, étant donné la surveillance linguistique, spontanée, elle, qu'exercent, surtout en France, nation de professeurs rentrés, les auditeurs. Les erreurs de prononciation, notamment les liaisons mal-t-à propos, de syntaxe, de vocabulaire sont dénoncées avec vigueur, et la réputation des médias « parlés » n'est pas excellente. Celle de la télévision est encore pire. L'oralité médiatique et politique réveille alors, pour des raisons plus idéologiques que rationnelles, le purisme qui dort en tout locuteur d'une langue normalisée. Et on se focalise assez injustement sur des tics de langage jugés irritants mais qui ne sont pas fautifs (*tout à fait* pour « oui », *bonjour* ou *merci à vous* parfaitement pléonastiques, *au jour d'aujourd'hui* qui ne l'est pas moins), des emplois inappropriés, des prononciations critiquées (*arguer* prononcé « *ar-gai* ») ou des anomalies grammaticales (*c'est de cela dont parle le ministre* ; *il habite sur Paris*), sans doute plus agressives vis-à-vis de la norme. Indépendamment du médium, le discours des politiques est jugé lui aussi avec sévérité, alors qu'on s'extasie sur un imparfait du subjonctif inutile et prétentieux chez un « bien-disant » supposé.

Les critiques sur l'écrit-parlé médiatique sont d'ailleurs plus attentives et sévères que celles que les auditeurs et téléspectateurs portent, s'ils le font, sur la parole spontanée la moins contrôlée, celle des *talk-shows* ou *reality shows* où la platitude et le degré zéro du langage semblent parfois décourager tout jugement.

Il en résulterait que l'oral spontané et non contrôlé se tiendrait en dehors du terrain des valeurs évaluables, comme une sorte d'excrétion verbale sans enjeu rationnel ni esthétique, tant que cette banalité absolue n'est pas reprise en dérision par l'humoriste. Et celui-ci ou celle-ci, de même que l'imitateur de voix, s'en prend à l'aspect individuel de la parole politique, aidé par cet ensemble signifiant que constituent un visage, ses mimiques, un « accent », une gestuelle, toutes caractéristiques audiovisuelles qui en font un objet privilégié pour la télévision (*Les Guignols de l'info*) et permettent d'accentuer la dérision des paroles caricaturées.

Cette caricature des usages ordinaires peut aller jusqu'à l'art, avec les jongleurs de mots du genre de Raymond Devos et les clowns de la parole sociale, tels les géniaux Fernand Raynaud ou Coluche, chacun témoin pertinent d'un type de parler d'époque, dans une évolution permanente des modes de l'oralité. La destruction quasi totale du sens par le Coluche de « C'est l'histoire d'un mec » rejoint, pour un public immense, le travail raffiné d'un autre tueur de la signification par la voix, Samuel Beckett.

Du côté de l'écrit, les habitudes du journal et, modulées par les « langages de spécialités » ou les modes, celles des magazines sont bien proches des usages de l'écrit-parlé radiophonique. L'incertitude orthographique s'y substitue aux fautes de liaison, les signes de distance ou d'intérêt – guillemets, italiques – aux effets vocaux, mais le choix des mots (néologismes, anglicismes critiqués, mots accrocheurs, prétentieux ou excessivement répétés comme *charisme, synergie, consensus, déontologie, emblématique, incontournable*...), le renouvellement des expressions selon la mode, avec les mêmes excès (au début du xxie siècle :

cerise sur le gâteau, monter au créneau, le grain à moudre, remettre les pendules à l'heure, etc.) que les dictionnaires spécialisés s'essoufflent à enregistrer, appartiennent également à la radio et à la presse. Dans la presse, le reflet de la langue parlée est plus ou moins présent, selon le style du journal et la nature de l'article, et son utilisation écrite n'est pas très différente de celle que propose le roman. De même pour le recours au jeu de mots, au calembour, à peu près systématique dans *Le Canard enchaîné*, fréquent dans *Libération*, chic et culturel dans *Le Monde* ou dans *L'Express* (pour s'en tenir à la presse française). Les citations et allusions à des phrases célèbres, plus ou moins sollicitées ou déformées, sont légion dans les journaux, en particulier dans les titres, domaine où *Libération* s'est taillé une réputation méritée.

UNE RHÉTORIQUE ÉCRITE,
IMAGINÉE OU PARLÉE : LA PUBLICITÉ

Un autre mode de communication à la fois écrite et orale est celui de la persuasion financièrement intéressée, qui fut nommée « réclame » au XIXe siècle et au début du XXe « publicité », ensuite et plus souvent « la pub ». Auditivement, la pub recourt aux voix, à la musique ; visuellement, à l'écriture et à l'image. Ses médias furent d'abord l'affiche, à côté de la presse, mais elle a envahi les chaînes de radio privées, en France, elle a gagné la radio du service public et elle fait plus que rythmer les émissions de télévision, puisque, étant sa raison d'être financière, elle commande la soumission des programmes au culte de l'Audimat.

La publicité n'a pas « sa langue » quand elle fonctionne en français ; mais elle a ses outils rhétoriques et elle est à elle seule un langage fait d'images, de sons, de paroles dites, chantées, d'écriture... Côté langage, cette rhétorique est frappante, condensée : elle peut ressembler à celle des titres, dans la presse moderne, et recourir à des procédés voisins.

Ecrite (affichage, journaux, magazines), elle délivre un message immédiat, impératif. Orale et sonore, au cinéma (avant l'apparition de la télé), à la radio, à la télévision surtout, elle accède à la narrativité et joue sur son côté interruptif ou de ponctuation dans l'ensemble du programme.

La sémantique de la publicité n'est pas spécifique : un impératif sous-jacent jamais exprimé ou presque (ce serait « achetez, payez ») ; un indicatif de nature constative, évaluative et positive (sauf à ironiser), le verbe disparaissant le plus souvent[11] sauf l'impératif, le discours rapporté, la narrativisation, la forme proverbiale (*Lego développe l'ego*). Comme on voit, le jeu de mots est un procédé commode. Dans le « slogan », le nom de la marque est primordial ; il appelle le logo et l'image ; on le place en tête, à gauche (X, le truc plaisir, la passion du bidule…) ou à droite (super, sympa, divin X). Mais, pour qu'apparaisse un « style pub », encore faut-il frapper en attirant l'attention et en faisant rire. Ce style fut d'abord descriptif et neutre ; à partir des années 1970-1980, il est obligatoirement inventif. « Lustucru. Les pâtes les plus appréciées des gens de goût » d'avant 1970 serait aujourd'hui impraticable, ridicule ; le « Lustucru. Pour les fêlés des pâtes » des années 1980 est nettement plus pub[12]. Les procédés sont nombreux : noms de marque ou d'objet servant d'adjectifs, voire de verbes (« moquettez-vous » avait frappé le grand sémanticien A. J. Greimas), néologie par déformation, dérivation, abréviation, composition et mots-valises, anglicismes, glissements de sens… rien d'original. Plus extrême, la combinaison de langues (l'autre ne pouvant guère être que l'anglais, mais l'allusion pseudo-chinoise n'est pas exclue), ou encore, universellement saluée, l'invention d'un « langage singe » avec des images de chimpanzés habillés qui échangeaient des amabilités en l'honneur de la marque Omo. Ce jargon évoquait fortement, sinon volontairement, l'onomatopéisme de Jean

Tardieu – plus facile à décoder : *glouglou* = boire, *rikiki* = petit, et, phonétique, *kiceti* = qui c'est (qui)…

Quant aux procédés qui rendent les messages efficaces, ils jouent sur tous les aspects de l'énoncé – formels, sémantiques, rythmiques, pragmatiques – et aussi de l'énonciation – invoquant le destinataire et l'émetteur : vous, tu…, moi… – avec une habileté inégale.

Mais, comme pour le théâtre ou la bande dessinée, s'en tenir à l'analyse linguistique, qui peut certes révéler des ressorts cachés, ne suffit pas. A la télévision, l'image et le son non verbal ou semi-articulé (bruitage, musique, voix de rocker – l'« Optic 2 000 » hurlé par Johnny Hallyday) modifient l'effet de toute parole. A la radio, les voix utilisées changent profondément l'effet verbal et la pluralité des voix amorce un dialogue qui peut relever du sketch scénique.

La soumission du langage à l'image simplifie le message, qui peut éliminer tout slogan ; d'autres pubs, en revanche, contiennent des argumentaires verbeux. Dans le premier cas, la mise en page et la typographie sont essentielles. Le langage est quasiment éliminé : restent l'image et le nom. On parle de « publicité de marque », et cette présence d'un nom peut acquérir une efficacité internationale.

Entre la publicité sans langage et le film publicitaire élaboré, narratif, dialogué ou commenté, ou encore l'argumentaire détaillé, la publicité est devenue un genre de création multimédia. Enfin, dans la mesure où « le médium est le message » (McLuhan) ou du moins le conditionne, la publicité en tant que mode de communication est étroitement conditionnée par les techniques qui la transmettent.

UNE RÉVOLUTION TECHNIQUE : LE CLAVIER

L'invention de l'ordinateur, qui rendit possible l'instauration d'un système mondial de communication électronique, est souvent présentée comme une seconde révolution culturelle après celle de Gutenberg, initiateur d'une « galaxie » (M. McLuhan) dont on avait prédit l'implosion.

Cependant, le passage de l'écriture manuscrite à la typographie se fit progressivement aux XVe et XVIe siècles, sans modifier le rapport de l'écriture à son produit, du dessin gravé à sa trace. Mais la reproduction, en revanche, permit à un nombre beaucoup plus considérable de lecteurs potentiels d'avoir accès au texte. Il n'y avait plus qu'à enseigner les écritures, ce dont se chargea l'école. Dans les temps modernes, la presse et l'industrie du livre achevèrent cette mutation quantitative, qui bénéficia surtout à quelques langues parmi toutes celles qu'une écriture notait. Quand apparurent l'informatique et les produits multimédias, on chanta en chœur l'oraison funèbre du livre et du journal, de l'écriture et du papier, comme on avait prédit la mort du cinéma quand se répandit la télévision. Aujourd'hui, l'informatique et ses produits n'ont pas – pour le moment – dévoré le papier imprimé. Mais le règne grandissant du réseau mondial, la Toile, reprend la diffusion de l'image et de l'écrit, celle du langage entier, car l'oral y trouve sa place, et cela à l'échelle mondiale[13]…

Autant dire que, théoriquement, toute langue humaine peut s'y diffuser par son écriture ou une écriture empruntée. Très théoriquement, car environ 2 % des langues de la planète (on en recense environ 6 000) figurent en 2006 sur Internet, et on éprouve qu'une trentaine de langues seulement y sont décemment représentées. Cependant, déjà plus de 100 y étaient présentes en 2005. Pour des raisons historiques (organisation première et maîtrise en Amérique du Nord) et fonctionnelles (domination des communications mondiales), l'anglais des Etats-Unis et son système planétaire (anglais britannique, canadien, australien, néo-zélandais, indien…) y eurent la première place. Avec la croissance économique rapide de l'Asie, il est écrit que le chinois, le japonais, le thaï, etc., y occuperont une place de plus en plus grande. L'arabe, le russe, l'espagnol, le portugais, l'allemand, le français, l'italien sont dans des situations comparables. Selon le Haut Conseil de la francophonie, en 1999-2000, moins de 3 % des sites étaient en français et pas plus de 1,15 % des « forums » de discussion, ce qui correspond surtout à un retard relatif des « francographes » pour cette activité, qui s'est développée en France surtout après 2003-2004. Mais le français fut présent dès les débuts nord-américains d'Internet grâce à son statut de langue officielle du Canada bilingue et aux activités d'écriture des communautés francophones du Québec et d'Acadie ; il le sera forcément plus dans l'avenir, lorsque l'ordinateur et Internet pénétreront l'Afrique francophone. Evidemment, le chinois, le japonais, l'espagnol, le portugais, le russe, l'arabe, l'allemand, l'italien, les langues scandinaves, le hongrois et quelques autres écornent la prééminence de l'anglais (déjà moins de 50 % vers 2003, 30 %, dit-on, en 2007), en limitant mutuellement leur présence relative tout en l'accroissant dans l'absolu.

D'ailleurs, des langues qu'on croirait trop peu parlées ou écrites pour exister sur Internet se sont imposées par une plus grande rapidité de réflexe servie par une économie prospère : le cas du coréen est remarquable. *A contrario*, l'arabe, qui aurait d'excellentes raisons de figurer parmi les premières, est, semble-t-il, peu présent, peut-être plus pour des raisons idéologiques que techniques.

Si l'on ajoute l'impact de la traduction automatique des textes et la fourniture de données en de nombreuses langues par les entreprises dominantes, toutes anglophones, la mondialisation informatique tend assez sainement à la pluralité. En 2006, Google fournit en 104 langues.

Outre les images et les sons, parmi lesquels ceux des voix humaines, ce sont les signes d'écriture qui peuplent l'espace des internautes. Ecriture fournie sur l'écran, écriture produite grâce à un clavier. Ce mode d'écrit remplace de plus en plus le graphisme manuel hérité des écritures cursives. Le clavier déclenche une typographie prédéfinie, comme le fut aux XIVe et XVe siècles celle de l'imprimerie, puis vers la fin du XIXe siècle celle de la machine à écrire.

Le règne du clavier s'instaura vraiment avec l'ordinateur, et aussi, par une évolution imprévisible, avec le téléphone, qui, devenant « portable », est du même coup devenu producteur de messages écrits transmis instantanément à distance.

LE PORTABLE, L'ORDINATEUR ET L'ÉCRITURE

Le portable étant devenu un petit ordinateur de poche, il mémorise, photographie, joue de petites musiques, parle tout seul et, enfin, écrit. Apparaît, non pas un néo-français, mais une néographie déviante non « ortho », qu'on nomme en France « texto » ou « SMS », de l'anglais masqué (SM = *short messages*).

Avec le texto, on entre dans l'univers de l'imaginaire linguistique, du « ressenti » symbolique, toujours excessif par rapport au phénomène observable. Celui-ci est massif, propre à un groupe social identifiable, ces fameux « jeunes » qui seraient, selon l'opinion commune, responsables de la destruction de notre belle langue. Par un remarquable paradoxe, le téléphone, comme lassé de la parole, sert de moyen technique à une nouvelle écriture, qu'on s'empresse de considérer comme une « langue », que ce soit pour la valoriser ou pour la craindre. Le « langage » des SMS est une graphie qui utilise à la fois l'orthographe du français de l'école, des épellations de l'ancien apprentissage scolaire de l'alphabet, comme dans le procédé du rébus (développé en Picardie au tournant du XVIIe siècle), des abréviations, peu de néologismes, rarement des mots de « verlan », et des anglicismes sous forme de sigles qui supposent un petit apprentissage apparemment valorisant pour les jeunes scripteurs (ainsi *Afk* et *Atk* signifient que la personne qui communique est absente du système ou bien présente : *away from keyboard* et *at keyboard*, « loin du clavier » ou « au clavier » de l'ordinateur). On le retrouve parfois dans les *e-mails* (*courriels*, en québécois), les « chats », autre anglicisme pour « bavardage écrit », « bavardage au clavier », *clavardage* en français canadien, alors que l'écriture des forums et des blogs – d'apparition plus récente – est beaucoup plus proche de l'orthographe normalisée du français, aléatoirement ornée d'anomalies involontaires (on disait naguère « fautes ») ou volontaires.

Pour en revenir à la néographie des textos, que ce soit sur portable (avec le système de saisie pervers qui associe deux ou trois lettres à chaque touche) ou sur ordinateur, elle se borne à mêler les procédés de phonétisation (épellation et orthographe) et d'y ajouter ces néohiéroglyphes assez peu sacrés que sont les *smileys* – en français assez ridicule, des *émoticons* –, combinaisons de signes graphiques (parenthèses, tirets, crochets, lettres, etc.) dont une cinquantaine sont affectés d'un sens nominal – par exemple *8-)* = lunettes – ou bien équivalent à une phrase ; ainsi : *– /* = je ne sais pas, je suis perplexe ; *: (* = je suis furieux, je râle ; *: !-(* = « je pleure ». La combinaison de ces smileys et de sigles anglais, du genre *Asap* (*as soon as possible*), *Bbl* (*be back later*, le « je reviens de suite » des concierges d'antan), *Fyi* (*for your information*), *ic* (*I see*, phonétique), *iow* (*in other words*), *NP* (*no problem*), *Thx* (*thanks*), qui voisinent avec des sigles français (*mdr* pour « mort de rire », *tou* pour « t'es où ? »), peut finir par créer un effet cryptique assez déconcertant pour le profane. Il s'agit donc d'un argot, au sens initial de « langage crypté pour initiés », purement graphique (sauf à l'oraliser plaisamment).

La « néographie » évoquée ici se sert donc de deux techniques contemporaines qui sont en train de se rejoindre, la téléphonie mobile s'insérant dans la communication électronique mondialisée. La conversion du télé-*phone* en télé-*graphie*, dans ce sens nouveau, ne fait qu'accompagner le retour en force de l'écrit dans les langues des régions dites « développées ».

Cet écrit est matériellement autre que l'écriture traditionnelle en son apprentissage. Plus de mouvement de la main ; plus de continuité ; plus de trace du corps sur la feuille, déchiffrable psychologiquement par le graphologue, mais une technique du clavier, sélective des caractères. Le langage courant l'exprime : on ne trace plus un graphisme, d'abord on « tape » à la machine, puis on « saisit » une séquence de signes prédessinés, à l'ordinateur ou sur les touches du portable. C'est affaire de « clavier », comme en musique, avec les instruments à touches, où l'on n'a pas à créer le son comme c'est le cas avec le violon. On est passé du continu au discontinu – image symbolique du « digital » (le numérique) opposé à l'« analogique », qui est le mode du dessin – et, donc, de la main qui trace au doigt qui frappe.

L'écriture qui pianote détrônera-t-elle celle qui dessine ?

12.

Francophonies !

Je ne suis pas sûr que l'excellent Onésime Reclus, en inventant le terme et la notion de « francophonie », ait rendu un aussi grand service qu'on le dit à la langue française.

Géographe comme son frère Elisée, il décrivit l'Europe et l'Afrique, publiant de 1886 à 1889 un livre sur *La France et ses colonies*. C'est dans le contexte colonialiste, notamment à propos de l'Algérie, mais dans une idéologie progressiste, qu'il salue l'expansion de la langue française et qu'il se félicite de la voir parlée en Afrique, à Madagascar, en Indochine, de manière à perpétuer son usage. Il ne croit ni aux races supérieures, ni aux peuples élus ; il prévoit que le français va cesser de régner « universellement » et que l'anglais va triompher. L'intérêt de la démarche d'Onésime Reclus dépasse la création d'un terme, qui n'eut d'abord aucun écho : il est surtout dans la reconnaissance d'un apport des colonies au colonisateur qui soit différent de l'apport matériel, financier, politique direct qui était recherché. Un apport en retour de nature culturelle, symbolique et, par là, indirectement politique venant conforter, prolonger, assurer le rôle mondial de la langue française.

Pour O. Reclus, la francophonie est une pratique langagière commune (« nous acceptons comme francophones tous ceux qui sont ou semblent destinés à rester ou à devenir participants de notre langue »), un recours au français apportant à cette langue une importance nouvelle. Cet aspect d'une colonisation alors officiellement conçue comme républicaine et humaniste – dans l'oubli ou la dissimulation des réalités inhumaines – ne parut pas essentiel, et l'idée francophone disparut avec le terme qui l'exprimait.

Il reparut soixante-dix ans plus tard, sans gloire. Ainsi Léopold Sédar Senghor, l'un de ses promoteurs, lui aurait préféré « francité ». L'idée était celle d'une appartenance commune, par la langue partagée et malgré les causes historiques de ce partage ; une appartenance culturelle, intellectuelle, entraînant un partage d'intérêts et une vision commune.

On en retiendra que l'idée n'était ni française, ni européenne, ni américaine ; qu'elle venait du tiers monde, que, par Senghor au moins, elle voulait s'accorder avec la grande idée du « métissage » et avec celle de « négritude », qui engageait l'Afrique subsaharienne et les Caraïbes avec Aimé Césaire, autre porte-parole d'une vertu majeure des langues, la poésie.

Un des premiers ouvrages publiés en France à traiter expressément de la « francophonie » est celui d'Auguste Viatte en 1969. L'auteur y décrit les usages du français hors de France, à côté des autres langues qui y sont parlées. Il écrit : « Nous terminerons par la France […] pour tenter d'indiquer, sur ce plan de la francophonie, comment elle apparaît à ses partenaires[1]. »

Ce partenariat « francophone » est, dans ce texte, tourné vers la France, car « la France et Paris [sont les] centres de gravité de la culture française » (chapitre 10, 1). Déjà, l'adjectif « francophone » y est ambigu : l'usage du français, partout ou seulement hors de France ? En revanche, une ambiguïté qui va se développer plus tard en est absente. La francophonie est alors langue parlée et écrite, culture « française », littérature, façon de voir le monde, partage, voire communauté effective, mais jamais institution, ce qui va bientôt être le cas.

L'institution, on l'a vu, avait été imaginée par des personnalités de pays récemment décolonisés. Ceux-ci ne furent pas suivis, au début, par la France – qui craignait l'accusation de néocolonialisme – mais l'idée intéressa vite la Wallonie et Bruxelles, ainsi que le Québec, dont la situation linguistique et culturelle, à l'intérieur de la Belgique et du Canada, requérait de trouver une « visibilité » internationale. La France, à terme, ne pouvait pas se désintéresser de ces efforts et, après de nombreuses réunions, rencontres et « sommets » internationaux, participa à plusieurs organisations internationales entre Etats « francophones ».

La première institution durable est créée en 1970, le 20 mars, à Niamey. C'est l'Agence de coopération culturelle et technique, devenue plus tard Agence intergouvernementale. Ce n'est qu'en 1995, à Cotonou, que la « Francophonie » avec un F majuscule devint, d'institution culturelle et technique, un système intergouvernemental et politique. A partir de ce moment, une série d'ambiguïtés s'empare du terme. Alors que « francophone » signifie d'abord et surtout, à propos d'un individu, « qui parle le français et, s'il n'est pas analphabète, sait l'écrire et le lire », « francophonie », à côté de son sens linguistique, devient le nom d'une organisation complexe dont les multiples facettes sont fonction des visions nationales, officielles, et des visions sociales des diverses communautés, bien différentes.

L'histoire de cette institution, longtemps interprétée de manière très divergente selon les points de vue nationaux et sociaux, a moins d'intérêt que son point d'aboutissement, sans doute provisoire. Neuf ans après la première rencontre, en 1986 à Paris, de chefs d'Etats considérés comme « francophones », en 1995, donc, les responsables politiques d'un certain nombre d'Etats où l'on parle français décident de transformer la charte de l'Agence de coopération en charte de la Francophonie – base juridique – et d'élire, en 1997, ce qui fut fait à Hanoi, un secrétaire général, Boutros Boutros-Ghali, d'une grande famille égyptienne copte (chrétienne), arabophone, francophone, anglophone, et ancien secrétaire général de l'ONU, ce qui orienta l'institution. Celle-ci passa de la communauté culturelle présumée des pays « ayant le français en partage » à un ensemble diplomatique passablement artificiel, réunissant, outre les pays ainsi définis, des Etats désireux de le rejoindre – pour des raisons variées. Un emploi, parfois très limité, ou un apprentissage de la langue française parmi d'autres langues étrangères, suffit apparemment à cette adhésion.

La décision d'une francophonie multilatérale, intergouvernementale, mettait fin à des systèmes informels où, à peu près seuls, la France – avec ses multiples institutions nationales –, la Belgique wallonne, le Québec et le Canada fédéral bilingue assuraient financement et fonctionnement, notamment par la « coopération » dirigée vers l'Afrique. Sur ce continent, les opinions publiques n'étaient pas toujours enthousiasmées par ce système, dont les relents néocoloniaux étaient alimentés par les rapports plus que discutables qu'entretenait la France avec les Etats africains décolonisés (la fameuse et mal famée « Françafrique ») et par le fait que, officiellement, des peuples des Caraïbes, de l'océan Indien et de l'océan Pacifique sont officiellement « français ».

L'Organisation internationale de la francophonie (OIF) est définie par la charte adoptée le 23 novembre 2005 à Antananarivo, capitale d'un Etat où le français avait été combattu peu de temps auparavant. Son secrétaire général, après M. Boutros-Ghali, était alors, depuis deux ans, M. Abdou Diouf, témoin symbolique de la démocratisation au Sénégal.

La liste des Etats membres de l'OIF renforce l'impression d'une course à la représentativité, façon ONU. Parmi les 49 Etats membres, l'observateur naïf, qui croyait qu'un pays francophone était un pays où une proportion notable de la communauté employait la langue française, est surpris de voir figurer la Bulgarie, le Cambodge, le Cap-Vert, la Dominique, la Moldavie, la Roumanie et, comme Etats

associés, l'Albanie, la Grèce, la Macédoine. Quant aux
Etats « observateurs », comme l'Arménie, la Croatie, la
Géorgie, la Hongrie, la Pologne, la République tchèque, la
Slovénie, la Slovaquie, certes on y enseigne et certains y
aiment le français, mais, à ce compte, tous les pays visés
par l'action pédagogique de la France, du Canada et du
Québec, de la Communauté française de Belgique pour-
raient aussi bien figurer dans cette liste, Etats-Unis,
Grande-Bretagne, Allemagne ou Brésil en tête.

Si l'on ajoute que l'Algérie ne fait pas partie de l'organisation, on imagine que l'addition de ces choux et raves
linguistiques produit un effet onirique, non seulement sur
le plan linguistique, mais aussi politique, économique et
social : 715 millions d'habitants, 10 % de la « richesse »
mondiale, ce qui signifie majoritairement « pauvreté » :
vingt-quatre pays membres ont des revenus par habitant
parmi les plus bas de la planète (Haïti, Madagascar…).

Si l'on ajoute à cet étrange tableau le fossé qui sépare
le discours démocratique, invocateur de liberté et de
droits de l'homme, que tient la charte et la situation réelle
de plusieurs pays membres, on obtient le même mirage
que produisent la plupart des institutions, qu'elles soient
nationales ou internationales. Encore un « machin », eût
dit de Gaulle. Il serait assez facile, pourtant, de distinguer, au sein de ces Etats, quelques couches concentriques allant du noyau, où le français est langue
maternelle d'une partie notable de la population (France,
Belgique, Suisse, Québec) ou bien langue associée à un
créole (Maurice, puisque la Réunion, la Guadeloupe, la
Martinique, la Guyane sont assimilées au Pas-de-Calais, à
l'Hérault ou aux Hauts-de-Seine), jusqu'aux pays où l'on
enseigne le français langue étrangère deuxième ou troisième, en passant par ceux où la langue « en partage » est
officielle ou nationale.

L'Organisation internationale de la francophonie ne
pouvant contrevenir à la règle de la libre adhésion, nul ne
lui reprochera l'absence de l'Algérie – alors que la Mauritanie, dont la politique est aussi réservée à l'égard du

français, y figure. Au contraire, on se réjouira, pour peu qu'on aime le français, de la présence de pays où la langue maternelle, qu'il s'agisse du bulgare, du roumain, de l'arabe ou du vietnamien, suffit aux besoins collectifs et où le français est langue choisie, souvent derrière l'anglais et d'autres idiomes, parfois en souvenir d'un passé défunt. Mais, si on s'en réjouit, il faudra déplorer l'absence de tous les pays où le français langue étrangère, par la grâce d'institutions différentes, ni « intergouvernementales » ni « gouvernementales » parfois, telle l'Alliance française, peut se développer ou se maintenir.

Cette « francophonie »-là, avec les attitudes, les options et les compétences individuelles, notamment en littérature, vaut bien et dépasse souvent, en qualité et en impact culturel mondial, la francophonie institutionnelle. Ionesco ou Cioran, roumains, n'y sont pas plus légitimes que François Cheng, d'origine chinoise, ou que Samuel Beckett, irlandais, donc privés de « francophonie » officielle.

Ces bizarreries sont de toutes institutions et de toutes politiques. Cependant, au-delà des dérives bureaucratiques habituelles, au-delà des mensonges et des illusions constitutives de ce genre d'activités, la relation établie entre l'appareil institutionnel et le réel observable, entre les intentions affichées et les moyens consentis, entre les principes et leurs applications, entraîne des jugements de valeur différents. Sur l'échelle du réel, de la simplicité et de l'efficace, il apparaît à l'observateur extérieur que l'OIF n'est pas exemplaire[2]. Sur celle des attitudes fondamentales, en revanche, on doit honnêtement saluer le changement de perspective qui a conduit de l'illusion d'universalisme et d'un partage paternaliste – celui de la colonisation ou de la domination économique – à la perspective d'une diversité culturelle et linguistique à préserver au sein même de la mondialisation.

Du coup, le statut de langue dominante, universelle, imposée pour des raisons historiques est passé aux oubliettes, remplacé par le partage qu'on souhaite égalitaire – sachant qu'il est inégalitaire au départ – d'une langue qui est garante du sentiment identitaire ou bien qui demeure étrangère, mais dont l'acquisition offre des possibilités nouvelles. A l'opposition entre les statuts : langue maternelle ; langue nationale ou officielle ; langue étrangère sans statut particulier, s'ajoutent dans les deux derniers cas les distinctions évidentes entre les statuts culturels : culture identitaire ancienne et maintenue ou culture identitaire menacée, détruite ou récemment retrouvée. Le français langue maternelle menacé par une langue qui fait pression sur lui (plus au Québec avec l'anglais qu'en Belgique avec le néerlandais, plus encore en Acadie-Nouveau-Brunswick, par exemple) ne peut être assimilé au français dominant sans limite les autres idiomes parlés en France, ni au français associé à un créole, ni, plus clairement encore, au français langue seconde institutionnelle, utile, peut-être nécessaire au développement mais gênant le fonctionnement normal d'autres langues véhiculaires locales.

Tout impact d'une langue, lorsque celle-ci n'est pas héritée de longue date et revendiquée, peut être destructeur de l'identité culturelle ou, au contraire, peut en permettre l'expression et en favoriser la communication. Ce paradoxe est vécu individuellement par tous les écrivains francophones (ou anglophones, etc.) qui ne sont pas de langue maternelle française ou anglaise.

Si le thème de la diversité culturelle, reconnue par l'institution culturelle internationale qu'est l'Unesco le 21 octobre 2005, est considéré positivement par une partie des opinions publiques, celui de la diversité des langues, articulé avec celui d'une langue « en partage », ne l'est pas. Dominique Wolton[3] montre que c'est en partie parce que le premier s'oppose à « une vision trop américaine et unilatérale du monde ». C'est aussi parce que rien n'est plus flou, plus impalpable que la « spécificité culturelle », où l'on peut placer les revendications autonomistes, les communautarismes aussi bien que les nationalismes conservateurs. Les langues, en revanche,

sont précisément définissables et, quand elles incarnent
une spécificité nationale en prenant le pas sur les autres
idiomes, peuvent devenir un instrument destructeur de la
diversité. On a vu comment l'unification politique d'un
Etat-nation européen, la France, avait à peu près éliminé
ses particularismes de langage et attaqué ses cultures
régionales. Mais l'un des nombreux aspects de la mondialisation, l'émigration des pays pauvres vers les riches au
cours du XXe siècle, a fait réapparaître en Europe occidentale une diversité des langues. Plus guère de breton,
d'occitan, de basque... en France, par rapport aux siècles
précédents, plus guère de wallon en « Wallonie », de dialectes romands en Suisse « romande » : du français. Mais,
à la fin du XXe siècle, de l'arabe, du berbère, du portugais,
du créole, des langues africaines, du turc... dans ces pays.
La reconnaissance institutionnelle de la diversité, sous la
forme des « langues de France », démarche nécessaire,
prend des formes étranges selon que les langues en question sont parlées ou non en « France », entité formelle.
Ainsi, la Réunion étant département français, ses deux
variétés de créole sont « langues de France », mais ni le
créole mauricien, ni les variétés du créole haïtien ne le
sont. Les langues indiennes de Guyane, les langues kanak
de Nouvelle-Calédonie, les langues polynésiennes de la
Polynésie française : langues de France. L'arabe et le berbère, depuis l'indépendance des Etats du Maghreb, ne le
sont plus. Mais si, les revoilà, car on parle arabe et berbère en France même. Le choc des réalités (langagières,
socioculturelles, économiques...) et des institutions politiques et administratives produit des résultats aberrants.

Il y a donc et il y a eu plusieurs « francophonies »,
subies, revendiquées ; tyranniques, généreuses ; officielles,
spontanées ; institutionnelles, individuelles ; conquérantes,
défensives.

Et « français », revenons-y, est un adjectif ambigu, car
il qualifie une langue qui appartient à tous ceux qui la
parlent et en même temps une nationalité formelle – alors
que l'adjectif « anglais » ne désigne qu'une région des

îles Britanniques, alors qu'« américain » fait référence à un continent. « Francophone » présente un autre inconvénient : il est presque toujours employé – en France – à propos de celles et ceux qui connaissent et emploient le français sans être eux-mêmes des Français.

Tous les observateurs sérieux l'ont noté, dans l'opinion des Français les « francophones » sont les « étrangers » qui parlent ou écrivent le français. Tant que les Français ne se penseront pas francophones, la francophonie sera borgne et boiteuse. D'autre part, un ressortissant d'un pays où le français n'est pas langue en partage et qui connaît parfaitement, parle et écrit cette langue, préférera, me semble-t-il, dire qu'il connaît, sait, parle « le français ». Un Suisse de langue maternelle alémanique, un Belge néerlandophone et maniant un français impeccable ne se vivront sûrement pas francophones, à la différence d'un Romand ou d'un Wallon.

Ce que l'on dit, en revanche, et c'est assez lamentable, c'est que *les* littératures francophones – au pluriel – sont préférées dans de nombreuses universités du monde à *la* littérature française, au singulier. Si un jour tous les amateurs de langue française, y compris les Français, admettaient que la littérature écrite en France est une littérature francophone parmi d'autres, les choses seraient un peu plus claires. Et, surtout, elles effaceraient le grand jugement sous-jacent trop répandu en France et pas assez ailleurs : ma façon de parler et d'écrire le français est meilleure que celle des autres, de tous ces « francophones » d'ailleurs ; vu de Montréal, les francophones d'ailleurs sont aussi bien les Français que les Belges.

Mais les fantaisies du vocabulaire sont infinies, et il faut bien « faire avec ». L'ennui est que les mots, quand ils sont lourds, maladroits, inadaptés, travaillent les idées à l'insu de ceux qui les ont, ces idées.

Par malheur, les sons de « francophonie » sont plus proches de « francophobie » que de « -philie ». Pauvre Onésime, trahi par cette langue grecque à laquelle le français doit tant[4].

En France

De nombreux Etats pratiquent une action sur la langue, au moyen d'institutions et d'actions. Celles-ci peuvent porter sur la nature même des idiomes, favorisant en général une langue majoritaire ou cherchant à protéger des parlers minoritaires, ou encore sur ce qu'on a appelé la « qualité » de la langue, qui ne peut être que la définition d'une norme dont on surveille la mise en œuvre.

Au cours des siècles, on a vu dans cet ouvrage comment le français, par action politique, avait été imposé aux Français, en même temps que, par la pratique appelée « littéraire », il avait été promu face au latin. On a vu aussi qu'aux XIXe et XXe siècles une action gouvernementale, au Québec, en Belgique wallonne, en Suisse fédérale, avait influé sur le sort du français en contact avec d'autres langues.

Reste à savoir comment l'Etat français essaie de promouvoir la seule langue qu'il ait jamais soutenue, le français, et comment certaines institutions internationales, l'ONU, l'Union européenne, pratiquent et tentent de régler le multilinguisme qu'elles supposent.

Si le français n'est la « langue de la République » que depuis 1992[5], sans remonter jusqu'à l'emblématique Ordonnance de Villers-Cotterêts, l'Etat français n'a jamais négligé l'action sur la langue. Cependant, avant la guerre de 1939-1945, l'Etat français agissait par le biais de l'enseignement et, hors de la métropole, par celui des administrations coloniales. Les autres facteurs, ceux qui par exemple ont conduit à l'expansion du français en France même, lui échappaient.

Après 1945, la situation objective des langues ayant fortement évolué, une action d'Etat pouvait se définir, pas tellement en fonction de situations réelles mal connues qu'en fonction de leurs représentations, réalistes ou symboliques, constatées ou imaginées.

C'est ainsi que le thème du français menacé ou détruit par l'anglais a fait que toute action mondiale en faveur du français est un duel, et non – ce qui est pourtant l'évidence – une recherche d'équilibre entre de nombreux idiomes. Par ailleurs, le rapport entre les langues quant à leur importance est présenté comme un concours doté de places hiérarchisées, et même comme un championnat sportif.

Quant à la représentation de la situation du français en France – alors qu'il ne subit pas la présence massive du voisinage anglophone, comme au Québec, ni la nécessité de gérer un Etat officiellement plurilingue, comme en Belgique ou en Suisse –, elle reflète plus l'affectivité attachée à un beau passé perdu qu'une évaluation sociolinguistique basée sur l'observation. L'amour que la plupart des Français portent à leur langue maternelle amène certains d'entre eux à dénoncer un complot conduit par les intérêts anglo-américains servis par des collabos indignes, en France même, cela avec un vocabulaire agressif qui dégage un fort parfum de xénophobie. Et ce thème inspira de nombreux libelles jusqu'à aujourd'hui.

Dans les années 1950, des institutions vouées au lexique et à la terminologie se créent : un « Comité d'étude des termes techniques français » (1954) ; un « Office du vocabulaire français » (1957). A la même époque, l'idée de coordonner l'action des universités où on emploie le français fait son chemin. Elle aboutit en 1961, à Montréal, à la création d'une « Association des universités partiellement ou entièrement de langue française », titre incommode mais politiquement prudent, auquel remédia un sigle bisyllabique, Aupelf[6].

En France, plusieurs personnalités, dans les années 1960, souhaitaient, tant pour lutter contre l'anglicisme que pour soutenir l'expansion du français, une intervention institutionnelle de l'Etat.

C'est un an après la grosse colère de René Etiemble contre le « franglais » que le gouvernement Pompidou prend la décision de créer un « Haut Comité pour la défense et l'expansion de la langue française », ce qui est fait le 31 mars 1966 (en 1973, on laissera tomber la « défense » et l'« expansion », et ce sera le « Haut Comité de la langue française »). C'était une sorte de comité de pilotage et de coordination destiné à harmoniser les actions peu cohérentes de nombreux ministères. Evitant l'ironie facile quant à l'efficacité de ce Comité, on notera qu'il est à l'origine d'actions non négligeables et de mesures législatives en matière de création de termes nouveaux, de mesures visant à l'emploi obligatoire de la langue française, en France, dans le commerce et la publicité, ou encore de coopération internationale en faveur de la langue française. Les deux premiers axes abritaient sous des déclarations politiquement prudentes leurs intentions réelles : on parlait d'enrichir le langage (en fait, le vocabulaire) scientifique en français, plutôt que de remplacer les anglicismes ; de défendre le consommateur, présumé incapable de comprendre trois mots d'anglais mais pas de déchiffrer le jargon publicitaire en français, plutôt que d'obliger commerçants et publicitaires, sanctions financières à l'appui, à pratiquer la langue de la République – ce qui fut fait avec mesure.

Cependant, à la même époque et encore aujourd'hui, les actions les plus importantes de l'Etat sur les langues et sur le français relèvent d'un labyrinthe de services, comités, directions ministérielles, missions et commissions superposés, et surtout sous-jacents par rapport aux institutions consacrées explicitement à la langue. Les leviers d'action sur le langage, en France comme partout, s'appellent « enseignement », « culture », « médias » (du journal imprimé à la télévision et à Internet), « administration », « diffusion du français hors de France et des pays réellement – et non officiellement – francophones », « action sur l'opinion », ce qui renvoie aux médias, encore.

Devant les risques d'incohérences sous-tendues par des options politiques contradictoires au gré des majorités politiques successives, devant les incessants blocages bureaucratiques, querelles de territoires et réglages impossibles entre principes affichés et réalités budgétaires, le remède n'était peut-être pas d'ajouter de nouvelles institutions aux réseaux existants, parmi lesquels les instances politiques et financières suprêmes de l'Etat (présidence de la République, cabinet du Premier ministre, ministère des Finances et son administration) représentent plutôt des barrages que des stimulants.

Or, à partir des années 1960, il n'est pas besoin d'être sociologue du langage pour constater que le « ressenti », l'« imaginaire » du français se porte assez mal, en l'absence d'une observation objective sur les pratiques que ni l'Université, ni l'Etat, ni le CNRS ne furent capables d'instaurer, comme cela a pu être le cas en Amérique du Nord ou en Suisse.

Avec le développement des relations internationales, les institutions multilingues et multinationales, ONU, Unesco, Europe en construction, avec la mondialisation progressive de l'économie, la prépondérance affirmée du monde anglo-saxon dans les domaines scientifique et technique, le sentiment qui prévaut est que, si les Français restent attachés à leur langue, les « élites » économiques et financières aussi bien que scientifiques se détachent du français pour préconiser l'anglais. Des légendes entretenues par les systèmes mondiaux – transports, hôtellerie, colloques internationaux – prétendent qu'on parle anglais dans toute l'Asie, ce qui est totalement faux, ou bien en Europe, ce qui n'est partiellement vrai que dans le nord du continent. Les succès français à l'exportation ou dans la carrière scientifique, dit-on, supposent la maîtrise de l'anglais, ce qui n'est exact que dans quelques domaines.

Mais ces exagérations ont des effets réels sur l'image hiérarchique des langues, et le français en souffre avec les autres grandes langues. Les élèves se ruent sur les classes d'anglais, désertent celles d'espagnol, d'allemand et d'italien. En même temps, on pleure la mort du bon français, on déplore les anglicismes, on se voile la face devant le retour de l'illettrisme et la remontée de la faute d'orthographe jusqu'aux concours d'agrégation.

Face à une situation vécue par des responsables comme catastrophique mais qui n'est pas perçue par la majorité de l'opinion, l'action de l'Etat commence à peine à s'incarner dans des lois : celle de 1975 obligeant les publicitaires à traduire en français leurs formules anglaises est très limitée et peu efficace.

Devant les échecs, le réflexe habituel du pouvoir va jouer : créer des institutions, produire des décrets et des lois. Le « Haut Comité » de 1965, par scissiparité, produit en 1984 deux nouveautés. Un « Comité consultatif de la langue française », producteur de propositions, avis et recommandations sur les questions que le chef de gouvernement veut bien lui soumettre : peu sur pas grand-chose, a-t-on envie de dire. Et un « Commissariat général de la langue française », avec peu de moyens. Et encore un « Secrétariat d'Etat chargé de la francophonie », strapontin ministériel aussi peu rembourré que celui du « Service des Affaires francophones » au ministère des Affaires étrangères.

Quelles furent donc, sous les présidences de Valéry Giscard d'Estaing et de François Mitterrand, les actions de l'Etat sur le langage ? Un remaniement et un élargissement de la loi de 1975 sur l'usage du français, dit « loi Toubon », voté le 4 août 1994 (avec des applications, au-delà de la publicité, aux rencontres scientifiques, à l'audiovisuel, etc.), critiqué, censuré en partie par le Conseil constitutionnel. Une législation imposant 40 % au moins de chansons « d'expression française » – incluant les « langues régionales » – dans les médias. Le développement d'une terminologie française pour répondre aux besoins nouveaux, ministère par ministère, au moyen de commissions (1970 ; remaniements en 1983, 1986). En 1984 et 1985, la création d'une chaîne de télévision internationale en langue française, d'abord européenne puis (1995) mondiale, TV5. Des mesures fiscales en faveur du cinéma français – et francophone – au nom de la spécificité culturelle, mais avec des objectifs d'abord économiques de défense contre l'invasion des produits de l'industrie du divertissement étatsunienne. Cette action connut aussi des échecs absolus, par exemple un « Centre national de terminologie et de traduction » annoncé en 1985 autour d'une banque de données inspirée de celles du Québec et du Canada.

Au chapitre jamais clos des hésitations, repentirs, palinodies, on peut ranger le renouvellement périodique des institutions consacrées à la langue. Ainsi, en 1989, sur les cendres du Comité consultatif et du Commissariat général créés cinq ans avant, tels deux phénix apparaissent un « Conseil supérieur de... » et une « Délégation générale à » (la langue française). Le Premier ministre, l'Education nationale et la Francophonie (française) saisissent le premier ; la Délégation, sous la houlette du ministre de la Culture et de la Communication, promeut et coordonne les actions officielles en matière de langue, et son cadre d'action est défini par le Conseil supérieur, lui-même dépendant du Premier ministre.

En fait de simplification et de coordination, la politique linguistique de la France est désormais partagée (ou écartelée) entre Premier ministre, ministères de la Culture, de l'Education nationale, des Affaires étrangères (par le Service des Affaires francophones), et par les ministères fournisseurs de terminologie[7]. Un acteur aussi puissant que dissimulé est le ministère des Finances : entre 1985 et 1997, le budget de la DGLF était diminué de moitié, et un « Observatoire de la langue française » créé en 1996 resta, faute de moyens, lettre morte. L'Etat français se fit conseiller, délégua maigrement, mais n'observa point.

D'autres difficultés sont apparues, reflets de divergences entre l'immobilisme inhérent à toute institution et le dynamisme réformateur. En matière de norme graphique, le réformisme, pourtant très prudent, des « rectifications de l'orthographe » recherchait un peu plus de cohérence et de simplicité. Il dut composer entre la position de linguistes comme Nina Catach, qui souhaitaient rapprocher les graphies des phonétismes, ou bien celle d'ingénieurs ennemis des accents pour entrer plus vite

dans le monde d'Internet (alors écrit à l'anglaise), et
l'immobilisme puriste. Ce fut le conservatisme instinctif
du public qui l'emporta, contre tout bon sens, en entéri-
nant les pires irrégularités, les signes (accents, trémas)
souvent inutiles, et toutes les difficultés d'apprentissage
cause d'échecs et d'erreurs innombrables. En revanche,
s'agissant de féminiser les noms de métier, les médias et
le public ont rapidement suivi les propositions des réformateurs que l'Académie française a tout fait pour contre-
carrer. Le résultat est que la criante insuffisance des
formes féminisées du français normalisé n'a été comblée
que partiellement et dans le désordre. Ainsi, « la ministre »
fait partie des recommandations officielles du CNRS
(demandées par le Premier ministre) mais l'Académie
(dont le « protecteur » est le chef de l'Etat) s'était insur-
gée. Madame Hélène Carrère d'Encausse se veut et demeure
le secrétaire perpétuel de l'Académie française. Avec la
parité hommes-femmes, le problème devient plus aigu, les
députées seront, selon les positions personnelles, des
députés, les maires et les chefs seront beaux ou belles,
indépendamment de leur possible féminité. Les arguments mobilisés sont contradictoires ; les exemples québécois, belge et suisse, pays où la féminisation en français
est plus systématique (quitte à produire des barbarismes
comme « la professeure », « la docteure »[8], etc.), sont considérés comme des modèles par les uns, des repoussoirs par
les autres. L'Académie française, la Commission générale
de terminologie en viennent à accepter implicitement des
énoncés absurdes, comme celui-ci, lu en 1990 dans un
grand journal : « le capitaine X est enceinte », et qu'on
pourrait multiplier sans peine. La langue française est
donc ingouvernable.

Une autre bataille est celle des « langues régionales ».
La défense officielle de la diversité, approuvée par l'opinion, la politique de décentralisation aussi, comman-
daient de les promouvoir. Le jacobinisme rémanent des
politiques l'interdisait. D'où une étrange valse hésitation : le Conseil de l'Europe ayant adopté le 24 juin

1992 une « Charte européenne des langues régionales et minoritaires° », le Conseil d'Etat français conclut à l'impossibilité d'une ratification. S'ensuivit en France un débat byzantin, une signature partielle de la charte par le chef du gouvernement, un déni de constitutionalité par le Conseil constitutionnel et, finalement, dans la mission de la Délégation, l'ajout des « langues de France » à l'expression « langue française », produisant une DGLFLF (… « à la langue française et aux langues de France ») à l'euphonie plus que douteuse et à l'allure facétieuse. Quant au contenu de ces étranges langues de France, qui associent le patois berrichon aux langues amérindiennes de la Guyane et les langues kanak de Nouvelle-Calédonie au corse ou au breton, il a été évoqué plus haut.

Au début du XXIe siècle, la politique des langues de la République française continue à être peu lisible. Alors que l'on cherche à rendre plus clair et compréhensible le discours administratif, en réécrivant des imprimés administratifs qui étaient de nature à terroriser ou à humilier ceux à qui ils s'adressaient, œuvre de bon sens et de respect du citoyen, l'Etat abandonne des termes clairs pour tous pour des expressions aussi imprécises qu'inutiles : dans les années 1980, le *facteur* devient un *préposé* (*des postes*), en 1981, le *préfet* prend un petit air révolutionnaire : c'est désormais un *commissaire*, sinon du peuple, du moins *de la République* (mais il redevient *préfet* cinq ans plus tard). En 1990, l'admirable mot d'*instituteur* laisse la place au fade *professeur des écoles*. Est-ce pour oublier la Révolution ? L'usage commun, qui n'y comprend goutte, réagit sainement en attendant toujours le facteur ou la factrice et en parlant des instits, des maîtres et des maîtresses ou des profs, alors que la profession se gargarise d'« enseignants », mot d'ailleurs nécessaire, face aux « apprenants » qui furent des « élèves ». Mais la République ne veut plus, apparemment, ni « élever » ni « instituer ».

Tandis que la lutte contre l'anglicisme – baptisé diplomatiquement « mot étranger » – est menée avec acharnement, la haute administration emploie parfois l'anglais (comme le fait l'entreprise privée) et les politiques, comme les fonctionnaires, sont loin de respecter les règles du jeu terminologique officiel : on faxe et on e-maile à tour de bras, dans le public comme dans le privé, ce qui indigne les Québécois ; en 2005, la radio publique orne le hall de la Maison de la Radio de banderoles vantant les attraits du « podcasting », et la direction fait signer à ses journalistes une autorisation de podcaster leurs chefs-d'œuvre, sans sourciller. Il faut faire jeune.

Autre bizarrerie. La politique de l'école est pleine de contradictions : on veut stimuler l'apprentissage du latin en introduisant son étude en cinquième (1996) et, deux ans après, on réduit les options au baccalauréat, pénalisant les langues anciennes, « rares » et régionales qu'on fait mine de célébrer. On vante et on respecte la diversité linguistique, mais on fait en sorte que seul l'anglais bénéficie de l'enseignement précoce des langues vivantes. On déplore les échecs dans l'apprentissage de la lecture et, au lieu de donner plus de moyens aux enseignants, on part en guerre (2006) contre la « méthode globale », le ministre n'ayant pas l'air de savoir que personne ne l'a jamais appliquée intégralement ni qu'une lecture exclusivement par épellation ne conduit personne à une pratique aisée des textes écrits.

Quant à la diffusion du français à l'étranger par l'enseignement – thème majeur –, peu après avoir créé une « Agence pour l'enseignement français à l'étranger » (1990), le pouvoir fait disparaître un des outils reconnus dans ce domaine, le « Centre de recherche et d'études pour la diffusion du français » (Credif), dissous en 1996. En 2004 et 2005, les Centres culturels français de Graz, en Autriche, de Porto, de Gand, de Gênes sont abandonnés. Il en resterait 150. Conclusion ? « Une fois de plus, la France ne fait pas ce que ses dirigeants disent qu'elle fait[9]. »

Pour autant, en 2006, il existe 429 établissements scolaires français « à l'étranger », dont 251 gérés par l'Agence

pour l'enseignement français à l'étranger (160 000 élèves)
et 63 par la Mission laïque française (25 000 élèves) ;
148 instituts et centres culturels, en 2004, dépendent des
ambassades de France, et plus de 1 000 centres des
Alliances françaises (dont 404 en Europe, 238 en Amérique latine, 148 en Amérique du Nord, 138 en Afrique et
dans l'océan Indien).

Quant à l'enseignement de la langue française dans les
pays non « francophones » (au sens raisonnable, non institutionnel du terme), sous la responsabilité des institutions pédagogiques de chaque Etat, les chiffres ne
fournissent que de grossières approximations, mais on
estime qu'au Royaume-Uni presque 4 890 000 élèves
sont censés apprendre le français, à peu près 51 % des
effectifs scolaires ; en Allemagne, en revanche, les
1 500 000 apprenants de français ne représentent que
11 % de la population scolaire[10]. Dans le premier cas, les
concurrents, l'allemand, l'espagnol, l'italien, etc., ne sont
pas aussi importants que l'est ailleurs l'anglais, enseigné
là comme langue maternelle ; dans le second, 89 % des
élèves apprennent une autre langue : on sait bien que
l'anglais vient très loin en tête. Même remarque pour
l'Espagne, avec seulement 2,8 % d'apprenants de
français[11] – moins qu'en Russie, 3,43 %, qu'en Pologne,
3,48 %, qu'en Argentine, 3,3 %, beaucoup moins qu'en
Colombie, 6,2 % –, ou même pour l'Italie (tout de même
16,2 %). Le cas de la Roumanie, où le français, traditionnellement bien connu, servit de refuge contre l'apprentissage forcé du russe, et où 47 % des élèves faisaient
(encore) du français en 1996, celui du Portugal (plus de
25 %) ne suffisent pas à atténuer un sentiment global de
faiblesse et de recul pour la présence scolaire mondiale
du français. Par exemple, les Etats-Unis n'auraient
compté, à la même date, que 1 360 000 élèves de français, soit 3,1 % des scolarisés (les causes : peu d'enseignement des langues étrangères ; la concurrence de
l'espagnol). Quant à la proportion d'élèves de français
dans les pays les plus peuplés du monde, la Chine, l'Inde,

elle serait absolument dérisoire (212 000 élèves en Inde, 11 750 en Chine, soit moins de 0,006 % de la population scolaire !).

L'ÉCOLE EN FRANÇAIS

Revenant en France – faute de précisions sur les évolutions récentes de l'enseignement du français en Belgique, Suisse et Canada francophones –, on est frappé par l'importance du travail de recherche accompli par la pédagogie de la langue et la linguistique, qui contraste avec l'impression globale d'échec entretenue dans l'opinion par les médias et par les politiques, qui se servent du catastrophisme ambiant pour leurs luttes internes. Ne tenant guère compte des conditions d'exercice de l'enseignement, mêlant les problèmes sociaux et les transformations tant du corps enseignant que de la population enseignée, accusant en bloc la modernisation des principes (la linguistique et le structuralisme jetés avec les mathématiques ensemblistes dans les poubelles de l'école), dénonçant les piètres performances des élèves quant à la lecture-écriture, s'accrochant à toutes les idées reçues, les jugements sociaux majoritaires résistent obstinément, et les politiques démagogiquement, aux opinions autorisées : celles des professeurs eux-mêmes. Ces derniers sont accusés d'incapacité ou d'inaction, alors que jamais – sinon à l'époque des « hussards noirs de la République » – leur implication et leur dévouement n'ont été aussi grands. Les critiques, au-delà de la pédagogie, portent sur la discipline, devant un phénomène en effet inquiétant : la violence à l'école. Des remèdes miracles, fruit d'une exaltation collective pour le modernisme technique, sont promus à sons de trompe : l'ordinateur serait le pédagogue de l'avenir. En fait, allié à la télé et aux consoles de jeux, il désapprend aux enfants le livre, tandis que ses réelles qualités de distributeur d'informations aboutissent à faire perdre tout esprit critique aux fascinés de l'écran.

Dans les années 1960, le corps des inspecteurs primaires et leur formateur, l'Institut pédagogique national, ont mis en avant des procédés nouveaux : appliquer des connaissances récentes et indiscutables sur la langue et le discours à la pédagogie ; insister sur l'expression orale avant que d'imposer à l'enfant la norme exigeante et arbitraire de l'écriture (puisque aucune réelle réforme de l'orthographe ne semble possible) ; rénover les méthodes poussiéreuses faisant appel à la seule mémoire. Cette tentative échoua globalement, par l'illusion d'une adaptation instantanée des enseignants, par l'incapacité des intermédiaires à faire passer les idées trop abstraites, théoriques et complexes des linguistes, surtout par la réticence à suivre le mouvement et par le conservatisme inconscient ou acharné des habitudes : celles-ci sont d'ailleurs exaltées par la sacralisation ludique des dictées-concours, qui sont, en France, héritières des « championnats d'orthographe » belges.

C'est en partie la démocratisation de l'enseignement secondaire et supérieur – « explosion scolaire », « massification » – qui explique l'échec du réformisme. Entre 1968 et 2002, la réflexion sur les principes est assez active pour assouplir les positions traditionnelles (en 1975, il n'y avait eu aucun changement essentiel dans les programmes depuis... 1937 !). Ce fut, écrit Jean-Claude Chevalier, à la fois acteur, observateur et théoricien des choses de la langue et de son enseignement, le « temps des Commissions[12] ». Mais ni la Commission d'Etat présidée par Pierre Emmanuel (1970), ni les groupes de travail de l'Institut national de la recherche pédagogique (INRP), ni les réflexions sur la didactique des langues et l'enseignement du français langue étrangère[13], ni le rapport du Collège de France « pour un enseignement de l'avenir », ni, parmi les Commissions de réforme de 1988, celle pour le français (Jean-Claude Chevalier) et celle pour les langues vivantes (Jean Janitza, germaniste), toutes raisonnables et motivées, ne suffirent à déverrouiller habitudes et préjugés.

Cependant, l'évolution des manuels scolaires acceptée et accompagnée par les éditeurs, celle des grammaires et des dictionnaires, spectaculaires après les années 1960 (après des décennies de stagnation), et de nouvelles institutions dans l'enseignement entérinent la modernisation contestée. Elles ne passent pas inaperçues. Les critiques pleuvent sur les IUFM (Instituts universitaires de formation des maîtres) ; on critique un baccalauréat dont les épreuves ont été renouvelées à partir de 1975, et l'opinion publique n'est pas loin de sanctionner un fait culturel majeur : alors que 30 % d'une classe d'âge, en 1985, avaient le bac, ce pourcentage a beaucoup plus que doublé (80 % en 2000). Au lieu de s'en féliciter, certains pensent que si « tout le monde a le bac, il ne sert plus à rien », ou bien que, si on l'accorde à 90 % des candidats, c'est qu'on place la barre de plus en plus bas.

A mesure que les objectifs se précisent – non plus l'apprentissage formel : lecture-écriture, mais la recherche d'une double maîtrise : celle de l'expression et de la communication par les deux usages, oral et écrit, d'une langue –, les échecs sont plus visibles et la tentation est forte de se rabattre sur les succès supposés d'un passé pédagogique de toute façon périmé et aboli par la révolution de tous les aspects de la société.

DANS LES INSTITUTIONS INTERNATIONALES

Il y est, tant à l'ONU, à l'Unesco que dans l'Union européenne, langue officielle. L'ONU, dès sa fondation en 1946, a établi langues officielles le chinois, l'anglais, le français, le russe et l'espagnol – l'arabe fut ajouté plus tard ; plus significativement encore, le statut de « langue de travail », accordé à l'origine à l'anglais et au français. L'absence de l'allemand, de l'italien et du japonais s'explique évidemment par les circonstances politiques issues de la guerre de 1940-1945 ; elle constitue aujourd'hui une anomalie, tout comme la non-reconnaissance du portugais, langue d'un très grand pays d'Amérique, le Brésil.

D'autres langues de travail ont été acceptées au cours du temps : l'espagnol en 1948, le russe en 1968, l'arabe et le chinois en 1973. On distingue les langues de travail de l'Assemblée générale, du Conseil de sécurité (les langues citées plus haut), et du Secrétariat (anglais et français seulement).

En fait, l'anglais domine largement : 90 % des rapports sont rédigés d'abord dans cette langue. Cependant, sur 192 Etats représentés, le groupe francophone compte 60 délégations ; toutes, cependant, ne s'expriment pas en français[14]. La présence du français dans les débats est soutenue par la France, la Belgique, la Suisse, le Canada, Haïti, de nombreux Etats africains, dont l'Algérie, Madagascar, etc.

Mais la prépondérance de l'anglais est manifeste, tant dans les exigences de recrutement des fonctionnaires internationaux que dans la documentation électronique : la version française du site Internet de l'ONU, deuxième en importance, représente moins de 1/15e de la version en anglais.

Quant à la répartition des langues au sein de l'organisation européenne, elle ne peut satisfaire que les partisans de la langue anglaise, car elle reflète de manière déformée l'équilibre effectif des langues en Europe, déjà modérément favorable au français. D'après une étude menée en 2005 dans 29 pays du continent (Eurobaromètre 63.4), la langue maternelle coïncide la plupart du temps avec la ou les langues nationales, à l'exception des pays baltes. Les langues régionales déclarées maternelles ne figurent pas dans des proportions importantes, à l'exception du catalan (9 % des répondants, en Espagne, 1 % pour le basque) et du gaélique (en Irlande, 9 %). Enfin, dans certains pays, une langue maternelle européenne autre que la langue nationale ne dépasse 3 % qu'en France

(4 %, vraisemblablement du fait de Français issus de l'immigration), au Luxembourg (7 % de francophones, 5 % de germanophones de langue maternelle, à côté de 73 % de locuteurs du luxembourgeois), en Bulgarie (10 % de locuteurs de langue maternelle turque), en Finlande (6 % de suédois langue maternelle). Quant aux langues connues, maîtrisées, en dehors de la langue maternelle, la première serait l'anglais (34 %), suivie par l'allemand (12 %), le français (11 %), l'espagnol et le russe (environ 5 %). Alors que les Luxembourgeois, les Lettons, les Maltais parlent à plus de 90 % une langue étrangère, à peine 30 % de Hongrois et de Britanniques sont dans ce cas. En détaillant, 34 % des Français déclarent connaître l'anglais (alors que 14 % des Britanniques disent maîtriser le français), 10 % l'espagnol, 7 % l'allemand. L'élargissement récent de l'UE a bénéficié surtout à la langue allemande. Quant au niveau des connaissances dans la langue étrangère désignée, on s'en remet au jugement des intéressés : environ 60 % estiment que ce niveau est « très bon » (de 15 à 25 %) ou « bon » (autour de 40 %). On observe des cas particuliers, comme celui des Pays-Bas, où 87 % des personnes interrogées disent parler anglais, et 88 % de ceux-ci, le parler bien ou très bien. Du point de vue de l'idiome maternel, le français est deuxième ou troisième, à peu près à égalité avec l'italien et l'anglais, après l'allemand.

Quoi qu'il en soit d'équilibres toujours mouvants, surtout du fait de l'extension de l'Union à partir de 1995, la situation des langues dans l'institution, à Bruxelles, Luxembourg et Strasbourg, ne reflète pas exactement celle du terrain. Ce qui semble évident, c'est que, dans les institutions, le français décline, surtout depuis 1995, avec l'élargissement de l'Union à l'Autriche, à la Finlande et à la Suède, pays où l'enseignement de l'anglais est généralisé et efficace, et dont les fonctionnaires européens parlent anglais et parfois allemand, mais guère français. En 1999, le français a cessé d'être la langue majoritaire de rédaction des documents de la Commission – ce qu'il était sous la présidence de Jacques Delors. Ainsi, en 2005, plus de 68 % des documents sont rédigés en anglais, 16,4 % en français (26 % en 2004 !), 3,8 % en allemand. En 2004 et 2007, l'arrivée de pays d'Europe centrale et orientale – même membres de la Francophonie –, où les langues étrangères privilégiées sont l'anglais et l'allemand, avec des commissaires ne parlant que très rarement français, renforce la prépondérance de l'anglais sans donner beaucoup plus de poids à l'allemand, ce qui est anormal.

Ces remarques valent surtout pour la Commission de Bruxelles : au Parlement de Strasbourg (Conseil de l'UE), le multilinguisme réserve au français, à côté de l'anglais, un rôle de médiateur ou de véhicule qu'il semble perdre à Bruxelles. Enfin, à la Cour de justice, les délibérés se font traditionnellement en français.

La position de la France, cependant, est assez réactive : associée à la Belgique wallonne et au Luxembourg, elle organise en 2003 des cours de français gratuits pour les fonctionnaires des nouveaux pays membres. L'objectif est de fournir à une plus grande partie du personnel une connaissance passive du français. Certains Allemands, cependant, à cause de la prépondérance de l'anglais et du délaissement relatif de leur langue maternelle, préfèrent y revenir alors qu'ils s'exprimaient en français précédemment. Gerhard Schröder et Jacques Chirac, dont on sait les excellentes relations, avaient convenu d'exiger une traduction allemande (et française) dans toute réunion officielle.

Par ailleurs, il existe des facteurs propres à limiter la prépondérance accrue de l'anglais, comme l'adoption dans les pays de l'Union d'un enseignement portant sur deux langues étrangères, à la manière de la France ou de l'Allemagne. On cite l'exemple de l'Espagne, où le français langue seconde, après l'anglais, a fait passer les effectifs d'apprenants de français de 250 000 à 1 300 000 entre la fin des années 1990 et 2005. En outre, venant des nouveaux membres, on a noté une tendance, pour éviter une anglicisation politiquement connotée par la suprématie

mondiale contestée des Etats-Unis, à s'appuyer sur le trilinguisme officiel anglais-français-allemand, ce qui devrait
logiquement bénéficier surtout à la langue allemande,
mais aussi stabiliser l'usage du français. Enfin, l'entrée de
la Roumanie et, dans une certaine mesure, de la Bulgarie,
deux pays membres de l'Organisation de la francophonie,
devrait amener à Bruxelles un contingent de fonctionnaires s'exprimant en français, bien que l'enseignement de
l'anglais, là aussi, ne cesse de progresser.

On doit enfin signaler l'initiative de Maurice Druon
pour reconnaître au français la qualité de langue de référence pour tout texte juridique : un « Comité pour la langue de droit européen » a été créé en octobre 2005.

Mais la situation respective des langues, dans les institutions internationales, ne pourra jamais refléter la réalité
de leurs usages : ce sont plutôt des équilibres politiques
qui en définissent les lois que les besoins concrets des
sociétés. Or, la politique, qu'elle soit nationale ou internationale, est toujours un miroir déformant.

13.

XXIᵉ siècle : l'état des lieux

Malgré l'impression de nouveauté que la fin du XXᵉ siècle et le début du XXIᵉ procurent (explosion des techniques et des connaissances scientifiques), s'agissant du ressenti du langage, les problèmes fondamentaux sont là depuis des siècles. Qu'ont donc changé la télévision, l'informatique ou Internet dans le rapport entre les hommes et dans leur recours aux langues ? Dans l'expression de la pensée et du sentiment ? Dans l'apprentissage du monde et de soi-même ?

Concernant le français, les facteurs nouveaux, techniques, institutionnels (la francophonie politique, l'Union européenne), sociaux (l'immigration en Europe de langue française, la « crise des banlieues » en France, la laïcisation et l'urbanisation au Canada, les indépendances, les options politiques, les conflits en Afrique) entraînent des effets linguistiques nouveaux, mais pas plus fondamentaux que ne le furent les mutations du passé (mort des patois, apparition des créoles...). De même que dans le passé, la syntaxe bouge lentement, le lexique rapidement. La phonétique va plus vite que la graphie, qui l'influence au lieu de la refléter.

Et toujours cette confusion entre les paroles et les écrits individuels, leur répartition en usages distincts, et une « norme » totalement identifiée à la « langue » qui pèse de tout son poids sur la langue-usage, faite de variétés et de variations innombrables. L'idée même de « francophonie », voulue pour diffuser la norme unique, met en scène le réel du langage : il y a « des » français.

CRÉATION ET LANGUE

Invention merveilleuse du XVIIe siècle dont on peut à peu près tout faire, car l'adjectif « bon » est capable d'y qualifier un goût personnel ou collectif, des pratiques sociales et des jugements de valeur captés par la classe dominante, ou même des pratiques de discours personnelles mais que le jugement social approuve, le « bon usage » implique qu'il y ait plusieurs usages. Derrière lui, qu'on identifie à « la langue », règnent donc la variété et les conflits. Egalement, qu'à la spontanéité relative, la spécificité subie du parler initial de l'enfant, succède une variante acceptée par l'école.

Plus le premier apprentissage, oral, est cohérent avec le second, celui de l'écrit, plus la maîtrise du futur adulte en une langue devenue sienne sera grande. Rien ne peut annuler cette inégalité fondamentale, reflet des injustices de l'Histoire et des sociétés, qu'un enseignement repensé.

Accuser l'institution scolaire sans tenir compte de ces facteurs est absurde. D'autres peuvent évidemment jouer : la santé économique des sociétés, et, très pratiquement, les budgets des collectivités, à commencer par l'Etat, favorisent ou défavorisent l'« alphabétisation » (dans les langues à écriture alphabétique, bien sûr). Ainsi, dans l'espace francophone, l'école africaine est triplement handicapée par rapport à celles d'Europe ou d'Amérique : (1) apprentissage oral-écrit dans une langue différente, non seulement de celle de la famille, mais aussi des langues qui correspondent à la culture patrimoniale, ces langues dites « véhiculaires » connues par une proportion importante des habitants d'un Etat ou d'une région ; (2) implications perturbantes sur la personnalité identitaire des élèves ; sur le plan matériel, (3) insuffisance notoire des moyens, en locaux, en matériel – les livres, notamment, plus encore que l'absence d'ordinateurs – et aussi en personnel.

Une idée-force est apparue récemment dans la politique de la langue, en France et ailleurs, c'est celle de « droit à la langue » du pays où est contraint de travailler l'immigré. Pour passer du principe à la réalité, un seul moyen, l'apprentissage, l'école, encore une fois[1]. Et, si les immigrés vivant en France ont droit, en effet, à un salaire, à un logement décents, à une connaissance décente de la langue qui leur est nécessaire, que dira-t-on des Africains privés d'enseignement dans les langues qui sont leur être même et alphabétisés en français seulement ? La francophonie n'est pas au point, scolairement.

Et, même quand les circonstances sont les meilleures – ce qui est, pour la langue française, le cas de l'école en France, en Belgique, en Suisse, au Québec –, il ne faut pas s'étonner si l'éducation et l'enseignement – tout comme la médecine et bien d'autres services – sont « à deux vitesses ». Entre la très petite vitesse de l'école ou du collège des « zones sensibles » (admirons l'euphémisme) et la TGV – très grande vitesse – des lycées prestigieux où se retrouvent les rejetons de ce qu'on appelle en russe *nomenklatura*, qui héritent des meilleurs professeurs, baignent dans un amnios culturel raffiné et sont prévenus contre la crétinisation programmée des marchands de distractions, le fossé reste grand. On a appelé ce processus la « reproduction » ; on ne peut pas le nommer « progrès ».

Mais, encore là, dans les meilleures circonstances imaginables, l'école et, au-delà, l'éducation souffrent d'un mal redoutable : la perversion des valeurs, l'utilitarisme contre la culture, la réussite au lieu de l'accomplissement, la compétition contre la solidarité, le tout assené, et par la bassesse télévisée, et par la démagogie du pouvoir politique.

Si l'on va des sommets sociaux à la « base », qu'observe-t-on ? Diverses crises, dont le pouvoir et l'opinion dénoncent les effets sans pouvoir ni vouloir en déceler les causes. Ces causes sont diverses : perte d'identité, communautarisme, déliquescence des liens parentaux, « désoccupation » – en italien, les chômeurs sont des *disoccupati* –, modèles sociaux de réussite appauvris et fantasmés, inculture partagée et passive des séries et des variétés de la télé, violence délirante des jeux vidéo, inondation du cauchemar « américain », c'est-à-dire étatsunien, mauvais usage des religions… Or, toutes ces causes ont leur aspect langagier ; toutes sont accompagnées, parfois suscitées, par le discours. La violence commence par la violence verbale, par la pensée violente. Les jugements outranciers, par les mots dévoyés. Le « politiquement » – *politically* signifie « socialement » – correct est signé par les euphémismes dont on se moque mais qui conditionnent l'hypocrisie ambiante. L'appauvrissement culturel commence par la pauvreté du langage.

Ce n'est pas le langage, ni l'état de cette langue, le français, qui sont alors atteints, mais bien la qualité de ses produits : les paroles pauvres et violentes, les discours de banalité, les écrits incertains et invertébrés, la reproduction des modèles médiatiques et médiatisés, la paresse verbale et intellectuelle, l'une portant l'autre. Tout converge vers l'école, bouc émissaire commode pour une responsabilité générale. Et vers l'infortunée langue française, ineptement jugée moribonde, polluée comme l'eau des océans et l'air qu'il faut bien respirer.

Sauf que cette langue assume la création, et cela même sous ses formes les plus éloignées de la norme et des conventions reproduites. Dans les crises du langage apparaissent des formes originales : chanson, rap, slam (on prend des mots californiens, tant pis ; il fallait y penser ici). Dans la misère dénoncée du « langage des cités » en France, comme dans certains usages du français d'Afrique, apparaissent de nouvelles créativités qui pourraient sortir le tout de cette langue de la sclérose où la normalisation de la fin du xviie siècle l'avait plongée. De nouveaux mots s'installent, venus des milieux les plus éloignés du « bon usage », comme le furent naguère ceux des argots et des provinces, comme le sont aujourd'hui le verlan, les usages métis de toute sorte, pour que se maintienne et s'étende le français vivant, condamné à la diversité.

On a toujours reconnu l'existence d'usages, de modes, de registres différents pour la langue. On a dû admettre, au Moyen Age, que le dialecte normand imposé à l'Angleterre par Guillaume appelé « le Conquérant » était capable de la plus haute poésie, alors qu'il s'écrivait loin de l'Ile-de-France.

On aurait pu croire que l'extension mondiale du français par les colonialismes successifs conduirait à l'abandon de l'unitarisme de la norme, établi non pas aux origines de cette langue, ni même lorsqu'elle s'est affirmée face à la culture en latin au xvie siècle, mais longtemps après. Au contraire, c'est l'illusion d'un seul français, défini en France par un pouvoir central sans états d'âme, sur son modèle et nul autre, et transmis au xixe siècle par une école républicaine unificatrice. L'« empire » français fut en partie celui du bon usage de sa langue.

Le modèle imposé était plus rigide que celui de l'anglais ou du portugais hors d'Europe. Au xxe siècle – déjà avant, chez quelques créateurs et esprits libres –, la diversité des *usages* était reconnue, mais non pas celle des *normes*. Or, en Europe avec la disparition ou le recul des dialectes, en Amérique du Nord avec la pression menaçante de l'anglais, dans les « outre-mers » français ou indépendants, en Afrique, dans les pays arabophones au contact des langues maternelles, il ne pouvait, il ne peut plus être question d'une seule norme, d'autant que s'y affirment, nul n'en doute plus depuis qu'elles s'expriment, des cultures très diverses. De fait, il en existe plusieurs, de ces normes discrètes, qui peuvent être régionales (on parle en France, depuis le début au xxe siècle, de « français régional », expression qu'il faut mettre au pluriel), nationales (une ou plusieurs normes québécoises, belges, etc.), transnationales (y a-t-il une norme malienne, une norme congolaise du français, ou bien une norme du « français d'Afrique », expression très discutable ?). Certaines sont en cours de

définition, certaines implicites, aucune autre ne préten-
dant à une fiction d'universalité comme l'a fait celle de
l'Ile-de-France.

Ainsi, la reconnaissance d'une variété d'usage, et même
le pluriel d'une expression officielle française : les « langues de France », qui suggère un singulier indivisible, « le
français », ou bien l'idéologie partagée de la variation,
passée des linguistes aux politiques, masquent mal la
revendication obstinée d'un « bon usage » et d'un seul,
d'une norme et d'une seule. Le linguiste belge Jean-Marie
Klinkenberg, dans des débats autour de la francophonie et
de la diversité culturelle[2], a souligné ce paradoxe : la langue la plus normalisée, la plus centralisée qui soit, au
cours des siècles – on peut ajouter, la plus identifiée à une
histoire nationale, à une culture unifiée –, revendique et
célèbre la diversité culturelle. Si une organisation comme
l'OIF est fondée sur la reconnaissance de cette diversité, il
faut que ses membres l'acceptent pour eux-mêmes. Si l'on
admet l'existence d'un usage social du français dans des
civilisations différentes, il faut aussi accepter cette variété
aux échelons régionaux, voire locaux, ce que la France
fait plus mal que ses voisins.

TOILE, « CLAVARDAGE » ET L'INTERNET

Parmi les nouveaux moyens techniques à la disposition
des langues, de plus en plus de langues, d'ailleurs – après
des commencements quasi unilingues –, le réseau nommé
Internet. Né d'un projet de recherche militaire concernant
la mise en réseau de quelques ordinateurs en Californie et
en Utah, en 1969, puis d'un programme de courrier
(*mail*) sur le réseau Arpanet – le réseau d'Arpa, l'« Agence
du projet avancé de recherche » – (1971-1972) et sur
d'autres, Internet fut d'abord, en 1974, un protocole ache-
minant l'information d'ordinateur en ordinateur, couplé à
un autre protocole capable de segmenter chaque message
en « paquets » réarrangés à l'arrivée. Le réseau est actif en

1978 ; en 1984, le Centre européen de recherche nucléaire, CERN, adopte ce protocole. Cinq ans plus tard, Tim Berners-Lee crée sur le site « Internet » du CERN un ensemble de documents liés par des renvois : l'hypertexte était né, avec les fameux trois *w*, de l'expression anglaise *World Wide Web* (« réseau de taille mondiale »). Ce *web*, en français *la Toile*, est un ensemble planétaire « hyper- » (*texte* pour la langue écrite, *média* pour les documents non langagiers) distribué par Internet – qui a d'autres fonctions, comme le courriel. Dans les années 1990, le nombre de sites de la Toile passe de quelques centaines à des millions, et la mise en réseau se simplifie, les techniques de transfert allant du téléphone au câble puis au « WiFi » (sans fil).

Les techniques ne sont que des moyens dont les fins, telles qu'imaginées dans les années 1960 aux Etats-Unis, ont rapidement évolué, à mesure que le système envahissait le monde, de manière très inégalitaire. Les effets de ce couple puis de ce trio « écran – clavier – souris » sur les psychologies collectives, les savoirs, la pédagogie, le commerce, la politique, le rapport virtualisé aux autres, le paradoxe de l'isolement pour communiquer et exprimer, parmi d'autres thèmes, ont suscité des flots de commentaires.

On a moins parlé de l'impact d'Internet sur les langues naturelles et sur leurs produits écrits, plus rarement parlés, dans cet immense système d'échanges impliquant à terme la présence d'un grand nombre de langues : de l'anglais seul à des dizaines – l'anglais passant progressivement de son monopole initial à environ un tiers des échanges en 2007.

En français aussi, l'outil Internet sert à tout, et notamment à confronter la variété des usages de la francophonie effective. Un de ses moyens d'action les plus spectaculaires est le « bloc-notes électronique », en général nommé par anglicisme *blog*[3], apparu en 2003 et qui a atteint en deux ans les 300 millions d'unités, dont plus de 10 % en français. L'idée de départ vient d'une coutume habituelle aux Etats-Unis, qui consiste à envoyer à toutes ses connaissances un résumé – souvent annuel – de la vie familiale, orné de photos, mêlé à une sorte de chronique personnelle ; le blog change ensuite de nature et se diversifie selon les cultures. En France, il joue un rôle culturel et politique de plus en plus grand. Son langage est un mixte du discours écrit spontané des correspondances manuscrites d'antan et du style journalistique, et il va du registre familier, rarement « populaire », à un style plus soutenu.

D'une manière générale, Internet est un nouvel espace de déploiement du langage écrit, une occasion de réapparition pour des langues en péril – il est plus facile de créer un site dans une langue peu représentée qu'un journal sur papier –, un réservoir inépuisable de textes scientifiques, techniques, juridiques, didactiques en tous genres, depuis la vulgarisation jusqu'aux articles les plus savants, et aussi de textes littéraires, poétiques, anciens et modernes. On met « en ligne » (calque de *on line*) des livres entiers et cette procédure menace les produits multimédias tel le cédérom, dont on pensait il y a dix ou vingt ans qu'il allait dévorer le livre traditionnel. On met en ligne des journaux, et l'industrie de la presse écrite en souffre.

Dans ce nouveau chapitre de l'histoire de l'écrit, le clavier et l'écran constituent un médium d'envergure mondiale et donc impliquent (virtuellement) toutes les langues. C'est un espace interlinguistique : outre les écrits originaux dans des dizaines de langues, on y trouve le jargon produit par la traduction automatique. Sur Internet, s'exprime entre correspondants de langues différentes le besoin d'un code commun, véhiculaire au sens le plus large de cet adjectif, et qui est souvent, pour le moment, ce qu'on appelle en anglais le *global scheme* ou *global english*, autrement dit *globish*. Le *globish* n'est pas un usage appauvri de l'anglais, c'est un *pidgin* (autre anglicisme), autrement dit un code mixte empruntant son vocabulaire à l'anglais et sa grammaire à un plus petit commun dénominateur entre langues en communication, qui peut varier selon la langue normale des usagers. Aucun risque que ce jargon ne devienne une langue, à la manière des créoles : ce n'est qu'un code d'intercompréhension minimal, par exemple pour jouer entre Russes et Brésiliens, ou entre Chinois et francophones. En revanche, dans les échanges scientifiques, techniques ou commerciaux, c'est un anglais incertain, appauvri, fautif qui est souvent utilisé. A cette pratique, répandue dans les échanges réels (congrès, colloques, conférences, articles imprimés, où l'anglais est plus contrôlé), détestable en ce qu'elle infériorise toute personne qui n'est pas de langue maternelle anglaise, on doit préférer le recours à deux langues bien maîtrisées joint à une connaissance réciproque de l'autre langue qui peut dès lors n'être que passive. Echanger sur Internet (ou converser réellement) par deux mauvais usages de l'anglais ne vaut pas, entre hispanophones et francophones, un échange dans les deux langues, chacun parlant la sienne clairement et tâchant de comprendre celle de l'autre, ce qui est plus facile entre deux langues proches génétiquement, comme le sont les langues romanes (ou slaves).

Cette problématique est générale, mais on en voit mieux les enjeux avec les relations instantanées et mondialisées de la Toile, où les langues sont affrontées, manipulées (on pense aux produits, consternants et hilarants à la fois, des traductions automatiques évoquées ci-dessus). Ces langues, sur la Toile, ne sont ni plus ni moins maltraitées que dans leur usage spontané écrit.

Internet, sphère mondiale des écritures et des langues, n'est pas seulement un espace typographique matérialisé par l'écran ; c'est un moyen d'expression, un moyen de pression ou d'influence politique et publicitaire, un espace commercial « virtuel » mais bien réel, et, finalement, une industrie avec des coûts, des risques et des profits qui, eux, n'ont rien de virtuel. Ce qui conduit à une idée récente, universelle, qui est venue modifier l'idée même de « langue ». Le terme qui l'exprime est « industrie de la langue » et recouvre toute activité humaine de production

de discours, paroles, textes, avec une dimension économique et financière. On y range l'édition, la traduction,
l'apprentissage des langues étrangères, la terminologie et
la lexicographie ; on peut y adjoindre la création des
noms de marque et les brevets, en ce moment captés par
l'anglais. On doit y placer l'activité multimédia, Internet
et une bonne partie de cette autre industrie qui est un
bizness, celui des spectacles.

Ce qui conduit, à travers l'usage des langues et des activités qui les mobilisent, à la notion décidément centrale
de diversité, dans le contexte des activités héritées comme
dans celui des techniques nouvelles.

L'UNILINGUISME EN QUESTION

Tous les grands pays ont été, sont et seront multilingues, quitte à laisser mourir l'une de leurs langues, mettant ainsi en danger l'une ou l'autre de leurs cultures. La
chose est encore plus évidente pour les ensembles régionaux et continentaux. Elle n'est pas toujours reconnue :
sous la langue dite officielle, se pratiquent des langues
vivantes, certaines reconnues nationales, d'autres non.
Des Etats sont officiellement bilingues (le Canada), trilingues (la Belgique), quadrilingues et plus (l'Inde a vingt-
deux langues officielles, dans les vingt-cinq Etats de
l'Union). D'autres unilingues, constitutionnellement (la
France) ou pas. Malgré sa grande unification due au massacre des langues autochtones et à l'imposition de celles
des colonisateurs, le continent américain, avec quatre langues dominantes : anglais, espagnol, portugais, français,
n'est pas formé d'Etats parlant une seule langue. Ainsi, les
Etats-Unis, perçus de l'extérieur et officiellement comme
anglophones, se sont fortement hispanisés ; dans d'importantes communautés, on y parle aussi italien, grec, créole
haïtien, allemand, etc.

Certains Européens vivent un paradoxe. Leur continent
est divisé en nombreux Etats ; la plupart ont plusieurs

langues et dialectes, mais certains ont acquis, par une volonté politique unitaire, un idiome devenu dominant auquel fut donné le qualificatif de l'Etat-nation. Un empilement d'usages de langues et dialectes différents est travaillé par deux mouvements contraires : unification-normalisation, d'une part ; diversification-variation, de l'autre. Au XIXᵉ siècle, les Français se sont crus unilingues, alors même qu'ils avaient d'autres usages maternels, tant la pression sociale et culturelle du français central était forte. Mais l'unilinguisme, comme la norme et son bon usage unitaire, est un projet ou une illusion. Le réel du langage est autre.

Un indice massif de ce constat a été exposé ici ; il se manifeste surtout dans la seconde moitié du XXᵉ siècle : au recul et à la disparition du multilinguisme interne de la France sont venus s'ajouter deux correctifs, l'un culturel et volontaire, la valorisation des usages divers et des langues en perdition (breton, germanique – francique et alsacien –, occitan, basque, catalan, corse…) et même des « patois » ; l'autre fonctionnel et subi, l'immigration des langues d'ailleurs (italien, espagnol, arabe, yiddish, portugais, turc, créole, langues africaines…). Comme si une sorte d'équilibre multilingue tendait à se rétablir quand il s'est par trop appauvri. Le phénomène paraît général : quand les Etats-Unis ont digéré les restes des langues amérindiennes, et ceux du français à quelques exceptions près, voici que l'espagnol, cantonné naguère près du Mexique, s'y répand de nouveau, de la Californie et de la Floride à Chicago et à New York. Le multilinguisme est de retour. Cependant, l'affiche d'un pluralisme linguistique dans l'Union européenne tout comme le désir manifeste de diversité culturelle de l'Organisation de la francophonie sont des volontés politiques ; des tendances fonctionnelles inverses sont à l'œuvre.

Alberto Moravia s'exclamait : « Les langues, merveilles de l'Europe ! » Les langues sont en effet la marque, le support de la diversité tout court. Même les unilingues, dans un milieu national plurilingue, ont conscience de la réalité de Babel : les locuteurs de langues baltes entendent parler le russe chez eux ; les Finnois le suédois, les Espagnols le catalan. L'histoire a rattrapé cette situation dans une France qui s'était vécue monoglosse ; on entend parler arabe, créole ou vietnamien à Paris, grec, italien ou hébreu à Montréal.

On a fait de pertinentes réflexions sur les avantages intellectuels de la diversité et du bilinguisme : le discours de linguistes notoires comme Claude Hagège renforce celui de responsables institutionnels, tels les délégués généraux à la Langue française Bernard Cerquiglini puis Xavier North : « bâtir Babel », écrit ce dernier[4], ce qui suppose qu'on préserve Babel ; « Halte à la mort des langues », nous dit Hagège. Ce qui ressemble à un souhait nécessaire, mais « pieux », du genre : « A bas la guerre ! » Car les langues meurent sans arrêt, dans l'indifférence des témoins directs et de leurs locuteurs mêmes. C'est arrivé au gaulois. Cela arrive partout dans le monde.

Outre l'enseignement (favoriser l'apprentissage réciproque des langues), le grand instrument salvateur de la pluralité culturelle est la traduction. La traduction n'est pas seulement une industrie de la langue, c'est son matériel de survie : elle transmet l'esprit d'une culture, elle exprime dans une langue en abolissant sa lettre. Traduction et interprétation sont d'ailleurs au cœur de la communication internationale, et la formation des spécialistes nous renvoie à l'apprentissage, à la pédagogie, à l'école.

Si la traduction, parmi les produits d'une langue, est si importante, c'est qu'aucune langue ne vit sans l'apport des autres : toute langue, même parmi les plus unifiées, affirmées dans leur spécificité – comme l'est le français –, est d'une certaine manière un catalogue d'emprunts, un gigantesque dictionnaire multilingue. Sur une réalité fonctionnelle universelle, nommée « langage », est fondée la pratique traductrice et interprétante, dont l'ébauche, l'embryon apparaît dès qu'il y a contact interlinguistique. Dans ces contacts spontanés, les mots de l'autre apparaissent d'abord comme les étiquettes du monde, qu'il faut interchanger, sauf à se replier sur les gestes, les mimiques, ou encore s'en remettre au savoir d'un interprète, ou enfin employer une langue véhiculaire.

L'unilingue, sorti de son milieu, est un infirme.

LA PASSION ENDORMIE

S'agissant de cette langue française, qui est tellement aimée que beaucoup la voient menacée, violée, meurtrie, assassinée, son succès même, son triomphe sur d'autres langues l'ont mise en danger.

En lui créant une image trop parfaite, contraire à la vitalité irrépressible de ses usages, les puristes en ont fait un objet précieux, mais fragile et fictif. En lui soumettant tout autre idiome sur un territoire défini par la politique, on l'a isolée artificiellement des contacts naturels, universels entre langues différentes. Ses locuteurs, en perfectionnant leur usage du français, sont devenus les orphelins de Babel. Ils ne sont pas seuls à l'être : nombre d'anglophones, d'hispanophones ignorent d'autres langues que la leur. Comme beaucoup parmi les francophones de France – car les autres sont tous dans la conscience d'autres langues –, ils vivent dans une bulle. L'inconvénient majeur de l'unilinguisme n'est pas l'incapacité de comprendre et de parler ou d'écrire d'autres langues, c'est l'oubli qu'il y a en soi « la langue ». Par l'idiome unique, chacun se croit en prise directe avec la pensée, avec le monde. On règle, on commente, on décrit le français, on combat pour le français, on le défend, qu'il soit ou non attaqué ; mais, quand on s'en sert, on l'oublie, il s'évapore. Seuls les poètes, les enfants, les fous, les comédiens et les chanteurs le perçoivent dans sa chair, ses couleurs, sa musique – alors que la présence, le souvenir d'une autre langue sont perçus comme une réalité. A défaut de l'autre langue du bilingue, la variété des usages de sa langue la fait réapparaître. Les Grecs de l'Antiquité qui rejetaient dans la « barbarie » les autres langues pouvaient percevoir la leur par la pluralité des dialectes. Le Québécois à Paris, à Liège ou à Lausanne, le francophone européen à Montréal perçoivent le français – leur propre langue – en tant que même et différent dans l'usage de l'autre, et déjà le Marseillais à Strasbourg ou le Brestois à Montpellier – ou l'inverse. La variation de la langue remédie à son unicité, mais reste que la connaissance d'une langue vraiment « étrangère », qui cesse alors d'être étrange, est le plus fort moyen pour percevoir celle qu'on parle en premier.

Que l'on compare la paresse, l'apathie, l'indifférence d'une majorité des Français à l'égard de leur langue, alors qu'on célèbre leur intérêt passionné pour elle – mais il s'agit surtout de critiquer « le français » d'autrui –, qu'on les compare à l'autocritique, à la vigilance, aux réactions alertes des Québécois. Ces derniers ne parlent et n'écrivent pas mieux cette langue que les Français, ni plus mal, mais un peu autrement et, surtout, ils savent qu'ils la parlent, puisqu'ils doivent la défendre, car ils perçoivent, même unilingues, dans l'ombre du français, l'immense et envahissante langue anglaise. Bilinguisme, plurilinguisme (les Africains, certains Européens), contact collectif de langues (Canada, Belgique, Suisse), variété des usages, apprentissage d'une autre langue, traduction active, interprétation, autant de moyens, de détours nécessaires pour retrouver sa langue natale, à demi oubliée quand elle est esseulée.

Pour réveiller la passion endormie, pour casser cette indifférence au langage qui suffit à expliquer le relâchement, la passivité, il importe d'avoir une conscience lucide de sa langue ; le fait d'en connaître plusieurs y contribue. Mais, selon les psychologies, d'autres facteurs peuvent agir : le souci de la pensée, le besoin de précision, la sensibilité auditive pour la parole, visuelle pour l'écriture, la typographie, le texte... Apprendre à écrire est déjà apprendre une autre langue, après l'apprentissage enfantin de la parole. Aussi bien les enfants, avant d'avoir intégré ces deux codes, sont-ils tous sensibles aux signifiants. Mais l'habitude tue cette présence du langage et de la langue en l'esprit. L'illusion, entretenue par la pratique et l'habitude, d'une pensée pure – elle est toujours mêlée de langage –, celle d'une affectivité personnelle et non pas construite par le lien social rongent le sentiment de la langue. Finalement, point crucial de cet ouvrage, surgit l'idée d'une langue idéale, qui transforme en vision céleste, en entité, en Idée platonicienne un pouvoir toujours compromis. Cette construction mentale collective fait d'une rumeur de voix et d'un fouillis de textes, d'une machine de signes au fonctionnement incertain un modèle parfait, d'une habitude et d'un destin commun un dieu caché. Elle invente hors du temps, de l'Histoire, de la société et de la confusion psychique cette idole adorable, le français – ou toute autre langue. Tel est le support de la pensée puriste, essentiellement simplificateur, confondant les pouvoirs universels du langage et ceux, nécessairement imparfaits, incomplets, « fautifs », d'une langue, et celle-ci avec ses manifestations impures.

Cependant, la description objective d'une langue en fonction, la linguistique, produit d'autres simplifications : elle écarte le registre du pensé sans langage, ne se préoccupe guère de la relation au concret ; elle s'est voulue pure syntaxe, une algèbre trop complexe pour bien fonctionner ; elle a rendu scientifique une illusion.

Le psychologue, le sociologue, l'anthropologue corrigent le tir. De son côté, le philosophe construit dans une langue précisée, mais souvent jargonnante, la vérité du langage. Un philosophe-poète, chose rare, montre peut-être la voie :

> Le langage [...] est pour nous chose familière et vague comme nos membres. Nous saisissons sans savoir comme nos mains s'y prennent pour saisir.
>
> Il en résulte des erreurs (dont certaines sont précieuses) et des illusions étranges. Toute la philosophie est née d'illusions sur le savoir qui sont illusions sur le langage[5].

Ce que Valéry dit universellement du langage doit être plus vrai encore, spécifiquement, d'une langue, par exemple du français.

Notre sujet n'était pas ici « langage », ni « pensée », et surtout pas « la langue », fiction folle, mais bien la relation, le conflit fondamental entre *des* langues, ces systèmes forgés par l'Histoire, par les sociétés, et qui marquent le destin divers des êtres humains. Les langues qu'on dit « mortes » sont précisément celles qui nous parlent encore ; les « vivantes » sont affrontées à divers périls. L'un des plus grands, je le redis, est qu'elles peuvent à chaque instant être oubliées, inaperçues, par ceux mêmes qui en usent. Un autre danger est que, pour mieux s'en enorgueillir, on les travestisse, on les statufie ou on les sanctifie avant de les idolâtrer. C'est pourquoi la perception de leurs insuffisances, de leurs lacunes, de leurs laideurs est indispensable pour reconnaître leur valeur, leur puissance, leur beauté.

A tous ceux qui, confondant le français multiple et vif avec ses images simples et figées – les siècles nous en ont fourni une jolie brochette –, le voient en passe d'entrer en agonie, on doit opposer les leçons de l'Histoire et un fait tout simple. Les usages les plus forts, les plus hauts du français sont ceux qui résultent d'un choix. Où ce choix est-il le plus enrichissant ? Certainement lorsqu'un créateur en langage, né dans une autre langue, décide de risquer ce va-tout de l'expression qu'est l'écriture littéraire dans cette langue autre. Tout écrivain, tout poète fait de son propre idiome une langue étrangère à elle-même par le style. Tant que ce phénomène aura pour support le français, surtout lorsque la langue d'origine est reconnue capable d'une grande littérature, la langue choisie pour créer ne sera pas en réel danger. Samuel Beckett, Julien Green, Eugène Ionesco, Georges Schéhadé, Léopold Senghor, Aimé Césaire, François Cheng, tant de Maghrébins, d'Africains, de Russes, de Grecs, d'Iraniens, des poètes comme Salah Stétié, des romanciers, conteurs comme Amadou Hampâté Bâ, des essayistes... non seulement créent dans le français, mais créent et modèlent le français de demain. Ne parlons plus de littérature « francophone », sauf à y inclure Racine et Pascal, Rimbaud et Hugo, mais de « littérature en français ». Le mieux serait de dire : « du français en littérature ». Constatons qu'aux époques d'universalité fictive de la langue française il y avait moins de grands créateurs en français parmi ceux qui sont nés dans une autre langue qu'aujourd'hui. Oublions les classements infantiles où « ne plus être le premier » signifie « n'être rien ».

Que les francophones se félicitent d'avoir en partage l'une des langues les plus riches, des plus capables de beauté, mais qu'ils s'ouvrent à d'autres langues porteuses d'autres cultures, qu'ils veillent sur cette partie vivante d'eux-mêmes, qu'ils transforment le culte d'une idole en amour du langage diversement incarné, de ses incarnations, des êtres humains qui le font exister, et de cette diversité même.

Notes

Le français des Lumières

1. F. Regnier-Desmarais, *Traité de la grammaire françoise*, Paris, Coignard, 1705.

2. Buffier, *Grammaire françoise sur un plan nouveau*, Paris, N. Le Clerc *et alii*, 1709.

3. *Réflexions sur le poétique et la rhétorique*, in *Divers Traitez sur l'eloquence et sur la Poësie*, Amsterdam, Bernard, 1730, p. 4.

4. *Ibid.*, p. 10.

5. *Ibid.*, p. 33.

6. *Ibid.*, p. 5.

7. *Cours d'études pour le Prince de Parme*, II, Parme, Imprimerie royale, 1775, p. 167.

8. Saint-Réal, *De la critique*, Paris, Jean Anisson, 1691, p. 63

9. *Ibid.*, p. 60.

10. *Ibid.*, p. 89.

11. La Motte, *Œuvres*, Paris, Prault, 1754, vol I, p. 553.

12. *Comparaison de la première scène de Mithridate, avec la même scène réduite en prose*, in *Œuvres*, IV, 1754, p. 408.

13. *Discours sur Homère*, in *Œuvres*, 1754, II, p. 114-115.

14. Voir F. Deloffre, *Marivaux et le marivaudage. Une nouvelle préciosité*, Paris, Les Belles-Lettres, 1955.

15. Marivaux, *La Vie de Marianne*, Paris, GF, 1978, p. 115-116.

16. Margrave de Bayreuth, *Mémoires*, Paris, Mercure de France, 1967.

17. *Correspondance Galiani/D'Epinay*, Paris, Desjonquières, 5 vol., 1993-1997.

18. *Des Tropes ou des différents sens*, éd. F. Douay-Soublin, Paris, Flammarion, 1988, p. 63.

19. Voir M. Delon dans *Histoire de la rhétorique dans l'Europe moderne*, dir. M. Fumaroli, Paris, PUF, 1999, pp. 1001-1019.

20. A. Chénier, « L'Invention », in *Poésies*, Paris, Gallimard, 1994, p. 350.

Le français hors de France

1. Voltaire, *Œuvres historiques*, Paris, Gallimard, Bibliothèque de la Pléiade, 1957, p. 1017.

2. Voir *Une femme des Lumières, Ecrits et lettres de la comtesse de Bentinck*, éd. A. Magnan et A. Soprani, Paris, CNRS, 1997.

3. Voir M. Fumaroli, *Quand l'Europe parlait français*, Paris, Editions de Fallois, 2001.

4. Voir G. von Proschwitz, *Gustave III par ses lettres*, Stockholm, Norsteds et Paris, Touzot, 1986.

5. L.-F. Römer, *Le Golfe de Guinée*, 1700-1750, traduit et édité par M. Dige-Hess, Paris, L'Harmattan, 1989, p. 35.

6. A. Scherer, *Histoire de la Réunion*, Paris, « Que sais-je ? », 1990, p. 27.

7. Etienne de Flacourt, *Dictionnaire de la langue de Madagascar*, 1658. Voir Chaudenson, *Les Créoles*, Paris, « Que sais-je ? », 1995, p. 57.

8. *Voyage du Chevalier des Marchais en Guinée*, 1731, pp. 106-107, cité *Ibid.*

9. R. Chaudenson, *Textes créoles anciens (La Réunion et Maurice). Comparaison et essai d'analyse*, Hambourg, Buske, 1981.

10. Voir Chaudenson, *op. cit.*, 1995, p. 76.

Derniers jours de l'Ancien Régime

1. Voir *BEC*, 2001, *op. cit.*

2. F. Cottignies, *Curiosité extraordinaire*, 51, vv. 214-220, cité *Ibid.*, p. 76.

3. Voir François Cottignies, dit Brûle-Maison, *Chansons et pasquilles*, éd. F. Carton, Arras, Archives du Pas-de-Calais, 1965.

4. J. Decottignies, *Vers naïfs, pasquilles et chansons en vrai patois de Lille*, éd. F. Carton, Paris, Champion, 2003.

5. Voir *BEC* 2001, p. 77.

6. *Ibid.*, p. 38.

7. Voir J. Chaurand, *Introduction à la dialectologie française*, Paris, Bordas, 1972.

8. *Lettres de Montmartre*, par A.U. Coustelier, alias « Jeannot Georgin », publiées à « Londres », 1750.

9. Dont on conserve le manuscrit à la Bibliothèque Mazarine. Voir R. A. Lodge, *A Sociolinguistic History of Parisian French*, Cambridge, Cambrigde University, Press, 2004, p. 174.

10. Voir *Ibid.*, p. 163.

11. *Romans d'amour par lettres*, éd. B. Bray et I. Landy-Houillon, Paris, GF, 1983, p. 391.

12. Cité par Lodge, *op. cit.*, p. 180.

13. Beaumarchais, *Parades*, éd. P. Larthomas, Paris, SEDES-CDU, 1977.

14. Voir A. Lodge, *op. cit.*, pp. 239-244.

15. Cité *Ibid.*, p. 165.

16. Voir D. Roche, *Le Peuple de Paris*, Paris, Aubier-Montaigne, 1981, et G. Duby, dir., *Histoire de la France urbaine*, Paris, Le Seuil, 5 vol., 1980-1985.

17. A. de Baecque, in *Histoire culturelle de la France*, volume 3, *Lumières et libertés : les xviiie et xixe siècles*, Paris, Le Seuil, 1998, p. 53.

18. Voir F. Furet et M. Ozouf, *Lire et écrire. L'alphabétisation des Français de Calvin à Jules Ferry*, Paris, Minuit, 1977.

19. D. Roche, « La culture populaire à Paris au xviiie siècle : les façons de lire », in *Livre et lecture en Espagne et en France sous l'Ancien Régime*, Casa de Velasquez, 1981, pp. 159-165.

20. Préface du *Dictionnaire grammatical* qu'on trouvera reprise presque sans changement dans le *Dictionnaire critique* de 1787 (Féraud, *Dictionnaire critique*, Marseille, chez Mossy, 1787-1788, 3 vol., reproduction facsimilé, Tübingen, Niemeyer, 1994).

21. *Correspondance de Diderot*, éd. G. Roth, Paris, Minuit, 1959, tome V, pp. 105-106, citée par Seguin, in Chaurand, éd., *op. cit.*, p. 293.

22. *Correspondance complète de Rousseau*, éd. R.A. Leigh, Genève, institut et musée Voltaire, 1970, t. X, p. 139, cité par Lodge, *op. cit.*, p. 166.

23. Voir S. Branca et N. Schneider, *L'Ecriture des citoyens*, Paris, INaLF-Klincksieck, 1994.

24. Voir Jamerey-Duval, *Mémoires*, éd. J.-M. Goulemot, Paris, Le Sycomore, 1981, ou *Pierre Prion, scribe*, présenté par E. Leroy-Ladurie et O. Ranum, Paris, Gallimard-Julliard, « Archives », 1985.

25. Jacques-Louis Ménétra, *Journal de ma vie*, présenté par D. Roche, Paris, Montalba, 1982. Malheureusement, le texte donné dans cette édition a été revu pour faciliter une lecture moderne. Nous citons ici des facsimilés du manuscrit.

26. Pour l'étude linguistique du texte, voir D. Roche, présentation, J.-P. Seguin in Chaurand, éd., *op. cit.*, pp. 298-300 et Lodge, *op. cit.*, pp. 166-169.

27. L'ensemble des textes déposés ont été réunis sous le titre *De l'universalité européenne de la langue française*, Paris, Fayard, 1997.

28. Voir le *Préservatif contre la corruption de la langue françoise en France et dans les pays où elle le plus en usage, tels que l'Allemagne, la Suisse et la Hollande ; à l'intention des réformés exilés, pour limiter les effets linguistiques de la distance sur la langue française* de Leguay de Prémontval (1756).

29. L. Langevin, *Lomonossov, sa vie, son œuvre*, Paris, Editions sociales, 1967, p. 230.

La langue française et la Révolution

1. L.-S. Mercier, *Tableau de Paris* (1781-1788), Paris, Mercure de France, 2 volumes, 1994, I, p. 698.

2. Voir De Baecque, *op. cit.*

3. Hérault de Séchelles, « Réflexions sur la déclamation », in *Œuvres littéraires et politiques,* Paris, La Rencontre, 1970, p. 185, cité par M. Delon, *op. cit.,* p. 1007.

4. *Ibid.*

5. *Ibid.*, p. 1009.

6. Voir sur ces faits P. Rétat, dir., *La Révolution du journal,* Paris, CNRS, 1989.

7. La Harpe, *Du fanatisme dans la langue révolutionnaire,* 1797. Voir également *Une expérience rhétorique : l'éloquence de la Révolution,* E. Négrel et J.-P. Sermain, éd., Studies on Voltaire, 2002.

8. *Ibid.*, p. 387.

9. Voir J. Starobinski, *1789, Les Emblèmes de la raison,* Paris, Flammarion, 1979.

10. J. Grieder, *Anglomania in France 1740-1789. Fact, Fiction, and Political Discourse,* Genève-Paris, Droz, 1985.

11. *De l'Abus de la liberté,* 1789, p. 13.

12. Voir M. Ozouf, *L'Homme régénéré. Essais sur la Révolution française,* Paris, Gallimard, 1989.

13. Voir A. Rey, *« Révolution » : histoire d'un mot,* Paris, Gallimard, 1989.

14. Voir J.-D. Bredin, *Siéyès, la clé de la Révolution française,* Paris, Editions de Fallois, 1988 et J. Guilhaumou, *La Langue politique et la Révolution française,* Paris, Méridiens-Klincksieck, 1989.

15. Voir J. Guilhaumou, « Nation en 1789 : Siéyès et Guiraudet », *Langages de la Révolution (1770-1815),* Publications de l'INALF, Paris, Klincksieck, 1995, p. 473.

16. Voir F. Furet et M. Ozouf, dir., *Dictionnaire critique de la Révolution française*, Paris, Flammarion, 1988.

17. Voir P.-N. Chantreau, *Dictionnaire national et anecdotique*, éd. A. Steuckardt, Limoges, Lambert-Lucas, 2009.

18. Voir B. Schlieben-Lange, « La Révolution française », in *Histoire des idées linguistiques*, S. Auroux, dir., tome 3, Liège, Mardaga, 2000, p. 23-34.

19. Voir M. de Certeau, D. Julia, J. Revel, *Une politique de la langue, La Révolution française et les patois*, Paris, Gallimard, 1975.

20. *Ibid.*, p. 303.

21. *Ibid.*, p. 189.

22. *Procès-verbaux du Comité d'instruction publique de la Convention nationale*, éd. M. Guillaume [1872], Genève, Éditions Gounauer, tome I, p. 70-79. Voir également, Brunot, *HLF*, IX, p. 136.

23. Voir Brunot, *HLF*, IX, pp. 13-14.

24. Voir *Une politique de la langue, op. cit.*, pp. 291-299.

25. Un corpus de la région de Marseille a fait l'objet d'une étude détaillée : S. Branca-Rosoff et N. Schneider, *L'Ecriture des peu-lettrés. Une analyse linguistique de l'Ecriture des peu-lettrés pendant la période révolutionnaire*, Paris, INALF, Klincksieck, 1994.

26. *Ibid.*, p. 129.

D'une Révolution l'autre

1. Voir A. Rey, *Littré, l'humaniste et les mots*, Paris, Gallimard, 1970.

2. Cité par P. Albert, « La presse après Thermidor », dans *Histoire littéraire de la France*, IV, Iʳᵉ partie, Paris, Editions sociales, 1972, p. 72.

3. Voir Ferdinand Brunot, *Histoire de la langue française*, t. IX, 1ʳᵉ partie, p. 525-599 ; Sever Pop, *La Dialectologie*, Louvain-Gembloux, 1950, t. I, p. 19 *sq.* ; Marie-Rose Simoni-Aurembou, « La couverture géolinguistique de l'Empire français », *Espaces romans*, Grenoble, 1989, II, pp. 114-139, et « Les noms de l'Enfant prodigue… », *Les Français et leur langue*, dir. Jean-Claude Bouvier, Aix-en-Provence, 1991 ; voir également *Nouvelle histoire de langue française*, dir. Jacques Chaurand, 1999, 8ᵉ partie, p. 556 sq. Les textes manuscrits de l'enquête sont à la BNF (cote NAF 20080) ; une partie en a été publiée par Coquebert de Montbret lui-même, *Mélanges sur les langues, dialectes et patois*, 1831.

4. M. Cohen, *Histoire d'une langue : le français*, Paris, Éditions Hier et Ajourd'hui, 1947, p. 250.

5. G. Gougenheim, *La Langue populaire dans le premier quart du xixᵉ siècle d'après « Le Petit Dictionnaire du peuple »*, Paris, 1929.

6. H. Monnier, *Grandeur et décadence de Joseph Prudhomme*, acte II, 13.

7. Voir A. Rey, *Des amours métisses*, Paris, Denoël, 2007.

8. Amédée Achard, « Le Breton », dans *Les Français peints par eux-mêmes, La Province*, t. II, pp. 7-8.

9. *Ibid.*, p. 81.

10. *Ibid.*, « Le Roussillonnais », p. 93.

11. G. Flaubert, *Par les champs et par les grèves (Voyage en Bretagne)*, Paris, G. Charpentier, 1846, pp. 159-160.

12. *Ibid.*, p. 139.

13. *ibid.*, p. 169.

14. *Ibid.*, p. 146.

15. *Ibid.*, t. II, 102.

16. F. Bernard, « Le Vendéen », *Ibid.*, t. II, p. 309.

17. François Fertiault, « Le Bourguignon », *Ibid.*, pp. 334-335.

18. *Ibid.*, p. 358, note.

19. Exemples : *balange* « baignoire », *gouillat* « ruisseau », *trage* « passage », *seille* « seau », *topette* « petite fiole ». A Besançon, *dépennaillé* « débraillé », *femme de crème* « laitière ». Le puriste antipopulaire Wey se réveille lorsqu'il estime que « malgré ces vices de locutions [*sic*] le bourgeois de la Franche-Comté n'a pas la trivialité de ceux de Paris » (où l'on dit, horreur !, *mon épouse* pour « ma femme »).

20. E. de la Bédollière, « Le Limousin », *Ibid.*, t. II, p. 242 *sqq.*

21. *Ibid.*, pp. 46-47.

22. *Ibid.*, p. 281.

23. Les datations trouvées plus tard fournissent, par exemple, pour *se fendiller* des textes de la Renaissance, pour *hivernage* une réfection du

XVIIe siècle de l'ancien français *ybernage*, pour *illégalité* une attestation au XIVe siècle, pour *inanité* des exemples du XVe et du XVIe siècle (Montaigne), pour *italianisme* des emplois, d'ailleurs attendus, chez Henri Estienne.

24. Nombre de termes médicaux qui apparaissent alors sont les francisations de latinismes employés en anglais, sous la plume du grand médecin Cullen.

25. Notamment par P. Wexler, *La Formation du vocabulaire des chemins de fer en France*, Genève, Droz, 1955.

26. Voir notamment G. Matoré, *Le Vocabulaire et la société sous Louis-Philippe*, Genève, Droz et Lille, Giard, 1951.

27. Déjà connu par les spécialistes dans l'exploitation des mines de houille de Belgique (c'est un mot wallon) depuis la fin du XVIIIe siècle.

28. Ce sont les termes du *Traité de prononciation ou Nouvelle prosodie française* de Sophie Dupuis, 1836.

29. Anecdote rapportée par le *Dictionnaire du langage vicieux*, 1835, p. 383, et retenue par F. Brunot, *op. cit.*, t. VIII, p. 714.

30. Cité par J.-Ph. Saint-Gérand dans *Nouvelle histoire de la langue française, op. cit.*

31. Voir A. Rey, *Littré, l'humaniste et les mots, op. cit.*, pp. 39-47.

32. voir Bernard Colombat, *Corpus représentatif des grammaires*, 1re série, HEL, Paris, PUF, 1979 ; Alain Berrendonner, « Les grammaires du romantisme », in *Romantisme*, Ed. universitaires de Fribourg, 1980 ; André Chervel, *Les Grammaires françaises, 1800-1914*, Paris, INRP, 1982 ; J.-Ph. Saint-Gérand, « Repères bibliographiques pour une histoire de la langue française au XIXe siècle : 1800-1830 », « mis en Toile » (sur Internet) par R. Wooldridge à Toronto, en 1999.

33. Sur le colportage des livres, la première étude d'ensemble est celle de C. Nisard : *Histoire des livres populaires et de la littérature de colportage depuis l'origine de l'imprimerie jusqu'à l'établissement de la commission d'examen des livres de colportage*, 2 vol., 2e édition, 1864. Voir P. Brochon, *Le Livre de colportage en France depuis le XVIe siècle. Sa littérature, ses lecteurs*, 1954, et « La littérature de colportage », dans *Histoire littéraire de la France*, t. IV, II, chap. 73.

34. Le mot est attesté (pour le moment) en 1823.

35. Rose Fortassier, *Les Mondains de la Comédie humaine*, Paris, Klincksieck, 1974, p. 158.

36. Pour la période 1800-1860, on consultera la très riche *Histoire de la chanson française*, t. II, de Claude Duneton (Le Seuil, 1998) et notamment ses études sur Marc-Antoine Désaugiers, Emile Debraux, Charles Gille, Charles Colmance, Pierre-Jean de Béranger, Pierre Dupont, Gustave Nadaud, ou bien l'« Histoire des goguettes » (chap. 14).

37. John Lambert, *Travels through Lower Canada and the United States of North America, in the Years 1806, 1807 and 1808*, Londres, 1814 (2e éd.). Textes cités (en anglais) dans *Le Choc des langues au Québec, 1760-1970*, par Guy Bouthillier et Jean Meynaud, Presses de l'Université du Québec, 1972. Trad. A. Rey.

38. « Bulletin du parler français au Canada », 1904-1905, t. III, et 1905-1906, t. IV.

39. Alexis de Tocqueville, *Œuvres complètes*, t. V, « Voyages en Sicile et aux Etats-Unis », éd. J.-P. Mayer, Gallimard, 1957.

La force de l'usage

1. M. Cohen, *op. cit.*, p. 378.

2. Voir le *Dictionnaire phonétique de la langue française* de Hermann Michaelis et Paul Passy (première édition, 1896), remarquable mais très peu diffusé et utilisé du fait qu'il partait des formes en notation phonétique pour donner la réalisation graphique. Le début d'un *Dictionnaire* (en revue, 1912) et un *Précis de prononciation française* (1903) de l'abbé Rousselot, autre phonéticien de renom, un ouvrage d'Eduard Koschwitz, *Les Parlers parisiens* (Paris-Leipzig, 1896), qui donne place à la variété observable chez des personnalités parisiennes originaires de diverses provinces, n'ont pas eu autant d'écho que le traité de Philippe Martinon (*Comment on prononce le français*, 1913) et celui de Maurice Grammont (*La Prononciation française*, 1914), qui représente « des usages un peu évolués » (Martinet) par rapport à ceux du XIXe siècle. – Voir, pour la période 1880-1914, l'étude d'André Martinet dans *Histoire de la langue française, 1880-1914*, CNRS, 1985, pp. 25-40.

3. Voir, par exemple, la *Grammaire Larousse du français contemporain* (1re éd., 1964).

4. Voir Robert Martin, « Quelques faits de syntaxe », dans *Histoire de la langue française, 1880-1914, op. cit.*

5. Voir Eugen Weber, *La Fin des terroirs. La modernisation de la France rurale, 1870-1914*, Paris, Fayard, 1983.

6. Emile Agnel, *Observations sur la prononciation et le langage rustiques* « *des environs de Paris* », 1855 ; Charles Nisard, *Etude sur le langage populaire, ou patois de Paris et de sa banlieue*, 1872.

7. *Revue des patois gallo-romans*, II, p. 168.

8. E. Weber, *op. cit.*, p. 96.

9. A. van Gennep, *La Décadence et la persistance des patois*, 1911, p. 14.

10. Cité par F. Broudic, « Le breton », dans *Les Langues de France*, *op. cit.*, p. 74.

11. Y. Le Gallo, préface à Louis Elégöet, *Bretagne, une histoire*, CRDP de Bretagne, 1999 (éd. en breton, *Ti-embann ar skolioù brezhonek*).

12. R. H. Hamon, cité *Ibid.*

13. Abbé M.M. Gorse, *Au bas pays de Limosin*, 1896, cité par E. Weber.

14. Une remarquable synthèse sur le lexique de ces domaines, montrant que l'histoire des mots (et surtout des termes) doit partir de l'histoire des sciences et des techniques, et non procéder par listes, est fournie par Henri Cottez (*Histoire de la langue française, 1880-1914, op. cit.*, pp. 99-127).

15. Voir Louis Guilbert, *La Formation du vocabulaire de l'aviation*, Paris, Larousse, 1965.

16. Voir Josette Rey-Debove, « Métropolitain et métro », dans *Cahiers de lexicologie*, n° 5, II, 1965.

17. Voir J. Giraud, *Le Lexique du cinéma des origines à 1930*, Paris, Office du livre du cinéma et CNRS, 1958.

18. Voir Jules Gritti, « Le vocabulaire des sports [...] », dans *Histoire de la langue française, 1880-1914, op. cit.*, p. 175 *sq.*

19. Pléiade, p. 1161.

20. Voir l'étude par Michel Dubois de celui des forçats du bagne de Brest en 1821 (*Le Français dans le monde*, 1961 et 1962).

21. Voir Georges Delesalle, *Dictionnaire argot-français et français-argot*, Paris, 1896.

22. Les histoires dessinées de Christophe parurent d'abord dans la presse enfantine : *Journal de la jeunesse* (1873), puis *Le Petit Français illustré, journal des écoliers et des écolières* (1889 : *La Famille Fenouillard*). La barbe du Sapeur Camember séduisit petits et grands de 1890 à 1896 (et ensuite), les étourderies et les inventions mirobolantes du Savant Cosinus s'accompagnèrent de moquerie à l'égard des vocabulaires savants de 1893 à 1899.

23. Voir Cyril Veken, « Le phonographe et le terrain : la mission Brunot-Bruneau dans les Ardennes en 1912 », dans *Recherches sur le français parlé*, n° 6, 1984, pp. 45-71.

24. Littré intitule un essai : « Pathologie verbale ou Lésions de certains mots dans le cours de l'usage » (dans *Etudes et glanures*). Il est vrai que sa réelle expérience de clinicien (bien qu'il ne fût pas médecin, faute de thèse), sa fameuse traduction d'Hippocrate et ses travaux d'historien de la médecine l'entraînaient naturellement sur ce terrain.

25. Cité par J.-Ph. Saint-Gérand dans *Nouvelle histoire de la langue française, op. cit.*, p. 430.

26. *La Langue française depuis son origine jusqu'à nos jours. Tableau historique de sa formation et de ses progrès*, Paris, Didier, 1866, cité *Ibid.*

27. Cité *Ibid.*

28. Par exemple : en Suisse, Célestin Ayer, la *Grammaire française, ouvrage destiné à servir de base à l'enseignement scientifique de la langue*, Lausanne, 1851 ; Michel Guérard, *Cours complet de langue française*, Paris, 1851 ; les productions de Pierre Larousse, de 1852 à 1868 : *La Lexicologie des écoles, Cours complet de langue française et de style, divisé en trois années.*

29. Le mot a été créé par le sociolinguiste Charles Ferguson à propos du bilinguisme hiérarchique créole-français, en Haïti, qui marque la différence de statut entre langue fixée, écrite, enseignée, à fort statut symbolique, et langue spontanée, orale, transmise par la famille.

30. M. Piron, « Le français en Belgique », dans *Histoire de la langue française, 1880-1914*, dir. G. Antoine et R. Martin, éd. du CNRS, 1985.

31. G. Wissler, *Das Schweizerische Volksfranzösisch*, Berne, 1909.

32. E. Blain de Saint-Aubin, dans la *Revue canadienne*, t. VIII (1871), pp. 91-110, cité dans *Le Choc des langues au Québec*, *op. cit.*

33. Après la condamnation par Rome de *L'Action française* de Charles Maurras, la revue prit le titre de *Revue d'action canadienne*.

34. Paru dans *Le Devoir*, 12 mai, 1914.

35. Chiffres de Ch. R. Ageron, *Les Algériens musulmans et la France (1871-1919)*, Paris, PUF, 1968 (2 vol.).

36. « La langue française dans les colonies », *Revue scientifique*, 26 janvier 1884, cité par A. Lanly, in *Histoire de la langue française, 1880-1914*, *op. cit.*, p. 399.

37. La France donna ce nom, correspondant à une entité politique du centre du Vietnam, à tout le sud du pays, avec pour capitale Saigon.

38. P. Doumer, *Situation de l'Indochine (1897-1901)*, Hanoi-Haiphong, p. 102, cité par A. Lanly, dans *Histoire de la langue française, 1880-1914*, *op. cit.*

Dire la guerre (1914-1919)

1. Voir *Le Choc des langues au Québec*, de O. Bouthillier et J. Meynaud, *op. cit.*

2. Le discours d'Asselin, *Pourquoi je m'enrôle*, le 21 janvier 1916, est largement cité *Ibid.*, pp. 385-389.

3. Je tire ceci d'un souvenir familial. Ma mère, ses sœurs et jeunes frères, âgés de 10 à 16 ans en 1917, ont correspondu jusqu'en 1925 avec un ex-militaire vivant à « Keokuk, Iowa, USA », comme ils le prononçaient correctement et avec un plaisir ludique. Le français était dominant dans ces échanges motivés par le souvenir et par l'existence de jeunes étudiantes des deux pays, désireuses de pratiquer la langue de l'autre.

Autour du français, langue maternelle ou importée

1. Agnès Fine et Jean-Claude Sangoï, *La Population française au XXe siècle*, Paris, PUF, 1998.

2. *Ibid.*, p. 72.

3. Voir dans l'*Histoire de la langue française* les chapitres de Jacques Chaurand sur « L'état des patois » (pour la période 1914-1945), et « Les variétés régionales du français » (pour 1945-2000), et celui de Jean Le Dû sur « La progression du français en France ».

4. Voir la synthèse de M.-R. Simoni-Aurembou dans *Les Langues de France*, dir. B. Cerquiglini, Paris, PUF, 2003.

5. Ainsi le *z* final, qui n'indique que l'accent tonique sur l'avant-dernière syllabe, par opposition au *x* (accent sur la dernière), n'est pas prononcé (la *Clusaz* ; Chamo*nix* – en francoprovençal *Tchamoni*).

6. Citons Max Rouquette, Robert Lafont, ou Pierre Bec, parmi bien d'autres, en ne retenant que des auteurs d'ouvrages sur la langue et la littérature occitanes.

7. Il existe aussi (1999-2000) un « cours de sensibilisation » d'une heure (parfois deux ou trois) pour plus de 50 000 élèves.

8. Voir Arlette Bothorel-Witz et Dominique Huck, « Les dialectes alsaciens », dans *Les Langues de France, op. cit.*, pp. 23-45 ; Lothar Wolf, « Le français en Alsace », dans *Histoire de la langue française, 1945-2000, op. cit.*, pp. 687-700 ; *Les Langues d'Alsace et de Moselle*, René Schickele-Gesellschaft – *Culture et bilinguisme de l'Alsace et de Moselle*, cahier spécial s.d. (après 1992).

9. Le mot germanique signifiait « clair, compréhensible » ; il s'est appliqué à la langue familière, locale.

10. Souvenir personnel. Dans les années 1960, à Petite-Rosselle, à la frontière de la Sarre, les familles d'anciens mineurs retraités parlaient plus volontiers le Platt que le français, qu'ils maîtrisaient mal. Leur langue avait encore pour les personnes âgées un prestige, par rapport au français, dont des femmes disaient en riant que les gens qui le parlaient leur semblaient de petits oiseaux, à dire sans cesse « cui, cui, cui... » ! Leur français était malaisé, hésitant, et fortement marqué par la phonétique du dialecte germanique. Celui-ci leur permettait de converser avec leurs voisins sarrois, ces derniers se sentant aussi allemands qu'eux français, comme j'ai pu l'apprécier un 14 juillet quand les vieux Mosellans chantèrent une *Marseillaise* qui, pour nous, Français de l'intérieur, semblait phonétiquement très germanisée.

11. On consultera les travaux de Marthe Philipp, notamment « Le francique de Moselle » (dans *Les Langues de France, op. cit.*, pp. 45-57), ainsi que *Le Platt. Le francique rhénan du pays de Sarreguemines jusqu'en Alsace : dictionnaire dialectal* (Sarreguemines, 2001).

12. Fañch Broudic, « Le breton », dans *Les Langues de France, op. cit.*, p. 45.

13. Extrapolations d'une enquête portant sur 2 500 personnes, de 15 ans et plus (sondage Broudic-TMO Régions).

14. Enquêtes de l'Institut catalan de l'université de Perpignan (Icress) et d'un cabinet de sondages à la demande du Conseil régional du Languedoc-Roussillon, sur un échantillon de la population des Pyrénées-Orientales.

15. Informations exposées par Joan Becat et Jean Sibille, « Le catalan », dans *Les Langues de France, op. cit.*, p. 79-93.

16. Voir Bernard Oyharçabal, « Le basque », *Ibid.*, p. 59-68.

17. Chiffres donnés par Jacques Fusina, « Le corse », *Ibid.*, p. 105.

18. Selon J.-B. Marcellesi, sociolinguiste reconnu.

19. D. Geronimi et P. Marchetti, *Intricciate è cambiarini*, Nogent-sur-Marne, éd. Beaulieu, 1971.

20. Michèle Tribalat *et al.*, « Chronique de l'immigration », dans *Population*, 1993, 1995, 1996.

21. « Le berbère », dans *Les Langues de France, op. cit.*, p. 223.

22. Chiffres de M. Tribalat, *op. cit.*

23. P. Williams, « La langue tsigane : romani-romanes », dans *Les Langues de France, op. cit.*, p. 247.

24. *Ibid.*, p. 245.

25. Association pour l'étude et la diffusion de la culture yiddish, fondée en 1981 à Paris ; Centre Medem pour le yiddish, enseignant la langue.

26. Ce qui est dit ici sur les langues en Belgique doit l'essentiel de son information aux articles de Jean-Marie Klinkenberg pour les deux volumes de l'*Histoire de la langue française, 1914-1945* et *1945-2000*, souvent cités.

27. Voir Hugo Baetens-Beardsmore, « Le contact des langues à Bruxelles », dans Albert Valdman, dir., *Le Français hors de France*, Paris, Champion, 1979.

28. De ce dernier, *Les Variétés régionales du français. Etudes belges (1945-1977)*, éd. de l'Université de Bruxelles.

29. Dans *Histoire de la langue française, 1914-1945, op. cit.*

30. Voir P. Singy, *L'Image du français en Suisse romande. Une enquête sociolinguistique en pays de Vaud*, Paris, L'Harmattan, 1996 ; et aussi G. Manno, *Le Français non conventionnel en Suisse romande [...]*, Berne, Peter Lang, 1994.

31. On peut lire ce texte dans *Le Choc des langues au Québec*, doc. 53, p. 417 *sq.*

32. A. Rivard, *Etudes sur les parlers de France au Canada*, Québec, J.-P. Garneau éd., 1914, p. 40, cité par Cl. Poirier, *op. cit.*

33. Recueillis par Pierre Pagé, Renée Legris, *Le Comique et l'humour à la radio québécoise (...) 1930-1970*, Montréal, La Presse, 1976.

34. Voir la *Défense et illustration de la langue québecquoyse* de Michèle Lalande (1973).

35. Cela, au début des années 1990. Chiffres donnés par J. Picoche et Ch. Marchello-Nizia dans *Histoire de la langue française*, Paris, Nathan Université, 1994.

36. Citations de Gratien Allaire, *La Francophonie canadienne. Portraits*, Québec, Afi-Cidef-Sudbury, prise de parole, 2001, ouvrage auquel sont empruntées les informations ici commentées.

37. L'une des causes de cette mesure serait le fait que, en 1917-1918, les officiers américains s'étaient aperçus que certaines recrues louisianaises ne comprenaient pas l'anglais.

Le français en partage

1. Voir Albert Valdman, *Le Créole, statut, structure, origine*, Paris, Klincksieck, 1978 ; Robert Chaudenson, *Les Créoles français*, Paris, Nathan, 1979.

2. Voir A. Lanly, *Le Français d'Afrique du Nord. Etude linguistique*, Paris, PUF, 1962 et Ambroise Queffélec, « Le français en Afrique du Nord », dans *Histoire de la langue française, 1914-1945, op. cit.*

3. Un peu moins de 50 % pour les personnes de plus de 15 ans en 1993 (Enquête citée par A. Queffélec, dans *Histoire de la langue française, 1945-2000, op. cit.*, pp. 780-781.)

4. Selim Abou, Choghig Kasparian et Katia Haddad, *Anatomie de la francophonie libanaise*, Aupelf-Uref et Université Saint-Joseph de Beyrouth, 1996. Voir également Nicole Gueunier, « Le français au Liban », dans *Histoire de la langue française, 1945-2000, op. cit.* (pp. 749-763).

5. Voir l'*Inventaire des particularités lexicales du français en Afrique noire* (IFA), coordonné à Dakar par Danielle Racelle, à partir des études de Laurent Duponchel, Suzanne Lafage, Jean-Pierre Caprile, Ambroise Queffélec et d'autres ; ainsi que S. Lafage, « Métaboles et changement lexical du français en contexte africain », dans *Visages du français, variétés lexicales de l'espace francophone*, dir. André Clas et Benoît Ouoba, Paris-Londres, John Libbey Eurotext, 1990.

6. Voir également à Abidjan le *zoglou* ou *zouglou*, parler des rues, et au Cameroun le « camfranglais », qui mêle éléments africains, français et anglais.

7. Selon Yves Montenay, *La Langue française face à la mondialisation*, Paris, Les Belles-Lettres, 2005, p. 187.

8. Voir Christine Pauleau, *Le Français de Nouvelle-Calédonie : contribution à un inventaire des particularités lexicales*, Paris, Edicef-Aupelf, 1995.

Le français change

1. *Mélanges P. Léon*, 1992.

2. Voir, dans une perspective influencée par la nouvelle phonologie, née à Prague avec les linguistes Troubetzkoy et Jakobson, A. Martinet, *La Prononciation du français contemporain*, Paris-Genève, 1945, et « La prononciation du français entre 1880 et 1914 », dans *Histoire de la langue française, op. cit.*, pp. 25-40.

3. Madame Hélène Carrère d'Encausse ayant succédé à une série de messieurs, dont le dernier fut le très actif Maurice Druon, veut être appelée « Madame le secrétaire perpétuel ».

4. Françoise Gadet suggère, dans la *Nouvelle histoire de la langue française*, dirigée par J. Chaurand (p. 609), que le terrible *résoudre* (*nous résolvâmes le problème*) a pu susciter la création de *solutionner*, par ailleurs critiqué, ainsi que l'emploi de locutions verbales plus traitables comme *trouver une solution à…*

5. H. Frei, *La Grammaire des fautes*, Paris-Genève-Leipzig, Paul Geuthner-Kunding-Otto Harrassowitz, 1929, p. 125.

6. André Goosse, « Evolution de la syntaxe », dans *Histoire de la langue française, 1945-2000*, p. 107.

7. Voir notamment Etienne Brunet, *Le Vocabulaire français de 1789 à nos jours*, Genève-Paris ; Slatkine-Champion, 3 vol., 1981 ; pour la méthode, voir Ch. Muller, *Principes et méthodes de la statistique lexicale*, Paris, Hachette, 1977.

8. E. Brunet, « L'évolution du lexique. Approche statistique », dans *Histoire de la langue française, 1914-1945, op. cit.*, pp. 115-117.

9. Voir Claudette Groud et Nicole Serna, *De abdom à zoo. Regards sur la troncation en français contemporain*, Paris, Didier, 1996.

10. Continuant le principe qui avait conduit des universitaires à observer les ajouts, suppressions et modifications du *Petit Larousse* de 1905 à 1960, les auteurs et éditeurs du *Petit Robert* ont utilisé la présence systématique, dans ce dictionnaire, de dates d'apparition connues (dans l'écrit) des formes lexicales et l'indexation de ces dates dans le cédérom de ce dictionnaire pour établir des tranches chronologiques reflétant (toujours avec le filtrage lexicographique, qu'on a voulu plus équilibré et représentatif) l'évolution des vocabulaires. Une sélection a été publiée sous le titre : *Les Années « Petit Robert »*. Par ses choix, elle relève de ce qu'on nomme ici les « évolutions ressenties ».

11. Voir Josette Rey-Debove, chapitre 3 de *Linguistique du signe*, Paris, Armand Colin, 1998.

12. *Contre le massacre de la langue française*, Toulouse-Paris, Didier/Privat, 1930.

13. Henri Frei, *La Grammaire des fautes, op. cit.*

14. *Ibid.*, p. 19.

15. Ce que J. Cellard et moi avons voulu désigner dans ce divertissement lexicologique, le *Dictionnaire du français non conventionnel*.

16. Voir le premier volume du dictionnaire de Robert Giraud, grand argotier, et Pierre Ditalia, *L'Argot de la Série noire* (éd. Joseph K, 1996), consacré à l'« argot des traducteurs ». L'argot français permettait d'en remettre dans l'exotisme verbal : ainsi *Poison Ivy*, nom très convenable d'une plante toxique d'Amérique du Nord, le sumac vénéneux, pris pour titre par Peter Cheyney, devenait *La Môme vert-de-gris*, expression marquée par les surnoms populaires de l'époque.

17. Voir G. Esnault, *Dictionnaire historique des argots français*. Ce dictionnaire, publié chez Larousse, ne satisfaisait pas l'auteur, car il avait été maintenu dans des dimensions insuffisantes et trop censuré de ses obscénités pour représenter l'immense richesse de ses relevés (confidences de Marcel Cohen, qui était un grand ami d'Esnault). Il fut d'ailleurs retiré de la vente et en partie absorbé dans un « Grand Dictionnaire ». *Argot et français populaire*, par Jean-Paul Colin, Jean-Paul Mével, Christian Leclère, Larousse, 2006 (1re édition *Dictionnaire de l'argot*, 1990).

18. Françoise Mandelbaum-Reiner, « Secrets de bouchers et *largonji* actuel des *louchébem* », *Langage et Société*, juin 1991. « Avec l'*argomuche* du *louchébem*, l'*lecmès* i *lomprenkès lapuche* », l'mec, i comprend rien [*lap* vient de *la peau*]. Le passage rapporté mêle vrai louchébem, autres largonjis et formations un peu différentes.

19. J. Monod, « Des jeunes, leur langage et leurs mythes », dans *Les Temps modernes*, n° 242, juillet 1966.

20. Voir J. Rey-Debove, *La Linguistique du signe. Une approche sémiotique du langage*, Paris, Armand Colin, 1998, chapitre 3.

21. Pour la période antérieure à 1939, on dispose notamment de l'ouvrage de Fraser Mackenzie sur *Les Relations de l'Angleterre et de la France d'après le vocabulaire* (Paris, Droz, 1939). Pour une synthèse descriptive jusqu'aux années 1980, du *Dictionnaire des anglicismes* de Josette Rey-Debove et Gilberte Gagnon (Paris, Le Robert, 1990) et de celui – plus philologique, moins socioculturel – de Manfred Höfler (Paris, Larousse, 1982).

22. Guy-Jean Forgues, « Les anglicismes dans *Le Monde* », dans Claude Truchot et Brian Wallis, éd., *Langue française, langue anglaise : contacts et conflits*, Université de Strasbourg, 1986.

23. Pierre Trescases, *Le Franglais, vingt ans après*, Montréal, Guérin, 1982.

24. Maurice Pergnier, *Les Anglicismes, danger ou enrichissement pour la langue française*, Paris, PUF, 1989.

25. Claude Duneton dans *Le Figaro* du 8 février 1996.

26. Jean-Gérard Lapacherie, « Les élites et la langue française : le grand délaissement », dans *Géopolitique de la langue française*, publié dans *Libres. Revue de la pensée française*, mai 2004.

27. Voir Hubert Curien, « La langue française dans les sciences », dans *La Langue française à la croisée des chemins. De nouvelles missions pour l'Alliance française*, Paris-Montréal, L'Harmattan, 1999.

La voix et le geste

1. Dans *Recherches sur le français parlé*, n° 5, p. 291-300.

2. J. Vendryes, *Le Langage*, réédition 1939, Paris, Albin Michel, pp. 325-326.

3. « Ecrit en 1937 », dans *Bâtons, chiffres et lettres*, p. 22.

4. Paul Zumthor, *La Lettre et la Voix. De la « littérature » médiévale*, introduction, « 1. Perspectives », Paris, Le Seuil, 1987, pp. 18-19.

5. Françoise Gadet, *Le Français ordinaire*, Paris, Armand Colin, Masson, 1996 (1re éd. 1989).

6. Voir tout particulièrement les travaux de l'équipe de l'université de Provence, nombre d'entre eux publiés dans la revue *Recherches sur le français parlé*, ainsi que la synthèse de Colette Jeanjean, *Le Français parlé*, Paris, CNRS-Didier Erudition, 1987.

7. Cité par Pierre Larthomas, « La langue du théâtre », dans *Histoire de la langue française, 1914-1945, op. cit.*, p. 509 *sqq.*

8. Au congrès des écrivains soviétiques. Dans les *Cahiers de l'Herne*, « André Malraux », 1982, p. 288 ; cité par Pierre Cahné, « Le roman et la langue », *Ibid.*

9. Paris, Larousse, 1962. Le livre de Sauvageot ne portait pas tant sur les rapports entre l'oral et l'écrit que sur l'observation et la maîtrise des évolutions qu'il observait dans la langue française, incitant à une action, à une sorte d'aménagement linguistique.

10. Nom publicitaire du premier « speaker », de son vrai nom Marcel Laporte, à avoir eu une célébrité nationale.

11. On passe de : « Viandox est le parfait auxiliaire de la parfaite ménagère » (avant 1970) à la phrase nominale (Blanche-Noëlle Grunig, dans *Histoire de la langue française, 1945-2000, op. cit.*).

12. *Ibid.*

13. Voir J. Anis, *Texte et ordinateur : l'écriture réinventée*, De Boeck, 1998, et dirigé, *Internet, communication et langue française*, Hermès Science, 1999.

Francophonies !

1. Auguste Viatte, *La Francophonie*, Paris, Larousse, 1969.

2. *La Francophonie selon la Charte*. Quant à la simplicité, qu'on en juge. Un *Sommet*, instance suprême, réunit tous les deux ans chefs d'Etat et de gouvernement. Un *secrétaire général* élu pour quatre ans (mandat renouvelable) dirige un *Secrétariat général*, sous l'autorité d'un *Conseil permanent de la francophonie*, lui-même placé sous l'autorité d'une *Conférence ministérielle* composée des membres du Sommet que représentent chacun un ministre, soit « ministre de la Francophonie », soit, plus classiquement, ministre des Affaires étrangères. Cette conférence tient les cordons de la bourse commune, appelée *Fonds multilatéral unique*. Toutes ces instances préparent les Sommets, qui décident, les décisions étant appliquées par l'action de l'*Agence intergouvernementale de la francophonie* (ex-ACTT), sous le contrôle du Conseil et de la Conférence, laquelle nomme un *administrateur général*, qui dirige l'Agence et dispose d'un *Secrétariat général*. L'Agence, cheville ouvrière, est sise à Paris ; elle a des bureaux à Bruxelles, Genève et New York. Un seul des articles de la Charte crée une situation simple, c'est le dix-neuvième, qui instaure une seule langue de travail, le français. J'allais oublier : à l'Agence, « opérateur principal » de l'OIF, il convient d'ajouter ces « opérateurs directs » que sont l'*Agence universitaire de la francophonie* (AUF), la chaîne de télévision *TV5*, l'*Université Senghor* d'Alexandrie, l'*Association internationale des maires francophones* (AIMF).

3. De ce sociologue de la modernité, spécialiste de la communication, de la télévision, de la mondialisation, on lira sur notre sujet : « Francophonie et Mondialisation », *Hermès*, n° 40, CNRS éd., *Demain la francophonie*, Flammarion, 2006.

4. De l'énorme bibliographie – déjà ! – que suscitent l'idée et les réalités francophones, retenons : Louis-Jean Calvet, *Le Marché aux langues. Les effets linguistiques de la mondialisation*, Plon, 2002 ; B. Cerquiglini, J.-Cl. Corbeil, J.-M. Klinkenberg, *Les Langues dans l'espace francophone : de la coexistence au partenariat*, L'Harmattan, 2001 ; Xavier Deniau, *La Francophonie*, PUF, 2001 ; Yves Montenay, *La Langue française face à la mondialisation*, Les Belles-Lettres, 2005 ; Michel Tétu, *Qu'est-ce que la francophonie ?*, Hachette, 1997 (l.éd. Paris) ; Jean-Marie Borzeix, *Les Carnets d'un francophone*, Saint-Pourçain-sur-Sioule, éd. Bleu autour, 2006.

5. Un merveilleux cafouillage a précédé le libellé de cet amendement portant sur le premier alinéa de l'article 2 de la Constitution de la Vᵉ République, en 1992. Le texte initial portait : « Le français est la langue de la République », ce qui ne pouvait que heurter les Etats ayant la langue française en partage, et révulsa par exemple le Québec, d'où l'adoption par le Sénat et l'Assemblée nationale de la formule : « La langue de la République est le français. » L'absence de toute référence constitutionnelle à cette langue jouait peut-être le rôle de la dénégation freudienne ; et l'apparition de cette affirmation pourrait marquer le début de l'ère du doute, après les périodes glorieuses de l'évidence et du « cela va sans dire ».

6. Voir Marie-José de Saint-Robert, *La Politique de la langue française*, Paris, PUF, 2000.

7. Mais une « commission générale » de coordination et de filtrage fut créée par décret en 1996, rattachée par la Délégation au ministère de la Culture et contrôlée par l'Académie française, qui harmonise le processus.

8. Des formes normées existent pour *docteur, doctoresse*, pour *médiateur, médiatrice*, mais non pour *professeur*, qui n'est pas dérivé de *professer* (bien que ce verbe existe ; *professeuse* serait analogique) ; on voit comme c'est simple.

9. Selon J.-M. Borzeix, *Les Carnets d'un francophone, op. cit.*, pp. 91-92.

10. Voir D. de Robillard, « La diffusion du français dans les pays non francophones », dans *Histoire de la langue française, 1945-2000, op. cit.*, p. 630 *sq.*

11. L'instauration d'une seconde langue étrangère multipliera ce chiffre par 5, en 2005.

12. Jean-Claude Chevalier, « L'enseignement du français », dans *Histoire de la langue française, 1945-2000, op. cit.*, pp. 607-622.

13. Voir Daniel Coste, *Vingt ans dans l'évolution de la didactique des langues* (1968-1988), Paris, Crédif-Hatier, 1994.

14. A la 60ᵉ Assemblée générale des Nations unies, vingt-trois Etats membres de l'OIF se sont exprimés en français, dix en anglais, le Canada dans ces deux langues. Deux pays n'appartenant pas à l'OIF ont employé le français : l'Italie et l'Algérie (source : Rapport au Parlement sur l'emploi de la langue française, 2006).

XXIᵉ siècle : l'état des lieux

1. Sur la notion générale de « droit au français », du point de vue de la France, voir le *Rapport au Parlement sur l'emploi de la langue française pour 2006*, ministère de la Culture et de la Communication, pp. 15-44 (« Garantir un "droit au français" ») et pp. 56-58 (« Favoriser la cohésion sociale, III, L'intégration linguistique des migrants »).

2. *Diversité culturelle et francophonie dans l'espace francophone et à l'échelle mondiale*, Actes du Haut Conseil de la francophonie, de l'OIF, Paris, 19-20 janvier 2004, pp. 13-15.

3. Mot-valise, de *Weblog*, *log* désignant le journal de bord d'un naviga-
teur.

4. « Bâtir Babel. Comment organiser la diversité des langues en Europe »,
dans *Constructif*, n° 12, décembre 2005, *Défendre la langue française*.

5. Paul Valéry, *Cahiers*, t. III, p. 181-182.

Bibliographie

Généralités

AMBROSE, J., *Bibliographie des études sur le français parlé*, Paris, INALF, 1996.

ARMSTRONG, N., *Social and Stylistic Variation in Spoken French*, Amsterdam, Benjamins, 2001.

AUROUX, S., (dir.), *Histoire des idées linguistiques*, Liège, Mardaga, 1989-2000.

AYRES-BENETT, W., *A History of the French Language through Texts*, London, Routledge, 1996.

BALIBAR, R., *L'Institution du français*, Paris, PUF, 1985.

BEAULIEUX, Ch., *Histoire de l'orthographe française*, Paris, Champion, 1927.

BLANC, A., *La Langue du roi est le français – Essai sur la construction juridique d'un principe d'unicité de langue de l'Etat royal*, Paris, L'Harmattan, 2010.

BOUCHARD, Ch., *La Langue et le Nombril : une histoire sociolinguistique du Québec*, Montréal, Fides, 2002.

BRANCA-ROSOFF, S. (dir.), *L'Institution des langues. Autour de Renée Balibar*, Paris, éditions de la Maison des sciences de l'homme, 2001.

BRAUDEL, F., *L'Identité de la France*, 2 vol., Paris, Arthaud-Flammarion, 1986.

BRUN, A., *Recherches historiques sur l'introduction du français dans les provinces du Midi*, Paris, Champion, 1923.

BRUN, A., *Le Français de Marseille*, Marseille, Bibliothèque de l'Institut de Provence, 1931.

BRUN, A., *Parlers régionaux : France dialectale et unité française*, Paris, Didier, 1946.

BRUNEAU, Ch., *Petite Histoire de la langue française*, Paris, A. Colin, 1966, 2 vol.

BRUNOT, F., *Histoire de la langue française des origines à 1900*, Paris, A. Colin, 1905-1937, 18 vol., rééd. 1966.

BURGUIÈRE, A. et REVEL, J., (dir.), *Histoire de la France. L'Etat et les pouvoirs*, volume dirigé par J. Le Goff, Paris, Seuil, 1989.

CALVET, L.-J., *Linguistique et colonialisme*, Paris, Payot, 2002.

CAPUT, J.-P., *La Langue française, histoire d'une institution*, 2 vol., Paris, Larousse, 1972 et 1975.

CATACH, N. (dir.), *Dictionnaire historique de l'orthographe française*, Paris, Larousse, 1995.

CERQUIGLINI, B., *Le Roman de l'orthographe. Au paradis des mots, avant la faute. 1150-1694*, Paris, Hatier, 1996.

CERQUIGLINI, B., CORBEIL, J.-Cl., KLINKENBERG, J.-M. et PEETERS, B., *Le Français dans tous ses états*, Paris, Flammarion, 2004.

CERTEAU, M. de, JULIA, D., REVEL, J., *Une Politique de la langue. La Révolution française et les patois*, Paris, Gallimard, 1975.

CHARTIER, R., COMPÈRE, M.-M., JULIA, D., *L'Éducation en France du XVIe au XVIIIe siècle*, Paris, Sedes, 1976.

CHARTIER, R., *Lectures et lecteurs dans la France d'Ancien Régime*, Paris, Le Seuil, 1987.

CHARTIER, R., *Culture écrite et société. L'ordre des livres (XIVe-XVIIIe siècles)*, Paris, Albin Michel, 1996.

CHAURAND, J., *Introduction à la dialectologie française*, Paris, Bordas, 1972.

CHAURAND, J., *Histoire de la langue française*, Paris, PUF, « Que sais-je ? », 1969.

CHAURAND, J., *Introduction à l'histoire du vocabulaire français*, Paris, Bordas, 1977.

CHAURAND, J. (dir.), *Nouvelle histoire de la langue française*, Paris, Seuil, 1999.

CHEVALIER, J.-Cl., *Histoire de la grammaire française*, Paris, PUF, « Que sais-je ? », 1994.

COHEN, M., *Histoire d'une langue : le français*, Paris, Messidor, Editions sociales, [1947], 1987.

COHEN, M., *Pour une sociologie du langage*, Paris, Albin Michel (rééd. Maspero, 1956).

DAMOURETTE, J. et PICHON, E., *Essai de grammaire française. Des mots à la pensée*, d'Artrey, Paris, 1927-1950.

DARMESTETER, A., *Cours de grammaire historique de la langue française*, Delagrave, Paris, 1891-1897.

DAUZAT, A., *Histoire de la langue française*, Paris, Payot, 1930.

DAUZAT, A., *Les Patois*, Paris, Delagrave, 1946.

DROIXHE, D., *La Linguistique et l'appel à l'histoire (1600-1800). Rationalisme et révolutions positivistes*, Genève, Droz, 1978.

DROIXHE, D., *Histoire de la langue française (histoire externe, de la Renaissance à nos jours)*, Bruxelles, Presses universitaires, 1978.

ELIAS, N., *La Société de cour*, Paris, Flammarion, 1985.

ERNST, G., *et al.* (dir.), *Romanische Sprachgeschichte : eine internationales Handbuch zur Geschichte der romanischen Sprachen / Histoire linguistique de la Romania : manuel international d'histoire linguistique de la Romania*, 3 vol., Berlin-New York, W. de Gruyter, 2003-2009.

FOGEL, M., *Les Cérémonies de l'information dans la France du XVIe au XVIIIe siècle*, Paris, Fayard, 1989.

FRANCARD, M. (éd.), *Le Français de référence : constructions et appropriations d'un concept. Actes du colloque de Louvain-la-Neuve, 1999*, Louvain-la-Neuve, Peeters, 2001.

FRANÇOIS, A., *Histoire de la langue française cultivée*, Genève, Jullien, 1959.

FUMAROLI, M. (dir.), *Histoire de la rhétorique dans l'Europe moderne. 1450-1950*, Paris, PUF, 1999.

FURET, F. et OZOUF, M., *Lire et écrire. L'alphabétisation des Français de Calvin à Jules Ferry*, Paris, Minuit, 1977.

GARDETTE, P., *Etudes de géographie linguistique*, Paris, Klincksieck, 1983.

GAUTHIER, P. et LAVOIE, T., (éd.), *Français de France et français du Canada*, Lyon, Presses de l'université de Lyon-III, 1995.

GAUVIN, L., *La Fabrique de la langue : de François Rabelais à Réjean Ducharme*, Paris, Le Seuil, 2004.

GILLIÉRON, J. et EDMONT, E., *Atlas linguistique de la France*, Paris, Champion, 1903-1910.

GLESSGEN, M.-D., *Linguistique romane : domaines et méthodes en linguistique française et romane*, Paris, Armand Colin, 2007.

HAGÈGE, C., *Le Français et les siècles*, Paris, O. Jacob, 1987.

HAGÈGE, C., *Le Français, histoire d'un combat*, Paris, Livre de Poche, 1996.

HAVARD, G. et VIDAL, C., *Histoire de l'Amérique française*, Paris, Flammarion, 2003.

HOLTUS, G., METZELTIN, M., SCHMITT, Ch., *Lexikon der Romanistischen Linguistik*, Tübingen, Niemeyer, 1988-2005 [en particulier les t. II/2 et V/1].

HUCHON, M., *Histoire de la langue française*, Paris, Livre de Poche, 2002.

JAKOBSON, R., *Essais de linguistique générale*, trad. de N. Ruwet, éd. de Minuit, Paris, 1963.

LAFONT, R., *De la France*, Paris, Gallimard, 1974.

Langue française, n° 10, mai 1971 (dir. A. Lerond) : « Histoire de la langue ».

Langue française, n° 15, septembre 1972 (dir. J.-C. Chevalier) : « Langage et histoire ».

LAPIERRE, J.-W., *Le Pouvoir politique et les langues*, Paris, PUF, 1988.

LEPAPE, P., *Le Pays de la littérature*, Paris, Le Seuil, 2003.

LEVY, P., *Histoire linguistique d'Alsace et de Lorraine*, 2 vol., Paris, Les Belles Lettres, 1929.

LIVET, Ch.-L., *Histoire de l'Académie française*, 2 vol., Paris, Didier, 1858.

LODGE, A., *Le Français, histoire d'un dialecte devenu langue*, Paris, Fayard, 1997.

LODGE, A., *A Sociolinguistic History of Parisian French*, Cambridge, Cambridge University Press, 2004.

MARCHELLO-NIZIA, Ch., *Le Français en diachronie : douze siècles d'évolution*, Paris, Ophrys « L'essentiel », 1999.

MARTINET, A., *Economie des changements phonétiques. Traité de phonologie diachronique*, A. Francke, Berne, 1955.

MARTINET, A. (dir.), *Le Langage*, Gallimard, Paris, « Encyclopédie de La Pléiade », 1968.

MATORÉ, G., *Histoire des dictionnaires français*, Paris, Larousse, 1968.

MEILLET, A., *Linguistique historique et linguistique générale*, Champion et Klincksieck, Paris, 1921-1936.

MESCHONNIC, H., *De la langue française*, Paris, Hachette, 1997.

MONFRIN, J., « Les parlers en France », in A. François (éd.), *La France et les Français*, Paris, Gallimard, « Encyclopédie de La Pléiade », 1972.

MOUGEON, R. et BENIAK, E., *Les Origines du français québecois*, Québec, Presses de l'Université Laval, 1994.

NADEAU, J.-B. et BARLOW, J., *The Story of French*, New York, St Martins Press, 2006.

NORDMAN, D., *Frontières de France. De l'espace au territoire, XVIᵉ-XIXᵉ siècle*, Paris, Gallimard, 1998.

NORA, P. (dir.), *Les Lieux de mémoire*, 3 vol., Paris, Gallimard, 1992.

NYROP, K., *Grammaire historique de la langue française*, Gyldendal, Copenhague, 1899-1930, réimp. 1967 et suiv.

PERRET, M., *Introduction à l'histoire de la langue française*, Paris, Sedes, 1998.

PEYRE, H., *La Royauté et les langues provinciales*, Paris, Les Presses modernes, 1933.

PICOCHE, J. et MARCHELLO-NIZIA, Ch., *Histoire de la langue française*, Paris, Nathan, 1994.

PLOURDE, M., DUVAL, H., GEORGEAULT, P., *Le Français au Québec : 400 ans d'histoire et de vie*, Montréal, Fides, 2003.

POPE, M.K., *From Latin to Modern French, Manchester*, Manchester University Press, 1952.

POSNER, R., *Linguistic change in French*, Cambridge University Press, 1997.

PRINCIPATO, A., *Breve Storia della lingua francese*, Roma, Carocci, 2000.

QUEMADA, B., *Matériaux pour l'histoire du vocabulaire français*, Paris, Didier, 1972.

RÉZEAU, P. (éd.), *Dictionnaire des régionalismes de France : géographie et histoire d'un patrimoine linguistique*, Bruxelles, Duculot, 2001.

RICKARD, P., *A History of the French Language*, London, Hutchinson, 2ᵉ éd., 1989.

ROBILLARD, D. et BANIAMINO, M., (dir.), *Le Français dans l'espace francophone*, Paris, Champion, 2 vol, 1993.

THOMAS, J.-P., *La Langue volée. Histoire intellectuelle de la formation de la langue française*, Berne, Peter Lang, 1989.

TOGEBY, Kn., *Précis historique de grammaire française*, Copenhague, Akademisk Vorlag, 1974.

TRITTER, J.-L., *Histoire de la langue française*, Paris, Ellipses, 1999.

VALDMAN, A. (éd.), *Le Français hors de France*, Paris, Champion, 1979.

VERMES, G. (éd.), *Vingt-cinq communautés linguistiques de la France*, Paris, L'Harmattan, 1988.

VERMÈS, G. et BOUTET, J., (éd.), *France, pays multilingue*, 2 vol., Paris, L'Harmattan, 1987.

WALTER, H., *Le Français dans tous les sens*, Paris, Laffont, 1988.

WARTBURG, W. von, *Evolution et structure de la langue française*, Berne, Francke, 6ᵉ éd., 1962.

YAGUELLO, M., (dir.), *Le Grand Livre de la langue française*, Paris, Le Seuil, 2003.

ZELDIN, Th., *Les Français*, Paris, Fayard, 1983.

Antiquité et Moyen Age

ASLANOV, C., *Le Français au Levant, jadis et naguère. A la recherche d'une langue perdue*, Paris, Champion, 2006.

ASPERTI, S., *Origini romanze. Lingue, testi antichi, letterature*, Rome, Viella, 2006.

AVALLE, D'A. S., *La Doppia verità : fenomenologia ecdotica e lingua letteraria nel Medioevo romanzo*, Tavarnuzze et Florence, SISMEL et Fondazione Ezio Franceschini, 2002.

BANNIARD, M., *Langages et peuples d'Europe : cristallisation des identités romanes et germaniques (VIIᵉ-XIᵉ siècle)*, Toulouse, Presses de l'Université de Toulouse, 2002.

BANNIARD, M., *Du Latin aux langues romanes*, Paris, Nathan, 1997.

BANNIARD, M., *Viva voce : communication écrite et communication orale du IVᵉ au IXᵉ siècle en Occident latin*, Paris, 1992.

BOURGAIN, P., *Le Latin médiéval*, Turnhout, Brepols, 2005.

BURGESS, G. S., *Contribution à l'étude du vocabulaire précourtois*, Genève, Droz, 1970.

CERQUIGLINI, J., *La Couleur de la mélancolie : la fréquentation des livres au XIVᵉ siècle, 1300-1415*, Paris, Hatier, 1993.

COLETTI, V., *L'Eloquence de la chaire : victoires et défaites du latin entre Moyen Age et Renaissance*, Paris, Le Cerf, 1987.

DUVAL, F., *Le Français médiéval*, Turnhout, Brepols, 2009.

GUINET, L., *Les Emprunts gallo-romans au germanique (du Iᵉʳ à la fin du Vᵉ siècle)*, Paris, Klincksieck, 1982.

HERMAN, J., *Du Latin aux langues romanes : études de linguistique historique*, Tübingen, Niemeyer, 1990.

HERMAN, J. (éd.), *La Transizione dal latino alle lingue romane*, Tübingen, Niemeyer, 1998.

HUGHES, G., *A History of English Words*, Oxford, Blackwell, 2002.

KLEINHENZ, C. et BUSBY, K., *Medieval Multilinguism. The Francophone World and its Neighbours*, éd., Turnhout, Brepols, 2010.

KNECHT, P. et MARZYS, Z., (éd.), *Ecriture, langues communes et normes. Formation spontanée de koinès et standardisation dans la Galloromania et son voisinage*, Genève-Neuchâtel, Droz, 1993.

KRISTOL, A. M. (éd.), *Manières de langage (1396, 1399, 1415)*, Londres, Anglo-Norman Text Society, 1995.

LAMBERT, P.-Y., *La Langue gauloise*, Paris, Errance, 2003.

Lepelley, R., *La Normandie dialectale : petite encyclopédie des langages et mots régionaux de la province de Normandie et des îles anglo-normandes*, Caen, Office universitaire d'études normandes-Université de Caen, 1999.

Lucken, C. et Seguy, M., (éd.), *Grammaires du vulgaire : normes et variations de la langue française* (= *Médiévales* 45), Paris, Presses Universitaires de Vincennes, 2003.

Lusignan, S., *La Langue des rois au Moyen Age : le français en France et en Angleterre*, Paris, PUF, 2004.

Lusignan, S., *Parler vulgairement : les intellectuels et la langue française aux XIIIᵉ et XIVᵉ siècles*, Paris-Montréal, Vrin-Presses de l'Université de Montréal, 1986.

Matoré, G., *Le Vocabulaire et la société médiévale*, Paris, PUF, 1985.

Pfister, M., « L'area galloromanza », in *Lo Spazio letterario del Medioevo : 2. Il medioevo volgare : I La produzione del testo*, Rome, Salerno, 1999, p. 13-96.

Picoche, J., *Etudes de lexicologie et dialectologie*, Paris, 1995, Conseil international de la langue française.

Selig, M., Frank, B., Hartmann, J., *Le Passage à l'écrit des langues romanes*, Tübingen, Niemeyer, 1993.

Short, I., *Manual of Anglo-Norman*, Londres, Anglo-Norman Text Society, 2007.

Sot, M., Boudet, J.-P., Guerreau-Jalabert, A., *Histoire culturelle de la France : Le Moyen Age*, t. I, Paris, Seuil, 1997.

Trénel, J., *L'Ancien Testament et la langue française du Moyen Age (VIIIᵉ-XVᵉ siècle)*, Paris, Le Cerf, 1904 (Genève, Slatkine, reprint 1968).

Van Acker, M., Van Deyck, R., Van Uytfanghe, M., (éd.), *Latin écrit – Roman oral ? De la dichotomisation à la continuité*, Turnhout, Brepols, 2008.

Wright, R. (éd.), *Latin and the Romance Languages in the Early Middle Ages*, Londres, Routledge, 1991.

Wright, R., *Late Latin and early Romance in Spain and early Carolingian France*, Liverpool, F. Cairns, 1982.

Wüest, J., *La Dialectalisation de la Gallo-Romania. Etudes phonologiques*, Berne, Francke, 1979.

Zink, M., *La Prédication en langue romane avant 1300*, Paris, Champion, 1976.

XVIᵉ siècle

Balsamo, J., *Les Rencontres des muses. Italianisme et anti-italianisme dans les lettres françaises de la fin du XVIᵉ siècle*, Genève, Slatkine, 1992.

Boulard, G., « L'ordonnance de Villers-Cotterêts : le temps de la clarté et la stratégie du temps », *Revue historique*, n° 609, janvier-mars 1999.

Brun, A., « En langage maternel françois », *Le Français moderne*, 19, 1951, p. 81-86.

Castor, G. et Cave, T., *Neolatin and the Vernacular in Renaissance France*, Oxford, Clarendon Press, 1984.

CATACH, N., *L'Orthographe française à l'époque de la Renaissance*, Genève, Droz, 1968.

CITTON, Y. et WYSS, A., *Les Doctrines orthographiques du XVIᵉ siècle en France*, Genève, Droz, 1989.

CLÉMENT, L., *Henri Estienne et son œuvre française*, Paris, 1898, Slatkine Reprints, 1967.

COHEN, P., *Courtly French, Learned Latin and Peasant Patois : The Making of a National Language in Early Modern France*. A Dissertation presented to the Faculty of Princeton University, janvier 2001.

COUROUAU, J.-Fr., *Moun lengatge bèl : les choix linguistiques minoritaires en France (1490-1660)*, Genève, Droz, 2008.

DEMAIZIÈRE, C., *La Grammaire française au XVIᵉ siècle : les grammairiens picards*, Paris, Didier, 1983.

DEMONET-LAUNAY, M.-L., *Les Voix du signe. Nature et origine du langage à la Renaissance*, Paris, Champion, 1993.

DUBOIS, Cl.-G., *Celtes et Gaulois au XVIᵉ siècle. Le développement littéraire d'un mythe nationaliste,* Paris, Vrin, 1972.

FARGE, J. K., *Le Parti conservateur au XVIᵉ siècle. Université et Parlement de Paris à l'époque de la Renaissance et de la Réforme*, Paris, Collège de France, 1922.

FIORELLI, P., « Pour l'interprétation de l'ordonnance de Villers-Cotterêts », *Le Français moderne*, 18, 1950, p. 277-288.

GILMONT, J.-F., *La Réforme et le livre*, Paris, Cerf, 1990.

GRAY Fl., *Montaigne bilingue. Le latin des Essais*, Paris, Champion, 1991.

HAUSMANN, J., *Louis Meigret, humaniste et linguiste*, Tübingen, Gunter Narr Verlag, 1980.

HIGMAN, Fr., *La Diffusion de la Réforme en France, 1520-1565*, Paris, Labor et Fides, 1992.

HUCHON, M., *Le Français à la Renaissance*, Paris, PUF, 1988.

JOUANNA, A., *La France du XVIᵉ siècle (1483-1598)*, Paris, PUF, 1996.

LAFONT, R., *Renaissance du Sud. Essai sur la littérature occitane au temps de Henri IV*, Paris, Gallimard, 1970.

LAMBLEY, K. R., *The Teaching and Cultivation of the French Language in England during Tudor and Stuart Times*, Manchester, Manchester University Press, 1920.

LIVET, Ch., *La Grammaire française et les grammairiens du XVIᵉ siècle*, Paris, Didier, 1859.

LONGEON, Cl., *Premiers combats pour la langue française*, Paris, Livre de Poche, 1989.

MEERHOFF, K., *Rhétorique et poétique au XVIᵉ siècle en France. Du Bellay, Ramus et les autres*, Leiden, Brill, 1986.

MILLET, O., *Calvin et la dynamique de la parole. Etude de rhétorique réformée*, Paris, Champion, 1992.

PADLEY, G. A., *Grammatical Theory in Western Europe. The Latin Tradition,* Cambridge University Press, 1976.

PADLEY, G. A., *Grammatical Theory in Western Europe. Trends in Vernacular Grammar I et II,* Cambridge University Press, 1985 et 1988.

RICKARD, P., *La Langue française au XVIe siècle,* Cambridge University Press, 1968.

« Le statut des langues. Approches des langues à la Renaissance », *Histoire Epistémologie Langage,* numéro spécial IV/2, dir. G. Clerico et I. Rosier, 1982.

SOZZI, L., *La Polémique anti-italienne en France au XVIe siècle,* Turin, 1972.

SWIGGERS, P. et VAN HOECKE, W., (éd.), *La Langue française au XVIe siècle,* Louvain, Leuven University Press, 1989.

Traités de poétique et de rhétorique de la Renaissance, éd. F. Goyet, Paris, Livre de Poche, 1990.

TRUDEAU, D., « L'ordonnance de Villers-Cotterêts et la langue française : histoire ou interprétation ? », *Bibliothèque d'humanisme et de Renaissance,* t. XLV, 1983.

WOOLRIDGE, T.R., *Les Débuts de la lexicographie française, Estienne, Nicot et le « Thresor de la langue française »,* University of Toronto Press, 1977.

YATES, F.A., *The French Academies of the Sixteenth Century,* London, Warburg Institute, 1947.

XVIIe siècle

AYRES-BENETT, W., *Vaugelas and the Developpment of the French Language,* The Modern Humanities Research Association, London, 1987.

AYRES-BENETT, W., *Sociolinguistic Variation in Seventeenth Century France,* Cambridge University Press, 2004.

BRAY, R., *La Formation de la doctrine classique* [1927], Paris, Nizet, 1983.

CARON, Ph., « L'écriture de la noblesse vers 1680 », in *Grammaire des fautes et du français non conventionnel,* PENS, 1992.

CHAMBON, J.-P., « L'occitan d'Auvergne au XVIIe siècle », *Revue de linguistique romane,* 54, 1990, p. 377-445.

Ecrire au XVIIe siècle. Une anthologie, présentée par E. Mortgat et E. Méchoulan, Paris, Presses Pocket, 1992.

ERNST, G., *Geschprochenes Französich zu Beginn des 17. Jahrhunderts, Histoire particulière de Louis XIII (1605-1610),* Tübingen, Niemeyer, 1985.

FUMAROLI, M., *L'Age de l'éloquence. Rhétorique et res litteraria de la Renaissance au seuil de l'époque classique,* Genève, Droz, 1980, rééd. Albin Michel, 1994.

FUMAROLI, M., *Trois institutions littéraires,* Paris, Gallimard, 1994.

Gilles Ménage (1613-1692), grammairien et lexicographe. Le rayonnement de son œuvre linguistique, actes du colloque de Lyon (1994), éd. I. Leroy-Turcan et T.R. Woolridge, Lyon, Schielda, Université Jean-Moulin, 1995.

JOUHAUD, Ch., *Mazarinades : la Fronde des mots,* Paris, Aubier-Montaigne, 1985.

LATHUILLIÈRE, R., *La Préciosité. Etude historique et linguistique,* Genève, Droz, 1969.

LODGE, R. A., « Molière's Peasants and the Norms of Spoken French », *Neuphilologische Mitteilungen*, 92, 1991, p. 485-499.

MERLIN, H., *Public et littérature en France au XVIIe siècle*, Paris, Les Belles Lettres, 1994.

MERLIN-KAJMAN, H., *L'Absolutisme dans les Lettres et la théorie des deux corps. Passions et politique*, Paris, Champion, 2000.

MERLIN-KAJMAN, H., *L'Excentricité académique. Littérature, institution, société*, Paris, Les Belles Lettres, 2001.

PELLISSON et D'OLIVET, *Histoire de l'Académie française*, éd. Ch.-L. Livet, Paris, Didier, 1858.

SANCIER-CHATEAU, A., *Une Esthétique nouvelle : Honoré d'Urfé correcteur de « L'Astrée » (1607-1625)*, Genève, Droz, 1995.

XVIIIe siècle et Révolution

BOURGUINAT, E., *Le Siècle du persiflage. 1734-1789*, Paris, PUF, 1998.

BRANCA-ROSOFF, S., « Deux points, ouvrez les guillemets ; notes sur la ponctuation du discours rapporté au XVIIIe siècle », *Le Gré des langues*, n° 5, 1993.

BRANCA-ROSOFF, S. et SCHNEIDER, N., *L'Ecriture des citoyens*, Publications de l'INALF, Klincksieck, 1994.

BUSSE, W., TRABANT, J., (dir.), *Les Idéologues. Sémiotique, théories et politiques linguistiques pendant la Révolution française*, Amsterdam/Philadelphia, John Benjamins Publishing Co., 1986.

CARON, Ph., *Des « Belles-lettres » à la « Littérature ». Une archéologie des signes du savoir profane en langue française (1680-1760)*, Louvain-Paris, Peeters-Bibliothèque de l'Information grammaticale, 1992.

CAUSSAT, P., ADAMSKI, D., CRÉPON, M., *La Langue source de la nation. Messianismes séculiers en Europe centrale et orientale du XVIIIe au XXe siècle*, Liège, Mardaga, 1996.

CELLARD, J., *Ah ! ça ira, ça ira… Ces mots que nous devons à la Révolution*, Balland, 1989.

CHARTIER, R., *Les Origines culturelles de la Révolution française*, Paris, Seuil, 1990.

CHAURAND, J., « Orthographe et morphologie verbale chez les villageois du Soissonnais à la fin du XVIIIe siècle », *Le Français moderne*, décembre 1992.

COHEN, M., *Le Français en 1700 d'après le témoignage de Gile Vaudelin*, Paris, Champion, 1946.

DELOFFRE, Fr., *Une Préciosité nouvelle. Marivaux et le marivaudage*, Les Belles Lettres, 1955.

Dictionnaire des usages socio-politiques (1770-1815), 3 vol., Klincksieck, 1986, 1987, 1988.

FORMIGARI, L., *Signs, Sciences and Politics Philosophies of Language in Europe 1700-1830*, Amsterdam/Philadelphia, John Benjamins, 1993.

FRANÇOIS, A., *La Grammaire du purisme et l'Académie française au xviiie siècle*, Genève, Slatkine Reprints, 1973.

FREY, M., *Les Transformations du vocabulaire français à l'époque de la Révolution*, Paris, PUF, 1925.

FUMAROLI, M., *Quand l'Europe parlait français*, Paris, Editions de Fallois, 2001.

GAZIER, A., *Lettres à Grégoire sur les patois de la France (1790-1794)*, Paris, Durand, 1880.

GOHIN, F., *Les Transformations de la langue française (1740-1789)*, Genève, Slatkine Reprints, 1970 (1re éd. 1903).

GUILHAUMOU, J., *La Langue politique et la Révolution française. De l'événement à la raison linguistique*, Paris, Méridiens-Klincksieck, 1989.

GUILHAUMOU, J., *L'Avènement des porte-parole de la république (1789-1792). Essai de synthèse sur les langages de la Révolution française*, Lille, Presses Universitaires du Septentrion, 1998.

HASSLER, G. et SCHMITT, P., (éd.), *Sprachdiskussion und Beschreibung von Sprachen im 17. und 18. Jahrhundert*, Münster, Nodus Publikationen, 1999.

Langages, langue de la Révolution française, numéro spécial de la revue *Mots*, mars 1988.

Langue et Révolution, numéro spécial de la revue *Linx*, n° 15, 1986.

MOORE, A. P., *The « Genre Poissard » and the French Stage of the Eighteenth century*, New York, Columbia University Press, 1935.

MORMILE, M., *Desfontaines et la crise néologique*, Roma, Bulzoni, 1967.

MORMILE, M., *La Néologie révolutionnaire de Louis-Sébastien Mercier*, Roma, Bulzoni, 1973.

MORMILE, M, *Voltaire linguiste et la question des auteurs classiques*, Roma, Bulzoni, 1982.

MYLNE, V., « Social Realism in the Dialogue of Eighteenth-Century French Fiction », *Studies in Eighteenth Century Culture*, n° 6, 1977, p. 265-284.

PROSCHWITZ, G. von, « Le vocabulaire politique du xviiie siècle avant et après la Révolution. Scission ou continuité ? », *Le Français moderne*, 1966.

RENWICK, J. (éd.), *Language and Rhetoric of the Revolution*, Edinburgh, Edinburgh University Press, 1990.

RENZI, L., *La Politica linguistica delle Rivoluzione francese : studio sulle origini e la natura del giacobinismo linguistico*, Napoli, Liguori, 1981.

RICKARD, P., *The Embarrassments of Irregularity : the French Language in the 18th Century*, Cambridge, Cambridge University Press, 1981.

RICKEN, U., *Grammaire et philosophie au siècle des Lumières*, Lille, PUL, 1978.

SCHLIEBEN-LANGE, Br., *Idéologie, révolution et uniformité du langage*, Liège, Mardaga, 1996.

SEGUIN, J.-P., *La Langue française au xviiie siècle*, Paris, Bordas, 1972.

SEGUIN, J.-P., *L'Invention de la phrase au xviiie siècle*, Peeters, Bibliothèque de l'Information grammaticale, Louvain-Paris, 1993.

xixe et xxe siècles

ALLAIRE, Gr., *La Francophonie canadienne. Portraits*, Québec, AFI-CIDEF, Sudbury, « Prise de parole », 2001.

ALLAIRE, S., *La Subordination dans le français parlé devant les micros de la radiodiffusion*, Paris, Klincksieck, 1973.

ANTOINE, G. et MARTIN, R., (dir.), *Histoire de la langue française, 1980-1914*, Paris, CNRS Editions, 1985.

ANTOINE, G. et MARTIN, R., *Histoire de la langue française, 1914-1945*, Paris, CNRS Editions, 1995.

ANTOINE, G. et CERQUIGLINI, B., *Histoire de la langue française, 1945-2000*, Paris, CNRS Editions, 2000.

ARRIVÉ, M., *Réformer l'orthographe*, Paris, PUF, coll. « Linguistiques nouvelles », 1993.

Atlas linguistiques de la France

ALF = Gilliéron, J. et Edmont, E., *Atlas linguistique de la France*, Paris, Champion, 1902-1910 (1920 cartes).

Atlas linguistiques de la France par régions (NALF), Paris, Ed. du CNRS : *ALB* = Taverdet, G., *Atlas linguistique et ethnographique de Bourgogne*, 1975-1980, 3 vol. *ALBRAM* = Guillaume, G. et Chauveau, J.-P., *Atlas linguistique et ethnographique de la Bretagne romane, de l'Anjou et du Maine*, 1975 –, 2 vol. parus. *ALCB* = Bourcelot, H., *Atlas linguistique et ethnographique de la Champagne et de la Brie*, 1966 –, 3 vol. parus. *ALCe* = Dubuisson, P., *Atlas linguistique et ethnographique du Centre*, 1971-1982, 3 vol. *ALIFO* = Simoni-Aurembou, M.-R., *Atlas linguistique et ethnographique de l'Île-de-France et de l'Orléanais, Perche, Touraine*, 1973 –, 2 vol. parus. *ALN* = *Atlas linguistique et ethnographique normand*, 1980 –, 3 vol. parus. *ALPic* = *Atlas linguistique et ethnographique picard*, 1989 –, 2 vol. parus.

AYER, C., *Grammaire française, ouvrage destiné à servir de base à l'enseignement scientifique de la langue*, Lausanne, Georg, 1851.

BALLY, Ch., *Traité de stylistique française*, t. 1 : *La Langue parlée et l'expression familière*, Paris, Klincksieck, 1905.

BALLY, Ch., *La Crise du français. Notre langue maternelle à l'école*, Neuchâtel, Delachaux et Niestlé, 1930.

BAMBEIGER, M., *La Radio en France et en Europe*, Paris, PUF, « Que sais-je ? », 1997.

BAUCHE, H., *Le Langage populaire*, Paris, Payot, 1920 (2e éd. 1929).

BAUDELOT, C. et ESTABLET, R., *L'Ecole capitaliste en France*, Maspero, Paris, 1971.

BEAULIEUX, C., *L'Orthographe française actuelle, mélange de celle de R. Etienne et de celle de Ronsard*, Bordeaux, Taffard, 1949.

BEAULIEUX, C., *Projet de simplification de l'orthographe actuelle et de la langue par le retour au « bel françois » du XIIᵉ siècle*, Paris, Didier, 1952.

BESLAIS, A., *Rapport général sur les modalités d'une simplification éventuelle de l'orthographe française, élaborée par la Commission ministérielle d'études orthographiques*, Paris, Didier, 1965.

BENGTSSON, S., *La Défense organisée de la langue française*, Uppsala, 1968.

BERGOUNIOUX, G., « La définition de la langue au XIXᵉ siècle », in S. Auroux, S. Delesalle, H. Meschonnic, (éd.), *Histoire et grammaire du sens. Hommage à Jean-Claude Chevalier*, Paris, Armand Colin, 1996, p. 72-85.

BERGOUNIOUX, G., « Sciences et institution : la linguistique et l'Université en France (1865-1869) », *Langue française*, nº 117, 1998, p. 6-24.

BESCHERELLE Frères et LITAIS DE GAUX, *Grammaire nationale ou grammaire de Voltaire, de Racine, de Bossuet, de Fénelon, de J.-J. Rousseau, de Buffon, de Bernardin de Saint-Pierre, de Chateaubriand, de Casimir Delavigne*, Paris, Bourgeois-Maze, 1836.

Bibliographie des Chroniques de langage publiées dans la presse française, I, (1950-1965), Centre d'études du français moderne et contemporain, Didier, Paris, 1970.

BLAMPAIN, D., GOOSSE, A., KLINKENBERG, J.-M., WILMET, M., (dir.), *Le Français en Belgique. Une langue, une communauté*, Louvain-la-Neuve, Duculot, 1997.

BLANCHE-BENVÉNISTE, Cl., *Approches de la langue parlée en français*, Paris, Ophrys, 1997.

BLANCHE-BENVÉNISTE, C. et CHERVEL, A., *L'Orthographe*, Paris, Maspero, 1969.

BLANCHE-BENVÉNISTE, C. et JEANJEAN, C., *Le Français parlé. Transcription et édition*, Paris, Didier-Erudition, 1986.

BONNAFFÉ, E., *L'Anglicisme et l'anglo-américanisme dans la langue française*, Paris, Delagrave, 1920.

BORZEIX, J.-M., *Les Carnets d'un francophone*, Saint-Pourçain-sur-Sioule, éd. Bleu autour, s.d., 2005.

BOURDIEU, P., *Ce que parler veut dire*, Paris, Fayard, 1982.

BOUTHILLIER, G. et MEYNAUD, J., *Le Choc des langues, au Québec, 1760-1970*, Presses de l'Université de Québec, 1972.

BOUVIER, J.-Cl. (dir.), *Les Français et leurs langues*, Aix-en-Provence, Publications de l'Université de Provence, 1991.

BRACHET, A. et DUSSOUCHET, J., *Petite Grammaire française fondée sur l'histoire de la langue*, Paris, Hachette, 1875.

BRUANT, A. et BERGY, L. de, *L'Argot au XXᵉ siècle*, Chez l'auteur, 1901.

BRUN, A., *Parlers régionaux, France dialectale et unité nationale*, Didier, Paris, 1946.

BRUNOT, F., *La Réforme de l'orthographe. Lettre ouverte à M. le ministre de l'Instruction publique*, Paris, Armand Colin, 1905.

BRUNOT, F., *La Pensée et la langue*, Paris, Masson, 1922.

BRUNOT, F., *L'Enseignement de la langue française*, Paris, A. Colin, 1909.

BRUNOT, F., *Observations sur la grammaire de l'Académie française*, Genève, Droz, 1932.

Buben, V., *Influence de l'orthographe sur la prononciation du français moderne*, Bratislava, 1935.

Buisson, F., *Dictionnaire de pédagogie*, Hachette, Paris, 1882.

Buisson, F., *L'Enseignement primaire supérieur et professionnel*, Fischbacher, 1887.

Cajolet-Laganière, H. et Martel, P., *La Qualité de la langue au Québec*, Institut québécois de recherche sur la culture, 1995 (coll. « Diagnostic », 18).

Calvet, J.-L., *Linguistique et colonialisme, petit traité de glottophagie*, Paris, Payot, 1974.

Calvet, J.-L., *Chanson et Société*, Paris, Payot, 1981.

Calvet, J.-L., *La Guerre des langues et les politiques linguistiques*, Paris, Payot, 1987.

Calvet, J.-L., *L'Argot*, Paris, PUF, coll. « Que sais-je ? », 1994.

Carton, F., *Introduction à la phonétique du français*, Paris, Bordas, 1974.

Carton, F., Rossi, M., Autesserre, D., Léon, P., *Les Accents des Français*, Paris, Hachette, 1983.

Le Cas du Québec, Colloque de Liège, 1980, Ottawa, Laméac, 1981.

Catach, N., *L'Orthographe française. Traité théorique et pratique*, Paris, F. Nathan, 1980.

Cellard, J., « Les chroniques de langue », in *La Norme linguistique*, E. Bédard et J. Maurais, (dir.), Québec et Paris, Conseil de la langue française et Le Robert, 1983, p. 651-666.

Cerquiglini, B. (dir.), *Les Langues de France*, Paris, PUF, 2003.

Chasles, Ph., *De la grammaire en France et principalement de la « Grammaire nationale », avec quelques observations philosophiques et littéraires sur le Génie, les Progrès et les Vicissitudes de la langue française*, en introduction à Bescherelle frères, et Litais de Gaux, *Grammaire nationale de 1836*.

Chassang, A., *Nouvelle grammaire française, avec des notions sur l'histoire de la langue et en particulier sur les variations de la syntaxe du XVIe au XIXe siècle*, Paris, Garnier Frères, 1876.

Chaudenson, R., *Des îles, des hommes, des langues*, L'Harmattan, 1992.

Chaudenson, R., *Les Créoles*, Paris, PUF, « Que sais-je ? », 1995.

Chaurand, J. (dir.), *Nouvelle histoire de la langue française*, Paris, Le Seuil 1999. Parties VI, 1790-1902, J.-Ph. Saint-Géraud ; Partie VII, J.-M. Klinkenberg ; Partie VIII, M.-R. Simoni-Aurembou ; Partie IX, Fr. Gadet ; Partie X, E. Brunet.

Chaurand, J., *Les Parlers de la Thiérache et du Laonnois*, Klincksieck, Paris, 1968.

Chaurand, J., *Introduction à la dialectologie française*, Paris, Bordas, 1972.

Chauveau, J.-P., *Evolutions phonétiques en gallo*, Paris, éd. du CNRS, 1989.

Chervel, A., *Histoire de la grammaire scolaire... et il fallut apprendre à écrire à tous les petits Français*, Paris, Payot, 1977.

Chervel, A. et Manesse, D., *La Dictée. Les Français et l'orthographe*, Paris, Calmann-Lévy, 1989.

CHEVALIER, J.-Cl. et DELESALLE, S., *La Linguistique, la grammaire et l'école, 1750-1914*, Paris, Armand Colin, 1986.

CLAS, A. et OUOBA, B., (dir.), *Visages de français, variétés lexicales de l'espace francophone*, John Libbey, 1990.

COHEN, M., *Français élémentaire ? Non*, Paris, Editions sociales, 1955.

COHEN, M., *Histoire d'une langue : le français*, Paris, Editions sociales, 1967.

Comité d'études des Termes techniques français, *Termes techniques français*, Hermann, Paris, 1972.

COQUEBERT DE MONTBRET, E. de, *Mélanges sur les langues, dialectes et patois*, Paris, Bureau de l'Almanach du commerce, 1831.

COSTE, D., *Aspects d'une politique de diffusion du français langue étrangère depuis 1945*, Paris, Hatier, 1984.

CULIOLI, A., « Pourquoi le français parlé est-il si peu étudié ? », *Recherches sur le français parlé*, n° 5, p. 291-300, 1983.

DAMOURETTE, J. et PICHON, E., *Des mots à la pensée. Essai de grammaire de la langue française*, Paris, d'Artrey, 7 vol. et compléments, 1911-1940.

DARMESTETER, A., *De la création actuelle des mots nouveaux dans la langue française*, 1877.

DAUZAT, A., *L'Argot de la guerre*, Paris, Armand Colin, 1919.

DAUZAT, A., *La Langue française d'aujourd'hui*, Paris, Armand Colin, 1908.

DAUZAT, A., *Les Patois*, Paris, Delagrave, 1927 (1943).

DAUZAT, A., *Les Argots*, Paris, Delagrave, 1939.

DAUZAT, A., *Où en sont les études de français. Manuel général de linguistique française moderne*, Paris, d'Artrey, 1935.

DAUZAT, A., *Le Génie de la langue française*, Paris, Librairie Guénégaud, 1943.

DELATTRE, P., *Studies in French and Comparative Phonetics*, La Haye, Mouton, 1966.

DENIAU, X., *La Francophonie*, Paris, PUF, 1983.

DEROY, L., *L'Emprunt linguistique*, Paris, Les Belles Lettres, 1956.

DERRIDA, J., *De la grammatologie*, Paris, éd. de Minuit, 1967.

DESCAMPS-HOCQUET, M., *Bibliographie des argots français*, Paris, Sorbonnargot, 1989.

DESCHANEL, E., *Les Déformations de la langue française*, Paris, Calmann-Lévy, 1898.

DESGRANGES, J., *Petit Dictionnaire du peuple, à l'usage des quatre cinquièmes de la France…*, Paris, Chaumerot, 1821.

DÉSIRAT, Cl. et HORDÉ, Tr., *La Langue française au xxᵉ siècle*, Paris, Bordas, 1976.

DESMET, P., *La Linguistique naturaliste en France (1867-1922). Nature, origine et évolution du langage*, Leuven-Paris, Orbis supplementa, 6, Peeters, 1996.

Diversité culturelle et francophonie, Haut Conseil de la francophonie, 19 et 20 janvier 2004.

DOTOLI, G., *La Langue française et la francophonie*, Fasano, Schema et Paris, Presses de Paris-Sorbonne, 2005.

Dubois, J., *Le Vocabulaire politique et social en France de 1869 à 1872, à travers les œuvres des écrivains, les revues et les journaux*, Paris, Larousse, 1962.

Dubois, J., *Etude sur la dérivation suffixale en français moderne et contemporain*, Paris, Larousse, 1961.

Dubois, J., *Grammaire structurale du français, le nom et le prénom*, I, Paris, Larousse, 1965 (sur la question langue orale, langue écrite).

Dubois, J., Guilbert, L., Mitterand, H., Pignon, J., *Le Mouvement général du vocabulaire français de 1949 à 1960 d'après un dictionnaire d'usage* dans Dubois, J. et Cl., *Introduction à la lexicographie : le dictionnaire*, Paris, Larousse, 1971.

Duneton, Cl., *Parler croquant*, Paris, Stock, 1973.

Duneton, Cl., *Histoire de la chanson française* (t. II : de 1780 à 1860), Paris, Le Seuil, 1998.

Dupuis, S., *Traité de prononciation ou Nouvelle Prosodie française*, Paris, 1835.

Durand, M., *Le Genre grammatical en français parlé à Paris et dans la région parisienne*, Paris, D'Artrey, 1936.

Durand, M., « Quelques observations sur un exemple de parisien rural », *Le Français moderne*, 13, 1945, p. 83-91.

Esnault, G., *Le Poilu tel qu'on le parle*, Paris, Bossard, 1919.

Esnault, G., *Dictionnaire historique des argots*, Paris, Larousse, 1965.

Etiemble, R., *Parlez-vous franglais ?*, Paris, Gallimard, 1964.

Eudel, *L'Argot de Saint-Cyr*, 1893.

Féline, *Dictionnaire de la prononciation de la langue française, indiquée au moyen des caractères phonétiques*, Paris, 1851.

Fine, A. et Sangoï, J.-Cl., *La Population française au XIXᵉ siècle*, Paris, PUF, 1991.

Fonagy, I., Le français change de visage ? », *Revue romane*, 24/2, 1989, p. 225-254.

Fouché, P., *Phonétique historique du français*, Paris, Klincksieck, 1952-1961.

Fouché, P., *Traité de prononciation française*, Paris, Klincksieck, 1956.

François, D., « Les argots », in *Le Langage*, Paris, Gallimard, « Encyclopédie de La Pléiade », 1968.

François, D., *Français parlé. Analyse des unités phoniques et significatives d'un corpus recueilli dans la région parisienne*, Paris, Selaf, 1974, 2 vol.

Francophonie et éducation, Haut Conseil de la francophonie, 16-17 janvier 2006.

Francophonie et Mondialisation, *Hermès*, nᵒ 40, 2004.

Frei, H., *La Grammaire des fautes*, Paris, Geuthner-Genève, Kunding-Leipzig, Harrassowitz, 1929, rééd. Genève, Slatkine, 1971.

Gadet, Fr., *Le Français ordinaire*, Paris, Armand Colin, 1989, nouv. éd. 1997.

Gadet, Fr., *Le Français populaire*, Paris, PUF, coll. « Que sais-je ? », 1992.

Gazier, A., *Lettres à Grégoire sur les patois de France (1790-1794)*, Paris, A. Durand et Pedone-Lauriel, 1880.

GEORGIN, R., *Pour un meilleur français*, Paris, A. Bonne, 1951.

GILLIÉRON et EDMONT. Voir *Atlas linguistique de la France*.

GIRAUD, J., *Lexique français du cinéma des origines à 1930*, Paris, CNRS, 1958.

GIRAULT-DUVIVIER, Ch.-P., *Grammaire des grammaires*, Paris, Porthmann, 1812.

GLATIGNY, M., *Les Marques d'usage dans les dictionnaires français monolingues du XIXᵉ siècle*, Tübingen, Niemeyer, 1998.

GOUGENHEIM, G., MICHÉA, R., RIVENC, P., SAUVAGEOT, A., *L'Elaboration du français élémentaire*, Paris, Didier, 1956.

GOURMONT, R. de, *Esthétique de la langue française*, Paris, Société du Mercure de France, 1899.

GRAMMONT, M., *La Prononciation française. Traité pratique*, Paris, Delagrave, 1914.

GRANDJOUAN, M., *Les Linguicides*, Paris, Didier, 1971.

GRÉARD, O., *La Législation de l'instruction primaire en France depuis 1789 jusqu'à nos jours*, 7 vol., Delamain, 2ᵉ éd., 1900.

GRÉVISSE, M. et GOOSSE, A., *Le Bon Usage*, Paris-Louvain-la-Neuve, Duculot, 1993 (13ᵉ éd.).

GUEUNIER, N., « La crise du français en France », in J. Maurais (dir.), *La Crise des langues*, Québec et Paris, Conseil de la langue française et Le Robert, p. 5-38, 1985.

GUEUNIER, N., « Role of Hypercorrection in French Linguistic Change », in *The Fergusonian Impact*, Berlin et New York, vol. 2, ed. by J. Fishman, *et al.*, 1986, Mouton de Gruyter, p. 121-138.

GUEUNIER, N., GENOUVRIER, E., KHOMSI, A., *Les Français devant la norme*, Paris, Champion, 1978.

GUILBERT, L., *La Formation au vocabulaire de l'aviation*, Paris, Larousse, 1965.

GUILBERT, L., *Vocabulaire de l'astronautique, enquête linguistique à travers la presse d'information à l'occasion de cinq exploits de cosmonautes*, Paris, Larousse, 1967.

GUILLOU, M., *Francophonie-Puissance*, Paris, Ellipse, 2005.

GUIRAUD, P., *Le Français populaire*, Paris, PUF, coll. « Que sais-je ? », 1965.

GUIRAUD, P., *Les Caractères statistiques du vocabulaire*, PUF, 1954.

GUIRAUD, P., *Les Mots étrangers*, Paris, PUF, 1965.

GUIRAUD, P., *Patois et dialectes français*, PUF, « Que sais-je ? », 1968.

GUIRAUD, P., *L'Argot*, PUF, « Que sais-je ? », 1973, 1ʳᵉ éd. 1956.

GUIRAUD, P., *Les Mots savants*, PUF, 1968.

GUIRAUD, P., *Structures étymologiques du lexique français*, Larousse, 1967.

HAGÈGE, Cl., *Le Français et les siècles*, Paris, Odile Jacob, 1987.

HAGÈGE, Cl., *Combat pour le français*, Paris, Odile Jacob, 2006.

HATZFELD, A., DARMESTETER, A., THOMAS, A., *Dictionnaire général de la langue française*, Delagrave (1890-1900), rééd. 1964.

HERMANT, A., *Entretiens sur la grammaire française*, Paris, « Le Livre », 1923.

Histoire littéraire de la France, t. IV (1789-1848), Paris, Editions sociales 1972 ; t. V (1848-1913), *id.* 1977 ; t. VI (1913 à nos jours), id. 1982.

HORLUC, P. et MARINET, G, *Bibliographie de la syntaxe du français (1840-1905)*, Paris, Picard, 1908.

JOURNET, R., PETIT, J., ROBERT, G., *Mots et dictionnaires (1798-1878)*, Annales littéraires de l'Université de Besançon, Paris, diffusion Les Belles Lettres, 11 vol., 1966-1978.

JULLIEN, B., *Cours supérieur de grammaire*, 1re partie : *Grammaire proprement dite*, Paris, Hachette, extrait du *Cours complet d'éducation pour les filles*, 1849.

KESTELOOT, L., *Les Ecrivains noirs de langue française, naissance d'une littérature*, Bruxelles, Institut de sociologie de l'Université Libre, 1963.

KLEIN, J.-R., *Le Vocabulaire des mœurs de la « vie parisienne », sous le Second Empire. Introduction à l'étude du langage boulevardier*, Louvain, Nauwelaerts, 1976.

LANLY, A., *Le Français d'Afrique du Nord*, Paris, PUF, 1962.

LARCHEY, L., *Dictionnaire historique, étymologique et anecdotique de l'argot parisien*, Paris, F. Polo, 1872.

LAROUSSE, P., *La Lexicologie des écoles. Cours complet de langue française et de style, divisé en 3 années* ; 1re année, *Grammaire élémentaire lexicologique*, Paris, Maire-Nyon [1852] ; 2e année, *Grammaire complète syntaxique et littéraire*, Paris, Larousse et Boyer [1868] ; 3e année, *Grammaire supérieure formant le résumé et le complément de toutes les études grammaticales*, Paris, Larousse et Boyer [1868].

LAVEAUX, J. Ch. Thiébault de, *Dictionnaire des difficultés grammaticales et littéraires de la langue française*, Paris, 1816 ; *id.* 2e éd. 1822 et 3e éd. 1846.

LE BIDOIS, R., « Le langage parlé des personnages de Proust », *Le Français moderne* n° 8-3, 1939, p. 199-222.

LE BIDOIS, R., *Les Mots trompeurs*, Paris, Hachette, 1970.

LECHERBONNIER, B., *Pourquoi veulent-ils tuer le français ?*, Paris, Albin Michel, 2005.

LÉON, P., *Essais de phonostylistique*, Paris, Didier, 1971.

LÉON, P., *Phonétisme et prononciation du français […]*, Paris, Nathan, 1992.

LÉON, P., *Précis de phonostylistique. Parole et expressivité*, Paris, Nathan, 1993.

LESAINT, M. et VOGEL, C., *Traité complet de la prononciation française dans la deuxième moitié du xixe siècle*, Gesenius, Halle, 3e éd., 1890.

LITTRÉ, E., *Dictionnaire de la langue française*, Paris, Hachette, 1863-1877 [aucune réédition du xxe siècle n'est recommandable].

LUCCI, V., *Etude phonétique du français contemporain à travers la variation situationnelle*, Grenoble, Publications de l'Université des langues et lettres, 1983.

LUCCI, V., « Prosodie, phonologie et variation en français contemporain », *Langue française*, n° 60, 1983, p. 73-84.

Lucci, V. et Millet, A., *L'Orthographe de tous les jours. Enquête sur les pratiques orthographiques des Français*, Paris, Champion, 1994.

Mackenzie, F. C., *Les Relations de l'Angleterre et de la France d'après le Vocabulaire*, Paris, Champion, 1939.

Makouta-Mboukou, J.-P., *Le Français en Afrique noire*, Bordas, Paris, 1973.

Mallarmé, St., *Œuvres complètes*, Parsi, Gallimard, La Pléiade, 1961.

Martinet, A., *La Prononciation du français contemporain*, Genève-Paris, Droz, 1945.

Martinet, A., *Le Français sans fard*, Paris, PUF, 1969.

Martinet, A. et Walter, H., *Dictionnaire de la prononciation française dans son usage réel*, Paris, France-Expansion, 1973.

Martinon, P., *Comment on prononce le français. Traité complet de prononciation pratique, avec les noms propres et les mots étrangers*, Paris, Larousse, 1913.

Martinon, P., *Comment on parle en français*, Paris, Larousse, 1927.

Matoré, G., *Le Vocabulaire et la société sous Louis-Philippe*, Genève, Droz, et Lille, Giard, 1951.

Matoré, G., *Histoire des dictionnaires français*, Paris, Larousse, 1968.

Mercier, L.-S., *Néologie, ou Vocabulaire de mots nouveaux, à renouveler ou pris dans des acceptions nouvelles*, Paris, Moussard, 1801.

Merlin, P., *Les Banlieues*, Paris, PUF, coll. « Que sais-je ? », 1999.

Mettas, O., *La Prononciation parisienne. Aspects phonétiques d'un sociolecte parisien*, Paris, Selaf, 1979.

Meyer, P., *Sur la simplification de notre orthographe*, Paris, Delagrave, 1905.

Michaelis, H. et Passy, P., *Dictionnaire phonétique de la langue française*, Hanovre-Berlin, C. Meyer, 1897.

Milner, J.-Cl., *L'Amour de la langue*, Paris, Seuil, 1978.

Monfrin, J., « Les parlers en France », in *La France et les français* (Encyclopédie de la Pléiade), Paris, Gallimard, 1972.

Montenay, Y., *La Langue française face à la mondialisation*, Paris, Les Belles Lettres, 2005.

Muller, B., *Le Français d'aujourd'hui*, Paris, Klincksieck, 1985 (trad. fr. Annie Elsass).

Nerlich, B., *Semantic Theories in Europe*, 1830-1930, Amsterdam-Philadelphia, John Benjamins, 1992.

Nicolas, A., *XIXᵉ siècle. Kaléidoscope*, Lille-III, Presses universitaires du Septentrion, 1998.

Nisard, Ch., *Etudes sur le langage populaire ou patois de Paris et de sa banlieue*, Paris, F. Vieweg, 1872.

Nyrop, C., *Manuel phonétique du français parlé*, Copenhague, 1923.

Paris, G., Discours de clôture du congrès fondateur de la Société des parlers de France, *Bulletin de la Société des parlers de France*, Paris, 1885, H. Welter, 1993, nº 1.

Parlez-vous Texto ? (dir. J. Anis) Paris, Le Cherche-Midi, 2001.

Passy, P., « Patois de Sainte-Jamme (Seine-et-Oise) », *Revue des patois gallo-romans*, 4, 1891, p. 7-16.

Passy, P., *Abrégé de prononciation française*, Leipzig, Teubner, 1913.

Passy, P., *Les Sons du français*, Paris, Didier, 1929.

Pénet, M., *Mémoires de la chanson* [jusqu'en 1919], Paris, Omnibus, 1998.

Petit de Julleville, L., *Notions générales sur les origines et sur l'histoire de la langue française*, Paris, Delamain, 1883.

Petit de Julleville, L., *Histoire de la langue et de la littérature française*, t. VII : Dix-neuvième siècle, 1800-1850 ; chap. XVI, La langue française, par F. Brunot ; t. VIII, 1850-1900, chap. XIII, La langue française, par F. Brunot, Paris, Armand Colin, 1899.

Platt, L., *Dictionnaire critique et raisonné du langage vicieux ou réputé vicieux* ; ouvrage pouvant servir de complément au *Dictionnaire des difficultés de la langue française* par Laveaux, Paris, chez Aimé André, Libraire, 1835.

Poirier, Cl., (dir.), *Dictionnaire du français québécois*, Québec, Presses de l'Université Laval, depuis 1985.

Poirier, (dir.), *Langue, espace, société. Les variétés du français en Amérique du Nord*, Presses de l'Université Laval, 1994.

Portebois, Y., *Les Saisons de la langue. Les écrivains et la réforme de l'orthographe de l'Exposition universelle de 1889 à la Première Guerre mondiale*, Paris, Honoré Champion, 1998.

Pottier, B., « La situation linguistique en France », in *Le Langage*, Paris, Gallimard, 1968, Encyclopédie de la Pléiade.

Pottier, B. (éd.), *Les Sciences du langage en France au XXe siècle*, Paris, Peeters, 1992, 2e éd.

Prost, A., *L'Enseignement de la France 1800-1967*, Paris, A. Colin, 1968.

Queneau, R., *Bâtons, chiffres et lettres*, Paris, Gallimard, 1965.

Queneau, R., *Entretiens avec Georges Charbonnier*, Paris, Gallimard, 1962.

Rapport au parlement sur l'emploi de la langue française, Paris, ministère de la Culture, 2006.

Rétif, A., *Pierre Larousse (1817-1875) et son œuvre*, Paris, Larousse, 1975.

Rey, A., *Littré, l'humaniste et les mots*, Paris, NRF-Gallimard, 1970.

Rey, A., « Usages, jugements et prescriptions linguistiques », *Langue française*, n° 16, 1972, p. 4-28.

Rey-Debove, J. et Gagnon, G., *Dictionnaire des anglicismes*, Paris, Le Robert, 1984.

Saint-Gérand, J.-Ph., « Langue, poétique, philologie au XIXe siècle. Du style à la stylistique… Une origine problématique », in *Langues du XIXe siècle*, textes réunis par Gr. Falconer, A. Oliver, D. Speirs, Toronto, Centre d'études romantiques Joseph Sablé, St. Michael's College, p. 7-33.

Saint-Robert, M.-J. de, *La Politique de la langue française*, Paris, PUF, « Que sais-je ? », 2000.

Sandry et Carrère, *Dictionnaire de l'argot moderne*, Paris, Editions du Dauphin, 1951.

Sauvageot, A., *Les Procédés expressifs du français contemporain*, Paris, Klincksieck, 1957.

Sauvageot, A., *Français d'hier ou français de demain ?*, Paris, Nathan, 1978.

SAUVAGEOT, A., *Français écrit, français parlé*, Paris, Larousse, 1962.

SCHLÄPTER, R. (dir.), *La Suisse aux quatre langues*, Genève, Editions Zoé, 1985.

SCHOELL, F., *La Langue française dans le monde*, Paris, d'Artrey, 1936.

SCHOENI, G., BRONCKART, J.-P., PERRENARD, Ph., *La langue française est-elle gouvernable ?*, Neuchâtel-Paris, Delachaux et Niestlé, 1988.

SMITH-THOBODEAUX, J., *Les Francophones de Louisiane*, Paris, Editions Entente, coll. « Minorités », 1977.

STÉBÉ, J.-M., *La Crise des banlieues*, Paris, PUF, coll. « Que sais-je ? », 2002.

STRAKA, G., « La prononciation parisienne, ses divers aspects et ses traits généraux », *Bulletin de la Faculté des lettres de Strasbourg*, 1952, 2ᵉ éd.

STRAKA, G., *Les Sons et les mots. Choix d'études de phonétique et de linguistique*, Paris, Klincksieck, 1979.

STRAKA, G., « Sur la formation de la prononciation française d'aujourd'hui », *Travaux de linguistique et de littérature*, 19/1, 1981, p. 161-248.

THÉRIVE, A., *Le Français, langue morte ?*, Paris, Plon, 1923.

THIÉBAULT DE LAVEAUX, J.-Ch., voir LAVEAUX.

THIMONNIER, R., *Le Système graphique du français*, Paris, Plon, 1967, 2ᵉ éd. 1976.

TUAILLON, G., « Régionalismes grammaticaux », *Recherches sur le français parlé* n° 5, 1983, p. 227-239.

VALDMAN, A., *Le Créole : structure, statut, origine*, Paris, Klincksieck, 1978.

VALDMAN, A. (dir.), *Le Français hors de France*, Paris, Champion, 1979 (chapitres sur le Canada et spécialement le Québec, la Louisiane, la Nouvelle-Angleterre, la Belgique, la Suisse romande, le Val d'Aoste).

VALÉRY, P., *Cahiers*, éd. Judith Robinson, Paris, Gallimard, La Pléiade, 1973.

VENDRYES, J., *Le Langage*, Paris, Albin Michel, 1920.

VEKEN, C., « Le phonographe et le terrain : la mission Brunot-Bruneau dans les Ardennes en 1912 », *Recherches sur le français parlé*, n° 6, 1985, p. 45-71.

VIATTE, A., *La Francophonie*, Paris, Larousse, 1969.

VINAY, J.-P., « Le français en Amérique du Nord », in *Current Trends in Linguistics*, vol. 10 (*Linguistics in North America*), 1973.

WAGNER, R.-L., *Les Vocabulaires français*, t. I : *Définitions*, t. II : *Les Dictionnaires*, Paris, Didier, coll. « Orientations », 1967.

DE WAILLY, N., *Principes généraux et particuliers de la langue française*, Paris, Barbou, 11ᵉ éd., 1807.

WALTER, H., *La Phonologie du français*, Paris, PUF, 1977.

WALTER, H., *Le Français dans tous les sens*, Paris, 1988.

WEBER, E., *La Fin des terroirs ; la modernisation de la France rurale, 1870-1914*, Paris, Fayard, 1983 et 2005.

WEINREICH, U., « Unilinguisme et plurilinguisme », in *Le Langage* (Encyclopédie de la Pléiade), Paris, Gallimard, 1968.

WEXLER, P.J., *La Formation du vocabulaire des chemins de fer en France, 1778-1842*, Genève, Droz, 1955.

WIDLACK, St., *Le Français au Canada. Introduction historico-linguistique. Documents. Textes*, Cracovie, Université Jagellonne, 1990.

WOLTON, D., *Demain la francophonie*, Paris, Flammarion, 2006.

YAGUELLO, M., *Catalogue des idées reçues sur la langue*, Paris, Le Seuil, 1988.

ZUMTHOR, P., *La Lettre et la Voix*, Paris, Le Seuil, 1987.

... ...

Cartes

Divisions dialectales à la fin du XVIIIᵉ siècle

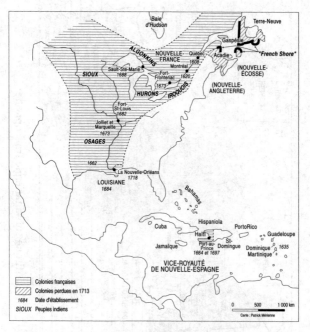

Le français en Amérique en 1763

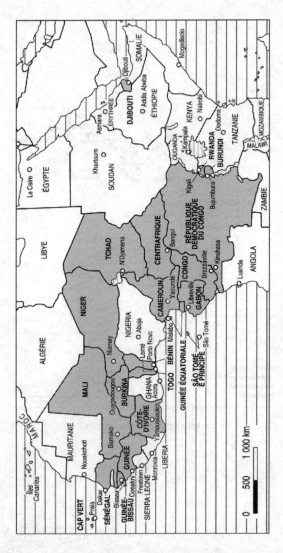

L'Afirque subsaharienne francophone

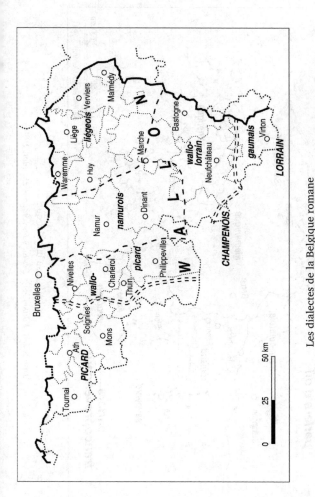

Les dialectes de la Belgique romane

(D'après Louis Remacle, La Différenciation dialectale en Belgique romane avant 1600, Droz, Genève, 1992)

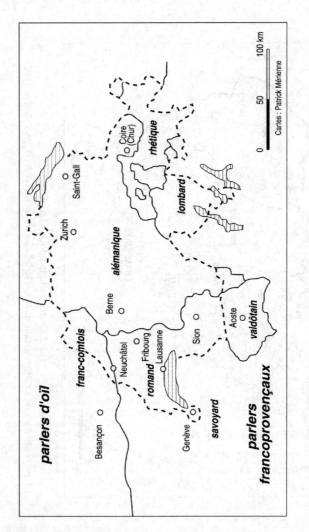

La Suisse linguistique

(*D'après J.M. Klinkenberg, Des langues romanes, Duculot, 1994*)

Index sélectif

Table

Table

collection tempus
Perrin

DÉJÀ PARU

À paraître

Juliette Gréco, une vie en liberté – Bertrand Dicale.
Le grand jeu de dupes – Gabriel Gordetsky.
Des cendres en héritage. L'histoire de la CIA – Tim Weiner.

Composition Nord Compo
Villeneuve-d'Ascq

Impression réalisée par

La Flèche (Sarthe), le 01-03-2011
pour le compte des Éditions Perrin
76, rue Bonaparte
75006 Paris

N° d'édition : 2724 – N° d'impression : 61188
Dépôt légal : mars 2011
Imprimé en France